OLDENBO
GRUNDRISS
GESCHICHTE

OLDENBOURG GRUNDRISS DER GESCHICHTE

HERAUSGEGEBEN
VON
JOCHEN BLEICKEN
LOTHAR GALL
HERMANN JAKOBS

BAND 20

DIE DDR
1945-1990

VON

HERMANN WEBER

2., überarbeitete und erweiterte Auflage

R. OLDENBOURG VERLAG
MÜNCHEN 1993

Die Deutsche Bibliothek – CIP-Einheitsaufnahme

Oldenbourg-Grundriss der Geschichte / hrsg. von Jochen
Bleicken... – München : Oldenbourg.
  Literaturangaben
NE: Bleicken, Jochen [Hrsg.]; Grundriss der Geschichte

Bd. 20. Weber, Hermann: Die DDR 1945–1990. – 2., überarb.
und erw. Aufl. – 1993

Weber, Hermann:
Die DDR 1945–1990 / von Hermann Weber. – 2., überarb. und
erw. Aufl. – München : Oldenbourg, 1993.
  (Oldenbourg-Grundriss der Geschichte ; Bd. 20)
  ISBN 3-486-52362-7

Satz und Druck: MB Verlagsdruck, Schrobenhausen
Bindearbeiten: R. Oldenbourg, Graphische Betriebe GmbH, München

ISBN 3-486-52362-7 brosch.

VORWORT DER HERAUSGEBER

Die Reihe verfolgt mehrere Ziele, unter ihnen auch solche, die von vergleichbaren Unternehmungen in Deutschland bislang nicht angestrebt wurden. Einmal will sie – und dies teilt sie mit manchen anderen Reihen – eine gut lesbare Darstellung des historischen Geschehens liefern, die, von qualifizierten Fachgelehrten geschrieben, gleichzeitig eine Summe des heutigen Forschungsstandes bietet. Die Reihe umfaßt die alte, mittlere und neuere Geschichte und behandelt durchgängig nicht nur die deutsche Geschichte, obwohl sie sinngemäß in manchem Band im Vordergrund steht, schließt vielmehr den europäischen und, in den späteren Bänden, den weltpolitischen Vergleich immer ein. In einer Reihe von Zusatzbänden wird die Geschichte einiger außereuropäischer Länder behandelt. Weitere Zusatzbände erweitern die Geschichte Europas und des Nahen Ostens um Byzanz und die Islamische Welt und die ältere Geschichte, die in der Grundreihe nur die griechisch-römische Zeit umfaßt, um den Alten Orient und die Europäische Bronzezeit. Unsere Reihe hebt sich von anderen jedoch vor allem dadurch ab, daß sie in gesonderten Abschnitten, die in der Regel ein Drittel des Gesamtumfangs ausmachen, den Forschungsstand ausführlich bespricht. Die Herausgeber gingen davon aus, daß dem nacharbeitenden Historiker, insbesondere dem Studenten und Lehrer, ein Hilfsmittel fehlt, das ihn unmittelbar an die Forschungsprobleme heranführt. Diesem Mangel kann in einem zusammenfassenden Werk, das sich an einen breiten Leserkreis wendet, weder durch erläuternde Anmerkungen noch durch eine kommentierende Bibliographie abgeholfen werden, sondern nur durch eine Darstellung und Erörterung der Forschungslage. Es versteht sich, daß dabei – schon um der wünschenswerten Vertiefung willen – jeweils nur die wichtigsten Probleme vorgestellt werden können, weniger bedeutsame Fragen hintangestellt werden müssen. Schließlich erschien es den Herausgebern sinnvoll und erforderlich, dem Leser ein nicht zu knapp bemessenes Literaturverzeichnis an die Hand zu geben, durch das er, von dem Forschungsteil geleitet, tiefer in die Materie eindringen kann.

Mit ihrem Ziel, sowohl Wissen zu vermitteln als auch zu selbständigen Studien und zu eigenen Arbeiten anzuleiten, wendet sich die Reihe in erster Linie an Studenten und Lehrer der Geschichte. Die Autoren der Bände haben sich darüber hinaus bemüht, ihre Darstellung so zu gestalten, daß auch der Nichtfachmann, etwa der Germanist, Jurist oder Wirtschaftswissenschaftler, sie mit Gewinn benutzen kann.

Die Herausgeber beabsichtigen, die Reihe stets auf dem laufenden Forschungsstand zu halten und so die Brauchbarkeit als Arbeitsinstrument über eine längere Zeit zu sichern. Deshalb sollen die einzelnen Bände von ihrem Autor oder einem anderen Fachgelehrten in gewissen Abständen überarbeitet werden. Der Zeitpunkt der Überarbeitung hängt davon ab, in welchem Ausmaß sich die allgemeine Situation der Forschung gewandelt hat.

Jochen Bleicken   Lothar Gall   Hermann Jakobs

INHALT

VORBEMERKUNG

Die Erstauflage dieses Buches (1988 erschienen) wurde 1986 abgeschlossen. Seinerzeit hatte niemand das Ende der SED-Diktatur in der DDR so rasch oder gar die Herstellung der deutschen Einheit schon im Jahre 1990 erwartet. In diesem Band wurden die Strukturdefekte der SED-Diktatur und die daraus resultierende Instabilität des zweiten deutschen Staates thematisiert, allerdings schien wegen der Einbindung in den Ostblock und der Bestandsgarantie der DDR durch die Sowjetunion in absehbarer Zeit ein solch nahes Ende wenig wahrscheinlich. Damals endete diese Arbeit mit der Frage nach Reformchancen der DDR, die Darstellung schloß mit folgenden Passagen:

„Doch der Gegensatz zwischen Bevölkerung und herrschender Elite, hervorgerufen sowohl durch ökonomische Schwächen als auch durch Fehlen von politischer Demokratie, Rechtssicherheit und Meinungsfreiheit verursacht ständige Erschütterungen des Regimes. Unterschiedliche und nicht vorhersehbare Ereignisse in anderen kommunistisch regierten Staaten, die Haltung der Sowjetunion, aber ebenso die des Westens und die Weltlage insgesamt bleiben nicht ohne Auswirkungen auf die DDR. Sie verunsichern die Führung und stören ihre starren Planungen, dynamische Entscheidungen oder Innovationen fallen dem verkrusteten und undemokratischen Regime schwer. Die Folge sind Schwankungen zwischen harter und weicher Politik. Alles spricht dafür, daß sich - wie in der Geschichte und in der Gegenwart - dieser Kreislauf, der vom Spannungsverhältnis zwischen Stabilität und Instabilität gekennzeichnet ist, auch in Zukunft in der DDR fortsetzen wird."

Heute, nur einige Jahre später, zeigt sich, daß die Zukunftschancen viel geringer waren als 1986 vermutet. Die Instabilität des SED-Regimes war - vor dem Hintergrund der Krise des Weltkommunismus und insbesondere der Sowjetunion - so tiefgreifend, daß der Kreislauf schließlich zu einem Kollaps des ganzen Systems führte. Das Ende des Kalten Krieges in Europa ermöglichte dann die deutsche Vereinigung. Am 3. Oktober 1990, 41 Jahre nach ihrer Gründung (7. Oktober 1949) ist die DDR als eigener Staat von der Landkarte verschwunden. Auf deren früherem Territorium gibt es die neuen Bundesländer Brandenburg, Mecklenburg-Vorpommern, Sachsen, Sachsen-Anhalt und Thüringen. Mit den Bundestagswahlen vom 2. Dezember 1990 hat die staatliche Vereinigung ihren Abschluß gefunden. In der deutschen Geschichte bleibt die DDR nur eine historische Episode.

Immerhin existierte die DDR (wird ihre Vorgeschichte ab 1945 einbezogen) mit über 45 Jahren fast genau so lange wie einst das deutsche Kaiserreich (1871 bis 1918), und sie bestand erheblich länger als die 14-jährige Weimarer Republik oder die 12-jährige NS-Diktatur. Die Aufarbeitung der Geschichte der DDR, ihrer über 40-jährigen stalinistischen Diktatur, stellt sich als eine schwierige, aber notwendige Aufgabe.

In dieser Neuauflage kam es zunächst darauf an, bei der Darstellung der DDR die Endphase von 1986 bis 1990 in der gebotenen Kürze nachzuzeichnen. Durch die Öffnung östlicher Archive (siehe dazu den Teil: „Grundprobleme und Tendenzen der Forschung") konnte inzwischen eine Anzahl früherer „Weißer Flecken" getilgt werden. Angesichts der knappen Zeit gibt es - natürlich - noch keine Darstellung, die die ganze DDR-Geschichte anhand des erst jetzt zugänglichen (bisher geheimen) Quellenmaterials schon aufgearbeitet hätte. Daher ist der bisherige Text weitgehend übernommen und nur durch einige neuere Forschungsergebnisse im Detail erweitert worden. Ebenso wurde der Teil II über die Grundprobleme der Forschung überarbeitet. Neben den Verweisen auf die veränderte Quellenlage sowie wichtige Ergebnisse aktueller Untersuchungen werden deshalb nochmals die Forschungsprobleme referiert, die bis zum Ende der DDR existierten. Dies scheint notwendig, um die Rolle der (personell, institutionell und finanziell reich ausgestatteten) „parteilichen" Geschichtsschreibung in der DDR in Erinnerung zu behalten. Sie hatte sich - gestützt auf ihre erheblichen Ressourcen - auch der DDR-Entwicklung zugewendet. Doch gerade dabei zeigte sich, daß die DDR-Geschichtsschreibung in erster Linie einen politischen Auftrag zu erfüllen hatte: sie diente der SED, wurde von ihr instrumentalisiert, um deren Herrschaft eine historische Legitimation zu verschaffen.

Damit stellte sich der zeitgeschichtlichen DDR-Forschung in der Bundesrepublik die Aufgabe, in einer Art „Stellvertreterfunktion" die Geschichte der DDR aufzuarbeiten, diese kritisch zu durchleuchten. Auch die vorliegende Arbeit diente diesem Zweck.

Inzwischen gibt es eine Flut von Veröffentlichungen über das Ende der DDR, ebenso auch über bisher weniger bearbeitete Felder, z. B. Beschreibungen der Rolle des Ministeriums für Staatssicherheit. Die wichtigsten Arbeiten wurden im Teil III, Quellen und Literatur, aufgeführt (darunter ein neuer Abschnitt: Zusammenbruch der DDR und Aufarbeitung ihrer Geschichte). Die Zahl der Titel in der Bibliographie stieg von 1227 auf nunmehr 2080. Ergänzt worden ist selbstverständlich auch der Anhang. Bei der Überarbeitung des Teils „Quellen und Literatur" halfen die Mitarbeiter meines Lehrstuhls Ulrich Mählert und Hubert Faustmann, beim Personen- und Sachregister Ute Renner und Robert Grünbaum, denen ich dafür zu danken habe.

Mannheim, im Mai 1993   Hermann Weber

I. Darstellung

A. VORGESCHICHTE DER DDR 1945–1949

1. AUFBAU EINES NEUEN POLITISCHEN SYSTEMS

Die am 7. Oktober 1949 gegründete und 40 Jahre später untergegangene DDR schien über Jahrzehnte hinweg ein Bild der Kontinuität zu bieten: Die Herrschaft der Staatspartei SED, ihre Abhängigkeit von der Sowjetunion und die Einbindung in den Ostblock, permanente Schwierigkeiten in der Wirtschaft oder die Reglementierung der Medien wie der Kultur waren unverändert die Kennzeichen des zweiten deutschen Staates. Doch bei näherer Betrachtung zeigt sich, daß die DDR – insbesondere unter Einbeziehung ihrer Vorgeschichte seit 1945 – in ihrer vierzigjährigen Entwicklung durchaus Wandlungen aufwies, ja sogar Brüche festzustellen sind. Die Veränderung des Parteiensystems zwischen 1945 und 1950, die Umformung der SED selbst, die Anpassung an den Stalinismus, der ständige Wechsel der Methoden in der politischen Praxis zwischen „hartem" und „weichem" Kurs – all dies belegt neben der Kontinuität auch Wandlungen der DDR. Insgesamt ist ein Prozeß von einem total von der Besatzung abhängigen Regime zum Juniorpartner der Sowjetunion, vom administrativ-diktatorisch stalinistischen System zur „sozialistischen" Leistungs- und Konsumgesellschaft zu konstatieren, wobei die stalinistischen Grundstrukturen bis zuletzt existierten.

Dabei ist zum Hauptproblem der Entwicklungsbedingungen der DDR zweierlei festzuhalten. Erstens: Die DDR war nur ein Teilstaat, dessen Bevölkerung zudem auf den größeren Teilstaat, die Bundesrepublik, fixiert blieb. Zweitens: Auf die DDR, ein sozioökonomisch hochentwickeltes Gebiet, wurden Herrschafts- und Gesellschaftsformen übertragen, die aus der Rückständigkeit Rußlands erwuchsen, nämlich die des Stalinismus. Hierin lagen die Ursachen vielfältiger Widersprüche und Konflikte sowie Bedingungen des Zusammenbruchs.

Trotz vieler Schwierigkeiten war es der DDR-Führung im Vergleich zu anderen kommunistisch regierten Staaten gelungen, bei straffer Machtkonzentration – einer politischen Diktatur mit strikter Befehlsgewalt und Kontrolle von oben nach unten – ein relativ erfolgreiches Wirtschaftssystems zu etablieren. Dieses wesentliche Ergebnis der DDR-Geschichte brachte bis in die siebziger Jahre eine

Kontinuität und Wandel

Teilstaat

gewisse Stabilität der Gesamtgesellschaft, jedoch keineswegs ein konfliktfreies Regime.

Nachdem die schlimmsten Kriegsfolgen überwunden waren, konnte die DDR, aufbauend auf die Tradition eines hohen Standards der Technik, eine Industriegesellschaft errichten. Die gleichzeitige Übertragung von Leitungs- und Herrschaftsmethoden der UdSSR provozierte einen ständigen Widerspruch, der sich noch verschärfte, weil diese Praktiken gegen den Willen der Mehrheit der Bevölkerung von einer Besatzungsmacht erzwungen wurden. Die Voraussetzungen dafür waren durch die besondere Konstellation im Nachkriegsdeutschland 1945 gegeben.

Ziele der UdSSR   Der Sieg der Alliierten beendete das NS-Terrorregime, führte aber auch zur Spaltung Deutschlands. Mit seinem Selbstmord vom 30. April 1945 entzog sich Hitler der Verantwortung für den Krieg, mit dem der Nationalsozialismus die Welt und auch Deutschland in eine Katastrophe gestürzt hatte. Das deutsche Volk mußte 6 Millionen Tote beklagen, Millionen Deutsche verloren als Flüchtlinge, Evakuierte oder Ausgebombte ihre Heimat, ein Drittel des Volksvermögens war vernichtet. Damit stellte sich bei Kriegsende der deutschen Bevölkerung, aber auch den Besatzungsorganen, der Wiederaufbau als dringendste Aufgabe.

Die Sieger verfolgten freilich weitergehende Ziele. Die Sowjetunion wollte gemeinsam mit den Westalliierten den Nationalsozialismus sowie Deutschlands Militärmacht und Rüstungsindustrie zerschlagen. Darüber hinaus beanspruchte die UdSSR, die im Krieg die größten Zerstörungen erlitten hatte, auch möglichst umfangreiche Reparationen.

Während des Krieges hatte die Sowjetunion ihre Deutschlandpolitik mehrfach modifiziert. Bei den Konferenzen mit den USA und Großbritannien in Teheran (November 1943) und Jalta (Februar 1945) schwankte Stalin zwischen Teilungsplänen und harten Friedensbedingungen für ein einheitliches Deutschland. Ein „Fernziel" bestand 1945 für die UdSSR darin, in Deutschland ihr eigenes System zu installieren, nur so könnten „Faschismus und Militarismus" – nach ihrer Ideologie ja Folgen des Kapitalismus – endgültig ausgerottet werden.

Doch 1945 erforderten die aktuellen Interessen der Sowjetunion eine andere Politik. Die UdSSR wollte ihren Machtbereich erweitern und ihr internationales Gewicht verstärken. Nach den schweren Kriegsverlusten benötigte sie Ruhe für den Wiederaufbau, und dazu brauchte sie dringend Reparationen. Deshalb war sie bestrebt, jeden Anschein einer „kommunistischen" Entwicklung oder einer Übertragung des Sowjetsystems in Osteuropa und erst recht im gemeinsam mit den Westalliierten besetzten Deutschland zu vermeiden.

Weil sich die Sowjetunion Reparationen vor allem aus dem Westen Deutschlands, insbesondere dem Ruhrgebiet, erhoffte, mußte sie eine gesamtdeutsche Regelung favorisieren. Daher trat die Moskauer Führung nach der deutschen Kapitulation vom 8. Mai 1945 nachdrücklich für eine gesamtdeutsche Lösung ein. Zugleich leitete sie jedoch mit der „antifaschistisch-demokratischen Umwälzung" in ihrer eigenen Besatzungszone Strukturreformen ein, die Grundlage für ein kommunistisches Herrschafts- und Gesellschaftssystems sein konnten, sei es nun für eine gesamtdeutsche Perspektive oder für eine „kleine", auf die SBZ begrenzte Variante.

Bis Anfang Juni 1945 bestimmten die jeweiligen Besatzungsmächte allein in den von ihnen eroberten deutschen Gebieten. Am 5. Juni, also kaum einen Monat nach der deutschen Kapitulation, übernahmen die Alliierten mit ihrer „Juni-Deklaration" die „oberste Regierungsgewalt in Deutschland". Als höchstes Machtorgan für ganz Deutschland konstituierte sich der Alliierte Kontrollrat aus den Oberkommandierenden der Besatzungstruppen. Neben dem Kontrollrat in Berlin besaßen jedoch die einzelnen Befehlshaber in ihren Zonen die Entscheidungshoheit, sie konnten dort eigenständige Befehle und Gesetze erlassen. Auf dieser Grundlage vollzog sich die unterschiedliche Entwicklung zwischen der Sowjetischen Besatzungszone und den drei Westzonen.

Juni-Deklaration

Die sowjetische Besatzungsmacht hatte sofort wichtige Maßnahmen getroffen. Bereits vor der Kapitulation waren drei Gruppen emigrierter deutscher Kommunisten aus der Sowjetunion nach Berlin, nach Sachsen und Mecklenburg-Pommern eingeflogen worden. Unter Führung von Walter Ulbricht, Anton Ackermann und Gustav Sobottka sollten sie die Sowjetarmee beim Neuaufbau unterstützen. Als erstes galt es, neue Verwaltungen – zunächst auf lokaler Ebene – zu errichten. In Berlin wurden noch vor dem Einzug der USA und Großbritanniens (Anfang Juli 1945) bzw. Frankreichs (12. August) in ihre Sektoren vollendete Tatsachen geschaffen. Nach intensiven Vorbereitungen durch die „Gruppe Ulbricht" setzte der sowjetische Stadtkommandant Bersarin schon am 14. Mai 1945 einen Magistrat für Groß-Berlin unter dem parteilosen Oberbürgermeister Dr. Werner ein. Von dessen 16 Mitgliedern bekamen die 8 Kommunisten Schlüsselstellungen übertragen. Ähnlich verfuhr die sowjetische Besatzung auch in anderen Städten. Erstmals erhielten Kommunisten in Deutschland führende Verwaltungspositionen, und das, noch bevor ihre Partei offiziell zugelassen war.

„Gruppe Ulbricht"

Wenige Tage nachdem die Oberbefehlshaber der alliierten Truppen im Auftrag ihrer Regierungen in Deutschland die „oberste Gewalt" übernommen hatten, wurde am 9. Juni 1945 die „Sowjetische Militäradministration in Deutschland" (SMAD) geschaffen. Oberster Chef wurde Marschall G. K. Shukow, ihm folgte im April 1946 Marschall W. D. Sokolowskij (Ende März 1949 dann Armeegeneral W. I. Tschuikow). Da die Besatzung tatsächlich die alleinige Macht ausübte, kam der SMAD für die Entwicklung der Sowjetischen Besatzungszone (SBZ) eine maßgebliche Bedeutung zu. Sie setzte die Interessen der UdSSR durch, zunächst vorrangig die Sicherstellung der Reparationen, sie dirigierte den Neuaufbau der Wirtschaft, der Verwaltung, aber auch der Kultur und der Politik. Gestützt auf die SMAD gelang es der Sowjetunion Stalins in der SBZ – natürlich entsprechend den Möglichkeiten und unter Berücksichtigung der Politik der Alliierten – ihre Vorstellungen zu realisieren. Die in Berlin-Karlshorst residierende SMAD hatte als oberste Instanz bis zu ihrer Auflösung im Oktober 1949 die ökonomische, soziale, politische und kulturpolitische Umwandlung der SBZ vollzogen und damit wichtige Voraussetzungen für die spätere Eingliederung der DDR in den Ostblock geschaffen.

SMAD

„Befehl Nr. 2"   Bereits einen Tag nach ihrer Konstituierung erlaubte die SMAD am 10. Juni 1945 mit ihrem „Befehl Nr. 2" die Bildung von Parteien. Freilich durften diese nur „unter der Kontrolle der SMAD" tätig sein und „entsprechend den von ihr gegebenen Instruktionen" arbeiten. „Befehl Nr. 2" legte die Parteien auf die Begriffe „antifaschistisch" sowie „Demokratie" und „bürgerliche Freiheiten" fest. Mit solchen Vorbehalten wie Zugeständnissen ermöglichte die SMAD ein pluralistisches Parteiensystem. Davon waren sowohl die westlichen Alliierten als auch die deutschen Politiker überrascht. Jedoch blieben Termini wie „Demokratie" im Sinne der sowjetischen Ideologie interpretierbar, und die SMAD besaß die Macht, in ihrem Besatzungsgebiet den Pluralismus jederzeit wieder zu beseitigen. Tatsächlich war die Kontrolle der Parteien auf allen Ebenen gesichert, denn die Organisationen mußten sich – auch das schrieb der „Befehl Nr. 2" vor – bei den Besatzungsbehörden registrieren lassen, und sie hatten ihre Vorstandsmitglieder bekanntzumachen. Der Spielraum der Parteien war zwar eingeengt, doch die Juni-Deklaration legitimierte die Maßnahmen der SMAD. Schließlich machten dann auch die westlichen Alliierten den Parteien ähnlich Auflagen, als sie diese (im August 1945 in der amerikanischen, im September in der britischen und Ende 1945 in der französischen Besatzungszone) genehmigten. Während die Parteien im Westen zunächst nur auf regionaler Ebene zugelassen wurden, gestattete der „Befehl Nr. 2" die Tätigkeit der Parteien für Berlin und die ganze SBZ. Offenbar erhoffte die SMAD, daß die Zulassung von Parteien in Berlin, der alten Reichshauptstadt, als Signal auf alle Besatzungszonen wirken und mit dem von ihr gebilligten Parteiensystem ein Modell für ganz Deutschland geschaffen werde.

Gründung   Als erste Partei im Nachkriegsdeutschland konstituierte sich die KPD. Die Kommunisten, die unter dem Hitler-Terror die meisten Opfer zu beklagen hatten, verpflichteten sich in einem Aufruf ihres Zentralkomitees vom 11. Juni 1945, die Folgen des Nationalsozialismus zu beseitigen und jede Wiederkehr einer faschistischen Diktatur zu verhindern. Dabei vollzog das ZK bemerkenswerte programmatische Änderungen. Ausdrücklich verwarf die Partei ihre Forderung aus der Zeit der Weimarer Republik nach einem „Sowjet-Deutschland". Sie erklärte, der Weg, Deutschland das „Sowjet-Regime aufzuzwingen", wäre „falsch", denn er entspräche nicht den „gegenwärtigen Entwicklungsbedingungen in Deutschland". Dies bedeutete zwar keine grundsätzliche und klare Absage an das Ziel einer „Sowjetrepublik", doch wollte die KPD nunmehr die bürgerliche Revolution von 1848 zu Ende führen. Sie trat – im Gegensatz zu ihren traditionellen Vorstellungen – 1945 für die „Aufrichtung eines antifaschistischen demokratischen Regimes, einer parlamentarisch-demokratischen Republik mit allen Rechten und Freiheiten für das Volk" ein. In ihren aktuellen Forderungen bestand die KPD auf einer Säuberung vom Nationalsozialismus, auf dem Aufbau demokratischer Verwaltungen sowie der Zusammenarbeit aller antifaschistischen Parteien. Auf wirtschaftlichem Gebiet verlangte sie sogar die „Entfaltung des freien Handels und der privaten Unternehmerinitiative auf der Grundlage des Privateigentums". Diese radikale Abkehr von früheren Konzeptionen war bereits von der Emigrations-Führung der Partei eingeleitet worden, daneben blieb die KPD allerdings bei ihrem Bekenntnis zur Sowjetunion Stalins und zum Marxismus-Leninismus.

Die zweite von der SMAD zugelassene Partei war die SPD. In Berlin bildete sich ein Zentral-Ausschuß (ZA), der in seinem Aufruf vom 15. Juni 1945 erklärte, die SPD trete ein für „Demokratie in Staat und Gemeinde, Sozialismus in Wirtschaft und Gesellschaft". Der ZA, der sich an den radikalen Thesen des sozialdemokratischen „Prager Manifests" von 1934 orientierte, kritisierte die Haltung der SPD in der Weimarer Republik und betonte den „marxistischen" Charakter der neu aufzubauenden Partei. Vor allem aber zielte der ZA auf die „organisatorische Einheit der deutschen Arbeiterbewegung", mit anderen Worten auf den Zusammenschluß mit den deutschen Kommunisten. Diese lehnten indes im Juni 1945 die Vereinigung ab, für sie galt es offensichtlich erst einmal, günstigere Voraussetzungen für ihre Politik zu schaffen. Die KPD-Führung hoffte, mit Hilfe der SMAD die Hegemonie im Parteiensystem erringen zu können. Gründung
der SPD

Der ZA der SPD ließ sich von der KPD-Führung auf die Linie der „Aktionseinheit" abdrängen. Bereits am 19. Juni 1945 entstand aus je 5 Vertretern beider Parteiführungen ein „gemeinsamer Arbeitsausschuß", der es der KPD ermöglichte, aus ihrer früheren Außenseiterposition herauszukommen. Aktionseinheit

Am 26. Juni 1945 trat die Christlich-Demokratische Union (CDU) mit ihrem Gründungsaufruf als dritte Partei an die Öffentlichkeit. Dem Gründerkreis gehörten Persönlichkeiten aus dem ehemaligen katholischen Zentrum, aus dem protestantisch-konservativen Lager und aus der früheren Deutschen Demokratischen Partei an. Die CDU bekannte sich zu christlicher, demokratischer und sozialer Politik, ihre Forderungen waren durchaus interpretationsfähig. Diese Partei, die sich als neue Sammlungsbewegung verstand, war zunächst für die SMAD nicht klar einzuschätzen. Die Besatzungsmacht hatte angenommen, daß die (in der überwiegend evangelischen SBZ kaum massenwirksame) katholische Zentrums-Partei wieder entstehen würde. Die Gründung der CDU machte einen Strich durch diese Kalkulation. Um eine einheitliche „bürgerliche" Partei zu verhindern, unterstützte die SMAD sofort die Bildung einer weiteren Partei. CDU-Gründung

Als vierte Partei konnte sich nun die Liberal-Demokratische Partei (LDP) am 5. Juli 1945 in Berlin konstituieren. Während sich die CDU für die Verstaatlichung der Bodenschätze und der Schlüsselindustrie ausgesprochen hatte, verlangte die LDP die Erhaltung des Privateigentums sowie der freien Wirtschaft und ausdrücklich auch des unabhängigen Berufsbeamtentums und einer unabhängigen Justiz. Bildung der LDP

Die von der SMAD genehmigten vier Parteien schlossen sich am 14. Juli 1945 zur „Einheitsfront der antifaschistisch-demokratischen Parteien", dem sogenannten Antifa-Block zusammen. In einem Ausschuß, der sich aus den Parteiführern zusammensetzte, sollte eine gemeinsame Politik erreicht werden. Säuberung Deutschlands von der NS-Ideologie, wirtschaftlicher Wiederaufbau, Herstellung eines demokratischen Rechtsstaates, Geistesfreiheit sowie Bereitschaft zur Durchführung der Maßnahmen der Besatzungsbehörden und Anerkennung der Pflicht zur Wiedergutma- „Block der Parteien" chung waren Kompromißformeln, auf die sich die Parteien trotz verschiedener Konzeptionen einigten.

Der Kampf gegen die Überreste des NS-Regimes und der Wiederaufbau Deutschlands hatten für alle Parteien Priorität, auch sollten die Fehler und Schwächen der Weimarer Republik vermieden werden. Daher bestand ein gemeinsamer antifaschistischer und demokratischer Grundkonsens. Beschlüsse konnte der gemeinsame Block-Ausschuß nur einstimmig fassen, damit wurde eine Koalitionsbildung ohne oder gar gegen die KPD verhindert, freilich besaßen so auch die „bürgerlichen" Parteien ein Veto-Recht.

Die politische, programmatische und organisatorische Selbständigkeit der Parteien schien im Rahmen der Besatzungspolitik ebenso gesichert wie ihre personelle Präsenz in den Institutionen. Da die Kommunisten jedoch den Begriff „Antifaschismus" bald instrumentalisierten, um politische Gegner auszuschalten, entwickelte sich die Praxis anders. Mit dem Kalten Krieg schließlich zerbrach dann der Konsens der Hitler-Gegner in Deutschland.

Freier Deutscher Gewerkschaftsbund Gleichzeitig mit den Parteien ließ die SMAD auch die ersten „Massenorganisationen" zu. Schon am 15. Juni 1945 konstituierte sich in Berlin ein Vorbereitender Gewerkschaftsausschuß, dem sozialdemokratische und kommunistische Gewerkschafter sowie Vertreter der ehemaligen christlichen und Hirsch-Dunckerschen Gewerkschaften angehörten. Die früheren Richtungen sollten zusammengefaßt und eine Einheitsgewerkschaft gebildet werden. Diese entstand mit dem Freien Deutschen Gewerkschaftsbund (FDGB), in dem freilich die Sozialdemokraten rasch von den Kommunisten mit ihrer straff geleiteten Betriebs- und Organisationsarbeit sowie der Unterstützung durch die SMAD zurückgedrängt wurden.

Kulturbund Am 4. Juli 1945 hatten Künstler und Intellektuelle den „Kulturbund zur demokratischen Erneuerung Deutschlands" gegründet. Er erstrebte die Überwindung der Nazi-Ideologie und eine „neue, freiheitliche, demokratische Weltanschauung". Präsident wurde der kommunistische Schriftsteller Johannes R. Becher.

FDJ Ende Juli 1945 gestattete die SMAD „Jugendausschüsse", die eine einheitliche Jugendorganisation, die Freie Deutsche Jugend (FDJ) vorbereiteten. Hierbei wirkten die Kommunisten unter Erich Honecker von Anfang an bestimmend mit. Ähnliche Praktiken gab es in den seit Sommer bestehenden Frauenausschüssen, aus denen DFD später (1947) der Demokratische Frauenbund Deutschlands (DFD) hervorging, oder in der Vereinigung der gegenseitigen Bauernhilfe (VdgB).

Auf diese Weise entstanden neu oder wieder die herkömmlichen gesellschaftlichen Organisationen, um breite Schichten der Bevölkerung zu erfassen. Doch wurde für jede Zielgruppe nur eine einzige Organisation zugelassen, die so entstandenen Monopolverbände sollten gesellschaftspolitischen Pluralismus verhindern. Da die Kommunisten in den Verbänden von Anfang an erheblichen oder überwiegenden Einfluß besaßen, wurde so das politische System vorstrukturiert, in das nun auch die „Massenorganisationen" als Hilfsorgane der KPD und später der SED einbezogen waren.

Das neu entstehende Parteiensystem der SBZ blieb zunächst freilich auf ganz

Deutschland ausgerichtet, was sich in zweierlei Hinsicht zeigte. Einmal verstanden sich alle 1945 in Berlin gegründeten Parteien als Organisationen für ganz Deutschland. Zum anderen prägten die zuerst in der SBZ geschaffenen vier Parteien KPD, SPD, CDU und Liberale in den folgenden Jahren das Parteienspektrum in Ost und West. Doch während sich so in Westdeutschland (bei Zusammenschlüssen wie der CDU oder Ausschaltung der Rechten) das traditionelle Parteiensystem wieder etablierte, vollzog sich in der SBZ durch „Blockpolitik" und gefördert von der SMAD eine Transformation, mit der die Kommunisten Vorteile und schließlich die Herrschaft erreichten.

Im freien Konkurrenzkampf mit anderen Parteien konnten die Kommunisten diese Dominanz nicht gewinnen. Zunächst bestand für sie nach dem Schock des totalen Zusammenbruchs 1945 durchaus die Chance einer Massenbasis, denn als Widerstandskämpfer gegen das Hitler-Regime besaßen sie ein erhebliches Prestige, zudem waren sie aufs engste mit der siegreichen Sowjetmacht liiert. So konnte die KPD ab Juli 1945 einen Zustrom neuer Mitglieder registrieren. Schon bald geriet die Partei aber in einen Gegensatz zur Mehrheit der Bevölkerung, da sie sich mit der sowjetischen Besatzungsmacht identifizierte und alle Übergriffe der Roten Armee, die Behandlung der Kriegsgefangenen, die Reparationspolitik usw. rechtfertigte. *Chancen der KPD*

Die SMAD ihrerseits unterstützte die sowjettreue KPD, sie war nicht nur aus ideologischen, sondern auch aus politischen Gründen daran interessiert, für die deutschen Kommunisten Rahmenbedingungen zu schaffen, die diesen die Hegemonie in der SBZ ermöglichte.

Daher favorisierte die SMAD die KPD beim Aufbau der neuen Verwaltungen, wobei die Realisierung der sowjetischen Deutschlandpolitik aber auch eine Berücksichtigung der anderen Parteien erforderlich machte. Im Juli 1945 setzte die SMAD Landesverwaltungen für die Länder Sachsen, Thüringen und Mecklenburg sowie Provinzialverwaltungen für die Provinzen Brandenburg und Sachsen-Anhalt (die 1947 ebenfalls in Länder umgewandelt wurden) ein. Am 1. Juli war die Rote Armee in den Westteilen Sachsens, Thüringens und Mecklenburgs eingerückt (darunter den Städten Leipzig, Halle, Erfurt und Schwerin), die bis dahin von den westlichen Alliierten besetzt waren. Damit lagen die Grenzen der DDR fest. Präsidenten der Landesverwaltungen wurden Sozialdemokraten, in Thüringen ein Parteiloser und in Sachsen-Anhalt ein Liberaldemokrat. Doch sämtliche 1. Vizepräsidenten, in deren Kompetenz z. B. die Polizei fiel, gehörten der KPD an. Immerhin waren alle Parteien in den Landesverwaltungen vertreten, doch blieben die „bürgerlichen" Parteien unterrepräsentiert und die KPD besetzte die Schlüsselfunktionen. *Aufbau der Verwaltungen*

Auch in den ebenfalls im Juli 1945 von der SMAD errichteten deutschen Zentralverwaltungen erhielten die Kommunisten entscheidende Positionen, so waren die Präsidenten für Volksbildung, Finanzen, Arbeit und Sozialfürsorge sowie Landwirtschaft KPD-Funktionäre. Die Zentralverwaltungen selbst dienten als Hilfsorgane der Militäradministration, sie konnten keine Gesetze und Verordnungen erlassen. Die SMAD begann etwas überstürzt während der Potsdamer Konferenz mit dem Aufbau dieser Verwaltungen. Das geschah offenbar in der Hoffnung (ähnlich wie *Bildung von Zentralverwaltungen* bei der Einsetzung des Berliner Magistrats) gegenüber den West-Alliierten mit den von der Postdamer Konferenz erwogenen zentralen Verwaltungsabteilungen kommunistisch dominierte Institutionen durchzusetzen. Der Plan scheiterte am Veto Frankreichs, das diese Vorschläge der Potsdamer Konferenz torpedierte.

Potsdamer
Konferenz

Diese Konferenz der drei „Großen", Stalin, Truman und Churchill (bzw. nach seinem Wahlsieg Attlee), tagte vom 17. Juli bis 2. August 1945 in Schloß Cecilienhof bei Potsdam. Aus dem am 2. August veröffentlichten Abkommen geht hervor, daß sich die Großmächte auf eine lange Besatzungszeit eingestellt hatten. Eine völlige Abrüstung und Entmilitarisierung Deutschlands wurde verkündet und die NSDAP verboten, eine Demokratisierung Deutschlands zum Ziel der Alliierten erklärt. Deutschland sollte Wiedergutmachung leisten, Militarismus und Faschismus ausgemerzt werden. Doch die unterschiedlichen Gesellschaftsstrukturen und die gegensätzlichen Ideologien der Besatzungsmächte ließen nicht nur Differenzen bei der „Demokratisierung", sondern generell Schwierigkeiten bei der Anwendung und Auslegung des Potsdamer Abkommens erwarten.

Entnazifizie-
rung

In der SBZ verknüpfte die SMAD den Aufbau der Verwaltungen auf allen Ebenen mit einer personellen Neubesetzung, die – wie alle Maßnahmen in der ersten Zeit nach der NS-Diktatur – mit der Beseitigung der Überreste des Hitler-Regimes begründet wurde. Durch die Ausschaltung der Nationalsozialisten aus dem öffentlich-politischen und beruflichen Leben gelang der SMAD eine umfassende Entnazifizierung, bis August 1947 verloren 520.000 Personen ihren Arbeitsplatz, vorwiegend im öffentlichen Dienst. Über 10.000 Angehörige der SS, 2.000 der Gestapo und 4.300 „politische Führer" der NSDAP wurden nach offiziellen Angaben angeklagt, insgesamt 12.807 verurteilt (darunter 118 zum Tode). Diesen radikalen Schnitt benutzte die SMAD, um nun nicht nur an den Schaltstellen in den Verwaltungen, sondern vor allem bei der Polizei und Justiz deutsche Kommunisten einzusetzen.

Im Gegensatz zu den Westzonen, wo eine recht widersprüchliche Entnazifizierung einen klaren Trennungsstrich zur Vergangenheit nicht ermöglichte und wo beim Neuaufbau des Berufsbeamtentums ehemalige NSDAP-Mitglieder wieder ihre alten Stellungen einnehmen konnten, war die Säuberung in der SBZ durchgreifend und so zunächst die „Vergangenheitsbewältigung" auch eindeutiger. Allerdings erhielten später im Zeichen des Kalten Krieges in beiden deutschen Staaten ehemalige Nazis wieder Funktionen, und es zeigte sich, daß auch in der DDR die Spuren von NS-Tradition und Militarismus zu finden waren.

„Speziallager"

Im Justizapparat bestimmte zunächst allein die Besatzungsmacht. Die sowjetische Geheimpolizei löste ihre Internierungslager auf deutschem Boden erst 1950 auf. In diesen Lagern wurden etwa 150.000 deutsche Gefangene festgehalten, wovon 70.000 ums Leben gekommen sein sollen.

In einer Denkschrift vom Juli 1990 bestätigte das sowjetische Innenministerium die Existenz von zehn (ab 1948 noch drei) „Speziallagern", in denen „von 1945 bis 1950 122.671 Deutsche einsaßen". Davon kam ein Drittel, nämlich 42.889 Personen ums Leben, fast 13.000 wurden „in die UdSSR gebracht" und 14.000 dem Ministerium des Innern der DDR übergeben. Unter den in Schweigelagern Internierten befanden sich außer NS-Verbrechern eine Vielzahl denunzierter und willkürlich verhafteter Unschuldiger, ab 1946 waren dort Sozialdemokraten, Demokraten und selbst oppositionelle Kommunisten eingesperrt.

Wie die übrigen „Reformen", so führte auch die Justizreform von 1946 in der SBZ zu einer Änderung der Strukturen, vor allem zu einer stärkeren Zentralisierung und darüber hinaus zu einem Personenwechsel. Über 85 Prozent der Richter und Staatsanwälte – frühere Mitglieder der NSDAP – wurden durch kurzfristig ausgebildete „Volksrichter" ersetzt, die den Kommunisten einen ergebenen Justizapparat sicherten. "Justizreform"

Insgesamt bewies der Aufbau des Parteiensystems und der Verwaltung, vor allem der Machtorgane in der SBZ die starke Einflußnahme der SMAD. Außerdem gab es schon früh Anzeichen für einen Funktionswandel der KPD zur privilegierten Staatspartei.

2. REFORMEN IN WIRTSCHAFT UND GESELLSCHAFT

Durch den Krieg und seine Folgen hatte sich in der SBZ – wie in ganz Deutschland – die Bevölkerungsstruktur verändert. Im Dezember 1945 lebten 1,2 Millionen mehr Menschen auf dem Gebiet der SBZ als 1939, im Oktober 1946 ergab die Volkszählung, daß die SBZ mit 18,4 Millionen sogar 3,4 Millionen Einwohner mehr als die entsprechenden Gebiete 1939 hatte. Einschneidende demographische Umschichtungen gab es sowohl wegen der Evakuierungen als auch wegen des Flüchtlingsstroms aus den Ostgebieten oder der großen Zahl von Kriegsgefangenen, die noch festgehalten wurden. So war bis Ende 1945 der weibliche Bevölkerungsanteil um 1,9 Millionen gestiegen, der männliche aber um 600.000 gesunken. Dies führte u. a. zu einem Facharbeitermangel, weil sich die Zahl der männlichen Erwerbstätigen um 13 Prozent verringert hatte, dagegen die Zahl der weiblichen um 30 Prozent angestiegen war. Struktur der Bevölkerung

Dennoch war ein ausreichendes Arbeitskräftepotential vorhanden, auch die Zerstörungen der Industrie waren insgesamt geringer als befürchtet, größere Komplikationen bereitete das nicht mehr leistungsfähige Transportwesen. Zusätzliche Schwierigkeiten resultierten aus den Disproportionen der Wirtschaft. Die Industrie im Gebiet der SBZ hatte zwar früher ein Viertel der Produktion des Reiches erzeugt, jedoch fehlten dort Bodenschätze oder eine schwerindustrielle Basis.

Die ungünstige Ausgangslage der Wirtschaft wurde vor allem durch die Reparationsleistungen noch erheblich erschwert. Im Rahmen der Hauptdemontage mußten bis Ende 1946 weit über 1.000 Betriebe bedeutender Industriezweige demontiert und auch das zweite Gleis fast aller Bahnstrecken abgebaut werden. Die Kapazitäten der Industrie reduzierten sich teilweise erheblich (eisenschaffende Industrie um 80 Prozent, Zementindustrie und Papiererzeugung um 35 Prozent). In einer zweiten Etappe entnahm dann die UdSSR Reparationen aus der laufenden Produktion, und schließlich gingen die etwa 200 wichtigsten und größten Betriebe (die 25 Prozent Reparationen der Produktion der SBZ erzeugten) als „Sowjetische Aktiengesellschaften" (SAG) in den Besitz der Sowjetunion über. Insgesamt dürften die Reparationen die Wirtschaft der späteren DDR mit 66 Milliarden Mark belastet haben. Die DDR selbst behauptete, die reinen Reparationszahlungen hätten 4,3 Milliarden Dollar (also etwa 18 Milliarden Mark betragen). Damit mußte das von der UdSSR besetzte Gebiet zur Wiedergutmachung der von Deutschland im Krieg verursachten Schäden unvergleichlich mehr beitragen als die Westzonen.

Lebensstandard   Unter diesen Umständen erreichte die Industrieproduktion der SBZ 1946 lediglich 22 Prozent der Pro-Kopf-Produktion von 1936. Entsprechend niedrig war der Lebensstandard. Wie in allen Zonen war die Versorgung völlig unzulänglich, waren die Lebensmittelrationen minimal. Alle Wirtschaftsmaßnahmen waren daher zuerst einmal auf das Überleben der Bevölkerung ausgerichtet. Auch deswegen verwarf die KPD in Übereinstimmung mit der Besatzungsmacht eine sofortige sozialistische Umgestaltung der Wirtschaft.

Schon rasch zeigte sich indes, daß entgegen den KPD-Thesen parallel zum Neuaufbau des politischen Systems eine tiefgreifende Umstrukturierung von Wirtschaft und Gesellschaft erfolgte, denn die sowjetische Besatzungsmacht orientierte den wirtschaftlichen Wiederaufbau in der SBZ eben doch an ihrem eigenen Modell. Das „Machtvakuum", das anfangs in allen deutschen Betrieben existierte, wurde auch in der SBZ zunächst von den Arbeitervertretern, vor allem den Betriebsräten, ausgefüllt. Sie wollten den Wiederaufbau von der Basis her gestalten, also die Wirtschaft demokratisieren. Sehr schnell wurde aber in der SBZ die Wirtschaft von oben umgestaltet. Die politischen Instanzen beabsichtigten mit den Produktionsverhältnissen auch die Struktur der Gesellschaft entsprechend ihren Vorstellungen zu ändern. So wurde ab 1946 ein staatlicher Sektor der Industrie geschaffen und 1948 die Planwirtschaft eingeführt.

Bodenreform   Bereits 1945 erfolgte als erste große Reform die Bodenreform. Unter der Losung „Junkerland in Bauernhand" sollte der Großgrundbesitz enteignet werden, der in Deutschland eine politische und wirtschaftliche Macht gewesen war. Am 8. September 1945 rief das ZK der KPD zu einer Aufteilung des Großgrundbesitzes auf, freilich wirkte auch hierbei die SMAD als treibende Kraft. Eingeleitet wurde die Kampagne mit „Forderungen" der Bauern, Gutsarbeiter und Flüchtlinge, die dann KPD und Verwaltungen sofort „aufgriffen". Schon am 3. September hatte die Provinzialverwaltung Sachsen eine entsprechende Verordnung erlassen. Doch auch die Parteien in der SBZ betrachteten eine Landreform aus wirtschaftlichen und politischen Gründen als notwendig.

Durch die Bodenreform vom September 1945 wurden rund 7.000 Großgrundbesitzer mit über 100 ha entschädigungslos enteignet. Deren 2,5 Millionen ha Land kamen ebenso wie 600.000 ha Boden ehemaliger Naziführer oder dem Staat gehörendes Land in einen Bodenfonds. Das waren 35 Prozent der landwirtschaftlichen Nutzfläche der SBZ, in Mecklenburg betrug der Anteil sogar 54 Prozent. Aus diesem Fonds erhielten 500.000 Personen (119.000 Landarbeiter, 83.000 Umsiedler, 113.000 Kleinbauern usw.) 2,1 Millionen ha Land. Etwa ein Drittel des enteigneten

Bodens erhielten Länder, Kreise und Gemeinden zur Bewirtschaftung. Die große Masse der Neubauern bekam nur wenig Land zugeteilt, sie konnten nicht rentabel wirtschaften. Die Hälfte der Höfe besaß weniger als 20 ha Land, vor allem diese nicht existenzfähigen Bauern schlossen sich dann 1952 als erste in Landwirtschaftlichen Produktionsgenossenschaften (LPG) zusammen.

Die Bodenreform war eine radikale, aber keine kommunistische Maßnahme. Alle CDU-Krise vier Parteien stimmten ihr zu. Da die CDU-Führung aber eine entschädigungslose Enteignung ablehnte, kam es darüber zu einer Parteikrise. Dem 1. Vorsitzenden Andreas Hermes und seinem Stellvertreter Walther Schreiber entzog die SMAD das „Vertrauen"; sie setzte beide am 19. Dezember 1945 ab. Ihre Nachfolge traten Jakob Kaiser und Ernst Lemmer an.

Ein gravierender Einschnitt der weiteren Entwicklung war die sogenannte Indu- Industriereform striereform. Die Befehle Nr. 124 und 126 der SMAD vom Oktober 1945 verfügten die Beschlagnahme des gesamten Eigentums des deutschen Staates, der NSDAP und ihrer Amtsleiter sowie der Wehrmacht. Zahlreiche schwerindustrielle Betriebe wurden in Sowjetische Aktiengesellschaften überführt, andere Werke im März 1946 den deutschen Verwaltungsorganen unterstellt. Damit war der Weg frei zur Verstaatlichung dieser Betriebe. Schließlich waren bereits im Juli 1945 Banken und Sparkassen verstaatlicht worden, so daß das Fundament für eine Staatswirtschaft gelegt war.

Die KPD änderte dementsprechend ihre Politik. Im Januar 1946 bekräftigte die Führung auf einer Wirtschaftstagung der Partei, daß zwar kein sozialistischer Aufbau möglich, aber eine Wirtschaftsplanung nötig sei. Gestützt auf die SMAD verlangte die KPD einen Volksentscheid in Sachsen. Allein 4.800 der ca. 7.000 durch Volksentscheid Befehl Nr. 124 beschlagnahmten Betriebe hatten dort ihren Standort. Diese sollten in Sachsen nun durch einen Volksentscheid endgültig enteignet und in Staatseigentum überführt werden.

Zunächst wandten sich LDP und CDU heftig gegen diesen Plan, doch gelang es den Kommunisten, einen Beschluß im Block der Parteien für den Volksentscheid „zur Enteignung der Kriegsverbrecher und Nazis" durchzusetzen. Dieser fand nach intensiven Vorbereitungen am 30. Juni 1946 statt. 3,4 Millionen sächsischer Wähler (93 Prozent der Wahlberechtigten) gingen zur Urne, 2,6 Millionen (77,6 Prozent) sprachen sich für, 571.000 (16,5 Prozent) gegen die Enteignung aus, 204.000 Stimmen (5,8 Prozent) waren ungültig.

Unter der Losung „Enteignung der Kriegsverbrecher" konnte so die Verstaatlichung der Schwer- und Schlüsselindustrie vor sich gehen. Ohne vorherige Abstimmungen erfolgten die Enteignungen nun auch in den übrigen Ländern der SBZ. Auf diese Weise wurden bis Frühjahr 1948 fast 10.000 Unternehmen entschädigungslos in Staatsbesitz überführt, ihr Anteil an der Industrieproduktion betrug zu diesem Zeitpunkt schon 40 Prozent. Sie bildeten die Basis für eine neue Wirtschaftsordnung mit „volkseigenen" Betrieben und staatlicher Planung.

Auch die Schulreform, die gleiche Bildungschancen für alle bringen sollte, war zunächst keine kommunistische Entscheidung. Bereits auf einer gemeinsamen Veran-

staltung am 4. November 1945 verlangte der Vertreter der KPD, Anton Ackermann,
ebenso eine Schulreform, um „den Befähigten freie Bahn" zu geben, wie auch der
LDP-Vorsitzende Wilhelm Külz, der die Losung „freie Bahn dem Tüchtigen" ausgab. Beide wurden vom SPD-Funktionär Max Kreuziger unterstützt. Lediglich die
CDU hielt sich in dieser Frage zurück, weil die Trennung von Staat und Kirche pro-
pagiert und Privatschulen abgelehnt wurden.

Die Einheitsschule, die eine achtklassige Grundschule und eine vierstufige Oberschule oder eine dreistufige Berufsschule umfaßte, wurde schließlich 1946 Gesetz.
Parallel zur Schulreform erfolgte allerdings auch eine Auswechslung der Lehrkräfte,
hatten doch von den fast 40.000 Lehrern 28.000 der NSDAP angehört. An ihre Stelle traten nach und nach kurzzeitig ausgebildete „Neulehrer". Im Herbst 1947 wurde
als Erfolg der Schulreform die Reduzierung der 3.100 einklassigen Schulen auf 1.700
und der Anstieg der vollausgebauten achtklassigen Schulen um 25 Prozent auf 2.800
gemeldet.

3. Aufstieg der SED zur bestimmenden Partei

Ein tiefer Einschnitt in der Entwicklung der SBZ und insbesondere des Parteiensystems war die Gründung der Sozialistischen Einheitspartei Deutschlands, der SED,
im April 1946. Schien durch die Bildung traditioneller deutscher Parteien im Ju-
ni/Juli 1945 ein pluralistisches politisches System auch in der SBZ möglich, so verhinderte der Zusammenschluß von KPD und SPD zur SED schon zehn Monate
später diese Chance. Zugleich vertiefte sich damit die Spaltung Deutschlands. Die
harten Auseinandersetzungen zwischen der westdeutschen Sozialdemokratie unter
Kurt Schumacher, die konsequent jede Zusammenarbeit und erst recht jede Vereinigung mit den Kommunisten und dann der SED ablehnte, und der kommunistischen Einheitspartei in der SBZ schufen ein feindseliges Klima in der deutschen Politik noch vor dem Kalten Krieg.

Die Führung des ZA der SPD in Berlin distanzierte sich im Laufe des Sommers
1945 zunehmend von ihren anfänglichen Vorstellungen einer Einheitspartei mit den
Kommunisten. Die Bevorzugung der KPD durch die SMAD einerseits und die kritiklose Unterstützung der Besatzung durch die KPD andererseits hatten zu einer Er-
nüchterung im ZA der SPD geführt. Im September erhob Otto Grotewohl, neben
Erich W. Gniffke (der 1948 nach Westdeutschland flüchtete) und Max Fechner (der
1953 verhaftet wurde) einer der Vorsitzenden der SPD in der SBZ, einen Führungsanspruch der Sozialdemokraten in Gesamtdeutschland, da nur sie mit allen vier Alliierten gleichermaßen kooperieren könnten. Max Fechner konstatierte, die SPD sei
wohl unbestritten die größte unter den vier zugelassenen Parteien in Deutschland.
Damit machte der ZA der SPD den Kommunisten ihren Führungsanspruch streitig.
Zugleich mußte die KPD nach Anfangserfolgen feststellen, daß sie sowohl gegenüber der Bevölkerung als auch gegenüber den anderen Parteien mehr und mehr in
die Isolierung geriet. Daher traf das Politbüro der KPD Ende September/Anfang

Oktober 1945 Vorbereitungen, dem ZA der SPD anstelle der bisherigen „Aktions-einheit" nun den Zusammenschluß beider Parteien vorzuschlagen. KPD für
Verschmelzung

Zu dieser Änderung der KPD-Linie trugen mehrere Überlegungen bei. Die KPD-Führung erkannte, daß sie längerfristig die Macht nur dann erringen und sichern konnte, wenn sie ihren schärfsten Konkurrenten, die SPD ausschaltete. Auch befürchtete die KPD, daß sie bei den für 1946 angesetzten Wahlen keinen Sieg erringen werde. Daher verdoppelte sie – besonders nach den Niederlagen der Kommunisten bei den Parlamentswahlen in Ungarn und Österreich im November 1945 – ihre Anstrengungen für eine Vereinigung mit der SPD. Sie meinte, nur mit einer Einheitspartei ihre leitenden Positionen im Staat weiter ausbauen und festigen zu können. Aber auch unter kaderpolitischen Gesichtspunkten schien der KPD-Führung ein Zusammenschluß notwendig.

Während die SPD in der SBZ ihren traditionellen Mitgliederstand wieder erreichte (680.000 im März 1946 gegenüber 580.000 1932) überwogen in der KPD der SBZ die neugewonnenen Mitglieder (sie zählte 600.000 im März 1946 gegenüber 100.000 1932), so daß die alten Kader zwar bestimmten, aber in die Minderheit geraten waren. Die Besetzung der ihr zufallenden Positionen in Staat, Wirtschaft und im Bildungssektor mit qualifizierten und ergebenen Funktionären konnte die KPD nicht mit ihren Mitgliedern allein vollziehen, sie hoffte vielmehr diese Personalprobleme durch die Einschmelzung der SPD lösen zu können.

Während die KPD ab Herbst 1946 geschlossen Kurs auf die Vereinigung nahm, Krise der SPD war die SPD zerstritten. Hier gab es zwar noch immer Anhänger der Einheitspartei; sie gingen aus von der gemeinsamen antinationalsozialistischen Grundeinstellung und den Erfahrungen unter Hitler sowie dem Bekenntnis der KPD zur Demokratie und den bürgerlichen Freiheiten. Diese Ansicht vertraten wichtige Landesvorsitzende der Partei, so Otto Buchwitz in Sachsen, Carl Moltmann in Mecklenburg oder Heinrich Hoffmann in Thüringen. Doch breite Kreise der SPD, die bereits im Juni 1945 unter der „Einheit der Arbeiterklasse" eine Wiedereingliederung der Kommunisten in eine einheitliche Sozialdemokratie verstanden hatten, blieben gegenüber einer „paritätischen" Vereinigung skeptisch eingestellt. Das galt besonders für die regionalen Parteigliederungen, die etwa in Leipzig weitaus stärker waren als die kommunistische Konkurrenz. Vor allem konnten sich jedoch die meisten Sozialdemokraten eine Vereinigung nur im Reichsmaßstab vorstellen, aber nicht auf Zonenebene, weil dies ja eine Spaltung der eigenen Partei bedeutete.

Schließlich hatte inzwischen Kurt Schumacher die SPD in den drei Westzonen gegen jede Einheit mit den Kommunisten zusammengeschlossen. In der KPD-Konzeption der Einheitspartei sah er nur die Suche „ nach dem großen Blutspender", die Absicht, der SPD eine kommunistische Führung aufzuzwingen. Dieser Beurteilung konnten und wollten sich die Führer der SPD in der SBZ nicht anschließen, sie mußten taktieren und auf die sowjetische Besatzung Rücksicht nehmen. Und gerade diese übte zunehmend Druck auf die Sozialdemokratie aus.

Unter diesen Umständen traten am 20. und 21. Dezember 1945 je dreißig Vertre- „Sechziger-
Konferenz" ter von SPD und KPD aus der SBZ zur „Sechziger-Konferenz" in Berlin zusammen.

Dort äußerten die Sozialdemokraten Vorbehalte. Ihr Sprecher Grotewohl erklärte, die Vereinigung könne nur im gesamtdeutschen Maßstab vollzogen werden. Zugleich bemängelte er die bevorzugte Unterstützung der KPD durch die SMAD. Gemeinsame Wahllisten, wie die KPD sie verlangte, lehnte er ab. Er forderte die absolute Gleichberechtigung der SPD. Andere Redner verwiesen sogar auf Repressalien der Besatzungsmacht gegen Sozialdemokraten.

Trotz der Versuche von KPD-Vertretern, die Sozialdemokraten durch formale Zugeständnisse zum Einlenken zu bewegen, war man am Ende des ersten Konferenztages noch weit entfernt von einer Einigung. In der folgenden Nacht bearbeiteten die Kommunisten und SMAD-Offiziere die SPD-Teilnehmer. Zur allgemeinen Überraschung wurde dann plötzlich am nächsten Morgen die „gemeinsame Auffassung" bekanntgegeben, nunmehr auf eine „Verschmelzung" hinzuwirken.

Noch war die KPD aber nicht am Ziel. Der ZA der SPD beschloß am 15. Januar 1946, es dürfe keine Vereinigung auf der Ebene von Bezirken oder Besatzungszonen

Druck auf die SPD
geben, nur ein Reichsparteitag könne darüber entscheiden. Doch der Druck auf die Sozialdemokraten verstärkte sich. Wo sich Ablehnung zeigte, griff die sowjetische Besatzungsmacht massiv ein, unter anderem mit Redeverboten und sogar Verhaftungen von sozialdemokratischen Einheitsgegnern. Nun wurde in unteren Organisationen die Zwangsvereinigung vorbereitet und – oft durch Einwirkung der sowjetischen Ortskommandanten – teilweise bereits im Februar und März 1946 vollzogen. Schließlich schwenkten Grotewohl und die ZA-Mehrheit um. Am 10. Februar 1946 kam es nach einer turbulenten Sitzung zum definitiven Beschluß des ZA, der Vereinigung in der SBZ zuzustimmen.

Berliner Urabstimmung der SPD
Allerdings beharrte die Berliner SPD – begünstigt durch den Viermächte-Status der Stadt – auf ihrer Selbständigkeit. In West-Berlin konnte eine Urabstimmung durchgeführt werden; sie ergab, daß von 32.000 Mitgliedern 23.000 zur Abstimmung gingen, über 19.000 (82 Prozent) gegen die Vereinigung waren (62 Prozent allerdings befürworteten eine weitere Zusammenarbeit mit der KPD). In der SBZ war den SPD-Mitgliedern die Möglichkeit der Urabstimmung verwehrt, sie wurden – ob sie wollten oder nicht – in die SED überführt.

Gründung der SED
Der Gründungsparteitag der SED am 20. und 21. April 1946 brachte die Vereinigung von KPD und SPD in der SBZ (in den vier Sektoren von Berlin blieb die SPD weiterhin bestehen, im Ostsektor löste sie sich erst 1961 auf). Allerdings machten die Kommunisten ideologische Zugeständnisse. So galt nun der „besondere deutsche Weg zum Sozialismus", der weiterhin als Distanzierung vom sowjetischen Modell verstanden wurde, als ideologische Grundlage der Partei. Hatte sich die KPD auf Lenin und Stalin berufen, so bezeichnete sich die SED bei ihrer Konstituierung als deutsche sozialistische Partei, die nur Marx und Engels als ideologische Leitfiguren akzeptierte. Auch mußten alle Positionen in der SED paritätisch mit früheren Sozialdemokraten und Kommunisten besetzt werden.

Von herkömmlichen kommunistischen Parteien unterschied sich die SED bis 1948 in drei Punkten. Erstens stützte sie sich in ihrer Ideologie auf den Marxismus, aber nicht auf den Leninismus. Zweitens war die SED nicht auf das sowjetische Modell festgelegt, sondern vertrat in ihrer Programmatik den „deutschen Weg" zum Sozialismus und die „echte Demokratie". Drittens waren alle Vorstandspositionen von unten bis oben paritätisch mit ehemaligen SPD- und KPD-Mitgliedern besetzt, konnten keineswegs die Kommunisten allein bestimmen. In der Praxis setzte die SED freilich die Politik der KPD fort, denn auch sie fungierte wie diese als verlängerter Arm der sowjetischen Besatzungsmacht.

Die SED erhob nun als stärkste deutsche Partei mit 1,3 Millionen Mitgliedern den Führungsanspruch im Parteiensystem der SBZ. Durch die Einschmelzung der SPD präsentierte sich die SED auch als „einheitliche Arbeiterpartei", als Vertreterin der größten sozialen Gruppe, der Arbeitnehmer. Schon im Mai 1946 erklärte einer der SED-Führer, Franz Dahlem, daß seiner Partei als staatsaufbauender Kraft die Führung beim Neuaufbau Deutschlands auf allen Gebieten, in der Politik, der Selbstverwaltung, der Wirtschaft und der kulturellen Entwicklung zustehe. Führungsanspruch der SED

Dieser Hegemonieanspruch der SED stieß bei CDU und LDP auf Ablehnung. Beide Parteien bemühten sich, ihre Organisationen in Konkurrenz zur SED weiter auszubauen und ihre gesamtdeutschen Kontakte zu verbessern. In der ersten Jahreshälfte 1946 befürchtete die SED, daß vor allem die LDP unter ihrem Vorsitzenden Külz Masseneinfluß gewinnen werde. Wilhelm Külz, seit Februar 1946 Vorsitzender der LDP, gelang es, seine Partei als Alternative zur SED darzustellen. Er selbst trat in zahlreichen Großveranstaltungen in Ost- und Westdeutschland auf. Wegen der Religionsfrage geriet er allerdings auch in einen Streit mit der CDU.

Die CDU unter ihrem Vorsitzenden Jakob Kaiser stellte sich in der zweiten Jahreshälfte 1946 als gefährlichster Konkurrent der SED heraus. Die CDU versuchte, die Lücke zu schließen, die mit dem Verschwinden der SPD im Parteiensystem der SBZ entstanden war. Auf ihrem Parteitag im Juni 1946 bekannte sich die CDU der SBZ zu einem „Sozialismus aus christlicher Verantwortung". Kaiser betonte, Deutschland solle Brücke zwischen Ost und West sein. Die CDU hatte bei den Wahlen in Westdeutschland große Erfolge erzielt und sich als Volkspartei profilieren können, nun erstrebte sie bei den Wahlen in der SBZ ähnlich gute Ergebnisse. So kam es vor den Gemeinde-, Kreis- und Landtagswahlen, die für September/Oktober 1946 angesetzt worden waren, zu einem harten Wahlkampf zwischen den Parteien. Die CDU forderte die SED auf, zum Verhältnis „Christentum und Marxismus" Stellung zu nehmen. Die SED wehrte die Angriffe ab, sie wollte sich nun nicht nur für Christen öffnen, sondern versprach auch „absolute Toleranz" gegenüber der Kirche, ja sie stellte sogar die Oder-Neiße-Grenze in Frage. Christlicher Sozialismus

In der SBZ fanden die ersten Gemeindewahlen am 1. September 1946 in Sachsen statt. In diesem Land, in dem die Arbeiterparteien traditionell vorn lagen, unterstützte die SMAD die SED in vielfacher Hinsicht. Vor allem verweigerte die Besatzung in zahlreichen Orten die Registrierung von CDU- oder LDP-Ortsgruppen, so daß diese Parteien sich nicht allerorts zur Wahl stellen konnten. Durch solche Maßnahmen kam die SED auf 53 Prozent (gegenüber 22 Prozent der LDP und 21 Prozent der CDU). Die Gemeindewahlen in Thüringen und Sachsen-Anhalt am 9. September brachten ein ähnliches Ergebnis. Doch war auffallend, daß in zahlrei- Gemeindewahlen chen größeren Orten CDU und LDP zusammen eine Mehrheit erreichten. Bei den Gemeindewahlen in Brandenburg und Mecklenburg war die Benachteiligung dieser beiden Parteien noch stärker, freilich wirkte sich hier auch die Bodenreform für die SED positiv aus, die in Brandenburg 60 und in Mecklenburg sogar 69 Prozent der Stimmen erhielt. Die Kreis- und Landtagswahlen am 20. Oktober 1946 gaben ein genaueres Bild des politischen Kräfteverhältnisses in der SBZ. In Sachsen, Thüringen und Mecklenburg lag die SED knapp vor CDU und LDP zusammen, in Sachsen-Anhalt und Brandenburg erzielten diese beiden Parteien einen deutlichen Vorsprung vor der SED. Insgesamt bekamen die SED 4,65 Millionen, die LDP 2,41 Millionen und die CDU 2,39 Millionen Stimmen.

Wahlen in
Berlin Katastrophal für die SED gingen indessen die Wahlen in Berlin aus, wo auch die SPD kandidieren konnte, die dort fast die Hälfte aller Stimmen auf sich vereinigte. Die SED rangierte mit 19,8 Prozent sogar noch hinter der CDU (22,2 Prozent). Hier zeigte sich, daß die SED in wirklich freien Wahlen keinerlei Chance besaß, die angestrebte Hegemonie zu erlangen.

Obwohl die SED in den Landtagen von Brandenburg und Sachsen-Anhalt keine Mehrheit hatte, konnte sie dennoch in allen fünf Ländern der SBZ die wichtigsten Positionen in den Regierungen besetzen und dadurch sowie mit Hilfe der SMAD den Transformationsprozeß der SBZ vorantreiben.

Trotz mancher Gegensätze im „Block" der Parteien verständigten sich diese im Frühjahr 1947 in allen fünf Länderparlamenten auf Verfassungen. Diese Verfassungen berücksichtigten zwar (z. B. mit der Verankerung der Grundrechte und der Funktion der Landtage) einerseits demokratische, parlamentarische Traditionen, ließen andererseits aber auch erkennen (etwa bei der Rolle des Staates in der Wirtschaft), daß die SED bereits Teile ihrer Konzeptionen festschreiben konnte.

CDU und LDP versuchten, ihre Vorstellungen im „Block" wenigstens partiell durchzusetzen. In ihrer praktischen Arbeit wurden sie durch die Allmacht der SMAD eingeschränkt, sowohl durch Zensur und geringe Auflagen ihrer Presse als auch durch direkte Eingriffe in die Parteiorganisationen. Um den Einfluß beider Parteien im politischen System weiter zu begrenzen, brachte die SED Ende 1947 Volkskongreß ein weiteres Instrument ins Spiel: die Volkskongreßbewegung. Diese sollte nicht nur die sowjetische Haltung auf der Londoner Außenministerkonferenz Ende 1947 unterstützen, sondern auch auf das Parteiensystem der SBZ einwirken. Es gelang der SED, die Spitze der LDP unter Külz, Schiffer u. a. für dieses Vorhaben zu gewinnen. Dagegen lehnte die Führung der CDU unter Kaiser und Lemmer eine Beteiligung am Volkskongreß strikt ab; sie sahen darin nur ein Manöver der SED. Allerdings nahmen dann neben Otto Nuschke auch weitere Spitzenpolitiker der CDU am Volkskongreß im Dezember 1947 teil. Die zunehmenden Spannungen zwischen der CDU unter Kaiser und Lemmer und der SMAD führten dazu, daß Nuschke bei der sowjetischen Besatzungsmacht zum Favoriten für den CDU-Vorsitz aufrückte. Absetzung der
CDU-Führung
durch die SMAD Schließlich wurden Kaiser und Lemmer durch Befehl der SMAD am 20. Dezember 1947 als Parteivorsitzende abgesetzt.

Damit hatte sich die SMAD noch relativ spät unmittelbar in das Parteiensystem eingeschaltet, wohl nicht zuletzt, um die SED zu stützen. Für die CDU, die bis dahin ihre Eigenständigkeit weitgehend hatte bewahren können, begann nun ein Prozeß der Anpassung, der schrittweisen Veränderung ihrer Politik und Funktion. Eine ähnliche Entwicklung machte die LDP durch, die trotz ihrer konzilianteren Haltung zum Volkskongreß ihre unabhängige Position beizubehalten suchte. Auf dem Parteitag im Juli 1947 (die LDP zählte damals immerhin 170.000 Mitglieder) distanzierte sich Külz eindeutig von der SED. Der Berliner Opposition unter Schwennicke (die sich im Februar 1948 von der LDP löste und der westdeutschen FDP anschloß) war diese Politik dennoch zu opportunistisch. Nach dem Tod von Külz (April 1948) erfolgte die weitere Annäherung dieser Partei an die SED.

Auch die sogenannten Massenorganisationen gerieten immer deutlicher unter die Vorherrschaft der SED. Seit dem 2. Kongreß des FDGB im Juni 1947 verfügte die SED über eine breite Mehrheit im Gewerkschaftsvorstand. Sie konnte den Gewerkschaftsbund - wie die übrigen gesellschaftlichen Organisationen - endgültig in ein Transmissionsorgan der SED umwandeln.

Die Hegemonie der SED wurde auch dadurch weiter gestärkt, daß in neugeschaffenen staatlichen Institutionen die Kommunisten eindeutig dominierten. Zwischen den durch Wahlen legitimierten Länderregierungen und den von der SMAD eingesetzten Zentralverwaltungen kam es häufig zu Kompetenzstreitigkeiten. Im Juni 1947 setzte die SMAD durch einen Befehl eine „Deutsche Wirtschaftskommission" (DWK) ein, die die Tätigkeit von Ländern und Zentralverwaltungen koordinieren und die Wirtschaftsplanung ausbauen sollte. Damit existierte eine zentrale deutsche Instanz in der SBZ, die im Februar 1948 sogar gesetzgeberische Vollmachten erhielt. Die von der SED beherrschte DWK diente der Partei als weiteres wichtiges Instrument ihrer Machtausweitung.

Deutsche Wirtschaftskommission als zentrale Verwaltung

Die DWK war nur 4 Tage nach der Errichtung des Wirtschaftsrates in Frankfurt am Main geschaffen worden. Der Wirtschaftsrat für das „Vereinigte Wirtschaftsgebiet", also die britische und die amerikanische Besatzungszone in Deutschland, konnte für die Länder dieser beiden Zonen bindende Gesetze und Ausführungsbestimmungen erlassen. Die Bildung von Wirtschaftsrat und DWK signalisierte die schrittweise Spaltung Deutschlands.

Um ihre neue Rolle als Führungspartei sowohl im Parteiensystem als auch in Verwaltung, Staat und Wirtschaft praktizieren zu können, mußte sich die SED freilich selbst in eine stalinistische Partei „neuen Typus" nach dem Vorbild der KPdSU verändern. Auf ihrem II. Parteitag im September 1947 berief sich die Einheitspartei noch auf die Prinzipien ihrer Gründung. In der Entschließung des Parteitags bekannte sich die SED weiterhin zum Marxismus und zu ihren „Grundsätzen und Zielen" von 1946. Allerdings sprach Otto Grotewohl bereits von der „Fortentwicklung" des Marxismus, und er meinte damit den Leninismus Stalinscher Prägung.

Im September 1947 fand in Polen eine Konferenz statt, auf der sich das Informationsbüro der kommunistischen und Arbeiterparteien (Kominform) konstituierte. Mit Hilfe des Kominform wollte die KPdSU die kommunistischen Parteien wieder straffer anleiten, die kritiklose Übernahme des sowjetischen Modells und der Stalin-

Kominform

schen Ideologie ebenso durchsetzen wie die strikte Befolgung der Moskauer Politik. Die SED war zwar an der Kominform-Gründung nicht beteiligt, sie mußte aber als Partei, die sogar der sowjetischen Besatzungsmacht unterstand, die neuen KPdSU-Konzeptionen sofort übernehmen. Die Änderung der sowjetischen Linie erfolgte vor dem Hintergrund der Verschärfung des Kalten Krieges und des Konfliktes zwischen der Sowjetunion und Jugoslawien. Da Tito die Vorstellung vom „eigenen Weg" zum Sozialismus zur Begründung seiner unabhängigen Politik benutzte, wurde diese These nun verworfen, die UdSSR hatte wieder als alleiniges Modell zu gelten. Innerhalb weniger Monate mußte auch die SED zu einer „Partei neuen Typus" umgebildet werden. Es begann mit einer Parteisäuberung; nach einem entsprechenden Beschluß des Parteivorstands im Juli 1948 wurden oppositionelle Mitglieder ausgeschlossen sowie eine Strukturveränderung vorgenommen. Von April 1946 bis Ende 1947 waren eine halbe Million neuer Mitglieder in die SED gekommen. Dies wurde als Grund genannt, um die paritätische Besetzung der Funktionen, die schon länger ausgehöhlt war, ganz abzuschaffen. Damit ging der Anteil der Sozialdemokraten in den Vorständen rapide zurück. Die These vom besonderen deutschen Weg zum Sozialismus wurde ebenfalls offiziell widerrufen, als „nationalistisch" und als Abgrenzung von der Sowjetunion verdammt.

Mit der Aufhebung der Parität, der Ablehnung der Theorie vom besonderen deutschen Weg zum Sozialismus sowie der Durchführung von Parteisäuberungen gab die SED die Prinzipien ihrer Entstehung als Einheitspartei auf. Sie wurde eine kommunistische Partei Stalinscher Prägung. Neben dem größer werdenden Dissens zwischen Bevölkerung und der Führungspartei SED kam es auch zu einer weiteren Differenzierung innerhalb der Partei selbst, da viele Mitglieder und Funktionäre die Abkehr von den Grundpositionen der Einheitspartei nicht mitvollzogen. Sie wurden passiv, flüchteten in den Westen oder wurden gar als „Agenten des Ostbüros der SPD" verhaftet.

1. Parteikonferenz der SED

Die 1. Parteikonferenz der SED im Januar 1949 schloß die Transformationsphase der SED ab, sie bildete zugleich einen Markstein der Stalinisierung. Der „demokratische Zentralismus", also die strikte Unterordnung aller Organe unter die jeweils übergeordnete Führung, sowie die Parteidisziplin avancierten zum Prinzip des Parteiaufbaus. Da die SED keine „westliche" Partei sein wollte, schrieb sie den Kampf gegen den „Sozialdemokratismus" auf ihre Fahnen. Das Bekenntnis zur KPdSU Stalins und zur „führenden Rolle" der Sowjetunion wurde für alle SED-Mitglieder verpflichtend. Partei-Kontrollkommissionen überwachten die „Reinheit" der Organisation. Sie hat die Strukturen der KPdSU übernommen und im Januar 1949 ein Politbüro geschaffen, das mit Sekretariat und ZK-Apparat den zentralistischen und hierarchischen Aufbau der Organisation gewährleistete. Die Kompetenzen des hauptamtlichen Apparats wurden erweitert, neue Arbeitsmethoden angewendet; dabei kam der Kaderarbeit besondere Bedeutung zu. Nach sowjetischem Vorbild wurde schließlich die „Nomenklatur" eingeführt; dies bedeutete, daß die jeweils übergeordnete Instanz für die Besetzung der Funktionen, den Einsatz, den Aufstieg usw. der Kader allein zuständig war. Mit der Einschwörung auf Stalin, der Ausschaltung der Sozialdemokraten und damit der völligen Übernahme der Führung der Partei durch die Kommunisten sowie dem Organisationsprinzip des demokratischen Zentralismus knüpfte die SED nicht nur an die Traditionen der alten KPD an. Sie hatte damit zugleich die Voraussetzungen geschaffen, um als führende Staatspartei in einem System stalinistischen Typs in allen Bereichen des gesellschaftlichen und politischen Lebens allein bestimmen zu können.

4. DIE SPALTUNG DEUTSCHLANDS UND DER ÜBERGANG ZUR „VOLKSDEMOKRATIE"

Mit dem Kalten Krieg verschärften sich die Spannungen zwischen den Besatzungsmächten in Deutschland, die schon früher aufgetreten waren, so sehr, daß es zum Bruch zwischen der östlichen und der westlichen Besatzungszonen kam. Die deutsche Spaltung ist daher eine Folge des Kalten Krieges (letztlich liegt ihre Ursache freilich im von Hitler-Deutschland begonnenen Zweiten Weltkrieg).

Zwar unterschieden sich die Vorstellungen der USA und der UdSSR über die „deutsche Frage" bereits im Jahr 1946 deutlich voneinander. Sie blieben indessen zunächst auf verbale Auseinandersetzungen beschränkt. Die Einschmelzung der SPD in die kommunistische SED in der SBZ unter dem Druck der sowjetischen Besatzungsmacht hatte allerdings besonders in Großbritannien das tiefe Mißtrauen gegen Stalins Politik verstärkt und die Regierung veranlaßt, Kurs auf einen Weststaat zu nehmen. Der Konflikt zwischen den Westalliierten und der Sowjetunion entzündete sich freilich zunächst weniger an der Deutschlandfrage, als vielmehr an Osteuropa, vor allem Polen. Nach Differenzen auf den Pariser Friedenskonferenzen zwischen Juli und Oktober 1946 griffen diese Kontroversen aber mehr und mehr auf Probleme der Deutschlandpolitik über. 1947 wurde so zum entscheidenden Jahr für die deutsche Spaltung. Auf der Moskauer-Konferenz der vier Mächte im März 1947 beschuldigte der sowjetische Außenminister Molotow die USA und Großbritannien, daß sie Deutschland durch die Bildung der Bizone gespalten hätten. Die Gründe der Auseinanderentwicklung lagen selbstverständlich tiefer. Während die USA 1946 noch die Kooperation mit der UdSSR als vorrangiges Ziel betrachtete, lief ihre Außenpolitik mit der „Truman-Doktrin" vom Frühjahr 1947 und dann mit dem Marshallplan auf eine Konfrontation mit der UdSSR hinaus. Dabei hatte die sowjetische Politik mit der kommunistischen Expansion in Osteuropa wiederum diese neue US-Linie provoziert oder zumindest beeinflußt.

Die optimale Zielsetzung der Westalliierten wie der Sowjetunion bestand darin, ganz Deutschland in ihren jeweiligen Block einzubeziehen und das ökonomische sowie das politische System an eigene Wert- und Ordnungsvorstellungen anzugleichen. Diese Pläne vermochte keine der Besatzungsmächte zu realisieren. Die UdSSR ebenso wie die Westmächte mußten sich damit begnügen, ihre Normen nur auf den von ihnen okkupierten Teil Deutschlands zu übertragen. In den drei Westzonen ist so im Laufe der Zeit der Kapitalismus weitgehend restauriert und die politische De-

Deutsche Frage

Ziele der Alliierten

mokratie und der Rechtsstaat eingeführt worden, was die Bevölkerung in freien Wahlen legitimieren konnte. Der Ostzone hingegen wurde die zentralgesteuerte Staatswirtschaft und das politische Regime der stalinistischen Diktatur aufgezwungen, dort blieb die Bevölkerung ohne Entscheidungsmöglichkeit. Die grundlegenden Veränderungen der SBZ reflektieren also vor allem ab 1947 den parallel dazu verlaufenden Spaltungsprozeß Deutschlands im Kalten Krieg.

Deutsche Politiker spielten dabei nur eine marginale Rolle. Freilich fanden sie sich frühzeitig mit dieser Entwicklung ab und beugten sich den jeweiligen Blockinteressen. Als letzter Versuch, sich der Spaltung Deutschlands entgegenzustemmen, kann die mißlungene Konferenz der deutschen Ministerpräsidenten im Juni 1947 in München gelten. Die Initiative dazu war vom bayerischen Ministerpräsidenten Hans Ehard ausgegangen, der wenige Wochen nach der ergebnislosen Moskauer Konferenz im Mai 1947 die Regierungschefs aller deutschen Länder nach München einlud, um Wege zur Überwindung der katastrophalen Lage der deutschen Bevölkerung zu beraten. Obwohl Ulbricht und andere „harte" Kommunisten in der SED die Konferenz zu boykottieren suchten, setzten sich die gemäßigten Kräfte durch, und auch die Ministerpräsidenten der fünf Länder der SBZ reisten am 5. Juni 1947 nach München. Doch diese gesamtdeutsche Tagung scheiterte bereits an Verfahrensfragen, da man sich auf keine Tagesordnung einigen konnte. Die Vertreter der Sowjetzone verlangten, als ersten Tagesordnungspunkt die „Bildung einer deutschen Zentralverwaltung zu behandeln", dies lehnten jedoch die westdeutschen Regierungschefs ab. Alle Verständigungsversuche waren vergebens, die Ministerpräsidenten aus der SBZ reisten ab und die Tagung reduzierte sich auf eine westdeutsche Rumpfkonferenz.

Auch wenn das Gelingen dieser gesamtdeutschen Münchener Konferenz die Spaltung Deutschlands kaum hätte verhindern können, war dieser Mißerfolg doch ein Symptom der deutschen Politik des Jahres 1947. Die Mehrheit der westdeutschen Politiker hatte die Ostzone entweder schon abgeschrieben, oder – so besonders Schumachers SPD – sie lehnten wegen der Zwangseinschmelzung der Sozialdemokraten in die SED jeden Kompromiß mit dem Osten ab. Angst vor sozialen Umwälzungen oder der Wunsch, sich dem Westen anzuschließen und damit zur Demokratie zu gelangen, mögen bei westdeutschen Politikern ebenso eine Rolle gespielt haben wie die Hoffnung, die Last der Kriegsfolgen zu verringern, vor allem aber die Not durch einen Zusammenschluß der Westzonen zu überwinden.

In der SBZ setzten sich – gestützt auf die neue Linie der sowjetischen Außenpolitik – jene Kommunisten unter Ulbricht durch, die ihre Macht ausbauen und erweitern wollten und die daher eine einheitliche gesamtdeutsche Entwicklung fürchteten. Die Wiedervereinigung blieb als Ziel deutscher Politik in nebelhafter Ferne, dennoch wurden Aktionen für die Wiedervereinigung sowohl im Osten als auch im Westen für die jeweilige Politik instrumentalisiert.

Die deutschen Kommunisten forcierten den Plan einer weiteren Umwandlung der SBZ in eine „Volksdemokratie" nach dem Muster der osteuropäischen, von der Sowjetunion beherrschten Staaten. Diese Entwicklung trieb die SED mit Hilfe der

Münchener
Konferenz der
Minister-
präsidenten

SMAD vor allem 1948 voran. Um die beiden „bürgerlichen" Parteien zu schwächen
und die Vormacht der SED im Parteiensystem auszubauen, genehmigte die sowjetische Besatzungsmacht noch zwei zusätzliche Parteien.

Im Mai 1948 konnte sich mit der National-Demokratischen Partei Deutschlands   NDPD-Gründung
eine neue Partei etablieren, sie wurde von der SMAD im Juni offiziell zugelassen.
Den Vorsitz der NDPD übernahm Lothar Bolz, der vor 1933 der KPD angehört
hatte. In dieser Partei organisierten sich in der Sowjetunion umgeschulte ehemalige
Offiziere oder auch NSDAP-Mitglieder (die von der CDU und LDP nicht aufgenommen werden durften) sowie Vertreter bürgerlicher Schichten. Der Spielraum
der NDPD war zunächst beachtlich, sie konnte selbst nationalistische Agitation betreiben, z. B. verbreitete sie Plakate mit der Aufschrift „Gegen den Marxismus – für
die Demokratie", natürlich „mit Genehmigung der SMAD". Über die wahren Hintergründe war die SED-Führung jedoch informiert. Sie hielt in einem parteiinternen
Vermerk fest, daß eine Reihe der Führer der neuen Partei „eigentlich SED" seien.

Ähnlich sah es mit der zweiten Neugründung aus, der Demokratischen Bauern-   DBD-Gründung
partei Deutschlands (DBD). Deren Vorsitzender Ernst Goldenbaum hatte vor 1933
sogar für die KPD dem Landtag von Mecklenburg angehört. Er wurde nun wie einige andere Spitzenfunktionäre für die Bauernpartei „abgestellt". Die DBD sollte auf
dem Land, wo die SED-Organisationen schwach waren und nur geringen Einfluß
besaßen, wirken und dort mit CDU und LDP in Konkurrenz treten.

Die beiden neuen Parteien fungierten von Anfang an als Organe der SED. Sie
wurden auch sofort in den „Volksrat" aufgenommen, ein vom 2. Deutschen Volkskongreß im März 1948 „gewähltes" und von der SED gelenktes ständiges Gremium.
Nach einigem Widerstand von seiten der CDU und LDP konnte die DBD im August und die NDPD im September 1948 auch dem Antifa-Block beitreten.

Darüber hinaus wurde der FDGB im August 1948 Mitglied des Blocks, später
noch die Jugend- und Frauenorganisation, so daß die SED mit Hilfe dieser Organisationen und der beiden neuen Parteien in den verschiedenen Institutionen domi-
nieren und den Kurs angeben konnte. So wurde schon 1948 mit der Hegemonie der
SED und der Schwächung von LDP und CDU die entscheidende Veränderung des
Parteiensystems erreicht.

Der Volkskongreß und sein Volksrat bekamen 1948 weitere wichtige Aufgaben
übertragen. Im Juni 1948 erklärte sich der Volksrat selbstherrlich zur „berufenen
Repräsentation für ganz Deutschland", da sich in seinen Reihen neben 300 Vertre-
tern der SBZ auch 100 Westdeutsche befanden. Gravierender war es, daß ein vom
Volksrat eingesetzter Arbeitsausschuß einen Verfassungsentwurf vorlegte, der vom
Volksrat im Oktober 1948 einstimmig verabschiedet wurde. Das Dokument ent-
sprach im wesentlichen einem von der SED bereits 1946 ausgearbeiteten Entwurf.
Darauf beruhte dann die erste Verfassung der DDR vom Oktober 1949.

Auf anderen Gebieten wurde die beginnende Eigenstaatlichkeit der SBZ noch
deutlicher. Die Deutsche Wirtschaftskommission erwies sich nach ihrer Reorganisation im März 1948 immer klarer als Vorstufe einer Regierung der DDR, da sie mit
ihren Weisungsbefugnissen die Rechte der Länder einschränkte. Über die DWK, die

völlig von der SED beherrscht wurde, konnte die Einheitspartei außer im politischen System auch in den Verwaltungen und in der Wirtschaft weitgehend bestimmen.

Zusammenschluß der Westzonen   Inzwischen wuchsen die Westzonen enger zusammen, was die Spaltung Deutschlands ebenfalls vertiefte. Mit der Konfrontation im beginnenden Kalten Krieg waren die Westmächte seit Mitte 1947 kaum noch an der Einheit Deutschlands interessiert, weil diese eine Mitbestimmung durch die UdSSR beinhaltet hätte. Zunächst wurde der Zusammenschluß von amerikanischer und britischer Besatzungszone vorangetrieben. Seit März 1948 „war die Verwaltung des Vereinigten Wirtschaftsgebietes in Frankfurt regierungsähnlich organisiert" (R. Morsey, Die Bundesrepublik Deutschland. Entstehung und Entwicklung bis 1969. München 1987, 13). Auch die Bindungen von Parteien und Gewerkschaften auf gesamtdeutscher Ebene lösten sich mehr und mehr.

Die SED bemühte sich nun, mit Hilfe der SMAD schrittweise das sowjetische ökonomische Modell der zentralen Planwirtschaft einzuführen. Ab Mitte 1948 arbeitete die Industrie der SBZ nach einem „Halbjahresplan", im Juni 1948 beschloß der Parteivorstand der SED – auch dies demonstrierte das wachsende Gewicht der

Zweijahrplan   Partei – den ersten Zweijahrplan für die Zeit 1949 und 1950. Die Grundlinien des Planes unterbreitete Walter Ulbricht. Dabei stellte er fest, eine Planwirtschaft sei jetzt möglich, weil sich die „Schlüsselstellungen" der Wirtschaft nunmehr in den „Händen des Volkes" befänden, was im Klartext hieß, daß sie verstaatlicht waren.

Tatsächlich erzeugten die Privatbetriebe 1948 nur noch 39 Prozent der Bruttoproduktion, genau der gleiche Anteil entfiel auf die „Volkseigenen Betriebe" und 22 Prozent auf die Sowjetischen Aktiengesellschaften, die SAG-Betriebe. Allerdings befanden sich noch immer 36.000 Betriebe in Privatbesitz, in der Leichtindustrie dominierte das „kapitalistische Eigentum" und in der Landwirtschaft verfügten die Großbauern über 25 Prozent des Bodens.

Die Produktion sollte während des Zweijahrplans um ein Drittel auf 80 Prozent der Produktion von 1936 erhöht, die Arbeitsproduktivität um 30 Prozent gesteigert werden. Für dieses Ziel initiierte die SED 1948 nach sowjetischem Beispiel eine

Hennecke-Bewegung   Aktivistenbewegung. Der Kumpel Adolf Hennecke, der im Oktober nach entsprechender Vorbereitung sein Tagessoll im Steinkohlebergbau mit 380 Prozent erfüllte, diente fortan als Vorbild: Entsprechend dem sowjetischen Stachanow-System schraubte nun die Hennecke-Bewegung in der SBZ die Arbeitsproduktivität in die Höhe.

Trotz gewisser Fortschritte blieb die Wirtschaftslage problematisch. Auch die nach der westdeutschen Währungsreform im Juni 1948 erfolgte Währungsumstellung in der SBZ brachte keine nennenswerten Erleichterungen. Schließlich versuchten die Behörden Ende 1948 durch einen „freien Handel" die Lage in der SBZ zu bessern, dem Schwarzmarkt entgegenzuwirken und zugleich Arbeitsanreize zu schaffen. Deshalb verkündete die DWK im Oktober 1948 die Bildung einer Staatli-

HO   chen Handelsorganisation (HO), in deren Einzelhandelsgeschäften konnte die Bevölkerung neben den rationierten Waren Konsumgüter und Lebensmittel zu stark überhöhten Preisen frei kaufen. Mit der Einrichtung der HO veränderte sich die Struktur des Handels und systematisch wuchs auch auf diesem Sektor die Staatsquote. So hatte die SED mit Beginn des Zweijahrplanes 1949 bereits alle Voraussetzungen geschaffen, um nicht nur den Staat, sondern auch die Wirtschaft völlig zu beherrschen.

Ab 1948 nahm der Einfluß der SED auch im Bildungswesen zu. Die Ende 1948 von der FDJ gegründete Kinderorganisation, die „Jungen Pioniere", sollte zusammen mit der Lehrerschaft bereits die Schulkinder ideologisch indoktrinieren. Großes Gewicht maß die SED der Arbeit an den Hochschulen bei. Sie intensivierte die Förderung der Studenten aus Arbeiterkreisen durch Schaffung von Vorstudienanstalten (1946) und später Arbeiter- und Bauern-Fakultäten. So stieg der Anteil der Arbeiterkinder von 19 Prozent 1945/46 auf 36 Prozent im Jahre 1949. Der große materielle Aufwand für Bildung und Erziehung brachte auch Fortschritte. *Arbeiterkinder an die Hochschulen*

Die Kunst konnte sich anfangs noch frei entwickeln. Im Mittelpunkt von Literatur, bildender Kunst und Film stand die Auseinandersetzung mit dem Nationalsozialismus und dem Krieg; Besatzungsmacht und SED gewährten einen großen Freiraum. Nach den Erfahrungen aus der NS-Zeit und ihrem Kampf gegen „entartete Kunst" wurde bewußt ein breites Spektrum akzeptiert, in dem sich auch die Moderne entfalten konnte. Aber bereits 1949 signalisierten Angriffe gegen die abstrakte Kunst einen Richtungswechsel. Da die SMAD die Massenkommunikationsmittel früh in die Hände der deutschen Kommunisten gelegt hatte, entschieden sie im Rundfunk und im Verlagswesen und – da SED-Zeitungen zahlreicher waren, höhere Auflagen hatten und umfangreichere Papierzuteilungen bekamen – auch in der Presse. Damit besaß die Einheitspartei fast das Meinungsmonopol, und so konnte auch die öffentliche Meinung von ihr maßgeblich beeinflußt werden.

Obwohl die SED (auch mit Rücksicht auf Besatzungs- und gesamtdeutsche Belange) 1948 offiziell noch erklärte, die SBZ sei keine „Volksdemokratie" wie die anderen osteuropäischen Staaten, zeichnete sich 1949 ab, daß mit der Anpassung an das System der UdSSR eben doch eine solche „volksdemokratische Ordnung" errichtet wurde. So waren in der Wirtschaft wichtige Branchen der Industrie und des Handels verstaatlicht, damit die Sozialstruktur verändert sowie eine Planwirtschaft nach sowjetischem Muster eingeführt worden. Im politischen System hatte die SED ihre Hegemonie gesichert und dabei ihren organisatorischen Aufbau dem der KPdSU angeglichen. Wie in der Politik und Wirtschaft so galt zunehmend auch im Bildungsbereich und in der Kultur die Sowjetunion als das nachzuahmende Vorbild. Die Medien – ohnehin von der SMAD abhängig – wurden weitgehend von der SED kontrolliert. Die Strukturen in Wirtschaft, Politik und Kultur zeigten so erhebliche Veränderungen seit dem Jahr 1945 und eine deutliche Annäherung der SBZ an das Modell Sowjetunion. *SBZ wird „Volksdemokratie"*

Dieser Prozeß war freilich 1948/49 noch keineswegs abgeschlossen. Nach wie vor existierte ein privater Wirtschaftssektor, die Landwirtschaft befand sich in bäuerlichem Besitz, und es gab breite Mittelschichten. Im politischen System waren CDU und LDP nicht völlig gleichgeschaltet, und vor allem auf der mittleren und der unteren Ebene der Politik regte sich Widerspruch gegen die Hegemonie der SED. Die Einheitspartei konnte auch im Bildungswesen oder gar im kulturellen Bereich noch nicht unumschränkt bestimmen. Erst mit Gründung der DDR im Oktober 1949 begann die Etappe, in der die Angleichung an die Sowjetunion beschleunigt und beendet wurde.

Zunächst hatte Stalin jedoch die SED-Führung gebremst, die ihre Hegemonie ausbauen und sich ein eigenes Staatsgebilde schaffen wollte. Im Dezember 1948 z. B. riet Stalin den deutschen Kommunisten zu „vorsichtiger Politik", sie sollten sich „maskieren". Nach Konstituierung der Bundesrepublik aber hat die Moskauer Führung einer Delegation der SED-Spitze, die erst am 28. September nach Berlin zurückkam, dann grünes Licht gegeben: nun durfte die DDR gegründet werden.

B. „AUFBAU DES SOZIALISMUS" IN DER DDR 1949–1961

1. Gründung der DDR und Anpassung an das sowjetische Modell

Am 7. Oktober 1949 konstituierte sich in Berlin (Ost) der „Deutsche Volksrat" als „Provisorische Volkskammer" und nahm eine Verfassung an. Auf dem Gebiet der SBZ war damit die Deutsche Demokratische Republik, die DDR, entstanden. Der 330 Mitglieder umfassende Volksrat war ein Organ des Deutschen Volkskongresses. Dieser 3. Volkskongreß war im Mai 1949 gewählt worden, erstmals nach einer Einheitsliste, für die jedoch – trotz Manipulationen – nur 66 Prozent der Wähler der SBZ gestimmt hatten.

Die Gründung der DDR bedeutete nach der Konstituierung der Bundesrepublik Deutschland (die mit den „Londoner Empfehlungen" vom Juni 1948 eingeleitet, mit der Annahme des Grundgesetzes vom Mai 1949 vorbereitet, mit den Bundestagswahlen im August und der Regierungsbildung im September 1949 abgeschlossen worden war) die staatsrechtliche Spaltung Deutschlands. Freilich war die Schaffung der DDR keineswegs nur eine „Antwort" auf die Entstehung der Bundesrepublik; vielmehr hatte seit 1947 der Kalte Krieg zur schrittweisen Spaltung Deutschlands und zur Bildung zweier deutscher Staaten geführt.

Die Provisorische Volkskammer wählte gemeinsam mit der neugeschaffenen Länderkammer am 11. Oktober 1949 den Kommunisten Wilhelm Pieck zum Präsidenten der DDR. Als Ministerpräsident bestätigte die Volkskammer am 12. Oktober den ehemaligen Sozialdemokraten Otto Grotewohl, stellvertretende Ministerpräsidenten wurden Walter Ulbricht (SED), Otto Nuschke (CDU) und Hermann Kastner (LDP). Von den 14 Fachministern gehörten 6 der SED an (darunter der Innen-, der Volksbildungs- und der Justizminister), auch die wichtigsten Staatssekretariate wurden mit SED-Funktionären besetzt. Damit lagen bereits in dieser ersten DDR-Regierung die wesentlichen Schalthebel in den Händen der Einheitspartei, doch waren auch die übrigen Parteien in der Regierung vertreten. *Regierungsbildung*

Innerhalb von CDU und LDP kam es wegen der Gründung der DDR und der Unterstützung des Staates durch die „bürgerlichen" Parteien zu erneuten Auseinandersetzungen. Vor allem wurde die Verschiebung der anstehenden Landtagswahlen bzw. der Wahlen zur Volkskammer auf das Jahr 1950 kritisiert. Doch die CDU-Führung unter Nuschke glaubte, mit ihrer Zustimmung zur DDR-Gründung habe sie mehr Einfluß gewonnen, nicht zuletzt, weil ihr das Außenministerium überlassen wurde. Bald zeigte sich, daß dies eine Fehlkalkulation war, denn die SED baute ihre Macht auf Kosten von CDU und LDP weiter aus, die als Blockparteien deren Anhängsel wurden. Auch die noch weitgehend bürgerlich-demokratische Verfassung wurde in der Folgezeit rasch ausgehöhlt. *Differenzen in der CDU und LDP*

Die DDR-Verfassung von 1949 ließ in vielen Passagen das Vorbild der Weimarer Konstitution erkennen. In drei Abschnitten wurden die Grundlagen der Staatsgewalt, ihr Inhalt und ihre Grenzen sowie ihr Aufbau definiert. Deutschland galt da- *Verfassung der DDR* nach als unteilbare Republik, die sich auf die Länder stützt. Die Verfassung bestimmte eine zentralistische Staatsform, mit dem Parlament – der Volkskammer – als „höchstem Organ der Republik". Damit waren die Gewaltenkonzentration und die Abkehr vom Prinzip der Gewaltenteilung festgeschrieben. Allerdings legte die Verfassung die „allgemeine, gleiche, unmittelbare und geheime Wahl" der Abgeordneten nach „den Grundsätzen des Verhältniswahlrechts" fest. Artikel 3 bestimmte nicht nur, daß alle Staatsgewalt vom Volke ausgeht, sondern verfügte auch: „Die Staatsgewalt muß dem Wohl des Volkes, der Freiheit, dem Frieden und dem demokratischen Fortschritt dienen. Die im öffentlichen Dienst Tätigen sind Diener der Gesamtheit und nicht einer Partei." Entsprechend garantierte die Verfassung die Grundrechte der Bürger (Rede-, Presse-, Versammlungs- und Religionsfreiheit, das Postgeheimnis usw.). Artikel 14 besagte: „Das Streikrecht der Gewerkschaften ist gewährleistet." Artikel 22 schützte das Eigentum.

Artikel 6   Eine Besonderheit in der DDR-Verfassung war der später bekannt-berüchtigte Artikel 6, der neben Bekundung von Glaubens-, Rassen- und Völkerhaß sowie Kriegshetze auch „Boykotthetze gegen demokratische Einrichtungen und Organisationen... und alle sonstigen Handlungen, die sich gegen die Gleichberechtigung richten", als „Verbrechen im Sinne des Strafgesetzbuches" definierte. Gestützt auf diese Leerformeln in Artikel 6 ging die SED in der Folgezeit dazu über, durch entsprechende Auslegung alle Gegner, jede Form von Opposition, strafrechtlich verfolgen zu lassen.

Stalin zur   Die Gründung der DDR hatte Stalin in einem Schreiben an Pieck und Grotewohl
DDR-Gründung   einen „Wendepunkt in der Geschichte Europas" genannt. Diese Überhöhung der Schaffung des neuen Staates sollte vertuschen, daß sich die UdSSR ihre Kompetenzen als Besatzungsmacht trotz formaler Änderungen (die SMAD wurde durch eine Sowjetische Kontrollkommission ersetzt) gesichert hatte. Im September 1949, kurz vor der Konstituierung des zweiten deutschen Staates, waren die Mitglieder des Politbüros der SED Pieck, Grotewohl, Ulbricht und Oelßner fast zwei Wochen in Moskau gewesen, um mit den Sowjetführern „Schritte zur Staatsgründung" zu beraten. Die SED-Spitze war willens, die Politik Stalins weiterhin bedingungslos mitzutragen.

Zugleich behauptete die DDR-Führung, ihr Ziel bleibe die deutsche Einheit. Sie interpretierte die eigene Staatsgründung als Reaktion auf die Bildung der Bundesrepublik. Wie von den Parteien in Bonn der Bundesrepublik, so wurde in Ost-Berlin der DDR eine Art Kernstaat-Funktion für ein späteres Gesamtdeutschland zugeschrieben.

In Wirklichkeit aber führte die Verschärfung des Kalten Krieges zur Vertiefung der Spaltung Deutschlands. Schrittweise lösten sich die politischen, wirtschaftlichen und kulturellen Bindungen zwischen den beiden deutschen Staaten. Unter der maßgeblichen Führung Walter Ulbrichts, der als Generalsekretär der SED die bestimmende Person wurde, nahm sich die DDR nicht nur das stalinistische Modell der UdSSR zum Vorbild ihres Neuaufbaus, sondern sie kopierte dieses System weitgehend (bis auf einige Varianten wie z. B. das formal beibehaltene Mehrparteiensystem oder die zunächst noch überwiegend private Landwirtschaft). Die Macht übte nun – im Auftrag und unter Kontrolle der Sowjetunion – die SED-Führung mit bürokratisch-diktatorischen Methoden aus.

Wie in der Sowjetunion entwickelte sich nach 1949 eine (wenn auch modifizierte) kommunistische Einparteienherrschaft. Bei völliger Ausschaltung auch der innerparteilichen Demokratie lag die gesellschaftliche und politische Entscheidungsgewalt und damit die Macht allein in den Händen der SED-Spitze, die mit Hilfe ihres hierarchisch gegliederten Apparates die DDR regierte. Volksvertretungen auf allen Ebenen übten lediglich Scheinfunktionen aus. Die Partei lenkte den Staatsapparat, die Justiz, die Wirtschaft, aber ebenso die Massenorganisationen. Durch die Kontrolle der Medien, des Bildungswesens und der Kultur besaß sie ein Meinungsmonopol. Den Marxismus-Leninismus stalinistischer Prägung hatte die SED zur „herrschenden Ideologie" erklärt. In der DDR-Gesellschaft existierten weder Meinungsfreiheit noch politische Freiheiten. Da jede Opposition verfolgt wurde, bestand Rechtsunsicherheit, die bis zur Willkürherrschaft reichte. Dieses auf die DDR übertragene stalinistische Regime beruhte auf einer verstaatlichten und zentralistisch geplanten und geleiteten Wirtschaft mit materieller Privilegierung der bürokratischen Oberschicht ohne ernsthafte Mitbestimmung der Arbeiter. *Stalinismus*

Die Übernahme des Modells der Sowjetunion erfolgte schrittweise, wie in allen „Volksdemokratien" gab die UdSSR auch in der DDR die Richtung an. Die Abhängigkeit ging einher mit einem wachsenden Personenkult um Stalin, den die SED ausdrücklich zu dessen 70. Geburtstag im Dezember 1949 forcierte. Stalin galt nun in der DDR als der „große Lehrer der deutschen Arbeiterbewegung und beste Freund des deutschen Volkes [Neues Deutschland, Nr. 298 vom 21. 12. 1949]. *Personenkult um Stalin*

Im Kalten Krieg mit der Konfrontation der beiden Blöcke dominierten die Zentren der Weltpolitik, Washington im Westen und Moskau im Osten. So war der DDR wie den übrigen „Volksdemokratien", also den kommunistisch regierten Staaten Polen, Tschechoslowakei, Ungarn, Rumänien, Bulgarien und Albanien verwehrt, eine eigenständige Außenpolitik zu entwickeln. Allein in der Deutschlandpolitik konnte die DDR propagandistisch aktiv werden, hier proklamierte sie weiterhin als Ziel die Einheit Deutschlands. Mit der Staatsgründung der DDR 1949 erfolgte zugleich die Bildung der „Nationalen Front des demokratischen Deutschland", zu der sich alle Parteien und Massenorganisationen (neben dem „Block") zusammenschlossen. *Nationale Front*

Die Bundesrepublik erwies sich als das wirtschaftlich prosperierende und politisch stabilere Staatswesen, auf das die Bevölkerung der DDR fixiert blieb, daher mußte die DDR-Führung der Deutschlandpolitik große Bedeutung beimessen. Da die Bundesregierung den Anspruch erhob, als einziges frei gewähltes Organ für alle Deutschen, also auch die Bewohner der DDR, zu sprechen und zu handeln, reagierte die DDR aggressiv. Mit nationalistischen Tönen versuchte die „Nationale Front" ihre Politik in die Bundesrepublik zu tragen und hier Anhänger zu gewinnen. Sie sprach nicht nur von einer Versklavung der „Kolonie Westdeutschland", sondern warnte auch vor einer – angeblich vom Westen ausgehenden – Kriegsgefahr. Die Bundesrepublik blieb bei ihrem Standpunkt, für sie war die „Zone" oder „Pankow", wie die DDR bzw. ihre Regierung genannt wurde, kein Gesprächspartner. Dies erst recht nicht, als sich die DDR im Juni 1950 entschloß, die Oder-Neiße-Grenze zu Polen offiziell anzuerkennen.

Im Januar 1950 hatte die „Nationale Front" durch die Einsetzung eines Sekretariats sowie der Schaffung von Landes-, Kreis- und Ortsausschüssen ihre organisatorische Struktur erhalten. Dies zeigte, daß sie nicht nur in die Bundesrepublik wirken sollte, sondern auch Aufgaben innerhalb der DDR zu erfüllen hatte. In den Sekretariaten und Büros bestimmte die SED, sie benutzte dieses neue Instrument, um die übrigen Parteien und Massenorganisationen direkt zu lenken und genauer zu kontrollieren. Mit sogenannten Hausgemeinschaften gelang es der Nationalen Front, auch politisch Unorganisierte zu erfassen. Darüber hinaus blieb sie als Organisation bemüht, in die Bundesrepublik hineinzuwirken und „nationale Kreise" für die DDR zu gewinnen. Lautete doch die Hauptforderung eines im Februar 1950 beschlossenen Programms der „Nationalen Front": „Schaffung eines einheitlichen, demokratischen, friedliebenden und unabhängigen Deutschlands". Solchen verbalen Bekundungen widersprach die Praxis der DDR. Gerade der Aufbau des neuen Staatsapparats trieb die Spaltung voran. Die personalpolitischen Entscheidungen in den Verwaltungen blieben das Privileg der SED. Sie erreichte, daß schon 1950 die Mehrheit der Mitarbeiter des Staatsapparats der Einheitspartei angehörte.

Im Dezember 1949 begann mit der Einsetzung des Obersten Gerichts und der Generalstaatsanwaltschaft auch die Neuordnung der gesamten Gerichtsverfassung. Die SED-Führung beherrschte die Justiz, die ein Instrument für ihre Diktatur wurde. Allein im Jahr 1950 sollen DDR-Gerichte über 78.000 Angeklagte wegen politischer Delikte verurteilt haben, darunter 15 zum Tode. Gerade in dieser Phase der Übertragung des sowjetischen Systems spielten politischer Druck und Terror eine wesentliche Rolle.

Für diese Maßnahmen wurde das Ministerium des Innern erweitert, eine zentrale Staatliche Kontrolle beim Ministerpräsidenten geschaffen und die Deutsche Volkspolizei als zentral geleitetes bewaffnetes Organ ausgebaut. Schon 1950 zählten dann die „Bereitschaften" der Kasernierten Volkspolizei (KVP) 50.000 Mann.

Ministerium für Staatssicherheit

Als ein Instrument, das die SED rigoros handhabe, entwickelte sich der Staatssicherheitsdienst. Das „Ministerium für Staatssicherheit" (MfS), das auf Beschluß der Volkskammer am 8. Februar 1950 gebildet worden war, unterstand als selbständiger Apparat nur dem Politbüro der SED. Mit einem weitverzweigten Netz von Agenten überwachte das MfS das öffentliche Leben und trug dazu bei, jede Opposition aufzuspüren, bereits im Keim zu ersticken und schließlich auszuschalten.

Die ersten Wahlen zur Volkskammer im Oktober 1950 wurden zu einem weiteren Einschnitt in der Entwicklung des Parteiensystems. Konnte die CDU-Führung ihre Beteiligung an der Regierung und die Zustimmung zur Wahlverschiebung im Oktober 1949 noch damit verteidigen, daß sie Wahlen nach Einheitslisten verhindert hatte, so wichen CDU und LDP auch in der Frage der „Einheitsliste" schrittweise zurück. Im Mai 1950 verständigte sich der „Block" auf eine Einheitsliste der „Nationalen Front". Ausgerechnet der CDU-Vorsitzende Otto Nuschke begründete im

August auf dem 1. Kongreß der „Nationalen Front", daß wegen der „drohenden Weltsituation" Einheitslistenwahl notwendig sei. Damit war die Abkehr vom herkömmlichen Parteienstaat endgültig vollzogen.

Die Wahlen vom Oktober 1950, die vielerorts nicht mehr geheim, sondern offen, ohne Benutzung von Wahlkabinen stattfanden, zeigten das bei sowjetischen Abstimmungen übliche Bild: 98 Prozent Wahlbeteiligung und 99,7 Prozent der gültigen Stimmen für die Einheitsliste. Danach hätten nur 340.000 Wähler gegen die Kandidaten der „Nationalen Front" gestimmt. Die Flüchtlingszahlen – von 1949 bis 1961 2,7 Millionen – bewiesen nachdrücklich das Trügerische solcher „Treuebekenntnisse" von seiten der Wähler und berechtigten zum Zweifel an der Legitimation der so Gewählten. Aus Akten des MfS konnte nach der „Wende" belegt werden, daß 1950 umfangreiche Wahlfälschungen vorgenommen wurden. Wahlen 1950

In der Volkskammer erhielten die SED 100 Sitze, CDU und LDP je 60 Sitze, NDPD und DBD je 30, der FDGB 40 und die anderen Massenorganisationen zusammen 80 Sitze. Da fast alle Abgeordneten der Massenorganisationen zugleich der SED angehörten, stellte diese in der Volkskammer die absolute Mehrheit der Mandatsträger. Auch in der neuen Regierung unter Grotewohl spiegelte sich der verstärkte Einfluß der SED wider, von der sie abhängig war. SED-Führer dominierten im Kabinett, die Beschlüsse des Politbüros der SED waren für den Ministerrat verbindlich und konnten durch Personalunion realisiert werden.

Die SED hatte bereits auf ihrem III. Parteitag im Juli 1950 den Ausbau der Wirtschaft in den Mittelpunkt gerückt. Walter Ulbricht, inzwischen der „starke Mann" der SED und von den Delegierten zum Generalsekretär der Partei gewählt, hielt das Hauptreferat zum Fünfjahrplan 1951 bis 1955. Das Ziel war, während dieser Zeit die Produktion von 1936 zu verdoppeln. Dabei sollten die sowjetischen Wirtschaftsmethoden beispielgebend sein und zum gewünschten Erfolg führen. Rolle Ulbrichts

Der Parteitag gab auch das Signal für den weiteren Umbau der SED in eine „Partei neuen Typus" und zur Instrumentalisierung des Parteiensystems für ihre Politik. Die Führung beabsichtigte den innerparteilichen Wandlungsprozeß durch ein neues Parteistatut zu beschleunigen und festzuschreiben. Mit dem „demokratischen Zentralismus", der sich in der Praxis weitgehend als ein hierarchischer Zentralismus erwies, sollte die „Kampfkraft" der SED verbessert werden. In ihrem Selbstverständnis begriff sich die Partei als „bewußter und organisierter Vortrupp" der deutschen Arbeiterbewegung, die sich von der „Theorie von Marx, Engels, Lenin und Stalin" leiten ließ und unter „Führung der Sowjetunion" den Frieden sichern und die Einheit Deutschlands erkämpfen wollte.

Die SED verkündete, mit ihrer Ideologie des „Marxismus-Leninismus", also dem Stalinismus, im Besitz der Wahrheit zu sein, die Gesetze der Geschichte zu kennen und unter Ausnutzung dieser Gesetzmäßigkeiten den Übergang zu einer neuen Gesellschaft zu vollziehen. Entsprechend umfassend war der Totalitätsanspruch der SED-Führung, was sie auch dadurch demonstrierte, daß sie erstmals zu ihrem III. Parteitag das Lied von Louis Fürnberg mit dem Refrain:"Die Partei, die Partei, die hat immer recht", verbreitete. „Partei hat
immer recht"

Für die SED selbst galt die „monolithische Einheit" als wichtigstes Prinzip der Partei, Opposition oder gar Fraktionen wurden nicht zugelassen. Da sich die SED jedoch durch ihre wachsende Monopolstellung zum politischen Zentrum der DDR entwickelte, mußte sie in ihren Reihen zwangsläufig die Widersprüche der Gesellschaft reflektieren; es traten verschiedene oppositionelle Strömungen auf, nur rigorose Säuberungen konnten die Einheit sichern. Nachdrücklich hatte der III. Parteitag dazu aufgerufen, den „Kampf gegen Spione und Agenten", vor allem die „Tito-Clique", das Ostbüro der SPD sowie Trotzkisten zu verstärken. Auch die „Überreste des Sozialdemokratismus in der SED" sollten beseitigt werden.

Säuberungen der SED   Tatsächlich wurden während der Parteiüberprüfung 1950/51 rund 150.000 Mitglieder aus der SED ausgeschlossen. Gleichzeitig begannen auch die ersten größeren Säuberungen innerhalb der Führungsspitze. Paul Merker, seit den zwanziger Jahren führender Kommunist und Mitglied des ersten Politbüros der SED wurde im August 1950 vom ZK der SED, gemeinsam mit Leo Bauer, Willi Kreikemeyer, Lex Ende und anderen Altkommunisten aus der Partei ausgeschlossen. Kreikemeyer (er kam im MfS-Gefängnis ums Leben) und Bauer wurden sofort verhaftet, die meisten anderen ausgeschlossenen SED-Funktionäre dann 1952 nach dem Prozeß gegen Slansky in Prag.

Schauprozesse   Die Säuberungen liefen parallel zu Schauprozessen in anderen kommunistisch regierten Ländern. Solche Schauprozesse, die sich nur auf absurde Geständnisse der Angeklagten – ehemals führenden Kommunisten – stützten, hatte Stalin bereits 1936 bis 1938 gegen die Mitkämpfer Lenins veranstalten lassen. Nun standen im September 1949 in Budapest der bisherige kommunistische ungarische Innenminister Laszlo Rajk und sieben hohe kommunistische Funktionäre vor Gericht, im Oktober 1949 wurden in Sofia neben Traitscho Kostoff, dem ehemaligen „zweiten Mann" Bulgariens nach Dimitroff, zehn weitere leitende Kommunisten abgeurteilt. Sämtliche Angeklagten (außer Kostoff, der dies verweigerte) hatten „gestanden", für Jugoslawien und die USA spioniert und gegen die „Volksdemokratien" konspiriert zu haben; alle wurden hingerichtet. Erst im Verlauf der Entstalinisierung erfolgte später ihre Rehabilitierung, die Anschuldigungen gegen sie wurden als falsch verworfen. Hinter den Säuberungen stand die Sowjetunion, die ihre Vorherrschaft nach allen Seiten absichern wollte. Auch in Polen wurde deswegen der kommunistische Generalsekretär Gomulka abgesetzt und später verhaftet. Die Umgestaltung der osteuropäischen Staaten ebenso wie der DDR wurde in allen Ländern nicht nur mit Repressalien gegen die Bevölkerung durchgesetzt, sondern die Methoden Stalins gingen bis hin zu Säuberungen innerhalb der kommunistischen Führungen selbst.

Eine zentrale Rolle in diesen Schauprozessen spielte die Zusammenarbeit der Angeklagten mit den Amerikanern Noel und Hermann Field, die im 2. Weltkrieg kommunistische Emigranten unterstützt hatten. Diese Verbindungen wurden 1950 auch deutschen Kommunisten, die früher im westlichen Exil waren, insbesondere Paul Merker, zum Verhängnis. Nachdem dann in Prag im November 1952 der frühere Generalsekretär der KPC, Rudolf Slansky, und zehn weitere Angeklagte verurteilt und hingerichtet wurden, begannen auch in der DDR die Vorbereitungen für einen Schauprozeß gegen kommunistische Führer wie Merker und Dahlem; er unterblieb nur, weil Stalin im März 1953 starb.

In dieser Periode wollte die Parteiführung die Einheit und Zentralisierung der SED außer durch die ständige ideologische Indoktrination vor allem durch Einschüchterung und Repressalien sichern und damit die Funktionäre disziplinieren. Dem sollte auch der in der DDR geplante Schauprozeß gegen führende Kommunisten dienen. Auch hier – wie in allen Volksdemokratien – waren die Säuberungen von der sowjetischen Geheimpolizei initiiert, die versuchte, jede potentielle Opposition gegen die Übertragung des Stalinismus und gegen die uneingeschränkte Vorherrschaft der UdSSR zu verhindern.

Während im Parteiensystem die Dominanz der SED ab 1950 ganz eindeutig war, kamen den Blockparteien auch weiterhin bestimmte Aufgaben zu. Sie hatten eine Alibifunktion (Verschleierung der kommunistischen Einparteienherrschaft und Vortäuschung einer pluralistischen Demokratie), einen gesamtdeutschen Auftrag (Kontakte nach Westen) und eine Transmissionsfunktion (Verbreitung gewisser Vorstellungen der SED in anderen Bevölkerungsgruppen, z. B. durch die CDU in christlichen Kreisen). Dies waren vermutlich die Hauptgründe, weshalb die Parteien auch nach 1949 nicht aufgelöst, also das sowjetische Modell nicht bis ins letzte Detail übertragen wurde. Die SED hatte eine neue Variante kommunistischer Herrschaft gefunden, das sogenannte sozialistische Mehrparteiensystem, bei dessen Herausbildung die Blockpolitik als wesentliches Instrument fungierte.

Funktionen der Blockparteien

Zunächst gab es in den Führungen von CDU und LDP noch Widerstand gegen die den Parteien zugedachte Rolle als Transmissionsorgane. Der 2. Vorsitzende der CDU, Hugo Hickmann und der Vorsitzende der CDU-Fraktion in der Volkskammer, Gerhard Rohner, konnten ebenso wie der Finanzminister von Thüringen, Leonhard Moog (LPD) eigene Vorstellungen von einer pluralistischen Demokratie in ihren Parteien nicht mehr durchsetzen. Es kam zu (von der SED organisierten) Massendemonstrationen gegen bürgerliche Politiker, die daraufhin ihre Ämter verloren. Selbst in den Blockparteien akzeptierte die SED nur noch ihr genehme Führer wie Nuschke oder Götting in der CDU und wie Dieckmann oder Loch in der LPD. Die Verhaftungen bürgerlicher Spitzenfunktionäre, etwa von Hamann (LDP) 1952, führten zur Einschüchterung und beschleunigten die Gleichschaltung dieser Parteien. Sie schwenkten schließlich auf die volle Anerkennung der Führungsrolle der SED ein. Beispielsweise erklärte der Hauptvorstand der CDU im Juli 1952, die CDU erkenne „die führende Rolle der SED als der Partei der Arbeiterklasse vorbehaltlos an" [Neue Zeit Nr. 172 vom 26. 7. 1952]. CDU und LPD respektierten nun ihre Transmissionsaufgaben, mit der sie der SED Einwirkungsmöglichkeiten auf ihr fernstehende Gesellschaftsschichten sicherten. Beide Parteien paßten sich damit NDPD und DBD an, die diese Funktion bereits bei ihrer Gründung 1948 übernommen hatten.

Anerkennung der „führenden Rolle der SED"

Die Massenorganisationen, die alle seit 1949 von der SED sowohl politisch als auch personell gelenkt wurden, gingen bei diesem Prozeß voran: Den Massenorganisationen gehörten große Teile der Bevölkerung an: 1950 zählte der FDGB 4,7 Mil-

lionen Mitglieder, die FDJ 1,5 Millionen, die Jungen Pioniere 1,6 Millionen, der
DFD 1 Million und die Gesellschaft für Deutsch-Sowjetische Freundschaft 1,9 Millionen Mitglieder. Schon 1952 rechtfertigte die FDGB-Spitze die „Anleitung" der
Gewerkschaft durch die Partei, ebenso beschloß im gleichen Jahr die FDJ eine „Verfassung", in der sie die „führende Rolle" der „großen Sozialistischen Einheitspartei"
anerkannte. Ähnlich akzeptierten DFD, Kulturbund und andere Organisationen
ohne Einschränkung die Führung durch die SED. Diese Organisationen besaßen als
stimmberechtigte Mitglieder im „Block" und der „Nationalen Front" erhebliche
Bedeutung für die Festigung des Parteiensystems. Mit Hilfe der Massenorganisationen (und von NDPD und DBD) konnte die neue Ordnung trotz Ablehnung durch
die Mehrheit der Bevölkerung etabliert werden. Nachdem das neue politische System im wesentlichen errichtet war, sahen 1952 sowohl die Sowjetunion als auch die
DDR-Führung die Voraussetzung der offenen Übernahme des sowjetischen Modells
als gegeben. Den Auftakt dazu gab die Losung vom „Aufbau des Sozialismus" während der 2. Parteikonferenz der SED.

„Aufbau
des Sozialis-
mus"

Erst am 8. Juli 1952 hatte die Stalin-Führung in Moskau dem Drängen der SED-
Spitze stattgegeben und das Plazet für den „Aufbau des Sozialismus" in der DDR
übermittelt. Nunmehr konnte die forcierte Übertragung des sowjetischen Modells
auch offiziell proklamiert werden.

2. „Aufbau des Sozialismus"

Auf dieser 2. Parteikonferenz verkündete Walter Ulbricht vor den 1.565 Delegierten im Juli 1952, das ZK der SED habe „beschlossen", der Tagung vorzuschlagen,
daß in der DDR „der Sozialismus planmäßig aufgebaut" werde. Mit dieser For-
mulierung umschrieb die SED ihre wirtschaftlichen Pläne, ideologischen Positionen sowie beabsichtigte Veränderungen in Staat und Gesellschaft, die eine noch
stärkere Angleichung der DDR an das sowjetische Modell bringen sollten. Damit
reduzierte die SED letztlich den Begriff Sozialismus auf das stalinistische System
der UdSSR.

RGW

Die DDR, seit September 1950 Mitglied im Rat für Gegenseitige Wirtschaftshilfe
(RGW), erweiterte ihre außenwirtschaftlichen Beziehungen zur Sowjetunion und
den „Volksdemokratien". Der Außenhandel mit diesen Staaten erhöhte sich von
1950 bis 1955 auf das Dreifache, 1954 entfielen drei Viertel des DDR-Außenhandels
auf den Ostblock.

Die Ziele der Wirtschaft beim „Aufbau des Sozialismus" setzte der Fünfjahrplan
von 1951 bis 1955 (sie wurden nach dem Juni-Aufstand 1953 freilich verändert). Der
Fünfjahrplan sah eine Steigerung der Industrieproduktion von 23 auf 45 Milliarden
Mark vor, die landwirtschaftlichen Erträge sollten um 25 Prozent und das Volksein-
kommen um 60 Prozent erhöht werden, die Arbeitsproduktivität sogar um 72 Prozent. Da in einer Reihe von Produktionszweigen (Energie, Braunkohle, Rohstahl)
der Plan überzogen war und nicht erfüllt wurde, konnte auch das Versprechen eines

deutlich höheren Lebensstandards nicht eingelöst werden. Ende 1952 betrug der Produktionsindex der DDR zwar 108 des Standes von 1936 (Bundesrepublik: 143), jedoch wurde in der Verbrauchsgüterindustrie der Vorkriegsstand noch immer nicht erreicht.

Die Rolle der „volkseigenen Betriebe" wuchs ständig. Gab es Mitte 1949 1.764 Betriebe, so zählte man 1950 insgesamt 5.000 VEB. Die VEB hatten 1950 900.000 Beschäftigte, bis 1953 stieg diese Zahl auf 1,7 Millionen. Der Anteil der staatseigenen und genossenschaftlichen Betriebe an der Bruttoproduktion der Industrie betrug im Jahr 1950 73,1 Prozent, er stieg 1951 auf 79,2 Prozent und sollte, so Ulbricht auf der 2. Parteikonferenz, Ende 1952 81 Prozent erreichen. Die Bedeutung der VEB stieg auch noch dadurch, daß die UdSSR wichtige ihrer „Sowjetischen Aktiengesellschaften", der SAG-Betriebe an die DDR-Wirtschaft übergab. Ende 1946 bestanden 200 SAGs, davon kamen 1947 bereits 47 unter deutsche Verwaltung, 1950 weitere 23. Trotzdem waren die SAG-Betriebe 1951 noch ein beträchtlicher Wirtschaftsfaktor. Sie umfaßten 13 Prozent der Beschäftigten und erbrachten 32 Prozent der Produktion; Uran-Erzbergbau sowie Erzeugung von Stickstoff und synthetischem Kautschuk lagen ganz unter sowjetischer Verfügung; auch die Herstellung von Uhren, Motorrädern und Benzin erfolgte zu 80 Prozent in den SAGs. Mit der Übergabe weiterer 66 SAG-Betriebe erhöhte sich 1952 die Leistungskraft der VEB merklich. Die staatseigene Industrie bildete nunmehr den beherrschenden Sektor in der DDR-Wirtschaft.

Schon im Juni 1951 stellte das ZK der SED die Losung „Von der Sowjetunion lernen heißt siegen lernen" in den Mittelpunkt der Agitation. Die Parteiführung forderte, die volkseigenen Betriebe in Industrie, Landwirtschaft, Verkehr, Handel und Finanzen weiterzuentwickeln und die „Prinzipien der sowjetischen Wirtschaftsführung und ihre Methoden" gründlich zu studieren und daraus Schlußfolgerungen für die Leitung der Staatswirtschaft der DDR zu ziehen.

Als vorrangig galt das Studium und die Anwendung der von Stalin entwickelten Formen der „wirtschaftlichen Planung sowie besonders der bolschewistischen Methoden" der Anleitung der Wirtschaft durch die Partei. Da die Strukturen der Wirtschaft nach sowjetischem Vorbild entwickelt worden waren, hieß es nun auch bei den Leitungsmethoden sowjetische Praktiken zu übernehmen. Für die Gesamtwirtschaft der DDR brachte das Erfolge, aber auch neue Schwierigkeiten, denn viele Arbeiter waren gegenüber den „Neuerermethoden" skeptisch eingestellt.

Wichtigstes Ziel der DDR-Wirtschaftspolitik wurde die Erhöhung der Arbeitsproduktivität. Das bereits im April 1950 eingeführte „Gesetz der Arbeit" sah neben der Verbesserung der Lage der Arbeiter und der Garantie des „Rechtes auf Arbeit" vor allem eine Steigerung der Arbeitsproduktivität vor. Da die 2. Parteikonferenz der SED 1952 dann die beschleunigte Förderung der Schwerindustrie verlangte, kam es infolge dieser Maßnahme zu weiteren Engpässen bei der Versorgung der Bevölkerung.

Immerhin war es der DDR unter größten Mühen und Entbehrungen und ohne Hilfe von außen, wie etwa der Marshallplan im Westen, bis 1952/53 gelungen, das

Marginalien rechts: Rolle der VEB · SAG · Erhöhung der Arbeitsproduktivität · Wirtschaftserfolge

zerrüttete Wirtschaftssystem wieder aufzubauen. Die Rohstahlerzeugung z. B., die 1946 auf 150.000 Tonnen abgesunken war, stieg bis 1953 auf 2,1 Millionen Tonnen (das Doppelte der Erzeugung von 1936). Ähnlich beachtliche Leistungen erzielten die Energiewirtschaft und die chemische Industrie. Demgegenüber blieb die Entwicklung der Konsumgüterindustrie zurück, und trotz vieler Prophezeiungen der SED-Führung (Ulbricht 1949: „Jetzt kommt die Zeit der Erfolge") war der Lebensstandard weiterhin relativ niedrig (und erheblich bescheidener als der in der Bundesrepublik). Noch immer mußten Fett, Fleisch und Zucker rationiert werden, sehr viele Güter waren Mangelware, und ihre Qualität ließ oft zu wünschen übrig. Für große Teile der Bevölkerung waren die überhöhten Preise in den HO-Läden unerschwinglich. Die Bruttostundenlöhne betrugen 1951 für Maurer 1,60 Mark, für Schlosser 1,78 Mark, die Mehrheit der Arbeiter verdiente unter 312 Mark brutto im Monat, bis 1955 stieg der monatliche Durchschnittsverdienst von Arbeitern und Angestellten auf 345 Mark.

Damals betrugen die Preise in den HO-Läden für ein kg Zucker 12 Mark, für kg Schweinefleisch 15 Mark, für ein kg Butter 24 Mark, für ein Herrenhemd 40 Mark und für ein Frauenkleid 108 Mark. Hingegen waren die rationierten Lebensmittel relativ billig, so kostete ein kg Schweinefleisch 2,68 Mark, ein kg Butter 4,20 Mark und ein Zentner Braunkohlenbriketts 1,72 Mark. Preisgünstig waren auch Mieten und Fahrpreise der öffentlichen Verkehrsmittel.

Wirtschafts-
vergleich mit der
Bundesrepublik

Falsche
Weichenstellungen

Die DDR-Wirtschaft blieb auf Dauer erheblich hinter der der Bundesrepublik zurück. Dies hatte zunächst mit ihrer schlechteren Ausgangslage zu tun, den Demontagen, den ökonomischen Disproportionen zwischen den beiden Teilen Deutschlands, der schmalen Rohstoffbasis und dem Fehlen einer „Marshall-Plan"-Hilfe. Rückblickend zeigt sich freilich, daß mit den Zielsetzungen der fünfziger Jahre auch die Weichen falsch gestellt wurden. Trotz fehlender Betriebe und Rohstoffe unternahm die DDR ehrgeizige Anstrengungen, eine eigene Schwerindustrie aufzubauen, wobei es ihr besonders auf Kohle und Stahl ankam. Sie vernachlässigte daher nicht nur die Konsumgüterindustrie und die Dienstleistungen, sondern baute zudem unrentable Werke an falschen Standorten auf. Nach Jahrzehnten stellte sich heraus, daß die DDR mit ihrer (von der UdSSR verfügten) Bevorzugung der traditionellen Schwerindustrie nur verkrustete Strukturen festigte. Nicht genügend Beachtung fanden hingegen jene Bereiche, die sowohl vom Standort her als auch durch dort vorhandene qualifizierte Fachkräfte traditionell ausbaufähig waren, etwa die Chemie mit der Möglichkeit der Herstellung neuer Kunststoffe und vor allem die Feinmechanik und Optik (Jena, Dresden), die zum Ausgangspunkt und zur Basis einer zukünftigen modernen Hoch-Technologie mit Mikroelektronik, Roboter- und Computerbau hätten werden können. Die Priorität für veraltete Industrien erwies sich spätestens bei Verkündung der „wissenschaftlich-technischen Revolution" in den sechziger Jahren als verfehlt und hemmend.

Der „Aufbau des Sozialismus" war also keineswegs der eigenständige Versuch, neue und moderne Konzeptionen von Wirtschaft und Gesellschaft zu entwickeln, sondern es blieb bei einem Hinterherlaufen hinter gängigen Industriealisierungsformen. Auf diese Weise schrumpfte das Ziel dahin, den Westen „einzuholen und zu überholen". Doch genauer besehen handelte es sich dabei um ein bloßes Nachahmen des sowjetischen Weges, allerdings war dort aufgrund der Rückständigkeit des Landes der Aufbau der Schwerindustrie seinerzeit sinnvoll gewesen.

Daran, auch unkonventionelle Schritte beim „Aufbau des Sozialismus" zu wagen, hinderte die DDR nicht nur ihre unkritische Übernahme der sowjetischen Methoden. Das hierarchische und undemokratische politische System wirkte zugleich auf die – staatliche – Wirtschaft und die Gesellschaft zurück und führte zu mangelnder Flexibilität. Starre Befehlsstränge von oben nach unten und unbewegliche Strukturen verhinderten nicht nur ideenreiche Impulse von der Basis her, sondern auch Innovationen von seiten der Wissenschaftler. Selbst dort, wo Fortschritte auf dem Wege der Modernisierung relativ rasch erfolgten, etwa bei der Technisierung rückständiger Gebiete in Mecklenburg und Brandenburg, konnten nicht alle Möglichkeiten ausgeschöpft werden.

Insgesamt zeigte sich: „Aufbau des Sozialismus" in der DDR hieß nicht Umsetzung und Realisierung neuer Ideen, sondern Anpassung an das rückständige System des Stalinismus. Dies galt auch für die Verbreitung der Ideologie. Um ihre Ziele zu erreichen, rückte die SED nach der 2. Parteikonferenz 1952 den „ideologischen Kampf" in den Vordergrund. Das Studium der „Werke des Genossen Stalin" war nach einem Beschluß der Konferenz „noch gründlicher" durchzuführen. Die Nachahmung der Sowjetunion verengte sich auf den Personenkult um Stalin und seine diktatorisch-terroristische Praxis. Dabei verwies Ulbricht, der 1952 einen Schauprozeß gegen führende SED-Funktionäre vorbereiten ließ, auf Parallelen zu anderen Ostblockstaaten. Er verurteilte den „abgrundtiefen Verrat der Tito-Clique", die „verbrecherische Tätigkeit der Slansky-Gruppe in der Tschechoslowakei, der Gomulka-Gruppe in Polen". Zugleich steigerte Ulbricht den Personenkult um Stalin in kaum noch zu überbietender Weise. Sein Schlußwort auf der 2. Parteikonferenz beendete er mit der Parole: „Wir werden siegen, weil uns der große Stalin führt!" [Protokoll 2. Parteikonferenz der SED. Berlin (Ost) 1952, 464].

Die SED zeigte sich gegenüber Stalin immer devoter. Im Oktober 1952 feierte sie ihn als „genialen Lehrer und Führer", im Dezember äußerte sie sich über das „Maß an Liebe und Verehrung" zu Stalin und im Februar 1953 ließ sie den „genialen Feldherrn Generalissimus Stalin" hochleben. Das System der Parteischulung auf den verschiedenen Ebenen (Grundschulen, Zirkel, Abendschulen), vor allem aber mit seinem gegliederten Internatsschulen-Netz mit Betriebsparteischulen, 185 Kreisparteischulen, 15 Bezirksparteischulen sowie der Parteihochschule „Karl Marx" war ganz auf die Ergebenheit der Funktionäre gegenüber der UdSSR und insbesondere Stalin ausgerichtet.

Die Schaffung eines zuverlässigen, geschulten Funktionärskorps war ein Hauptanliegen der Führung, ihr schien ideologische Ausrichtung wichtiger als Sachverstand, daher sollten alle Positionen in Partei, Staat, Kultur und Wirtschaft mit indoktrinierten Funktionären besetzt werden. Dabei rückten die sogenannten Kaderprinzipien in den Mittelpunkt der Personalpolitik; Kritik und Selbstkritik sowie Anlei-

Aufbau des Sozialismus in der Realität

SED und Stalin

tung und Kontrolle durch den übergeordneten Apparat galten neben politischer Qualifikation als Garantien der Machtsicherung.

Diesem Ziel dienten auch die Veränderungen im Staatsapparat, die im Rahmen des „Aufbau des Sozialismus" erfolgten. Ende Juli 1952 löste die DDR-Führung die bisherigen fünf Länder auf und ersetzte sie durch 14 Bezirke. Damit waren die Reste von Föderalismus und Selbstverwaltung beseitigt. Zugleich sollten die Landestraditionen verschwinden. Bezirkstag und Bezirksrat bildeten nun die Führungsorgane der mittleren Verwaltungsebene. In den Bezirkstagen saßen 60 bis 90 Abgeordnete, die ihre Arbeit in „Ständigen Kommissionen" leisteten (Haushalt, örtliche Industrie usw.). Doch das entscheidende Verwaltungsorgan war der Rat des Bezirks, die eigentliche Leitungsfunktion übten der Vorsitzende und der Sekretär des Rates aus, die in allen Bezirken die SED stellte. Die Verwaltungsreform brachte nicht nur eine Zentralisierung, sie vereinfachte auch die Anleitung und Kontrolle des Staatsapparats durch die SED.

Bereits zuvor war das Startzeichen für neue Funktionen und veränderte Arbeitsweise der Regierung gegeben worden. Die Volkskammer beschloß im Mai 1952, die Führungsarbeit wieder zu straffen und die Wirtschaft intensiv durch die Regierung lenken zu lassen. Am 17. Juli 1952 wurde nach sowjetischem Vorbild ein Präsidium des Ministerrates geschaffen, ein kleines Führungsgremium, das die Volkswirtschaft und die staatlichen Organe „operativ" leiten sollte. Der häufige Wechsel der Strukturen und der Arbeitsmethoden läßt sowohl die Anpassung an Veränderungen in der Sowjetunion erkennen als auch ein ständiges Experimentieren. Die personelle Hegemonie der SED blieb unangetastet. Im Jahre 1953 wuchs der Ministerrat (zu dem nun auch Vorsitzende von Kommissionen und Staatssekretäre zählten) auf 40 Personen an, davon waren 31 SED-Mitglieder. Ein Übergewicht der SED bestand ebenso im Präsidium des Ministerrats mit 12 von 16 Mitgliedern. Damit hatte die Einheitspartei auch personell die Regierungsgewalt inne.

Beim „Aufbau des Sozialismus" verwirklichte die SED auch neue Konzeptionen in der Schul- und Kulturpolitik. Nun sollten Kinder und Jugendliche nicht nur so erzogen werden, daß sie „fähig und bereit" waren, den Sozialismus aufzubauen, der polytechnische Unterricht sollte sie zudem in die Grundlagen der Produktion einführen. Die Hochschulen wurden einheitlich von einem Staatssekretariat verwaltet, ein Zehnmonate-Studienjahr mit genauen Studien- und Stoffplänen beschlossen. Vorrang erhielt nun die Vermittlung der Sowjetwissenschaft, russischer Sprachunterricht und Studium der Ideologie des Marxismus-Leninismus wurden obligatorisch. Zugleich baute der Staat das Hochschulwesen aus, zu den bestehenden sechs Universitäten und 15 Hochschulen kamen 25 neue Lehrstätten, darunter drei medizinische Akademien. Die Zahl der Studenten verdoppelte sich von 1951 bis 1954 auf 57.000, der Anteil der Arbeiter- und Bauernkinder stieg auf 53 Prozent, womit die DDR das Bildungsprivileg überwinden wollte.

Auch in der Kunst erfolgte eine Anpassung an die Praktiken der Sowjetunion. Die moderne Kunst wurde als formalistisch und kosmopolitisch verdammt, der „sozialistische Realismus" galt von nun an als allein gültige Kunstrichtung.

Auflösung der Länder

Veränderung der Regierungsstruktur

Neue Schul- und Kulturpolitik

Nach offizieller Version entstand in der DDR durch den „Aufbau des Sozialismus" die Herrschaft der Arbeiterklasse, die im Bündnis mit der Klasse der Bauern sowie der Schicht der „Intelligenz" den „Arbeiter- und Bauern-Staat" lenkt. Die Realität sah anders aus: Tatsächlich bestimmten die Apparate, d. h. die hauptamtlichen Mitarbeiter von Partei, Staat, Sicherheitsorganen, Wirtschaft und Medien, die zudem mehr oder weniger umfangreich privilegiert waren. Die entscheidende Rolle spielte der SED-Parteiapparat mit seinen festangestellten Kadern. Dieser umfaßte **Parteiapparat** bereits 1948 20.000 Personen, davon 2.000 im zentralen ZK-Apparat. Er wuchs in den folgenden Jahren noch an. Gestützt auf die Aktivitäten dieses hauptamtlichen Funktionärkorps hatte die SED bis 1953 das Herrschaftssystem der Sowjetunion weitgehend auf die DDR übertragen können. Als Machthebel dienten ihr dabei: 1. der Parteiapparat, 2. der Staatsapparat (Regierung, Verwaltung), 3. die Justiz, MfS, Armee, 4. die Medien, 5. die Massenorganisationen sowie die anderen Parteien, die als „Transmissionsriemen" die Verbindung zu allen Bevölkerungsschichten herstellen und diese nach den Weisungen der SED anleiten sollten.

Grundsätzlich benutzte die SED zur Herrschaftssicherung drei Methoden, die sie **Drei Methoden** ebenfalls von der Sowjetunion Stalins übernommen hatte. Erstens wurden Gegner **der Macht-** mit Gewalt niedergehalten. Das Ministerium für Staatssicherheit und die Justiz richteten sich gegen eine Minderheit, die aktiv das System ändern wollte. Zweitens praktizierte die Führung die Neutralisierung, womit „unpolitische" Menschen, die weder Gegner noch Anhänger des Systems waren, bei allmählich wachsendem Wohlstand und einem Mindestmaß an persönlichem Freiraum von jeglicher Opposition abgehalten werden sollten. Drittens bildete die Ideologie nicht nur ein Bindeglied der herrschenden Eliten: durch Indoktrination – vor allem der Jugend – galt es neue Anhänger zu gewinnen. Die Ideologie diente – neben der Anleitung des politischen und sozialen Handelns – als Rechtfertigungs- und Verschleierungsinstrument der Führung.

3. DER AUFSTAND VOM 17. JUNI 1953 UND SEINE FOLGEN

Die forcierte Übertragung sowjetischer Methoden 1952 und Anfang 1953 führte zu einer Krise. Später bestätigte selbst die DDR-Geschichtsschreibung, daß der absolute Vorrang der Schwerindustrie „fehlerhaft" war, tatsächlich verschlimmerte sich die Lebenslage der Menschen, die Mangelwirtschaft wurde permanent. Die politische Unterdrückung brachte auch eine Verfolgung der Kirche, vor allem der Evange- **Evangelische** lischen Kirche, der damals noch 80 Prozent der Bevölkerung angehörten. Von Ja- **Kirche** nuar bis April 1953 verhaftete das MfS etwa 50 Geistliche, Laienhelfer und Diakone; die „Junge Gemeinde" war heftigen Angriffen ausgesetzt. Durch Zwangsmaßnahmen gegen Bauern, Selbständige und Intellektuelle verschlechterte sich die Stimmung ebenso wie durch Preissteigerungen.

Der Tod Stalins am 5. März 1953 schockierte die DDR-Führung, da die neue Spitze der Sowjetunion (Malenkow, Berija, Molotow) eine Kurskorrektur, eine Abkehr von der harten Linie in der DDR forderte. Im Politbüro der SED drängten Wilhelm Zaisser und Rudolf Herrnstadt auf eine flexiblere Politik und sogar auf eine Ablösung Ulbrichts.

Nach der Wende in der DDR wurde ein „Beschluß" bekannt, den das Politbüro der KPdSU nach Stalins Tod 1953 faßte und in dem es die „fehlerhafte politische Linie" der SED in der DDR kritisierte. Zur „Verbesserung der Lage" konstatierte die KPdSU damals: „Unter den heutigen Bedingungen (ist) der Kurs auf eine Forcierung des Aufbaus des Sozialismus in der DDR, der von der SED eingeschlagen und vom Politbüro der KPdSU(B) in seinem Beschluß vom 8. Juli 1952 gebilligt worden war, für nicht richtig zu halten." [BzG, 32, 1990, 651 ff.] Unter diesem sowjetischen

Neuer Kurs Druck faßte das Politbüro der SED am 9. Juni 1953 den Beschluß über den „Neuen Kurs", der am 11. Juni vom Ministerrat übernommen und konkretisiert wurde.

Partei- und Staatsführung der DDR räumten ein, daß in der Vergangenheit eine Reihe von „Fehlern" begangen worden seien, sie versicherten, der „Neue Kurs" werde Abhilfe schaffen. Die mit der Begründung vom „verschärften Klassenkampf" beim „Aufbau des Sozialismus" angewendeten Repressalien gegen Teile der Bevölkerung wurden für falsch erklärt und die Preissteigerungen zurückgenommen. Die Lebenslage sollte durch stärkere Berücksichtigung der Konsumgüterindustrie verbessert werden, versprochen wurden neben Rechtssicherheit auch Schritte zur Annäherung der beiden deutschen Staaten.

Mit dem „Neuen Kurs" machte die DDR-Führung zwar vielen Schichten Zugeständnisse, blieb aber gerade gegenüber der Arbeiterschaft hart. Die im Mai erhöhten Arbeitsnormen nahm sie trotz der Forderung vieler Arbeiter nicht zurück. Das

Streik der war der Anlaß für den Streik der Bauarbeiter in der Berliner Stalinallee, aus dem
Bauarbeiter sich am 17. Juni der Arbeiteraufstand in der DDR entwickelte. In mehr als 300 Orten gab es Streiks und Demonstrationen. Wenn sich am Aufstand insgesamt nur ein Teil der Arbeiter beteiligte, so waren es doch die in den wichtigsten Zentren, außer in Berlin im mitteldeutschen Industriegebiet sowie im Raum Magdeburg, in Jena, Gera, Brandenburg und Görlitz. Die diszipliniert aufmarschierenden Arbeiter der Großbetriebe (Leuna, Buna, Wolfen, Hennigsdorf) bildeten das Rückgrat der Erhebung. Es kam zu Zusammenstößen zwischen Demonstranten und Polizei, auch zu Einzelaktionen und Ausschreitungen.

DDR-Regierung und SED-Führung erwiesen sich als ohnmächtig, der sowjetische Stadtkommandant von Berlin, der den Ausnahmezustand verhängte, ließ Panzer auffahren, mit denen der Aufstand niedergeschlagen wurde. In der DDR gab es am 18. Juni noch Demonstrationen, in Halle-Merseburg (Hochburg der KPD in der Weimarer Republik) und Magdeburg (einer früheren SPD-Hochburg) übernahmen Streikkomitees der Arbeiter zeitweise die Macht, Gefangene wurden befreit und Ziele des Aufstandes formuliert. Hatten die Demonstrationen mit wirtschaftlichen Forderungen begonnen, so bestimmten bald politische Parolen den Aufstand, u. a. ertönte der Ruf nach freien Wahlen. Die Protestbewegung radikalisierte sich rasch.

Opfer des Die Zahl der Opfer lag nach neuen Informationen bei mindestens 50 Toten wäh-
17. Juni rend der Demonstrationen. 20 Personen hat die Sowjetarmee standrechtlich er-

schossen. Drei SED-Funktionäre kamen ums Leben, aber auch 40 Sowjetsoldaten. Die meisten von ihnen wurden wegen Befehlsverweigerung erschossen.

Nach der Niederschlagung des Aufstandes und der Verfolgung der „Rädelsführer" (bis zum 23. Juni waren über 6.000 Personen inhaftiert worden) verbreitete das ZK der SED, es habe sich um einen „faschistischen Putsch" gehandelt, freilich übte man auch vage Selbstkritik und versprach Verbesserungen sowie eine Fortsetzung des „Neuen Kurses". Doch der Aufstand brachte weitergehende Konsequenzen. Er hatte die Behauptungen vom Arbeiterstaat DDR und der Arbeiterpartei SED als Legenden enthüllt und damit eine Legitimation der Herrschaft erschüttert. Der Aufstand und seine Niederlage führten zu einem Lernschock. Die SED bemühte sich nun **Lernprozeß** mittelfristig um ein langsameres Transformationstempo, und die Bevölkerung mußte die bittere Erfahrung machen, daß der Versuch einer gewaltsamen Veränderung des stalinistischen Systems keinerlei Aussicht auf Erfolg hat, solange die UdSSR das bestehende Regime in der DDR garantierte.

Zunächst wurde die Produktion der Schwerindustrie zugunsten der Erzeugung von Konsumgütern und Nahrungsmitteln gedrosselt. Im Oktober 1953 senkte die Regierung die Preise für fast alle Waren in den HO-Geschäften um 10 bis 25 Prozent. Diese Preissenkungen waren, wie Grotewohl erklärte, auf die „großzügige Hilfe der Sowjetunion" zurückzuführen. Tatsächlich hatte sich die Regierung der UdSSR bereit erklärt, ab 1. Januar 1954 auf alle Reparationen zu verzichten und die Besatzungskosten auf 5 Prozent des Staatshaushaltes der DDR zu begrenzen. Die restlichen 33 SAG-Betriebe (darunter die Leuna-Werke, das frühere Krupp-Gruson-Werk, die chemischen Werke Buna, die Filmfabrik Agfa-Wolfen) wurden der DDR als Staatsbetriebe übereignet.

Mit den Maßnahmen des „Neuen Kurses" verbesserte sich die Lebenslage der DDR-Bewohner. Trotzdem blieben die Verhältnisse für viele weiterhin unerträglich: 1953 flüchteten über 331.000 und auch 1954 noch 184.000; 1955 sogar 252.000 Menschen in die Bundesrepublik und nach West-Berlin. In erster Linie gingen diejenigen, die die SED besonders umwarb oder deren Interessen sie angeblich vertrat: Jugendliche, Bauern und Arbeiter. **Fluchtbewegung**

Der Aufstand vom 17. Juni, mit dem Ulbricht gestürzt werden sollte, stärkte stattdessen die Position des Generalsekretärs. Die sowjetische Führung vermied nun Experimente: nicht Ulbricht, sondern seine Gegner Zaisser und Herrnstadt wurden verdrängt, sie verloren im Juli 1953 ihre Positionen. Im Januar 1954 schloß das ZK beide aus der Partei aus und entfernte Ackermann, Jendretzky und Elli Schmidt aus dem ZK.

Eine umfassende Reinigung des gesamten Parteiapparates folgte in den nächsten Monaten. Von den 1952 amtierenden Mitgliedern der SED-Bezirksleitungen schieden bis 1954 über 60 Prozent aus, von den 1. und 2. Kreissekretären sogar über 70 Prozent. Im September 1953 kritisierte das SED-Politbüro, daß von den damals 1,2 Millionen Mitgliedern viele passiv seien, sozialdemokratische Ansichten vertreten würden und sogar „feindliche Elemente" in der Partei seien. Durch 150.000 bis 200.000 „Parteiaktivisten" sollte neuer Schwung in die SED kommen. Da nichtgewählte hauptamtliche Funktionäre von Partei, Staat und Massenorganisationen diese Aktivs bildeten, schwanden die Reste innerparteilicher Demokratie.

Der IV. Parteitag der SED im April 1954 ließ das Ende des „Neuen Kurses" erkennen. Die Parteiführung blieb bemüht, die Grundstrukturen des stalinistischen Systems in der DDR zu konservieren. Der schrittweisen Abkehr der Sowjetunion unter Chruschtschow von krassen stalinistischen Herrschaftsmethoden (Terror, Macht der Geheimpolizei, Personenkult) folgte die DDR damals nur sehr zögernd.

In ihrer Propaganda beharrte die DDR-Führung auf der Einheit Deutschlands. Ihre Parole „Deutsche an einen Tisch" fand in der Bundesrepublik freilich keine Resonanz. Die Regierung Adenauer hatte nach dem Juni-Aufstand und ihrem großen Wahlsieg 1953 die Ablehnung jeglicher Kontakte mit der DDR-Regierung noch bekräftigt. Der Empfang einer Volkskammerdelegation durch Bundestagspräsident Ehlers im September 1952 war eine Ausnahme und zudem umstritten geblieben. Gegen die KPD, die als einzige Partei die Position der SED vertrat und die DDR verteidigte (der Einzug in den Bundestag gelang ihr 1953 nicht mehr), war von der Regierung schon im November 1951 ein Verbotsverfahren vor dem Bundesverfassungsgericht beantragt worden. Die mündlichen Prozeßverhandlungen begannen im November 1954, im August 1956 erfolgte dann das Verbot der KPD.

In der DDR selbst ging der Strukturwandel weiter. Im Oktober 1954 fanden wieder Wahlen für die Volkskammer und die Bezirkstage statt. Es war nun schon fast ein gewohntes Bild: auch bei dieser Abstimmung existierte nur die Einheitsliste, registriert wurden 98,4 Prozent Beteiligung und 99,45 Prozent „Ja"-Stimmen. Die Wahl erfolgte kaum noch geheim, sie war nur noch Akklamation. Lediglich 180 der 400 Abgeordneten der vergangenen Legislaturperiode wurden wieder als Kandidaten nominiert und „gewählt". Von den Volkskammerabgeordneten des Jahres 1950 hatte das MfS inzwischen 8 verhaftet, 17 Abgeordnete waren in die Bundesrepublik geflüchtet, 44 hatten während der Legislaturperiode auf Druck der SED und der Besatzungsbehörden ihr Mandat niederlegen müssen.

Die Ohnmacht der Volkskammer und die Macht der SED-Führung traten immer offener zutage. Das zeigte auch die Zusammensetzung der neuen Regierung: Von 28 Ministern gehörten 20 der SED an, von den 13 Mitgliedern des Präsidiums des Ministerrates neun. Fünf Regierungsmitglieder waren gleichzeitig im Politbüro der SED, 11 im ZK der Einheitspartei. Diese Personalunion ist ein Indiz dafür, daß sich die SED ihrem Ziel genähert hatte, den Staats- und Verwaltungsapparat der DDR nach sowjetischem Muster umfassend anzuleiten, zu beherrschen und zu kontrollieren. Neben diese Personalunion, d. h. der Verschmelzung von Parteiorganen mit der Staatsführung (die in allen Instanzen von oben nach unten zu beobachten war) trat die Reglementierung der Verwaltung durch die SED-Grundorganisationen und Parteigruppen, die in allen Organen des Staates bestanden; schließlich gab es noch direkte Anweisungen durch die Parteileitungen.

In der Wirtschaft wurde ab 1955 wieder die Schwerindustrie bevorzugt. Um die industrielle Produktion zu steigern, förderte die Regierung den „sozialistischen Wettbewerb", durch den vor allem die Selbstkosten gesenkt und die Qualität der

„Deutsche an einen Tisch"

Wahlen 1954

Produkte verbessert, freilich auch „neues Bewußtsein" geschaffen werden sollte. Ende 1954 hatte die SED die Methoden der Leitung und Planung abermals geändert. Mit Gesetzen über neue Regelungen der Gewinnverteilung versuchte die Regierung die „materielle Interessiertheit" der Arbeitnehmer zu erhöhen. Sie proklamierte auch einen „Feldzug" der Sparsamkeit und vereinfachte die Planungsmethoden.

Im Jahre 1955 endete der erste Fünfjahrplan, der offiziell mit 105 Prozent erfüllt wurde. Damit hatte sich die Industrieproduktion gegenüber 1950 fast verdoppelt, die Arbeitsproduktivität war um 55 Prozent gestiegen. Die Wirtschaft der DDR verfügte nunmehr über eine schwerindustrielle Grundlage, die unter schwierigen Umständen, mit erheblichen Aufwendungen geschaffen worden war. Das Eisenhüttenkombinat Ost, die Großkokerei Lauchhammer und zahlreiche Betriebe und Kraftwerke waren neu errichtet, andere (wie Stahl- und Walzwerke Brandenburg, Hennigsdorf und Riesa) stark erweitert worden. Im Verlauf des Fünfjahrplans hatte die DDR zwar 32 Milliarden Mark in ihre Wirtschaft investiert, die ursprünglichen Planziele waren dennoch nicht erreicht worden. In der Schwerindustrie gab es erhebliche Lücken, und Disproportionen der Volkswirtschaft bestanden weiter. Für die Bevölkerung bedeutete dies, daß der Lebensstandard nicht so anstieg, wie die Führung versprochen und die Menschen erhofft hatten. Die Schwächen der Wirtschaft, die trotz gewaltiger Anstrengungen nicht überwunden waren, vergrößerten die Instabilität der DDR.

In ihrer Wirtschaftsordnung unterschied die DDR seit den fünfziger Jahren drei grundsätzliche Formen des Eigentums: 1. Staatseigentum (sogenannter sozialistischer oder volkseigener Sektor), 2. Genossenschaftseigentum und 3. Privateigentum. Bis 1955 wuchs das Staatseigentum in Industrie und Handel sehr rasch, das Genossenschaftseigentum in der Landwirtschaft langsamer. Noch existierte in bestimmten Bereichen (Handwerk, Landwirtschaft, Konsumgüterindustrie) ein relativ großer Anteil privaten Eigentums. *Eigentumsformen*

Die DDR war ein ökonomisch entwickeltes Land, in dem über 40 Prozent der Arbeiter und Angestellten in der Industrie arbeiteten. Als Folge der veränderten Eigentumsformen entstanden nicht nur neue Besitzverhältnisse, sondern es bildete sich auch eine neue Sozialstruktur heraus. Die Zahl der Beschäftigten wuchs: Während es 1949 7 Millionen Berufstätige gab, waren es 1955 8,2 Millionen. Zugleich wandelte sich die soziale Schichtung. 1949 gab es 4 Millionen Arbeiter und 1,7 Millionen Angestellte, 1955 wiesen die Statistiken 6,5 Millionen Arbeiter und Angestellte aus (es erfolgte nun keine getrennte Aufzählung mehr). Waren 1949 1,1 Millionen Selbständige und 1 Million mithelfende Familienangehörige (darunter 1,4 Millionen Landwirte und Angehörige), so ging die Zahl der Selbständigen auf 900.000, die der mithelfenden Familienangehörigen auf 650.000 zurück. *Neue Sozialstruktur*

Von der (auf Kosten der Selbständigen) steigenden Zahl der Arbeiter und Angestellten waren 1955 68 Prozent beim Staat beschäftigt. Die in Industriegesellschaften generell zu beobachtende Entwicklung, nämlich die Verringerung der Zahl der Selbständigen und das Anwachsen der Zahl der Lohnabhängigen, brachte in der

Wirtschaftsordnung der DDR eine direkte Abhängigkeit der Mehrheit der Beschäftigten vom Arbeitgeber Staat mit sich. Diese neue soziale Schichtung war zwar noch nicht mit der sowjetischen Gesellschaftsstruktur identisch, aber sie glich sich ihr mehr und mehr an.

Zehn Jahre nach Kriegsende hatte die SED ihre Herrschaft in der DDR mit Hilfe der Sowjetunion festigen können, doch war es ihr nicht gelungen, von der Bevölkerung akzeptiert zu werden und damit ihrer Macht eine solide Basis zu verschaffen. Die radikalen Strukturveränderungen hatten kein florierendes System hervorgebracht, sondern eine krisenhafte Gesellschaft. Die gewaltigen sozialen Umschichtungen blieben ohne breite Zustimmung, diese fehlte selbst bei Teilen der sozialen Aufsteiger. Der Mangel an Konsens resultierte zum einen aus der Fixierung weiter Kreise der Bevölkerung auf die wirtschaftlich erfolgreiche Bundesrepublik, zum anderen beruhte er auf der Ablehnung der kritiklosen Übernahme der stalinistischen Diktatur und des Bürokratismus durch die SED.

4. Deutschlandpolitik

Auf dem IV. Parteitag der SED im April 1954 hatte Ulbricht erklärt, die Wiederherstellung der Einheit Deutschlands sei eine „unumstößliche Gesetzmäßigkeit", an der „jeder zugrundegehen wird, der sich diesem Gesetz entgegenzustellen wagt" [Protokoll, Bd. 2, 888 ff.]. Tatsächlich bestanden aber wenig aktuelle Chancen für eine Wiedervereinigung.

Die SED-Führung konnte bis 1952 davon ausgehen, daß ihre Macht in der DDR unter dem Schutz der UdSSR unangreifbar blieb. Doch als im Frühjahr 1952 Bewegung in die Deutschlandpolitik gekommen war, zeigte sich, daß die UdSSR keineswegs nur die Machtsicherung der deutschen Kommunisten im Auge hatte. Am 10. März 1952 schickte die Sowjetunion eine Note, die bekannte „Stalin-Note" an die Westmächte. Sie schlug vor, „unverzüglich die Frage eines Friedensvertrages mit Deutschland zu erwägen". Dazu unterbreitete die UdSSR einen Entwurf eines Friedensvertrages, der mit einer gesamtdeutschen Regierung abgeschlossen werden sollte. Danach durfte Deutschland zwar eigene Streitkräfte besitzen, aber keine Militärbündnisse eingehen. Bedeutungsvoll wurden die Vorschläge, als sich die UdSSR am 9. April 1952 ausdrücklich einverstanden erklärte, die Abhaltung freier Wahlen in ganz Deutschland zu erörtern. Allerdings lehnte die Sowjetunion die Kontrolle der Wahl durch eine UN-Kommission ab, sie wollte lediglich eine Kontrolle durch die Besatzungsmächte gestatten.

Die Westmächte und die Bundesregierung sahen in der Stalin-Note indes nur ein Störmanöver gegen die im Gang befindliche Einbeziehung der Bundesrepublik in die EVG. Im Mai 1952 bestanden die Westmächte darauf, daß freie Wahlen international kontrolliert werden müßten und die Regierung über ihre Bündnispolitik frei bestimmen dürfe. Dies wiederum schien der UdSSR unannehmbar. Die Diskussion darüber verlief im Sande, nachdem Bonn Ende Mai den EVG-Vertrag unterzeichnet

Stalin-Note von 1952 (marginal note)

hatte. Die DDR-Führung ihrerseits riegelte nun im Mai 1952 mit einer fünf Kilometer breiten Sperrzone an der Demarkationslinie das Land weiter ab.

Nach Stalins Tod schienen sich erneut Möglichkeiten für die deutsche Wiedervereinigung anzubahnen. Der Vorschlag Churchills vom Mai 1953, einen Garantievertrag für ein geeintes, freies Deutschland auszuhandeln, fand in Moskau Beachtung, doch sowohl der Aufstand vom 17. Juni als auch der Sturz Berijas in Moskau und nicht zuletzt Adenauers Haltung blockierten den Plan. Im Januar und Februar 1954 kam es auf einer Außenministerkonferenz der Großmächte in Berlin wiederum zu keiner Annäherung in der deutschen Frage. Daraufhin gewährte die UdSSR der DDR „erweiterte" Souveränitätsrechte. Im Mai 1955 gehörte die DDR bereits zu den Unterzeichnerstaaten des „Warschauer Paktes".

Die Genfer Gipfelkonferenz der vier Großmächte (Juli 1955) brachte zwar eine internationale Entspannung, aber keine Schritte zur Lösung der deutschen Frage. Auf ihrer Rückreise nach Moskau machten die sowjetischen Führer Bulganin und Chruschtschow in Ost-Berlin Station, und hier verkündeten sie erstmals dezidiert die „Zwei-Staaten-Theorie" und stellten klar, daß die Sowjetunion einer Wiedervereinigung nur unter Wahrung der „sozialistischen Errungenschaften" der DDR zustimme. Das markierte einen Wendepunkt in der Deutschland-Frage. *(Randnotiz: Genfer Gipfelkonferenz)*

Die Zwei-Staaten-Theorie sowie das Festhalten an den „Errungenschaften" beendeten für lange Zeit die Hoffnung auf gesamtdeutsche freie Wahlen am Beginn einer Wiedervereinigung; zugleich wurde klar, daß man der UdSSR die DDR nicht „abkaufen" konnte. Nun erfolgte die verstärkte wirtschaftliche und politische Integration der DDR in den Ostblock, und damit eine Aufwertung des anderen deutschen Staates, der von einer Besatzungszone und einem Ausbeutungsobjekt zu einem Partner aufstieg. Allerdings blieb die DDR wie bisher von Moskau abhängig. Im September 1955 legte die UdSSR diese Fakten auch juristisch fest. Nach einer Konferenz in Moskau wurde ein „Vertrag über die Beziehungen zwischen der DDR und der UdSSR" abgeschlossen, der die Souveränität der DDR proklamierte. *(Randnotiz: Souveränität der DDR)*

Die Sowjetunion löste ihre Hohe Kommission in Ost-Berlin auf. Ihr blieb aber die Kontrolle des Verkehrs der Alliierten nach West-Berlin ausdrücklich vorbehalten, die Viermächtevereinbarungen über Berlin wurden also wie vorher von der UdSSR anerkannt.

Mit der Souveränität der DDR wurden alle Beschlüsse des Kontrollrats von 1945 bis 1948 außer Kraft gesetzt, gleichzeitg aber vereinbart, daß weiterhin Sowjettruppen in der DDR stationiert blieben.

5. AUSSCHALTUNG DER OPPOSITION

In der Sowjetunion distanzierte sich Chruschtschow auf dem XX. Parteitag der KPdSU im Februar 1956 eindeutig von Stalin und verurteilte einige seiner terroristischen Herrschaftsmethoden. Die damit eingeleitete „Entstalinisierung", die eine tiefe Zäsur in der Entwicklung des Weltkommunismus darstellte, wurde zu einer Angelegenheit aller kommunistischen Parteien und insbesondere der kommunistisch regierten Staaten. Sie verlief jedoch in den einzelnen Ländern sehr unterschiedlich. So steigerte sich in Ungarn die Empörung des Volkes und der Streit unter den Kommunisten 1956 bis zur Revolution, die dann von der Sowjetarmee niedergeschlagen wurde. In Polen erfolgte eine weitgehende Auswechslung der Leitung, der zuvor unter Stalin inhaftierte Gomulka übernahm wieder die Parteiführung, es kam zu einem kurzen polnischen „Frühling". Auf der anderen Seite verweigerte Albanien die Verdammung Stalins und es erfolgte schrittweise der Bruch zwischen der Sowjetunion und China.

Die Abkehr der Sowjetführung von Stalin verwirrte die völlig auf Stalin eingeschworene SED. Aber wie üblich paßte sich Ulbricht sofort der neuen Linie der KPdSU an. Er schrieb bereits am 4. März 1956 in „Neues Deutschland" entgegen allen bisherigen Lobeshymnen: „Zu den Klassikern des Marxismus kann man Stalin nicht rechnen." Die nun einsetzende Unruhe in der SED sollte deren 3. Parteikonferenz im März 1956 überwinden. Geschickt umging es die SED-Führung, Probleme des Stalinismus zu behandeln, stattdessen befaßte sich die Konferenz mit Wirtschaftsfragen.

Ulbrichts Abkehr von Stalin

Schließlich verteidigte der Vorsitzende der ZPKK, Hermann Matern, Ulbricht gegen alle „Verleumdungen" und appellierte an die Mitglieder, sich „noch fester, noch geschlossener" hinter das ZK zu stellen.

Entsprechend behauptete das Politbüro in einem Beitrag im „Neuen Deutschland" vom 29. April 1956, in der SED habe es niemals einen Personenkult und keine Massenrepressalien gegeben, daher werde eine „rückwärtsgewandte Fehlerdiskussion" nicht zugelassen. Die 28. ZK-Tagung im Juli 1956 rief zwar zur Überwindung des Dogmatismus in der ideologischen Arbeit auf, sie revidierte auch frühere Beschlüsse gegen den „Titoismus", jedoch an ihrer Generallinie änderte die Partei nichts. Die ehemaligen Parteiführer Dahlem, Ackermann, Jendretzky und Elli Schmidt wurden rehabilitiert, Fechner aus dem Gefängnis entlassen, doch politischen Einfluß konnten diese Ulbricht-Gegner nicht mehr erlangen.

Probleme der Rechtssicherheit

Wie in der Sowjetunion wurde auch in der DDR die Rechtssicherheit zu einem Hauptproblem. Die SED mußte eingestehen, daß zahlreiche Strafurteile der Vergangenheit „in ihrem Strafmaß zu hoch" gewesen seien. Das Recht der Verteidigung vor Gericht sollte nun erweitert und mit Funktionären, die die Gesetze verletzen, „streng verfahren" werden. Im Juni 1956 wurden über 11.000 Personen begnadigt und bis Oktober 1956 insgesamt rund 21.000 Häftlinge freigelassen.

Auch in der DDR mehrten sich die Angriffe gegen den Stalinismus und seinen bisherigen Repräsentanten Ulbricht. Viele überzeugte Anhänger Stalins versuchten nach der Abkehr von ihrem Idol neue Wege. Es kam vor allem an den Universitäten zu heftigen Debatten. Ernst Bloch und Robert Havemann wurden nun Leitbilder einer Opposition des „dritten Weges", die antistalinistisch, aber nicht antikommunistisch war, die sich ebenso wie gegen den Kapitalismus gegen die Herrschaftsstrukturen der DDR und der UdSSR richtete. Die „marxistische" Schulung in der DDR hatte zwar treue Anhänger der SED herangebildet und damit das System gestützt,

Opposition des „dritten Weges"

aber gleichzeitig auch marxistische Rebellen erzogen, die nun innerhalb der SED stritten und durch Reformen und Demokratisierung einen „menschlichen" Sozialismus anstrebten. In der DDR waren die junge Generation und die Parteikader jahrelang an Wertvorstellungen orientiert worden, nach denen der Kampf gegen Ausbeutung und Unterdrückung, der Einsatz für soziale Gerechtigkeit, Freiheit und Emanzipation die Leitideen der Politik sein sollten. Den Alltag der DDR erfuhren sie völlig anders, statt einer Annäherung an die theoretischen Ideale herrschten Ausbeutung und Unterdrückung ebenso wie Lüge und Karrierismus. Gerade dieser Widerspruch zwischen Theorie und Praxis gab einer Minderheit der geschulten Kader Anlaß zum Revoltieren.

Eine solche typische Oppositionsgruppe bildete sich aus SED-Funktionären um den Parteiphilosophen Wolfgang Harich. In ihrer „Plattform" verkündeten sie: „Wir wollen auf den Positionen des Marxismus-Leninismus bleiben. Wir wollen aber weg vom Stalinismus."

Weil dem SED-Apparat jede Form innerparteilicher Opposition gefährlich schien, schaltete er sofort die Staatsgewalt ein. So wurden Harich, Janka und die Mitglieder der Gruppe verhaftet und im März bzw. Juli 1957 zu hohen Zuchthausstrafen verurteilt.

Das Bemühen Ulbrichts, die Entstalinisierung in der DDR zu blockieren, löste jedoch eine Opposition in der Parteiführung selbst aus. Der zweite Mann der SED, Karl Schirdewan, der Chef des Staatssicherheitsdienstes, Ernst Wollweber, und der ZK-Sekretär Gerhart Ziller traten für weitreichende Reformen der SED-Politik ein und forderten die Ablösung Ulbrichts. Unterstützung erfuhren diese Politiker im Politbüro vom Parteiideologen Fred Oelßner sowie vom stellvertretenden Regierungschef Fritz Selbmann. Doch auf einer kommunistischen Weltkonferenz im November 1957 konnte sich die dogmatische Linie wieder durchsetzen, und so gelang es Ulbricht, seine Widersacher aus der Parteispitze zu entfernen. Die 35. Tagung des ZK im Februar 1958 verurteilte die Schirdewan-Opposition, deren Anhänger verloren ihre Funktionen (Ziller hatte Selbstmord begangen).

Schirdewan gegen Ulbricht

Von den Auseinandersetzungen im Politbüro erfuhr die SED-Mitgliedschaft eineinhalb Jahre lang nichts. Ohne die Vorstellungen dieser Opposition im einzelnen zu kennen, war sie dann aufgerufen, sie zu verdammen. Nach wie vor blieb der Parteiaufbau der SED strikt am stalinistischen Führungsprinzip ausgerichtet. Die Machtkonzentration bei der Führungsspitze, dem Politbüro und dem Sekretariat, und eine hierarchisch geleitete Organisation kennzeichneten auch zehn Jahre nach ihrer Umwandlung in eine „Partei neuen Typus" die SED. Mit dieser erstarrten Struktur aber gedachte sie als Führungspartei der DDR die auf sie einstürmenden Probleme von Wirtschaft und Gesellschaft zu lösen.

Immerhin war es der SED-Spitze gelungen, jede Opposition sowohl außerhalb als auch innerhalb der Partei auszuschalten, völlig in den Untergrund zu verdrängen oder zu vertreiben.

6. Ansätze einer Konsolidierung 1958/59

Die 3. Parteikonferenz der SED im März 1956 beschloß einen 2. Fünfjahrplan, dessen Ziel es war, die industrielle Produktion bis 1960 um mindestens 55 Prozent zu steigern. Die SED gab dafür die Parole aus: „Modernisierung, Mechanisierung, Automatisierung". Der 2. Fünfjahrplan galt nun als „Beginn" einer neuen industriellen „Umwälzung auf der Basis der Ausnutzung von Kernenergie", des weiteren Ausbaus der Schwerindustrie und der „Entwicklung des technischen Fortschritts".

Der Arbeiterschaft wurde eine Erhöhung des Reallohnes um 30 Prozent, in der Industrie der 7-Stunden-Arbeitstag und in bestimmten Industriezweigen „die 40-Stunden-Woche ohne Lohneinbußen" versprochen. Als Voraussetzung zur Erfüllung dieses Plans (der aber nicht verwirklicht wurde) nannte die SED eine entsprechende Steigerung der Arbeitsproduktivität. Der wirtschaftliche Aufbau sollte ein weiteres Anwachsen des „sozialistischen Sektors" in der Wirtschaft bringen, jedoch wurde die Verstaatlichung zunächst nur schrittweise vorangetrieben. Die größeren Privatbetriebe bekamen eine 50prozentige und höhere staatliche Beteiligung angeboten (nach dem Vorbild der chinesischen Kommunisten), um eine „friedliche Umwandlung" des Privateigentums in staatliches Eigentum zu erreichen. Dadurch wuchs in den folgenden Jahren die Zahl der halbstaatlichen Betriebe erheblich an.

Wirtschaftliche Fortschritte
Im Jahr 1957 stieg die Industrieproduktion nach Angaben der DDR um 8 Prozent und im ersten Halbjahr 1958 sogar um 12 Prozent, vor allem die Konsumgüterindustrie machte beträchtliche Fortschritte. Der Lebensstandard der Bevölkerung verbesserte sich allmählich. Den Geldüberhang schöpfte die Regierung durch einen Währungsumtausch im Oktober 1957 ab. Im Mai 1958 verschwanden endlich auch in der DDR die Lebensmittelkarten. Die Aufhebung der Rationierung für Fleisch, Fett und Zucker war allerdings mit Preiserhöhungen verbunden, denn die neuen Preise lagen zwischen den überhöhten HO-Preisen und den niedrigen Preisen für bewirtschaftete Waren. Lohnerhöhungen sollten hier einen Ausgleich schaffen, außerdem wurden die staatlich gestützten niedrigen Brot- und Kartoffelpreise nicht angetastet. Der Lebensstandard in der DDR blieb zwar erheblich hinter dem in der Bundesrepublik zurück, dennoch waren Verbesserungen zu erkennen.

Stabilität
In den Jahren 1958 und 1959 sah es so aus, als könne es der SED gelingen, breite Kreise der Bevölkerung politisch zu neutralisieren. Nicht nur die Flüchtlingszahlen sanken 1958, viele Menschen schienen sich nun mit den Verhältnissen in der DDR abzufinden. Sie begannen sich „einzurichten". Eine gewisse Stabilität des Regimes war nicht zu übersehen. Wie aus Befragungen von DDR-Flüchtlingen hervorging, betrachtete die Arbeiterschaft Erholungsheime, Kulturhäuser oder Polikliniken als „Errungenschaften", und eine Mehrheit fand auch das Betriebsklima inzwischen erträglicher. Selbst von den geflüchteten Arbeitern befürworteten nur 40 Prozent eine Reprivatisierung des Staatseigentums, die Bevölkerung stand dem System also differenzierter gegenüber. Die politische Diktatur mit der hierarchischen Spitze war eben nicht das ganze System, vielmehr hatten berufliche Aufstiegsmöglichkeiten in den verschiedensten Bereichen und die Existenz persönlicher Freiräume für viele

Menschen einen großen Stellenwert. Die Situation entsprach damals wohl nicht der im Westen gängigen Klischeevorstellung, wonach eine Handvoll fanatischer Kommunisten eine konsequent antikommunistische, dem Westen verschworene Bevölkerung unterdrückte. Auch wenn sich die Mehrheit nicht mit der DDR identifizierte, begannen viele sich mit ihr zu arrangieren.

Vom 10. bis 16. Juli 1958 tagte der V. Parteitag der SED. Durch die Ausschaltung der Opposition hatte Ulbricht seine Position in der Partei gefestigt, sie sollte für ein Jahrzehnt unumstritten bleiben. Während der Vorbereitungen zum V. Parteitag war wiederum fast ein Drittel der hauptamtlichen Funktionäre der Bezirksleitungen ausgewechselt worden. Nun zeigte der Parteitag, daß sich die SED nach den Turbulenzen von 1956 und 1957 konsolidiert hatte. Daher wollte die Parteiführung – wenn auch behutsamer als 1952 – den „Aufbau des Sozialismus" wieder forcieren. So stand die Wirtschaftspolitik im Vordergrund des Parteitages.

Die SED ließ sich durch die relativ günstige ökonomische Entwicklung zu überspannten Wirtschaftsplänen hinreißen. Bis zum Jahre 1961 wollte sie die Bundesrepublik „einholen und überholen". Obwohl die DDR 1959 mit ihrer Industrieproduktion auf dem neunten Platz in der Welt rangierte, war diese Zielsetzung völlig irreal. Selbst bei reibungslosem Funktionieren der DDR-Wirtschaft wäre der Vorsprung der Bundesrepublik von rund 25 Prozent im Konsum und 30 Prozent in der Produktion nicht aufzuholen gewesen. Stattdessen vermehrte der harte Kurs von 1960 und 1961 die wirtschaftlichen Komplikationen, die sich schon 1959 abgezeichnet hatten. Später wurde in der DDR eingestanden: „In den folgenden Jahren zeigte es sich jedoch, daß erhebliche Schwierigkeiten bei der gemeinsamen Lösung der neuen Probleme auftraten, die sich aus der wissenschaftlich-technischen Revolution in den sozialistischen Staaten und für die Vertiefung ihrer Zusammenarbeit ergaben. Die Zuwachsraten der industriellen Produktion gingen zeitweilig zurück." [311: S. DOERNBERG, 1968, 357].

„Einholen und überholen" der Bundesrepublik

Der Fünfjahrplan mußte 1959 abgebrochen und durch einen neuen Siebenjahrplan (1959–1967) ersetzt werden. Die SED war mit den Anforderungen der modernen Wirtschaft nicht fertig geworden und verkündete nun, mit dem Siebenjahrplan den Sozialismus erreichen und die wirtschaftlichen Schwierigkeiten überwinden zu können.

Im Februar 1958 hatte die SED eine umfassende Reform der Wirtschaftsverwaltung eingeleitet. Ein großer Teil der Industrieministerien war in die Staatliche Plankommission überführt worden. Den bezirklichen und örtlichen Räten wurde mehr Selbständigkeit zugestanden, und die Vereinigung Volkseigener Betriebe, die Dachorganisation der VEB, sollte enger mit den örtlichen Organen zusammenarbeiten.

Die chemische Industrie, im mitteldeutschen Industriegebiet traditionell stark vertreten, war nach einem Programm vom November 1958 vorrangig zu fördern, dieses Ziel sollte die Losung popularisieren „Chemie gibt Brot, Wohlstand und Schönheit". Die Arbeitsteilung im RGW wurde deutlich: Für den Ostblock spielte die DDR als zweitgrößte Industriemacht nach der UdSSR eine wichtige wirtschaftliche Rolle. Der Siebenjahrplan brachte eine Angleichung an den sowjetischen Siebenjahrplan 1959 bis 1965. Schließlich bewirkte die Einbeziehung des Industriepotentials der DDR eine forcierte Verschmelzung und Arbeitsteilung mit der Wirtschaft der RGW-Länder.

Festigung des Parteiensystems   Inzwischen hatte sich das Parteiensystem der DDR gefestigt, die Blockparteien und die Massenorganisationen praktizierten ihre Transmissionsrolle zwar ohne Widerspruch, doch sie waren dabei wenig erfolgreich. Typisch für die Haltung der anderen Parteien waren die Treuebekenntnisse zur Führungspartei nach dem V. Parteitag der SED 1958. Die LDP veranstaltete eigens eine Konferenz ihrer Parteibeauftragten, die sich mit den Problemen beschäftigte, „die der V. Parteitag der SED aufgeworfen" hatte. Die CDU erklärte die SED zur „berufenen und befugten Trägerin der großen fortschrittlichen Ideen unserer Zeit".

Der 10. Parteitag der CDU führte die Unterordnung unter die SED sogar verbindlich in die Parteisatzung ein: „Die Mitglieder der CDU erkennen die Arbeiterklasse und ihre Partei (also die SED, H. W.) als berufene Führerin unserer Nation an und setzen ihre ganze Kraft für die Stärkung und Festigung der DDR ein" [56: Dokumente der CDU, 1962, 130 f.]. Diese Bekenntnisse zeigen, daß das Parteiensystem der DDR faktisch die Einparteienherrschaft der SED bedeutete und die anderen Parteien wie die Massenorganisationen lediglich zu ausführenden Organen wurden. Freilich war während dieses Transmissionsprozesses der Mitgliederbestand der übrigen Parteien erheblich zusammengeschmolzen: Die CDU zählte im Dezember 1947 218.000 Mitglieder und ging bis Ende der fünfziger Jahre auf etwa 70.000 zurück, die LDP hatte 1948 183.000 Mitglieder, sie schrumpfte ebenfalls auf 70.000, die NDP und DBD kamen vermutlich nie über 70.000 Mitglieder.

Gewicht der Massenorganisationen   Da das Gewicht der vier Parteien im Parteiensystem zurückging, maß die SED den Massenorganisationen wichtigere Funktionen zu. Ihr Hauptaugenmerk richtete sie dabei auf die FDJ, die Nachwuchsorganisation der Partei. Die 16. Tagung des Zentralrates im April 1957 erklärte die FDJ zur sozialistischen Jugendorganisation der DDR. In den Mittelpunkt der Arbeit des DDR-Jugendverbandes sollte nun die sozialistische Erziehung der Jugend zu einer „sozialistischen Weltanschauung" rücken. Außerdem widmete sich die FDJ verstärkt militärischen Problemen, sowohl der Arbeit in der Armee wie der vormilitärischen Ausbildung. Das IV. Parlament der FDJ im Mai 1959 lenkte die Aktivitäten auf zwei weitere Bereiche. Schwerpunkte des „sozialistischen Aufbaus" sollten dem Jugendverband als „Jugendobjekte" übertragen, also wirtschaftliche Aufgaben direkt in die Tätigkeit des Verbandes einbezogen werden. Außerdem mußte die FDJ ihrer eigentlichen Funktion als Jugendorganisation Rechnung tragen und sich um die Freizeitgestaltung kümmern. Neben den von der FDJ organisierten Treffen von Künstlern und „jungen Talenten" galt es für die SED-Nachwuchsorganisation vor allem, „schädliche" Einflüsse des Westens auf die Jugend zu verhindern und zu bekämpfen. Die Förderung des Sports schien der DDR-Führung eine Möglichkeit, dem Interesse der Jugend an westlicher Musik, Mode und Freizeitgestaltung entgegenzuwirken.

Die schon lange aktiven Betriebssportgemeinschaften und der Massensport wur-

den vom Staat unterstützt (bereits 1956 zählten die Sportgemeinschaften über eine   Sport
Million Mitglieder), um eine Basis für den Spitzensport zu schaffen. Allerdings wurde offen zugegeben, daß der Sport zugleich der vormilitärischen Ertüchtigung dienen sollte. Dafür war 1952 eigens eine neue Massenorganisation, die Gesellschaft für
Sport und Technik (GST) ins Leben gerufen worden. Auf ihrem 1. Kongreß im September 1956 forderte sie, durch körperliche Ertüchtigung, sportliche und technische Ausbildung „die Verteidigungsfähigkeit der DDR zu erhöhen". Die eigentliche
Sportorganisation, der Deutsche Turn- und Sportbund (DTSB), eine Dachorganisation aller Sportverbände, kümmerte sich um den Betriebssport und trug maßgeblich zur Entwicklung des Sports auf dem flachen Land bei.

Da die SED der Wirtschaft eine immer größere Bedeutung beimaß, spielte der
FDGB mit seinen 5,7 Millionen Mitgliedern (1958) eine entscheidende Rolle. Nach
den Vorstellungen der SED sollten die Gewerkschaften Schulen der sozialistischen
Erziehung zur Erfüllung der Wirtschaftspläne werden. Der 5. Kongreß des FDGB
im Oktober 1959 stellte sich die Erziehung der Werktätigen zur „sozialistischen Arbeit" als Aufgabe, die Teilnahme am „sozialistischen Wettbewerb" zwischen den Ar-
beitsbrigaden sollte intensiviert werden. Wie alle Massenorganisationen der DDR
erfüllte der FDGB damit seine spezielle Aufgabe, die Politik der SED in seine Zielgruppe, das heißt die Arbeitnehmerschaft, zu tragen.

Zur Förderung der engen Bindungen an die Sowjetunion hatte die SED bereits
1947 eine eigene Organisation gegründet; die „Gesellschaft für deutsch-sowjetische
Freundschaft" (DSF) zählte 1958 3,3 Millionen Mitglieder, ihr damaliger 6. Kongreß verlangte vor allem die Durchsetzung der „sowjetischen Neuerermethoden" in
der DDR und den weiteren Ausbau der Freundschaft zur UdSSR. Nun war nach
den schrecklichen Erfahrungen des 2. Weltkrieges in der Bevölkerung sicher die Bereitschaft vorhanden, auch mit der Sowjetunion gute Beziehungen zu pflegen. Die
Rolle der UdSSR als Besatzungsmacht und die Übertragung ihres Systems auf die
DDR bewirkten jedoch, daß eine latente antisowjetische Stimmung in der DDR
existierte, gegen die auch die DSF nur schwer angehen konnte.

Daß sich die politischen Methoden in der DDR nicht verändert hatten, bewiesen
die Wahlkampagne und die Wahl zur Volkskammer am 16. November 1958. Schon
vorher wurde immer wieder die Frage laut, warum es in der DDR keine Opposition
gebe. Die Antwort der SED darauf war ebenso unlogisch wie unverblümt: „Eine   Opposition
Opposition in der DDR könnnte doch nur gegen die Politik unserer Regierung ge-   nicht geduldet
richtet sein: Sie müßte für den Einsatz von Faschisten und Militaristen in hohen
Machtpositionen... und für die Vorbereitung eines Atomkrieges sein. Solche Opposition zu dulden wäre verbrecherisch" [Neues Deutschland, Nr. 116 vom 17. 5.
1957]. Diese Argumentation zeigte, daß die SED jegliche Opposition gegen ihren
Kurs (und erst recht ihre Herrschaft) zu kriminalisieren suchte.

Die Wahlen selbst brachten das übliche Ergebnis: 99,8 Prozent Zustimmung für
die Einheitskandidaten. Der neue Ministerrat, im Dezember 1958 vereidigt, wurde
wieder von Grotewohl geleitet, Ulbricht blieb sein Erster Stellvertreter. In der verkleinerten Regierung (9 Ministerien waren im Februar 1958 aufgelöst worden) lagen

die wichtigsten der 23 Ressorts wieder in der Hand der SED, so Inneres (Maron), Staatssicherheit (Mielke), Justiz (Benjamin) und Kultur (Abusch).

Im Oktober 1958 forderte Ulbricht neue Grundsätze der SED-Schulpolitik, im Januar 1959 beschloß daraufhin das ZK Thesen zur „sozialistischen Umgestaltung des Schulwesens", die die Grundlage für ein entsprechendes Gesetz der Volkskammer bildeten. Dieses Gesetz sah Fächer wie Werkunterricht und Unterricht in der Produktion vor. Um bei den Schülern bereits die wichtigsten naturwissenschaftlichen Kenntnisse zu verbreiten, wurden Stoffgebiete der modernen Wissenschaft in den Unterrichtsplan einbezogen. Der Aufbau der obligatorischen „allgemeinbildenden zehnklassigen polytechnischen Oberschule", wie die Schule nun hieß, sollte bis 1964 abgeschlossen sein. Damit der Ablauf der „technischen Revolution" schon in der Schule vermittelt werden konnte, mußten 70 Prozent des Lehrstoffes die Fächer Naturwissenschaften, Mathematik, Technik und Wirtschaftsfragen umfassen. Außerdem wurde die ideologische Erziehung verstärkt. Die letzten einklassigen Zwergschulen wurden geschlossen.

Hochschulen   Die „sozialistische Schule" sollte in der „sozialistischen Universität" ihre Fortsetzung finden. Die 3. Hochschulkonferenz der SED (28. 2.–2. 3. 1958) hatte die Aufgabe gestellt, die Hochschulen der DDR zu sozialistischen Bildungsstätten zu entwickeln. Danach mußte die Wissenschaft eng mit der Praxis in Industrie und Landwirtschaft verbunden werden, und die Studenten waren sowohl zu hochqualifizierten Fachleuten als auch „bewußten Sozialisten" zu erziehen. Das gesamte Erziehungssystem hatte also das Ziel, einerseits die technisch-naturwissenschaftliche Ausbildung zu erweitern und eine hohe Qualifikation der Ausgebildeten zu erreichen, andererseits die ideologische Schulung zu vertiefen. So wurde nach späterer DDR-Interpretation „die Vorherrschaft der Idee des Marxismus-Leninismus erkämpft" [315: Grundriß der deutschen Geschichte, 1979, 667]. Durch diese Verknüpfung erwartete die DDR-Führung, sowohl Anschluß an das „Weltniveau" der Forschung zu finden als auch staatstreue Bürger zu erziehen.

Die Differenzen zwischen Sachverstand und „Parteilichkeit" führten indessen zu neuen Schwierigkeiten, nicht zuletzt, weil der Akademisierungsgrad der Bevölkerung der DDR rasch anstieg. Bereits 1958 bestanden 46 Universitäten und Hochschulen. Gegenüber 1951 hatte sich die Studentenzahl verdoppelt. 1959/60 gab es neben 100.000 Hochschulstudenten (darunter 25 Prozent Frauen, Bundesrepublik damals 28 Prozent Frauen) 128.000 Fachschulstudenten, d. h. über 20 Prozent der jüngeren Jahrgänge erhielten eine akademische Ausbildung.

Ernste Auseinandersetzungen verursachte auch die „sozialistische Revolution" in

Anpassung der   der Kultur. Die SED rief die Werktätigen dazu auf, die „Höhen der Kultur zu er-
Kunst   stürmen", die Künstler wurden verpflichtet, die „Kluft zwischen Kunst und Leben" zu überwinden. Auf einer „Kulturkonferenz" der SED im Oktober 1957 richtete der Staatssekretär im Kultusministerium, Abusch, den Hauptstoß gegen die „Dekadenz", der „sozialistische Realismus" habe nicht Fernziel, sondern Gegenwartsaufgabe zu sein. Der Leiter der Kulturkommission beim Politbüro, Kurella, forderte eine „sozialistische deutsche Kultur". In den Mittelpunkt wurde der „Bitterfelder

Weg" gerückt, d. h. mit der Losung „Greif zur Feder, Kumpel!" einer Bitterfelder Autorenkonferenz (April 1959) sollten tatsächliche und vermeintliche Talente aus der Arbeiterschaft für Literatur und Malerei gewonnen werden. Der „sozialistische Realismus" galt als verbindliche Kunstrichtung.

Während in der bildenden Kunst Monotonie und Verödung um sich griffen, fanden Schriftsteller aus der DDR auch internationale Anerkennung, z. B. Bruno Apitz mit „Nackt unter Wölfen" (1958), Dieter Nolls „Die Abenteuer des Werner Holt" (1960) und Karl-Heinz Jakobs mit „Beschreibung eines Sommers" (1961). Die jüngeren Lyriker, die 1956 mit modernen Formen und gesellschaftlichen Aussagen hervorgetreten waren (Günter Kunert, Armin Müller, Peter Jokostra u. a.) wurden dagegen von DDR-Behörden gemaßregelt, der Schriftsteller Erich Loest 1958 ins Zuchthaus gesperrt. Auch Theater, Film und selbst Illustrierte blieben nicht von Kritik verschont, fehlender „Klassenstandpunkt" und „Dekadenz" waren häufige Vorwürfe, die nicht zu einer Situation beitrugen, die ein freies, kreatives Schaffen in der Kultur ermöglichte.

7. Die Krise 1960/61 und der Mauerbau

In der Deutschland- und Berlinfrage wurde die Sowjetunion Ende 1958 aktiv und versuchte – wie zuvor der Westen – eine irreale „Politik der Stärke". Die UdSSR, seit 1953 im Besitz der Wasserstoffbombe, wähnte sich durch den Weltraumstart des „Sputnik" in der Raketentechnik überlegen. Chruschtschow wollte nun offenbar den sowjetischen Einflußbereich erweitern, so forderte er im November 1958 in ultimativer Form den Status einer „freien und entmilitarisierten Stadt" für West-Berlin. Der Abzug der Westmächte aus Berlin sollte innerhalb eines halben Jahres erfolgen. Die Krise wurde durch die Außenministerkonferenz der Großmächte von Mai bis August 1959 wieder abgeschwächt. Erstmals nahmen daran auch Delegationen aus der Bundesrepublik und der DDR als Berater teil. Das interpretierte die DDR-Führung als einen ersten Schritt zur Anerkennung ihres Staates im Westen.

Die internationalen Spannungen schienen durch den Besuch Chruschtschows in den USA im September 1959 abgeklungen. Mit dem „Geist von Camp-David" (dort hatten Chruschtschow und US-Präsident Eisenhower verhandelt) erwartete die DDR-Führung auch eine neue Entwicklung in Deutschland. Da kein einheitliches Deutschland mehr existierte, sollte nach Ansicht der DDR ein Friedensvertrag mit den beiden deutschen Staaten abgeschlossen werden. Auch eine „Lösung" des Berlinproblems könne sich ergeben. Hingegen vertrat die Bundesregierung Ende 1959 die Meinung, in Berlin bleibe es am besten wie es sei.

Die Konsolidierung der DDR im Inneren wurde durch die Forcierung der Kollektivierung der Landwirtschaft erneut gebremst. Zwar hatte die SED noch im Juli 1959 versichert, beim Eintritt in die LPG bleibe die „Freiwilligkeit Gesetz", doch wurde der Zusammenschluß in der Praxis nun mit allen Mitteln vorangetrieben. In den Dörfern veranlaßten Agitationstrupps der SED die Bauern durch Nötigung und

Kollektivierung der Landwirtschaft

Drohungen zum „freiwilligen" Eintritt in die LPGs. Im November und Dezember 1959 verhaftete das MfS widerstrebende Bauern. Die Gefahr, wegen „staatsfeindlicher Umtriebe" angeklagt zu werden, ließ vielen Landwirten nur die Alternative, in die LPG einzutreten oder in den Westen zu flüchten. In den ersten drei Monaten des Jahres 1960 schlossen sich über 500.000 Bauern und Bäuerinnen den bereits bestehenden oder neugegründeten LPGs an.

Die Struktur auf dem Lande wurde radikal verändert: Einzelbauern gab es nach Abschluß der Kollektivierung kaum noch. Die über 19.000 LPGs bewirtschafteten Mitte 1960 knapp 85 Prozent der landwirtschaftlichen Nutzfläche (6 Prozent besaßen die volkseigenen Güter). 1961 erzeugte der „sozialistische Sektor" (VEG und LPG) 90 Prozent der landwirtschaftlichen Bruttoproduktion.

Wie in der Landwirtschaft trieb die DDR 1960 auch im Handwerk die Umwandlung voran. 1958 wurde noch 93 Prozent des Gesamtprodukts vom privaten Handwerk erwirtschaftet; dieser Anteil sank bis 1961 auf 65 Prozent, ein Drittel wurde nun von den Produktionsgemeinschaften des Handwerks (PGH) hergestellt. Im Einzelhandel ging der private Anteil auf unter 10 Prozent zurück.

Auch im Staat erfolgten Strukturveränderungen. Im Februar 1960 verabschiedete die Volkskammer das Gesetz über den „Nationalen Verteidigungsrat"; Vorsitzender wurde Walter Ulbricht, dessen Stellung sich damit bedeutend verstärkte. Am 7. September 1960 verstarb der Präsident der DDR, Wilhelm Pieck. Das Amt des Präsi-

Bildung des
Staatsrates
1960 denten wurde nun auf „Vorschlag" der SED abgeschafft und stattdessen ein Staatsrat gebildet. Die Funktionen des Staatsrates entsprachen etwa denen des Präsidiums des Obersten Sowjet in der UdSSR, allerdings war die Stellung des Vorsitzenden stärker herausgehoben. Der Staatsrat erhielt auch Gesetzgebungs- und Regierungsaufgaben. Vorsitzender des Staatsrates der DDR wurde Walter Ulbricht. Da er gleichzeitig die Funktionen des Ersten Sekretärs des ZK der SED und des Vorsitzenden des Verteidigungsrates innehatte, vereinigte er in seiner Hand eine umfassende Macht. Stellvertreter Ulbrichts im Staatsrat wurden Otto Grotewohl, Volkskammerpräsident Johannes Dieckmann (LDP), Heinrich Homann (NDP), Hans Rietz (DBD) und die Generalsekretäre der LDP und CDU, Manfred Gerlach und Gerald Götting. Mitglieder des Staatsrates waren neben diesen Partei- und Staatsfunktionären auch Arbeiter, Bauern und Angehörige der Intelligenz. In die wichtige Stellung des Sekretärs des Staatsrates kam Otto Gotsche, ein Vertrauensmann Ulbrichts.

Auch in der SED bestimmten nur noch Ulbrichts Parteigänger, alle widerstrebenden Kräfte waren entfernt worden. Zwischen 1958 und 1961 wurden 105 Spitzenfunktionäre der 15 SED-Bezirksleitungen abgesetzt, darunter sieben Erste Sekretäre und 16 weitere Sekretäre. Parallel zu Ulbrichts Machtanstieg entstand ein neuer Personenkult um den Staats- und SED-Führer, der seit seinem 65. Geburtstag 1958 forciert wurde.

Neue Unruhe unter der Arbeiterschaft verursachte das im April 1961 von der Gesetzbuch der
Arbeit Volkskammer verabschiedete „Gesetzbuch der Arbeit", das bereits bestehende arbeitsrechtliche Bestimmungen zusammenfaßte und ergänzte. Nochmals verbriefte das Gesetzbuch das „Recht auf Arbeit", gleichen Lohn für gleiche Leistung und andere allgemeine Rechte der Arbeiter, enthielt aber das damals noch in der Verfassung verankerte Streikrecht nicht mehr. Primär orientierte das Arbeitsgesetzbuch auf die Produktionserfüllung der Betriebe und berücksichtigte erst sekundär die Rechte der Arbeiterschaft. Die strengen Verfügungen über die „sozialistische Arbeitsdisziplin" oder die Machtfülle der Betriebsleiter gegenüber den Werktätigen stießen bei der Arbeiterschaft auf Kritik. Auf wirtschaftlichem Gebiet mußte selbst der stellvertretende Ministerpräsident Stoph im Juni 1961 eingestehen, „daß es zur Zeit bei der Versorgung mit Fleisch, Milch oder Butter eine Reihe Schwierigkeiten gibt" [Neues Deutschland, Nr. 162 vom 14. 6. 1961]. Stoph kritisierte, daß viele LPG landwirtschaftliche Nutzflächen nicht bestellten und den Plan nicht erfüllten. Die Ursache für die Krise der Landwirtschaft, die Kollektivierung, nannte er aber nicht beim Namen.

Doch nicht nur in der Landwirtschaft, auch in der Industrie führte der harte Kurs der SED zu Rückschlägen. Während 1959 noch ein Zuwachs von rund 7,2 Milliarden Mark gegenüber dem Vorjahr erzielt wurde, betrug dieser 1960 5,4 Milliarden Mark und 1961 sogar nur 4,4 Milliarden Mark.

In der Mitteilung über den Stand der Volkswirtschaft im 1. Quartal 1961 bestätigte der Ministerrat, daß erhebliche „Planrückstände" aufgetreten waren. Neben der Massenflucht spielte die sogenannte „Störfreimachung" vom Westen, eine entsprechende Umstrukturierung der Wirtschaft, eine Rolle. Die SED wollte sich aus der wirtschaftlichen Verklammerung mit der Bundesrepublik lösen, um der latenten Gefahr von Produktionsstörungen zu entgehen.

Die Berlin-Drohungen Chruschtschows, wirtschaftliche Schwierigkeiten, die Kollektivierung der Landwirtschaft, ein härterer politischer Kurs der SED – das alles führte 1960/61 zu einer allgemeinen Krise. Die Flüchtlingszahlen (1959: 143.000, 1960: 199.000) stiegen wieder an und wuchsen 1961 zu einer Lawine (allein im April 1961: 30.000). Die internationalen Spannungen verschärften sich erheblich nach dem Abschuß eines US-Aufklärungsflugzeuges über dem Gebiet der UdSSR im Mai 1960. Daraufhin scheiterte die Pariser Gipfelkonferenz im gleichen Monat. Anfang Juni 1961 trafen der neue US-Präsident Kennedy und Chruschtschow in Wien zusammen. Doch die UdSSR verstärkte ihren Druck auf Berlin weiter. Die SED kündigte sogar eine Regelung „noch in diesem Jahr" an, denn sie hoffte, mit sowjetischer Hilfe den Luftverkehr und damit West-Berlin in die Hand bekommen zu können.

Aber auch der Sowjet-Führung war wohl inzwischen klar geworden, daß sie keine militärische Überlegenheit besaß. Der Konflikt mit der Volksrepublik China zwang Chruschtschow dann zu einer neuen Strategie. Die Konferenz von 81 kommunistischen und Arbeiterparteien in Moskau im November 1960 hatte den Bruch im Weltkommunismus signalisiert. Es war „zu prinzipiellen Meinungsverschiedenheiten in Grundfragen der internationalen Entwicklung und der Strategie und Taktik der revolutionären Arbeiterbewegung mit den Vertretern der Kommunistischen Partei Chinas" gekommen, wie die DDR später zugab [581: Geschichte der SED, 1978, 409]. 1960 versuchte Ulbricht freilich solche Differenzen zu leugnen, er

Flüchtlings-welle

Änderung der sowjetischen Politik

sprach von Spekulationen des „Klassengegners", der sich „verrechnet" habe und sich „in Zukunft noch mehr verrechnen" werde [Neues Deutschland, Nr. 349 vom 18. 12. 1960]. Damit konnte Ulbricht den Streit im Weltkommunismus nicht wegwischen, der die UdSSR zu einer Änderung ihres Kurses in Europa veranlaßte. Nachdem Präsident Kennedy am 25. Juli 1961 nochmals klargestellt hatte, daß die Anwesenheit westlicher Truppen und der ungehinderte Zugang nach Berlin für die USA unverzichtbar seien, traf die UdSSR Vorbereitungen für eine Abriegelung Ost-Berlins, welche die Interessen der USA nicht direkt tangierte.

Die DDR-Führung förderte mit ihrer harten Politik die Fluchtbewegung. DDR-Gerichte verurteilten angebliche „Menschenhändler" zu immer schwereren Strafen. Auch die Regierung reagierte nervös, sie wandte sich gegen die „verbrecherischen Abwerbungsaktionen", gegen die Massenflucht. Dieser Flüchtlingsstrom zeigte in der DDR verheerende Auswirkungen, denn es waren vor allem Menschen im arbeitsfähigen Alter (50 Prozent waren Jugendliche unter 25 Jahren), die der DDR den Rücken kehrten.

Doch gab es keinerlei Anzeichen dafür, daß die DDR die Fluchtbewegung durch menschliche Erleichterungen, ein Nachlassen des politischen Drucks oder Verbesserungen der Lebenslage aufzufangen suchte (ähnlich wie 1957 bis 1959). Wahrscheinlich war es dazu Mitte 1961 auch bereits zu spät. Um ein Ausbluten ihres Staates zu verhindern, beabsichtigte die DDR-Führung, ihre Grenzen zu schließen.

Im März 1961 hatte sich Ulbricht auf einer Tagung des Warschauer Paktes mit seinen Plänen, eine Stacheldrahtbarriere um West-Berlin zu ziehen, noch nicht durchsetzen können. Die Parteiführer von Ungarn und Rumänien wandten sich gegen diese Überlegungen, und Chruschtschow lehnte sie ab. Die DDR-Führung unterbreitete nun verschiedene Varianten. Als Radikallösung schlug sie die Sperrung der Luftwege vor, alternativ einen Mauerbau um Westberlin (gegebenenfalls eine Zurückverlegung um einige hundert Meter, falls die Westmächte dies erzwingen sollten) oder aber einen Ring um Groß-Berlin, also Abriegelung der DDR unter Ausklammerung ihrer Hauptstadt.

Die gefährlich anschwellende Fluchtbewegung zwang Anfang August zu einer Entscheidung. Vom 3. bis 5. August 1961 berieten die Ersten Sekretäre der Kommunistischen Parteien der Warschauer Vertragsstaaten in Moskau. Die UdSSR stimmte Mauerbau nun der Variante „Mauerbau um West-Berlin" zu. In der Nacht vom 12. zum 13. August 1961 errichteten Volkspolizei und NVA sowie Betriebskampfgruppen entlang der quer durch Berlin verlaufenden Sektorengrenze Stacheldrahtverhaue und Steinwälle, in den folgenden Tagen wurde eine Mauer gebaut. Die Bevölkerung konnte nicht mehr nach West-Berlin, die DDR war abgeriegelt.

C. FESTIGUNG DER DDR 1961–1970

1. STABILISIERUNGSVERSUCHE UND NEUES ÖKONOMISCHES SYSTEM

Das Jahr 1961 brachte eine einschneidende Zäsur der DDR-Entwicklung. Gesellschaft und Staat waren von den deutschen Kommunisten nach Direktiven der Besatzungsmacht – dem Vorbild der Sowjetunion entsprechend – grundlegend umgestaltet worden. Die radikale Veränderung der Strukturen und der Funktionsbesetzungen war nun weitgehend abgeschlossen. Der Bau der Berliner Mauer hatte die DDR vom Westen abgeriegelt, damit bestanden für die DDR-Führung gleiche Ausgangspositionen wie für andere kommunistische Regierungen: Die Menschen, die nicht mehr einfach abwandern konnten, mußten sich mit dem Regime arrangieren.

Zugleich mußte die Führung, die bis 1961 vor allem ihre ideologischen Normen und Ziele durchgesetzt hatte, nun stärker die „Sachzwänge" berücksichtigen, der neuen gesellschaftlichen Realität und vor allem den ökonomischen Erfordernissen Rechnung tragen. Mit anderen Worten: Bestimmten bis dahin ideologische Normen und programmatische Zielsetzungen (Umgestaltung der DDR nach dem sowjetischen Modell) die Politik der Führung, so wirkte nunmehr die veränderte gesellschaftliche Realität stärker auf sie zurück und prägte das „konservativ" gewordene System. *Sachzwänge*

Der Mauerbau 1961 war auch für die deutsche Spaltung ein tiefer Einschnitt. Die westliche Politik der „Stärke", die Vorstellung, das System der DDR sei durch Druck von außen zu ändern, wich einer realistischeren Einschätzung. Nun wurden auch die Gegensätze deutlich, die sich vor allem in den fünfziger Jahren zwischen beiden deutschen Staaten entwickelt hatten. Das Wirtschafts- und Gesellschaftssystem der DDR knüpfte formal an die sozialistischen, solidarischen Ideen der Arbeiterbewegung an. Doch die politische Diktatur, Rechtsunsicherheit und fehlende Freiheiten verzerrten diese Ideen. Bürokratische Ineffizienz, aber auch die Lasten der Vergangenheit wie die Reparationen waren weitere schwere Bürden. Die Fixierung der Bevölkerung auf die Bundesrepublik und die Abwanderung der Flüchtlinge in den Westen waren die Folge.

Die Bundesrepublik mit ihrer freiheitlichen parlamentarischen Demokratie, in erster Linie das „Wirtschaftswunder" faszinierte die Menschen. Doch in den fünfziger Jahren, im Zeichen des Kalten Krieges, waren soziale und solidarische Züge der Gesellschaft zurückgedrängt, kam es zu einer „Ellenbogengesellschaft", die vor allem im geistig-kulturellen Bereich auch spießige Züge trug. Nachdem der antifaschistische Konsens schon in den vierziger Jahren zerbrochen war, blieb die Auseinandersetzung mit der Hitler-Diktatur und damit auch die Bewältigung der NS-Geschichte weitgehend aus. Nach den Hungerjahren führten die Anstrengungen des gelungenen Wiederaufbaus, die wirtschaftlichen Erfolge, von denen die Mehrheit profitierte, auch zu politischer Trägheit, ja Resignation, die Demokratie wurde eher passiv hingenommen, Ansätze zum Obrigkeitsstaat mehrten sich. *Entwicklung in der Bundesrepublik und der DDR*

Da gerade die kritischen Menschen aus der DDR flüchteten, verringerte sich auch dort das oppositionelle Potential. Mit „deutscher Gründlichkeit" wurde im Osten der Stalinismus übertragen und im Westen der Antikommunismus zur inoffiziellen Staatsdoktrin erhoben. Das in der Tat abschreckende Beispiel der DDR benutzten die herrschenden Kreise der Bundesrepublik als ein Instrument, um das politische System in ausgefahrenen Bahnen zu halten. Restaurative Tendenzen in der Bundesrepublik, die es trotz Strukturwandel und sozialer Umbrüche gab, boten wiederum den Machthabern der DDR eine willkommene ideologische Propagandawaffe, um wenigstens ihre eigene Elite zusammenzuhalten..

Veränderungen der sechziger Jahre

Die sechziger Jahre brachten große Veränderungen. In der Bundesrepublik machten neue politische und kulturelle Bewegungen deutlich, daß gerade der Pluralismus Merkmal einer lebendigen Demokratie ist. Die DDR wiederum war wegen der ansatzweisen Entstalinisierung in der Sowjetunion gezwungen, nach flexibleren Formen ihrer Machterhaltung zu suchen. Kritische Bürger konnten nach dem Bau der Mauer die DDR nicht mehr ohne Gefahr verlassen, und so sammelte sich nun dort erneut eine latente Opposition.

Die Menschen, die nach der Abriegelung nicht mehr fliehen konnten, wurden vielfach von SED-Funktionären schikaniert. Die Regierung erließ zudem eine Verordnung über Aufenthaltsbeschränkungen. Sogenannten Staatsfeinden und Arbeitsbummelanten sagte die SED den Kampf an. Diese Politik der „harten Faust" ging allerdings nur bis Ende 1961, doch ließ der Druck nicht nach. Die SED-Führung ging zu subtileren Methoden der Unterdrückung über, auch war dies eine Folge der sowjetischen Entwicklung. Dort leitete Chruschtschow auf dem XXII. Parteitag der KPdSU im Oktober 1961 eine neue Phase der Entstalinisierung mit Enthüllungen über das Terrorregime in der Stalin-Ära ein. Diesmal billigte die DDR-Führung die Entstalinisierung in der UdSSR uneingeschränkt. Ulbricht verurteilte nicht nur den

Verbrechen Stalins

Personenkult um Stalin, sondern sprach sogar offen von den „unter Führung Stalins" begangenen „Verbrechen" [Neues Deutschland, Nr. 327 vom 28. 11. 1961].

Die SED war bereit, die direkte Gewalt zugunsten von Überwachung, Neutralisierung und ideologischer Arbeit einzuschränken. Doch der Erfolg einer Neutralisierung der Bevölkerung war weitgehend von einer Verbesserung des Lebensstandards abhängig. Deshalb widmete die SED ihre ganze Kraft der Wirtschaftsentwicklung, experimentierte mit neuen Leitungsformen. Den Bewohnern der DDR blieb nach dem Mauerbau keine Alternative, sie mußten sich einrichten. Das erleichterte es der DDR-Führung, ihr Ziel zu erreichen: Nun versuchten viele Menschen, das Beste aus ihrer Lage zu machen; sie waren bestrebt, durch größere Leistungen sowohl das eigene Lebensniveau zu erhöhen als auch Aufstiegschancen zu erhalten. Diese Haltung bewirkte eine positive Entwicklung, die dadurch entstandenen materiellen Verbesserungen wiederum verminderten oppositionelle Stimmungen, die Beziehungen zwischen der Führung und der Bevölkerung versachlichten sich allmählich.

Darüber hinaus versuchte die SED, neue Anhänger zu gewinnen. Diesen Zweck dienten ideologische Kampagnen, in deren Mittelpunkt nationale Traditionen und die Geschichte der Arbeiterbewegung rückten.

Zunächst veröffentlichte das Politbüro der SED im Dezember 1961 ein Kommuniqué „Die Frau – der Frieden und der Sozialismus". Die Gleichberechtigung der Frau wurde zu einem „unabdingbaren Prinzip des Marxismus-Leninismus" und zu einer „Angelegenheit der ganzen Gesellschaft" erklärt. Vor allem die Qualifizierung der Frauen, die zu 65 Prozent berufstätig waren, sollte beschleunigt werden. In oberen und mittleren Funktionen waren die Frauen nur minimal repräsentiert. In der SED waren (1958) 23,5 Prozent der Mitglieder Frauen, im ZK stellten sie nur 10 Prozent, und unter den Mitgliedern des Politbüros befand sich keine Frau. Über das Frauenkommuniqué gab es ebenso eine „Volksaussprache" wie über das im März 1962 verabschiedete „Nationale Dokument". Darin wurde der „Sieg des Sozialismus" in der DDR als Voraussetzung für die „Lösung unserer nationalen Frage" bezeichnet und betont, die DDR wisse sich „im Einklang" mit „den Entwicklungsgesetzen der menschlichen Gesellschaft".

Das „Nationale Dokument" ließ die Einschätzung der Deutschlandfrage Anfang der sechziger Jahre erkennen, einer Zeit, in der nach dem Bau der Mauer auch in der Bundesrepublik über neue Aspekte diskutiert wurde. Die SED erklärte, sie wünsche nicht, daß sich in Deutschland zwei Staaten „feindlich gegenüberstehen", dieser Zustand dürfe nicht anhalten.

Die DDR stellte sich auf eine lange Periode friedlicher Koexistenz in Deutschland ein. Diese wollte sie durch eine „deutsche Konföderation" erreichen. Sie sollte der Verständigung dienen und „eine weitere Vertiefung des Grabens zwischen den beiden deutschen Staaten verhindern". Eine Konföderation sollte den Frieden sichern, bis sie „mit der Wiedervereinigung Deutschlands erlöschen" würde. Auch „Westberlin, das auf dem Territorium der DDR" liege, „würde als entmilitarisierte freie und neutrale Stadt an einer deutschen Konföderation teilnehmen können". Solche Vorschläge hatten bei der damaligen weltpolitischen Lage und dem gespannten Verhältnis zwischen beiden deutschen Staaten keine Realisierungschance. Sie bildeten nicht einmal eine Diskussionsgrundlage, da die Bundesregierung am Alleinvertretungsanspruch festhielt und Gespräche mit der DDR-Spitze kategorisch ausschloß. Einige Jahre später änderte sich die Situation, zwar wurde die Idee einer „Konföderation" nicht aufgegriffen, wohl aber der Gedanke, im Interesse des Friedens und der Verhinderung einer „weiteren Vertiefung des Grabens" in Deutschland auch mit der DDR zu verhandeln. 1962 blieb die Funktion des „Nationalen Dokuments" auf den Versuch der Mobilisierung der DDR-Bevölkerung begrenzt.

Dies galt auch für ein drittes Dokument, mit dem sich das ZK der SED sogar mehrfach beschäftigte: Eine Kommission unter Vorsitz Walter Ulbrichts verfaßte einen „Grundriß der Geschichte der deutschen Arbeiterbewegung", den das ZK erstmals im Juli 1962 beriet und im April 1963 „billigte". Der „Grundriß" war noch ganz im stalinistischen Geist geschrieben, er enthielt viele Fälschungen, und „Parteifeinde" wurden als „Unpersonen" eliminiert. Zugleich bildete der „Grundriß" das Exposé für eine achtbändige Geschichte der deutschen Arbeiterbewegung, die im April 1966 publiziert wurde.

Höhepunkt der ideologischen Kampagnen war dann das vom VI. Parteitag 1963

Gleichberechtigung der Frau

Nationales Dokument

Grundriß der Geschichte der deutschen Arbeiterbewegung

Programm
der SED
angenommene erste Parteiprogramm, das sich die SED nun, 17 Jahre nach ihrer Gründung, gab.

In ihrem Programm berief sich die SED auf die Weltanschauung des Marxismus-Leninismus, ihr Ziel war offiziell die klassenlose Gesellschaft und der neue Mensch. Mit Hilfe einer exakten Strategie und Taktik wollte sie dieses erreichen. Die Geschichte wurde im Sinne von Marx und Lenin als Geschichte des Klassenkampfes gedeutet, wobei sich im Weltmaßstab Kapitalismus und Sozialismus gegenüberstünden. Zur Überwindung des Kapitalismus – im 20. Jahrhundert: Imperialismus – sei es unerläßlich, daß die Arbeiter unter Führung der marxistisch-leninistischen Partei die politische Macht eroberten und den Sozialismus aufbauten. Aus der Sicht der SED hatte in der DDR in den sechziger Jahren bereits das „Zeitalter des Sozialismus begonnen" [Protokoll VI. Parteitag der SED, Bd. 4, 297]. Das SED-Programm nannte als vorrangige Aufgaben: Steigerung der Produktion und Arbeitsproduktivität, sozialistische Beziehungen zwischen den Menschen, aber auch die „Wiederherstellung der nationalen Einheit Deutschlands" [ebd. 330f.]. Außer dem Parteiprogramm, das Ulbricht erläuterte, nahm der Parteitag noch ein neues Statut an, das von Erich Honecker begründet wurde.

VI. Parteitag
der SED
Der VI. SED-Parteitag, der vom 15. bis 21 Januar 1963 in Ost-Berlin stattfand, wurde auch zu einem Forum für die Auseinandersetzungen im Weltkommunismus. So schrien die SED-Delegierten einen Gast, den Vertreter der KP Chinas, nieder, deren Anhänger aus Indonesien, Burma, Malaya und Thailand erhielten nicht einmal das Wort. Im Konflikt zwischen der KPdSU (Chruschtschow nahm am Parteitag in Ost-Berlin als Gast teil) und der KP Chinas vertrat die SED nach wie vor ohne jede Einschränkung die Positionen der Sowjetunion.

Zu einem Wechsel kam es in der Führungsspitze der SED, dem Politbüro. Fünf der bisherigen Kandidaten, darunter die beiden Frauen (Baumann und Ermisch) wurden nicht wiedergewählt. Jüngere Akademiker und Wirtschafter wie Erich Apel, Werner Jarowinsky und Günter Mittag rückten erstmals neben altgedienten Apparatfunktionären als Kandidaten ins Politbüro auf. Ihre Wahl unterstrich, daß die Parteiführung der Bewältigung der ökonomischen Probleme größte Bedeutung beimaß, signalisierte aber auch eine veränderte Kaderpolitik, zeigte den neuen Trend, die Parteipolitik zu versachlichen und Spezialisten heranzuziehen.

Dies erwies sich als notwendig, da der Führungsanspruch der SED immer umfassender wurde. Nach ihrer eigenen Interpretation leitete sie „das gesamte gesellschaftliche Leben der Republik und ist für den gesamten Komplex der politischen, ideologischen, wissenschaftlichen, technischen, ökonomischen und kulturellen Arbeit verantwortlich" [572: H. DOHLUS, 1965, 6].

Bei der Verwirklichung der Direktiven des VI. Parteitages wuchsen zugleich – so ließ die SED später verlauten – ihre Befugnisse im Staat. Die Parteibeschlüsse wurden „unmittelbare Arbeitsgrundlage der Staatsorgane" [527: Staats- und Rechtsgeschichte, 1983, 177].

Daß dies nicht nur ein verbaler Anspruch war, bewiesen die von der SED angeordneten Schritte in der Wirtschaftspolitik. So ließ Ulbricht in seiner Rede auf dem

VI. Parteitag erkennen, daß die SED zu wesentlichen Reformen des bisherigen Wirtschaftssystems bereit war. Zwar hatte die Wirtschaftsführung ständig Umstellungen erfahren, die zentrale Planung und Lenkung der Industrie waren jedoch nie angetastet worden. Nun veranlaßten sowohl die Krise in der Wirtschaft (die industrielle Zuwachsrate war zwischen 1959 und 1961 von 12 Prozent auf 6 Prozent gefallen) als auch die Diskussionen über Veränderungen der ökonomischen Struktur in der Sowjetunion die SED, nach neuen Methoden zu suchen. Sie erwartete, durch eine verstärkte „materielle Interessiertheit" der Arbeiter voranzukommen und die Arbeitsproduktivität erhöhen zu können.

Im Juni 1963 verkündete das Präsidium des Ministerrates das „Neue Ökonomische System der Planung und Leitung" (NÖSPL), mit dem die wirtschaftliche Misere überwunden werden sollte. Ulbricht selbst begründete und beschrieb das neue ökonomische System: Die Staatliche Plankommission habe für jeweils fünf bis sieben Jahre den Perspektivplan auszuarbeiten und nach Beratungen mit den unteren Organen entsprechende Jahrespläne zu erstellen. Einen wichtigen Platz im neuen Planungs- und Leitungssystem erhielten die 82 Vereinigungen Volkseigener Betriebe (VVB) als Konzernspitzen der VEB, die entsprechend den Vorgaben der zentralen Planung den jeweiligen Industriezweig leiteten. Durch erweiterte Selbstverwaltung der VVB und eine sogenannte „Arbeitermitverantwortung" galt es, sämtliche Leistungsreserven zu mobilisieren und Initiativen zu wecken. Selbständigkeit der Betriebe in der Material- und Kreditbeschaffung, Initiativen im Außen- und Binnenhandel sowie umfassendere Vollmachten in den Fragen des Preises und des Absatzes sollten das System flexibler gestalten. Kernpunkt des NÖSPL war das „System der ökonomischen Hebel". Diese „Hebel", nämlich Selbstkosten, Preis, Gewinn, Kredit, Löhne und Prämie mußten so aufeinander abgestimmt werden, daß sie ein einheitliches System bildeten. In den Mittelpunkt rückten dabei die „materielle Interessiertheit" des einzelnen Arbeiters und des Betriebes; der „Gewinn", dieser „kapitalistische" Anreiz, sollte zu höheren Leistungen anspornen. Auf einer Wirtschaftskonferenz des ZK der SED und des Ministerrates im Juni 1963 forderte Erich Apel, mit dessen Namen das neue ökonomische System eng verknüpft war, nun müßten die Menschen mit dem NÖSPL vertraut gemacht und dafür gewonnen werden. Eine Industriepreisreform im April 1964 schien das System effektiver zu machen.

Tatsächlich führte das NÖSPL zu einer Verbesserung der wirtschaftlichen Lage. Schon 1964 stieg die Arbeitsproduktivität um 7 (1965 um 6) Prozent, das Nationaleinkommen wuchs 1964 und 1965 jeweils um 5 Prozent. Der Lebensstandard verbesserte sich, wie die Ausstattung mit langlebigen Gebrauchsgütern zeigte: Im Jahre 1966 besaßen von 100 Haushalten in der DDR 9 einen PKW (1955: 0,2), 54 ein Fernsehgerät (1955: 1), 32 eine Waschmaschine (1955: 0,5) und 31 einen Kühlschrank (1955: 0,4). Die Lebenshaltungskosten waren aber 1966 immer noch höher als in der Bundesrepublik Deutschland: Die Familien in der DDR mußten mehr für ihren Unterhalt aufwenden, für Bekleidung und Hausrat waren die Kosten in der DDR fast doppelt so hoch, nur die Mieten waren niedriger als in der Bundesrepublik. Da die Löhne der Bundesrepublik erheblich über denen der DDR lagen, blieb

NÖSPL

Wachsender
Lebensstandard

zwischen der Lebenshaltung in beiden deutschen Staaten der deutliche Abstand bestehen.

Die DDR, die nach der Sowjetunion die zweite Industriemacht des RGW war, nahm auch in der Weltproduktion einen beachtlichen Platz ein, aber noch immer fehlte ihr eine klare Konzeption zur erfolgreichen Bewältigung der Aufgaben ihrer Volkswirtschaft. Die ökonomische Politik der SED bewegte sich ständig zwischen Reformansätzen und -forderungen der Fachleute und absoluter Dominanz der Entscheidungen des Parteiapparats. Die immer engere wirtschaftliche Verflechtung mit der Sowjetunion hatte schwerwiegende Folgen für die DDR, denn sie mußte auch in der Wirtschaftspolitik die Vorgaben der UdSSR übernehmen. Erich Apel, im Politbüro der SED für Wirtschaftsfragen verantwortlich, verübte Ende 1965 Selbstmord. Er hatte befürchtet, das von ihm initiierte neue ökonomische System sei gefährdet. Die tatsächliche Entwicklung bewies, wie berechtigt solche Vermutungen gewesen waren. Als die SED-Spitze merkte, daß mit diesem System auf die Dauer ihre zentralistisch-hierarchische Führung in Frage gestellt war, leitete die Partei noch Ende 1965 eine „zweite Phase" ein. Das „Neue Ökonomische System", wie es nunmehr hieß, sollte stärker zentralisiert werden.

2. Ausbau von Gesellschaft und Staat

Mit wachsender ökonomischer Stärke hoffte die DDR-Führung auch innenpolitische Stabilität und außenpolitische Erfolge zu erreichen. Im Innern erhöhte sie daher die Kompetenzen der Sicherheitsorgane. So sollte neben den bewaffneten Kampfgruppen der SED, die seit 1953 systematisch ausgebaut wurden, besonders die Effektivität des Staatssicherheitsdienstes verbessert werden. Der Überwachungsstaat wurde perfektioniert. Im Januar 1962 beschloß die Volkskammer die allgemeine Wehrpflicht in der DDR, die zwar die personelle Stärke der NVA von 90.000 Mann nicht vermehrte, aber ihr Potential vergrößerte. Durch gründlichere Ausbildung der Kader, modernere Ausrüstung der Armee und ideologische Indoktrination vor allem des Offizierskorps sollte die NVA schlagkräftiger werden. Da die Sowjetunion mehrfach den militärischen Schutz der DDR garantiert hatte, kamen der Armee wie den anderen Sicherheitsorganen nicht zuletzt innenpolitische Aufgaben zu: Sie waren stets Machtinstrumente der SED, wobei die Partei ihren Führungsanspruch gegenüber der NVA ständig betonte.

Ihre „führende Rolle" baute die SED auch im Staatsapparat aus. Die für 1962 anstehenden Wahlen zur Volkskammer wurden um ein Jahr verschoben, sie fanden erst im Oktober 1963 statt. Wie inzwischen üblich, erfolgte die Abstimmung nicht geheim, sondern meist offen, und auf diese Weise entfielen auf die Kandidaten der Einheitsliste 99,95 Prozent Ja-Stimmen. Die Fraktionsstärken in der Volkskammer änderten sich durch Erhöhung der Zahl der Sitze zugunsten der SED, die nunmehr 110 statt 100 Abgeordnete stellte. CDU, LDPD, NDPD und DBD behielten weiterhin jeweils 45 Abgeordnete, der FDGB entsandte 60 statt bisher 45 Parlamentarier,

Volkskammer-
wahlen 1963

die FDJ bekam 35 statt 25, der DFD 30 statt 25 und der Kulturbund 19 statt 15 Abgeordnete. Da die Mandatsträger der Massenorganisationen fast ausschließlich SED-Mitglieder waren, verstärkte diese Partei ihr Übergewicht, zugleich brachte die Veränderung eine Aufwertung der Massenorganisationen gegenüber den vier Blockparteien.

Dem von der neuen Volkskammer bestimmten Staatsrat stand wieder Walter Ulbricht vor. Auch im neuen Kabinett, das Otto Grotewohl im November 1963 vorstellte, gab es unter den 30 Ministern keine entscheidenden Änderungen; von da an bekleidete Margot Honecker den Posten des Volksbildungsministers. Ein knappes Jahr später, am 21. September 1964, starb Grotewohl; sein Nachfolger als Vorsitzender des Ministerrates wurde Willi Stoph.

Aus Anlaß des 15. Jahrestages der Gründung der DDR am 7. Oktober 1964 erließ die DDR eine Amnestie, unter die auch politische Häftlinge fielen. Bereits zuvor hatten sich Staatsrat und Volkskammer mehrfach mit der Rechtspflege befaßt; so waren etwa die Rechte der sogenannten Konfliktkommissionen erweitert worden. 1964 erhielten auch die Richter größere Kompetenzen. Da inzwischen alle wesentlichen Positionen in der Justiz mit SED-Mitgliedern besetzt waren, konnte die Partei oftmals auf eine direkte Einwirkung des Parteiapparats auf die Gerichte verzichten. Gefordert wurde nun von der gesamten Rechtsprechung, die Staats- und Wirtschaftsordnung zu schützen und die „sozialistischen Beziehungen" der Bürger zum Staat zu fördern.

Amnestie

Im April 1965 legte das Justizministerium auch den Entwurf eines neuen Familiengesetzbuches vor, das von der Volkskammer im Dezember gebilligt wurde und im April 1966 in Kraft trat. Es regelte für die Familien verstärkte Hilfen und Schutz durch den Staat und betonte die Gleichberechtigung von Mann und Frau als Grundlage der ehelichen Gemeinschaft. Allerdings waren auch in der Praxis der DDR viele Familienprobleme gesellschaftlich bedingt. Die inzwischen besser ausgebildeten, arbeitenden Frauen verlangten mehr Gleichberechtigung, waren aber weiterhin durch Beruf und herkömmliche Arbeitsteilung in der Familie doppelt belastet. Die Tatsache, daß in der DDR der Dienstleistungsbereich nach wie vor vernachlässigt wurde, erschwerte das Leben der Frauen noch zusätzlich.

Um die Stabilität des Systems zu erreichen, widmeten SED und Staat vor allem der Jugend größere Aufmerksamkeit. Auf der 12. Tagung des Zentralrates der FDJ im Dezember 1962 wandte sich deren 1. Sekretär Horst Schumann gegen die Absicht, aus den Jugendlichen „spießbürgerliche Musterknaben" zu machen. Die SED forderte in einem „Jugendkommuniqué" im September 1963, die bisherigen Praktiken der Heuchelei und des Ausweichens vor „unbequemen" Fragen der Jugendlichen zu beenden. Sie versicherte, sie wolle die Jugend weder gängeln noch ihre Entwicklung dem Selbstlauf überlassen. Ein Jugendgesetz der DDR vom Mai 1964 stellte die Aufgabe in den Mittelpunkt, treue Staatsbürger zu erziehen, allerdings räumte der Staat der konformen Jugend auch eine relative Selbständigkeit ein.

Jugendpolitik

Diese flexiblere Politik, eine Widerspiegelung der komplexer gewordenen Probleme, sollte in allen Bereichen praktiziert werden. Die neue Losung „Die Republik braucht alle, alle brauchen die Republik" [Neues Deutschland, Nr. 301 vom 2. 11. 1963] zeigte die Absicht, ein besseres Verhältnis zwischen Partei und Bevölkerung herzustellen. So durfte auch den kulturellen Bedürfnissen der Menschen mehr Rechnung getragen werden, und die Fesseln lockerten sich zeitweise. Im Jahr 1963 konnten kritische Dichter und Liedermacher wie z. B. Wolf Biermann unter großer Begeisterung in überfüllten Auditorien ihre Werke präsentieren. 1965 erschienen in der DDR über 5.300 Buchtitel mit einer Gesamtauflage von 96 Millionen Exemplaren, die DDR verstand sich als „Leseland". Es gab eine kritische literarische Welle mit Werken wie Erwin Strittmatters „Ole Bienkopp", Christa Wolfs „Der geteilte Himmel" oder Erik Neutschs „Spur der Steine". Eine große Anzahl westlicher Lizenzausgaben erschien, so Bücher von Peter Weiss, Max Frisch, Ingeborg Bachmann oder Carl Zuckmayer, aber auch amerikanische und englische Literatur. Allerdings blieb die Nachfrage immer weit größer als das Angebot.

Hatte der VI. Parteitag im Januar 1963 diesen liberalen Trend (trotz Kritik an Peter Hacks und Stephan Hermlin) noch bestätigt, so steuerte die SED knapp drei Jahre später wieder einen harten Kurs. Das 11. Plenum des ZK der SED im Dezember 1965 brachte nicht nur mit der sogenannten zweiten Etappe des Neuen Ökonomischen Systems eine veränderte Wirtschaftspolitik, sondern Rückschläge vor allem auf kulturellem Gebiet. Erich Honecker kritisierte im Bericht des Politbüros „schädliche Tendenzen" in Filmen, Fernsehsendungen, Theaterstücken und literarischen Arbeiten, angeblich wurden „Skeptizismus und Unmoral" verbreitet. Honecker forderte sogar eine „saubere Leinwand" – ein Terminus, der von Konservativen in der Bundesrepublik geprägt worden war. Die SED griff besonders scharf den Liedermacher Wolf Biermann, den Schriftsteller Stefan Heym und den Chemiker und Philosophen Robert Havemann an.

Die ideologische Wende führte nicht nur zur Verödung des kulturellen Lebens, sie traf auch Wissenschaft und Technik, denen vorgeworfen wurde, sich zu sehr am Westen zu orientieren. Repressalien gegen Oppositionelle verschärften sich. Robert Havemann wurde 1964 aus der SED und aus dem Lehrkörper der Humboldt-Universität ausgeschlossen. In der Folgezeit entwickelte er sich zum Theoretiker eines demokratischen Kommunismus in der DDR, der die diktatorisch-bürokratische Herrschaft der SED ablehnte und sie von marxistischen Positionen aus kritisierte.

Um jede Opposition aufzufangen, verstärkte die SED die ideologische Indoktrination. Davon war besonders das Bildungswesen betroffen. Nachdem eine 1963 gegründete Regierungskommission Schwächen des Bildungssystems vor allem im naturwissenschaftlichen Bereich und bei der ideologischen Erziehung festgestellt hatte, galt es, das Bildungswesen neu zu ordnen. Im Februar 1965 beschloß die Volkskammer das „Gesetz über das einheitliche sozialistische Bildungssystem". Das Gesetz bestimmte die „Einheit von Bildung und Erziehung", Bildungsziel war die „sozialistische Persönlichkeit" d. h. der SED-konforme Mensch. Das Gesetz forderte, die Schüler und Studenten „zur Liebe zur DDR und zum Stolz auf die Errungenschaften des Sozialismus zu erziehen". Die polytechnische Ausbildung sollte praxisnäher werden. Schließlich wurden 1964/65 neue, präzisierte Lehrpläne eingeführt

Wende der Kulturpolitik

Bildungssystem

und das Niveau des Mathematik-Unterrichts angehoben, aber im Staatsbürgerkunde-Unterricht in den Klassen 9 bis 12 die Schüler auch obligatorisch mit der Ideologie des Marxismus-Leninismus indoktriniert. Das neue Bildungssystem mit seinen verschiedenen koordinierten Bestandteilen (Vorschulerziehung, zehnklassige polytechnische Oberschule, Fachschule, Hochschule usw.) zeigte insgesamt bald Erfolge: Gingen 1951 nur 16 Prozent der Schüler länger als acht Jahre zur Schule, so waren es 1970 bereits 85 Prozent.

Auch die Intensivierung des Sportunterrichts brachte in den sechziger Jahren sichtbare Ergebnisse. Der Breitensport wurde forciert, vor allem die sportliche Betätigung von Kindern und Jugendlichen. Auf dieser Grundlage kam der Spitzensport voran, dem die DDR-Führung politische Bedeutung beimaß. Zwar trat bei der Olympiade in Tokio 1964 noch eine gesamtdeutsche Mannschaft auf, doch zählten die DDR-Sportler mit 23 Medaillen bereits zur Weltspitze. Nach einem Beschluß des Internationalen Olympischen Komitees vom Oktober 1965 konnte die DDR eigene Mannschaften aufstellen, und bereits bei der Olympiade in Mexiko 1968 gelang es den DDR-Sportlern, hinter den USA und der UdSSR den dritten Platz in der prestigewirksamen Nationenwertung zu erringen. Dies war ein bemerkenswerter Erfolg der zielbewußten Sportförderung in der DDR.

Erfolge im Sport

Die gesellschaftspolitischen Anforderungen der DDR wurden in den sechziger Jahren komplexer. Nachdem ab April 1966 für jede zweite Woche die Fünf-Tage-Arbeitswoche eingeführt war, bekam das Problem der Freizeit einen höheren Stellenwert. Die SED forderte eine „niveauvolle" Freizeitgestaltung, worunter sie gesellschaftliche Aktivitäten, aber auch Beschäftigung mit Kunst und Sport verstand. Der Alltag in der DDR unterschied sich jedoch beträchtlich von diesem Anspruch. Eine soziologische Untersuchung des Freizeitverhaltens am Wochenende ergab für die DDR folgendes Bild: 68 Prozent der Befragten erklärten das Fernsehen zur liebsten Freizeitbeschäftigung, 50 Prozent nutzten die Zeit vor allem für Spaziergänge, ebenso viele stellten die Hausarbeit an die erste Stelle, 47 Prozent lasen mehr Zeitungen und Zeitschriften, 42 Prozent Bücher, 35 Prozent beschäftigten sich vor allem mit den Kindern. Weit abgeschlagen, noch hinter den Tanzveranstaltungen (17 Prozent), lag die „gesellschaftliche Tätigkeit" mit nur 16 Prozent. Damit glichen die Freizeit-Aktivitäten denen der Menschen in anderen Industriestaaten. Trotz aller Einflußnahme von Partei und Massenorganisationen behauptete sich der Wunsch nach individueller Gestaltung der Freizeit, sie war so vielfältig wie in anderen Ländern auch.

Freizeit-verhalten

Die Eigendynamik der modernen Industriegesellschaft machte einen Wandel der Herrschaftsmethoden, vor allem eine Verlagerung von der Gewalt zur Neutralisierung und Manipulierung der Bevölkerung, notwendig. Da die Wünsche und Forderungen der Menschen stärker beachtet wurden, rückte die Effizienz der Wirtschaft durch Rationalisierung und Modernisierung in den Mittelpunkt der Arbeit von Partei und Staat.

Da die DDR als zweitstärkste Industriemacht im Rat für Gegenseitige Wirtschaftshilfe zum „Juniorpartner" der Sowjetunion aufgestiegen war, konnte sie auch ihre außenpolitischen Aktivitäten steigern. In der Dritten Welt wuchs das Ansehen des zweiten deutschen Staates durch seine radikal antiimperialistische Haltung. Dennoch blieb die DDR in der ersten Hälfte der sechziger Jahre international isoliert, auch in der Deutschland- und Berlin-Frage gab es für sie keine Fortschritte.

Außenpolitische Erfolge   Einen ersten außenpolitischen Erfolg konnte die DDR im Februar 1965 erzielen, als Ulbricht bei einem Staatsbesuch in Ägypten mit allen für ein Staatsoberhaupt üblichen Ehren empfangen wurde. Weitere außenpolitische Pluspunkte konnte die DDR im Sommer 1965 sammeln, als Jugoslawiens Staatschef Tito die DDR besuchte.

Die Zahl der Staaten, mit denen die DDR in Beziehungen stand, war zwar angewachsen, doch diplomatische Vertretungen auf Botschafterebene hatte sie 1965 erst in den 12 Ländern des „sozialistischen" Lagers (darunter seit 1963 in Kuba). Generalkonsulate und offizielle Handelsvertretungen, größtenteils mit konsularischen Rechten, hatte die DDR in 18 Staaten, die Kammer für Außenhandel oder die Staatsbank besaßen Vertretungen in weiteren 13 (meist westlichen) Ländern. Durch die außenpolitischen Teilerfolge festigte sich die Stellung Ulbrichts nicht nur in der DDR, sondern auch innerhalb des Ostblocks.

Deutsch-deutsche Beziehungen   An ihrer Politik „gesamtdeutscher Gespräche" und der Forderung nach der „Einheit Deutschlands" änderte die DDR bis 1966 nichts. Immerhin bedeutete es einen beachtlichen Fortschritt in den Beziehungen beider deutscher Staaten, daß Verhandlungen im Dezember 1963 erstmals zu einem Passierscheinabkommen führten, woraufhin Weihnachten 1963 nach zweieinhalb Jahren 1,2 Millionen Westberliner ihre Verwandten in Ost-Berlin besuchen konnten. Im November 1964 öffneten sich die Grenzen für DDR-Rentner, sie durften nun zu ihren Angehörigen in den Westen reisen.

Andere Chancen blieben ungenutzt. Im April 1964 hatte Ost-Berlin seine Bereitschaft verkündet, Presseorgane der Bundesrepublik wie „Die Zeit" oder die „Süddeutsche Zeitung" zum Verkauf in der DDR zuzulassen, vorausgesetzt, in der Bundesrepublik dürfe das SED-Organ „Neues Deutschland" ebenfalls öffentlich verkauft werden. Das Angebot wurde mit der Begründung zurückgewiesen, das KPD-Verbot und die Gesetze über Staatsgefährdung erlaubten keinen Austausch. Erst nach heftigen Diskussionen in der Öffentlichkeit gegen diese engstirnige und unliberale Haltung stimmte Bonn schließlich zu, doch nun kam der Zeitungsaustausch nicht mehr zustande.

Redneraustausch SED-SPD   Ein geplanter Redneraustausch mit der SPD scheiterte an der SED. Auf einen „Offenen Brief" des ZK der SED an den Dortmunder Parteitag der SPD im Februar 1966 reagierte die SPD erstmals mit einer „Offenen Antwort". Danach gab es zwar in den Grundfragen der Demokratie zwischen beiden Parteien keine Gemeinsamkeiten, weil die SED versuche, die freiheitliche Grundordnung durch eine monopolistische Parteiherrschaft zu ersetzen, die SPD forderte dagegen praktische Erleichterungen. Daraufhin schrieb die SED einen zweiten „Offenen Brief". Schließlich trafen Vertreter beider Parteien mehrmals zusammen, um gemeinsame Veranstaltungen in Hannover und Karl-Marx-Stadt zu vereinbaren. Nach immer heftigeren Angriffen auf die SPD nahm die SED ein vom Bundestag verabschiedetes Gesetz über

„freies Geleit" für ihre Redner zum Anlaß, den geplanten Redneraustausch abzusagen. Tatsächlich aber befürchtete sie die Auswirkungen einer öffentlichen Diskussion mit Vertretern des demokratischen Sozialismus innerhalb der DDR.

Mit der Bildung der Großen Koalition in Bonn Ende 1966 änderte sich die Deutschlandpolitik der DDR, nun schlug sie vor allem gegen die SPD immer härtere Töne an. Solange frühere Bundesregierungen gegen die DDR eine starre Politik betrieben, hatte sich die DDR-Führung als Vertreterin der Entspannungspolitik präsentiert. Die neue Ostpolitik der Großen Koalition und erst recht die flexible Deutschlandpolitik der nachfolgenden sozial-liberalen Koalition brachten die DDR-Spitze in Schwierigkeiten, sie geriet in die Defensive. Dialoge, die auf die DDR übergreifen konnten, schienen ihr suspekt, ja gefährlich. Zudem hatte sich die DDR inzwischen noch fester an die UdSSR gebunden, und die politischen, wirtschaftlichen und kulturellen Verhältnisse unterschieden sich in beiden deutschen Staaten immer krasser.

Am 12. Juni 1964 hatten die UdSSR und die DDR einen Vertrag über Freundschaft, gegenseitigen Beistand und Zusammenarbeit abgeschlossen. Als Grundlage der Beziehungen galt der „sozialistische Internationalismus", was unbeschränkte Hegemonie Moskaus bedeutete. Dennoch erweiterte sich allmählich der Spielraum der DDR. Der Sturz Chruschtschows im Oktober 1964 traf die DDR-Führung unvorbereitet. Ulbricht, der besonders eng mit der Politik und Person Chruschtschows kooperiert hatte, verweigerte diesmal die sofortige kompromißlose Zustimmung zum Moskauer Vorgehen. *Absetzung Chruschtschows*

Doch schon bald nach der Absetzung Chruschtschows konnte sich die Position der DDR-Führung im Ostblock weiter konsolidieren. Endete nach der Verdammung Stalins der Satellitenstatus der DDR, so gelangte sie nunmehr sogar zu einer gewissen Selbständigkeit in ihrer Innen- und Außenpolitik. Während der Stalin-Ära, wo jeder politische Schritt von Moskau diktiert wurde, fungierte die DDR-Regierung als reiner Befehlsempfänger der UdSSR. Das änderte sich schrittweise unter Chruschtschow und seinen Nachfolgern. Ihnen genügte es, die große Linie der Politik zu bestimmen, Einzelheiten und Ausführungen blieben der DDR- bzw. der SED-Führung selbst überlassen.

Als Chruschtschows Nachfolger L. I. Breschnew ein Jahr später, im November 1965, die DDR besuchte, war die SED schon ganz auf seine Linie eingeschwenkt. Das im Dezember 1965 abgeschlossene langfristige Handelsabkommen zwischen der UdSSR (für den Zeitraum 1966 bis 1970) demonstrierte, daß die DDR nicht nur politisch, sondern auch wirtschaftlich fest im Ostblock integriert blieb.

3. DIE NEUE VERFASSUNG UND DIE REALITÄT

Der VII. Parteitag der SED im April 1967 stellte die Weichen für die Politik der DDR in den folgenden Jahren. Im Mittelpunkt des Kongresses standen Wirtschaftsfragen. Es ging vor allem um die Weiterentwicklung des Neuen Ökonomischen Sy- *VII. SED-Parteitag* stems und die Wirtschaftsprognose bis 1970. Die DDR sollte nun zum „entwickelten gesellschaftlichen System des Sozialismus" gestaltet werden, wobei die SED vor allem Bedeutung und Vorrang der Wissenschaft betonte. Außerdem sollte die Rolle der Massenorganisationen gestärkt werden. Doch zwischen deren Aufgabe, die Politik der SED in die bei ihr organisierte Bevölkerungsgruppe zu tragen, und ihrer eigentlichen Funktion, Interessenvertretung der zahlreichen Mitglieder zu sein, existierte eine Spannungsverhältnis, das zu Reibungsverlusten und ständigen Schwierigkeiten führte.

Rolle des FDGB   Am deutlichsten trat dieser Widerspruch beim FDGB hervor. Er war als Massenorganisation der SED eine „Staatsgewerkschaft", die vor allem die Pläne der Staatswirtschaft mit zu erfüllen hatte. Bei der Wahrnehmung der Interessen seiner über 6 Millionen Mitglieder sollte der FDGB eigentlich die Rechte der Arbeiter im Betrieb, ihre sozialen Belange, den Arbeitsschutz usw. wirkungsvoll verteidigen und stand damit in einem permanenten Konflikt. Während der FDGB in den fünfziger Jahren fast nur für die Planerfüllung und die Durchsetzung der Staatsziele tätig war, erhielt er in den sechziger Jahren mit der veränderten Politik der SED neue Zuständigkeiten, die Probleme der Mitglieder rückten stärker in sein Blickfeld.

Nach Einführung des Neuen Ökonomischen Systems in der DDR wuchs die Bedeutung des FDGB in der Wirtschaft. Die Mitwirkung der Gewerkschaft stärkte ihre Position und ermöglichte ein Eintreten für die Arbeiter. Der 7. FDGB-Kongreß im Mai 1968 unterstrich die Rolle des FDGB als Vertretung der Arbeiter im Betrieb, seinem Einsatz für die Mitglieder blieben jedoch Grenzen gesetzt. Durch Personalunion lagen alle wichtigen Positionen innerhalb der Gewerkschaft in den Händen von SED-Funktionären (der FDGB-Vorsitzende Warnke gehörte zugleich dem Politbüro der SED an). Die SED verlangte aber von ihren Mitgliedern entsprechend der Parteidisziplin und den Statuten, in jeder Funktion zuerst für die Partei zu wirken, deshalb konnten sich auch die FDGB-Funktionäre erst in zweiter Linie als „Gewerkschafter" verstehen. Das führte in der Praxis zu Unsicherheiten, standen die Funktionäre der Massenorganisationen doch einerseits unter dem Druck ihrer Basis und andererseits unter dem Zwang der Parteidisziplin. Daraus resultierten nicht selten Differenzen, die die Problematik der Apparatherrschaft erkennen ließ: Trotz Dominanz der SED gab es in und zwischen den verschiedenen gesellschaftlichen Organisationen ständige Reibereien.

Unwille und Opposition der Bevölkerung der DDR gegen ihr gesellschaftliches und politisches System entzündeten sich immer wieder an zwei Tatbeständen: am relativ niedrigen Lebensstandard und an der Beschränkung politischer und persönlicher Freiheiten. Den Lebensstandard anzuheben bemühte sich die SED-Regierung mit neuen Methoden in der Wirtschaft. Gegen das Freiheitsstreben aber wurden weiterhin die Machtmittel des Staates eingesetzt. Diese wollte die DDR-Regierung 1968 durch ein neues Strafgesetzbuch und eine neue Verfassung rechtlich umfassender abstützen.

Strafgesetzbuch   Das bereits im Januar 1967 von Justizminister Hilde Benjamin angekündigte neue Strafgesetzbuch wurde am 12. Januar 1968 verabschiedet. Mit diesem Gesetz beendete die DDR die bis dahin z. T. noch existierende deutsche Rechtseinheit. Hervorgehoben wurde, daß es nicht Ziel des Staates sei, zu strafen, sondern Verbrechen zu verhindern. Tatsächlich ließen eine Reihe neuer Bestimmungen und der Wegfall mancher veralteter Paragraphen eine fortschrittliche Praxis erwarten. Das politische Strafrecht aber wurde erweitert und verschärft. Schon die Präambel des Strafgesetzbuches bezeichnete die „allseitige Stärkung" der DDR als die entscheidende Aufgabe, angestrebt werde der „systematische Aufbau des sozialistischen Rechts als Instrument der staatlichen Leitung der Gesellschaft", wobei das Strafrecht den „Schutz der sozialistischen Staats- und Gesellschaftsordnung" zu gewährleisten haben. Obwohl auch die „Rechte des Bürgers" betont und bestimmte überholte Methoden der Stalin-Ära verworfen wurden (beispielsweise war die „Rückwirkung und die analoge Anwendung von Gesetzen zuungunsten des Betroffenen nicht zulässig"), blieb es weitgehend beim drakonischen politischen Strafrecht. Für zahlreiche politische Tatbestände drohten weiterhin lange Freiheitsstrafen bis hin zur Todesstrafe. Die Neutralisierung der Bevölkerung galt zwar als zweckmäßige Herrschaftsmethode, dennoch hielt sich der Staat Möglichkeiten für Repressionen offen, ja er erweiterte das dafür vorhandene Instrumentarium noch.

Andererseits war die DDR-Führung bestrebt, allzu krasse Gegensätze zwischen Normen und Realitäten abzubauen. Diesem Ziel diente die Ablösung der alten durch eine neue „sozialistische" Verfassung im Jahre 1968. Nach der Veröffentlichung des Entwurfs im Februar 1968 erfolgte darüber eine „Volksaussprache". In über 750.000 Veranstaltungen wurden neben Zustimmung auch Änderungswünsche vorgebracht. Abweichend vom Entwurf wies der endgültige Text dann einige Modifizierungen auf, z. B. waren nun sowohl die Grundrechte der Glaubens- und Gewissensfreiheit und des religiösen Bekenntnisses als auch die Immunität der Volkskammerabgeordneten in die neue Verfassung eingefügt worden. Schließlich lag der Bevölkerung am 6. April 1968 die Verfassung zum Volksentscheid vor. Von den Wahlberechtigten stimmten 94,5 Prozent für die neue Verfassung (in Ost-Berlin 90,9 und im Bezirk Cottbus 93,4 Prozent). Zu registrieren ist, daß bei diesem ersten (und einzigen) Volksentscheid in der Geschichte der DDR die Zahl der Stimmenthaltungen oder derjenigen, die sogar den Verfassungsentwurf ablehnten, höher war als bei bisherigen Volkskammerwahlen.

Verfassung 1968

Die neue Verfassung beschrieb die Machtverhältnisse klarer als die alte, die immer deutlicher im Widerspruch zur Realität gestanden hatte. In Artikel 1 war der Führungsanspruch der SED verfassungsrechtlich gesichert. Es hieß darin, die DDR, als „sozialistischer Staat deutscher Nation", verwirkliche unter Führung der Arbeiterklasse „und ihrer marxistisch-leninistischen Partei", also der SED, „den Sozialismus". Etwas verbrämt wurde damit die Hegemonie der SED bestätigt. Klaus Sorgenicht (Abteilungsleiter des ZK der SED und Mitglied des Staatsrats) interpretierte dies im Jahr 1969 im offiziellen Verfassungskommentar so: „Die Verwirklichung der führenden Rolle der Arbeiterklasse erfordert, daß an ihrer Spitze die marxistisch-leninistische Partei steht. Diese Partei ist in der Deutschen Demokratischen Republik die Sozialistische Einheitspartei Deutschlands. Sie befähigt die Arbeiter-

Führende Rolle der SED

klasse, ihre geschichtliche Mission bei der Gestaltung des entwickelten gesellschaftlichen Systems des Sozialismus zu erfüllen. Sie ist der bewußte und organisierte Vortrupp der deutschen Arbeiterklasse. Die Sozialistische Einheitspartei Deutschlands ist mit der fortgeschrittensten Wissenschaft, mit der Lehre des Marxismus-Leninismus ausgerüstet, wendet diese Lehre schöpferisch entsprechend den historischen Bedingungen an und bereichert sie mit den Erfahrungen des Kampfes für die Errichtung und Entwicklung der sozialistischen Gesellschaft in der Deutschen Demokratischen Republik" [524: Verfassung der DDR, Bd. 1, 226 f.].

Verschleierung   Entgegen solchem Eingeständnis der realen Machtverhältnisse in der DDR verschleierten andere Verfassungsartikel die Wirklichkeit. So z. B. Art. 19, der die Freiheit der Persönlichkeit und die Freiheit von „Ausbeutung, Unterdrückung und wirtschaftlicher Abhängigkeit" garantierte, Art. 20, der Gewissens- und Glaubensfreiheit gewährleistete, oder Art. 27, in dem „die Freiheit der Presse, des Rundfunks und des Fernsehens" zugestanden wurde.

Die SED-Herrschaft selbst wurde auch von der neuen Verfassung nicht genau definiert, vielmehr in Art. 48 bestimmt: „Die Volkskammer ist das oberste staatliche Machtorgan der Deutschen Demokratischen Republik... Die Volkskammer ist das einzige verfassungs- und gesetzgebende Organ in der Deutschen Demokratischen Republik. Niemand kann ihre Rechte einschränken." Dabei fielen die Entscheidungen nie in der Volkskammer, diese blieb nach wie vor Vollzugsorgan der SED-Spitze.

Auch die Verfassung von 1968 (Art. 54) legte fest, daß die Abgeordneten „vom Volke auf die Dauer von 4 [später 5] Jahren in freier, allgemeiner, gleicher und geheimer Wahl" zu bestimmen seien. Die weiterhin praktizierten „offenen Abstimmungen" waren also ein ganz klarer Bruch der Verfassung, da sie ja „geheime Wahl" vorschrieb.

Dennoch entsprach diese Verfassung, anders als die erste von 1949, mehr den Zuständen in der DDR. Im Gegensatz zur ersten Verfassung – die sich noch an Weimar und den Konstitutionen Westeuropas orientierte – glich die Verfassung von 1968 der Stalinschen Verfassung von 1936 und der Verfassung der CSSR von 1960. Aber gerade die Entwicklung in der CSSR machte deutlich, daß die geschriebene Verfassung keineswegs das politische Leben eines kommunistisch regierten Landes fixierte. Leerformeln einer Verfassung konnten mit unterschiedlichem politischen Inhalt gefüllt werden, ausschlaggebend blieb allein die Position der kommunistischen Partei und ihrer Führung. Die Auseinandersetzungen zwischen der DDR-Führung und der Dubcek-Führung in Prag 1968 offenbarten den Unterschied zwischen dem bürokratisch-diktatorischen Kommunismus in der DDR und einer demokratischen Variante in der damaligen CSSR.

„Prager   Von Anfang an attackierte die SED den neuen Prager Kurs, der ihr eine andere
Frühling"   Möglichkeit des Kommunismus vor Augen führte: Eine kommunistische Führung, die sich auf die Mehrheit des Volkes stützen konnte, weil sie sich mit dem Verlangen der Bevölkerung nach Freiheit identifizierte und deshalb Vertrauen fand. Die SED sah das mit „tiefem Bedauern", für sie war der Prager demokratische Kommunismus

eine „Preisgabe der Positionen des Sozialismus zugunsten der Konterrevolution"
[Neues Deutschland, Nr. 203 vom 24. 7. 1968]. Diese Beschuldigungen blieben allerdings auch in der DDR nicht unwidersprochen. Vor allem Robert Havemann
trat für die CSSR ein, ohne direkt politisch wirksam werden zu können. Die DDR-
Führung selbst setzte sich mit der Beteiligung an der Invasion der CSSR im August 1968 ins Unrecht; sie ließ trotz der Erinnerungen an den deutschen Über-
fall von 1938 ihre Truppen zur Okkupation in die Tschechoslowakei mit einmar-
schieren.

Die Aktivitäten des Staatsapparats der DDR galten in den sechziger Jahren nicht
nur dem Schutz des Herrschaftssystems im Innern, sondern waren erstmals auch
nach außen gerichtet. Das sollten ideologische Kampagnen verschleiern, in denen
die Entsendung der NVA als Verteidigung des „Sozialismus" gerechtfertigt wurde.

Der Begriff Sozialismus, der in der SED-Programmatik einen breiten Raum ein- Sozialismus-
nahm, wurde 1970 von der SED konkretisiert. Sozialismus wurde nunmehr defi- Definition
niert als „die Verwirklichung der führenden Rolle der revolutionären Partei der Arbeiterklasse im gesamten gesellschaftlichen Leben". Sozialismus bedeutete danach
Herrschaft der Arbeiterklasse, gesellschaftliches Eigentum an den wichtigsten Produktionsmitteln, Planung und Leitung der Produktion, „das feste Bündnis, die enge
Freundschaft mit der Sowjetunion" und die „Anerkennung der historischen Tatsache, daß die Sowjetunion zum Grundmodell der sozialistischen Gesellschaft wurde", schließlich gehörten dazu sozialistische Lebensweise, neue Arbeitsdisziplin [Ge-
schichtsunterricht und Staatsbürgerkunde, 1970, Nr. 12, 1058 f.].

Eine solche Charakterisierung des Sozialismus reduzierte ihn zwar auf das sowjetische Modell, stimmte mit der Wirklichkeit der DDR aber eher überein als die ursprünglichen Vorstellungen von Marx vom Sozialismus als einem universellen Hu-
manismus. Die programmatischen Aussagen der SED verdeutlichten, daß ihre Ideologie auch in den sechziger und siebziger Jahren die bestehenden Gesellschafts- und
Machtverhältnisse zu rechtfertigen, festigen und verschleiern hatte. Zugleich diente
die Ideologie als Integrationsfaktor, mit dem die optimistische Bejahung des Systems
erreicht werden sollte. Die Praxis beim Ausbau der Wirtschaft in der DDR und bei
der Entwicklung der modernen Industriegesellschaft zeigte, daß mit dieser Ideologie viele Probleme der Gesellschaft nicht zu lösen waren.

4. ULBRICHTS MODELLVERSUCHE

Mit der relativen Festigung der DDR durch wirtschaftliche Erfolge in den sechzi- Versuch der
ger Jahren wuchs das Selbstbewußtsein ihrer Führung, vor allem Ulbrichts. Die Eigenständigkeit
SED versuchte, sich von der völlig unkritischen Übernahme des sowjetischen Modells und der absoluten Vorherrschaft der Politik der UdSSR zu lösen. Damit geriet
sie aber in einen Konflikt mit der sowjetischen Führungsmacht, insbesondere auch,
weil die DDR ihrem eigenen Aufbau Modellcharakter zumindest für hochentwickelte Industriestaaten zuschrieb.

Dabei war in dieser Periode ein genereller Trend in der SED selbst zu erkennen: Die bürokratische Apparatpartei war zugleich eine Staats- und Führungspartei mit neuem Leitungsstil und veränderter Zusammensetzung. So hatte der VII. Parteitag 1967 wiederum zwei jüngere Wirtschaftsfachleute (Halbritter und Kleiber) als Kandidaten ins Politbüro berufen. Dieses Einbeziehen von Nachwuchskräften mit wissenschaftlicher Ausbildung spiegelte die Veränderungen innerhalb der Partei wider.

Von den knapp 1,8 Millionen Mitgliedern, die der VII. Parteitag 1967 registrierte, waren 45 Prozent Arbeiter, 16 Prozent Angestellte und 12 Prozent Angehörige der Intelligenz. Damit wurde deutlich, daß Arbeiter und Angestellte im Vergleich zu ihrem Anteil an der Gesamtbevölkerung (80 Prozent) in der SED erheblich unter-, dagegen die Intelligenz (7 Prozent der Bevölkerung) überrepräsentiert waren. Mit Werbekampagnen hatte die Partei versucht, ihre soziale Zusammensetzung zu ändern und vermehrt Arbeiter zu gewinnen. In den sechziger Jahren verdoppelte sich dennoch die Zahl der SED-Mitglieder mit Hochschulabschluß, so hatten nahezu 20 Prozent eine Hoch- oder Fachschule absolviert. Auch viele junge Menschen konnte die SED gewinnen: 20 Prozent ihrer Mitglieder waren unter 30 Jahre alt (gegenüber 15 Prozent bei der Gesamtbevölkerung), allerdings blieben die Frauen (54 Prozent der Bevölkerung), mit nur 26 Prozent in der SED weit unterrepräsentiert. Nur noch 6,9 Prozent der Mitglieder waren bereits vor 1933 in der SPD oder KPD organisiert gewesen. Solche strukturellen Unterschiede zwischen Partei und Bevölkerung sind jedoch weniger aussagekräftig als die bekannt gewordenen Daten über die Zusammensetzung der Parteileitungen. 1970 berichtete Honecker, daß 70 Prozent der Mitglieder der Bezirksleitungen und 51 Prozent der Kreisleitungsfunktionäre und selbst 31 Prozent der Leitungsmitglieder in den Grundorganisationen eine Hoch- und Fachschulbildung besaßen. Bei den hauptamtlichen Funktionären war deren Anteil noch höher: „95,2 Prozent der Sekretäre der Kreisleitungen haben einen Hoch- oder Fachhochschulabschluß."

Während ein Wandel in der Zusammensetzung der SED und ein steigender Einfluß der Eliten erfolgte, beruhte der Parteiaufbau auch in den sechziger Jahren noch auf stalinistischen Prinzipien. Weiterhin beherrschte der Apparat, d. h. die hauptamtlichen Funktionäre, die Partei. In der hierarchisch aufgebauten SED lag die Macht beim Politbüro, beim Sekretariat und bei dem in Abteilungen gegliederten „Apparat des ZK" in Ost-Berlin. Über Machtfülle und Methoden dieser Parteispitze lagen einige offizielle SED-Hinweise vor. Unumwunden wurde berichtet, daß das Politbüro „alle Grundsatzfragen" entschied, das Sekretariat die „Auswahl der Kader" vornahm. Zugleich überwachten die Abteilungen des ZK-Apparates aber auch „die Verteilung der Parteikräfte, um die führende Rolle der Partei allseitig" zu garantieren [572: H. DOHLUS, 1965, 18 ff.]. Die entscheidende Rolle dieses Apparats bestätigte Otto Schön, damaliger Leiter des Büros des Politbüros, ganz offen: „Der Apparat sichert die Durchführung der Beschlüsse und Weisungen der Parteiführung durch ein umfassendes System der Kontrolle der Tätigkeit der nachgeordneten Parteiorgane, der Parteiorganisationen, der zentralen staatlichen Organe und Institutionen, der Staatsmacht sowie der zentralen Leitungen der Massenorganisationen...

Neue Parteistruktur

Rolle des Apparats

Die Abteilungen fördern die Entwicklung einer selbständigen, verantwortlichen Tätigkeit der leitenden Parteiorgane, der staatlichen und wirtschaftlichen Organe und der Massenorganisationen auf der Grundlage der Beschlüsse der Partei und orientieren sie zielstrebig auf die Lösung der Hauptaufgaben" [624: O. Schön, 1965, 34 ff.].

Auch weitere Instanzen des Politbüros und des Sekretariats sollten diese Aufgaben erfüllen helfen, so das „Büro des Politbüros", dem vor allem die technische Kleinarbeit des Politbüros und die Überwachung der Beschlüsse zufiel.

Dieser Apparat herrschte über Partei und Gesellschaft in der DDR. Seine umfangreichen Tätigkeiten erfolgten anhand straffer Arbeitsprinzipien. Als wichtigste Methode galt die „Rolle der Beschlüsse", d. h. von der Führung gefaßte Beschlüsse hatten von oben bis unten Gesetzescharakter, ihre Erfüllung wurde genau kontrolliert. „Kritik und Selbstkritik" waren weitere Mittel zur Disziplinierung, mit ihnen sollte aber auch bürokratischer Verknöcherung entgegengewirkt werden. Allerdings war Kritik nicht etwa an den Beschlüssen, sondern nur an deren Durchführung gestattet. Durch laufende Berichterstattung und „Verbindung zu den Massen" erhielt die Führung gründliche Informationen, die ihr eine rasche zentralistische Reaktion auf die Massenstimmung ermöglichten. Schließlich hatten die Funktionäre nach dem Prinzip des „Kettengliedes" zu arbeiten, d. h. sie mußten unter den vielen Aufträgen diejenige als wichtigste Aufgabe erkennen und herausgreifen, mit der die gesamte Arbeit vorangetrieben werden konnte. Für das Politbüro (das jeweils dienstags zusammentrat) bestand wie für das Sekretariat (das sich fast täglich versammelte) ein konkreter Arbeitsplan, ebenso für alle nachgeordneten Gremien – auch daran wurde niemals etwas geändert.

Da die SED als Führungsinstanz der DDR einen totalen Leitungsanspruch erhob, hatte eine geschlossene und zentralisierte Parteiorganisation höchste Priorität. Der straffe hierarchische Zentralismus war daher dominierendes Prinzip der Struktur der SED wie der gesamten Organisationsstruktur der DDR überhaupt.

Diesen straffen Zentralismus sollte – laut Statut – die Wahl aller Parteiorgane relativieren. Tatsächlich galt jedoch weiterhin die stalinistische Praxis, daß der jeweils höhere Apparat die Funktionäre der unteren Ebene benannte und einsetzte. Bei den Wahlen überprüften die übergeordneten Instanzen die Kandidaten für die Vorstände und Sekretariate nach dafür bestehenden Prinzipien und erließen konkrete Direktiven, durch ihre Instrukteure nahmen sie sogar unmittelbaren Einfluß auf die Parteiwahlen. Damit blieb der Zentralismus überall gewährleistet. Diese traditionellen Praktiken sollte nun in den sechziger Jahren ein „wissenschaftlicher" Arbeitsstil ergänzen. Nachdrücklich forderte Honecker 1970, „verstärkt moderne Führungsmethoden und -techniken, neue Methoden der Information und der Bewußtseinsanalyse, die elektronische Datenverarbeitung" anzuwenden „und die Kybernetik, Pädagogik, Psychologie und Soziologie in der Parteiarbeit" zu nutzen [E. Honecker, Die Verwirklichung der führenden Rolle der Partei durch die SED in der DDR. Berlin (Ost) 1970, 78]. Ihren Informationsstand wollte die Führung mit einem parteieigenen „Institut für Meinungsforschung" verbessern. Diese modernen

Arbeitsprinzipien

Zentralismus

Techniken sollten freilich die zentralistische Willensbildung keineswegs ersetzen, sondern sie lediglich effektiver gestalten. Damit plante die Führung nicht nur die Parteiorganisation zu straffen, sie wollte auch ihre „führende Rolle" in Staat, Wirtschaft, Gesellschaft und Kultur festigen.

Revision in der Ideologie   Dabei versuchte Ulbricht zugleich, grundlegende traditionelle Aussagen der Ideologie zu revidieren. Auf einer Tagung 1967 entwickelte er die These, „der Sozialismus" sei nicht – wie einst Marx und Lenin definierten – eine relativ kurze Übergangsphase zum Kommunismus, der klassenlosen Gesellschaft, sondern eine „relativ selbständige sozialökonomische Formation in der historischen Epoche des Übergangs vom Kapitalismus zum Kommunismus im Weltmaßstab" [Neues Deutschland, Nr. 252 vom 13. 9. 1967].

Hinter dieser Revision der Theorie von Marx verbarg sich ein politischer Anspruch. Angeblich befand sich die Sowjetunion schon seit 1936 auf dem Weg vom Sozialismus zum Kommunismus, und es hieß, sie sei damit den anderen kommunistisch regierten Ländern, die den Sozialismus erst aufbauten, um eine ganze Epoche voraus. War jedoch der Sozialismus selber eine eigenständige historische Formation wie z. B. der Kapitalismus, dann standen die DDR und die Sowjetunion nebeneinander auf der gleichen Entwicklungsstufe. Eine Führungsrolle der UdSSR gegenüber der DDR und der KPdSU gegenüber der SED schien fraglich und war somit ideologisch nicht mehr abgesichert.

Auf einer wissenschaftlichen Tagung anläßlich des 150. Geburtstages von Karl Marx 1968 ging Ulbricht noch einen Schritt weiter: Nun erklärte er, daß das „System des Sozialismus in der DDR" einer „hochindustriellen Gesellschaft" adäquat sei. Diese Theorie erweiterte die SED dahingehend, daß erst die DDR den Beweis erbracht habe, daß der Marxismus-Leninismus „auch für industriell hochentwickelte Länder volle Gültigkeit hat" [919: Politisches Grundwissen, 1970, 620].

Modell DDR   Nach den ideologischen Vorstellungen der Führung galt es, sich von der völligen Anpassung an die Sowjetunion zu lösen und stattdessen der DDR selbst Modellcharakter zuzusprechen. Zugleich versuchte die Parteispitze, die innere Ordnung der DDR wenigstens mit Hilfe ideologischer Thesen zu harmonisieren. Ulbricht selbst propagierte die – nach seiner Absetzung als falsch verworfene – „sozialistische Menschengemeinschaft".

Ab 1967 ergaben sich in der DDR neue wirtschaftliche Schwierigkeiten und Engpässe. Erschwerend wirkte sich nun der Arbeitskräftemangel aus. Die DDR-Wirtschaft, die ja nach dem Krieg nicht nur die Reparationen verkraften mußte, hatte durch die Flüchtlinge einen Verlust an Arbeitskräften erlitten, der sie nach Ulbrichts Angaben weitere 30 Milliarden kostete. Voraussetzung für die Sicherung des Herrschaftssystems blieben aber Wirtschaftserfolge, dafür mußte die SED alle Kraft aufwenden. Dabei entstanden jedoch neue Komplikationen zwischen ideologischem Dogmatismus einerseits und Ulbrichts überzogener wirtschaftlicher Planung andererseits.

Produktionssteigerung   Es gelang aber, die Produktion insgesamt erheblich zu steigern und damit auch den Lebensstandard der Bevölkerung zu erhöhen. In der Schwerindustrie gab es ein kontinuierliches Wachstum, so stieg nach ostberliner Angaben von 1961 bis 1970 die Produktion von Rohstahl von 3,8 Millionen t auf 5 Millionen t (1950: 1,2 Millionen t), Elektroenergie von 42.000 auf 67.000 KWh (1950: 19.000). Langsam wuchs auch die PKW-Produktion (1961: 64.000, 1970: 126.000). Von einigen langlebigen Konsumgütern wurden 1970 deutlich mehr hergestellt als 1961, so z. B. 300.000 Kühlschränke statt 166.000, 254.000 Waschmaschinen statt 132.000, während die Produktion von Fernsehgeräten konstant blieb. Der Höchstausstoß bei den Gebrauchsgütern war in den Jahren 1966/67 zu registrieren, danach ging die Produktion wieder zurück.

Anläßlich der Feiern zum 20. Jahrestag der Staatsgründung im Jahre 1969 konnten die DDR-Führer berichten, daß ihr Land mit 17 Millionen Einwohnern eine größere Industrieproduktion aufweise als das Deutsche Reich von 1936 mit einer Bevölkerung von 60 Millionen. Dennoch waren 1970 die Schattenseiten der Entwicklung nicht zu übersehen: Die Wirtschaftspolitik pendelte weiter zwischen notwendigen Reformen und absolutem Führungsanspruch der Partei. Durch die Bindung an die Sowjetunion entstanden der DDR zusätzliche Schwierigkeiten, denn sie hatte sich auch weiterhin am ökonomischen System der UdSSR zu orientieren. *Schattenseiten der Wirtschaft*

Die KPdSU bemühte sich, alle Selbständigkeitsbestrebungen der kommunistischen Parteien und vor allem der kommunistisch regierten Staaten zu unterbinden. Ulbricht aber versuchte alles, um die eigenen Interessen der DDR besser durchzusetzen. Dabei mußte er mit seiner Deutschlandpolitik in einen Konflikt zur UdSSR geraten.

Im Rahmen des internationalen Entspannungsprozesses hatte die sozial-liberale Koalition unter Bundeskanzler Brandt 1969 erklärt, die Sicherung des Friedens erfordere auch verbesserte Beziehungen zwischen den beiden deutschen Staaten. Die DDR-Führung bremste. Sie bestand nun ausdrücklich auf „völkerrechtlichen Beziehungen" zu Bonn. Dennoch kam es zu direkten Kontakten, so zum Besuch des Bundeskanzlers bei DDR-Regierungschef Stoph in Erfurt. Ovationen von DDR-Bürgern für Brandt sowie das Echo in der DDR verunsicherten Ost-Berlin. Um Unruhen im eigenen Machtbereich vorzubeugen, erklärte die SED, der Status quo sei nicht zu ändern. Kompromißlos verlangte Stoph bei der zweiten Begegnung mit Brandt im Mai 1970 in Kassel die völkerrechtliche Anerkennung der DDR. Mit scharfen Attacken gegen die Bundesregierung und die SPD wollte die SED die Vertreter einer Entspannungspolitik entmutigen. *Treffen Brandt-Stoph*

Bundeskanzler Brandt hatte in Kassel in 20 Punkten dargelegt, daß die Friedenspolitik der Bundesrepublik Deutschland auf Gleichberechtigung und Unverletzlichkeit der Grenzen ziele, der Zusammenhalt der Nation aber gewahrt werden solle. Der Vorsitzende des DDR-Ministerrates, Stoph, beharrte indes darauf, es dürfe keine „innerdeutschen Beziehungen" mehr geben.

Doch nach den erfolgreichen Verhandlungen zwischen der Bundesrepublik und der UdSSR sowie Polen und dem Abschluß der Verträge mit Moskau und Warschau (August bzw. Dezember 1970) wurde es für die SED immer schwieriger zu blockieren. Ulbricht wollte dennoch auch die Berlin-Verhandlungen zwischen der Sowjetunion, den USA, Großbritannien und Frankreich beeinflussen. Es zeigte sich aber erneut, daß die UdSSR nach wie vor die Richtlinien der Politik der DDR bestimmte.

Hinzu kam, daß die DDR mit Sorgen in die siebziger Jahre ging. Trotz mancher Erfolge war es in den sechziger Jahren nicht gelungen, den Anschluß an den Lebensstandard der Bundesrepublik zu erreichen, vielmehr hatte sich der Abstand noch vergrößert. Die Wirtschaftspläne für 1969 und 1970 konnten nicht erfüllt werden, das ZK reduzierte die Planziele für 1971 erheblich. So war die DDR Ende der sechziger Jahre durch überzogene ökonomische Pläne und Disproportionen der Wirtschaft in weitere Schwierigkeiten geraten. Ideologische Sonderansprüche, politische Selbständigkeitsbestrebungen und die neue Krise waren für die Sowjetführung genügend Gründe, auf eine Ablösung Ulbrichts zu drängen. Da er die Rolle der DDR als Juniorpartner überschätzt und zu eigenwillig gehandelt hatte, mußte Ulbricht, der wohl wichtigste Führer der DDR, plötzlich abtreten.

D. DIE DDR ZWISCHEN STABILITÄT UND KRISE 1971–1980

1. Ulbrichts Ablösung und die Konsoldierung der DDR bis 1975

Am 3. Mai 1971 trat das ZK der SED zu seiner 16. Tagung zusammen. Völlig überraschend für die Öffentlichkeit bat Ulbricht, ihn aus „Altersgründen" von der Funktion des 1. Sekretärs der SED zu entbinden. In seiner Rücktrittserklärung schlug er dem Parteigremium vor, Erich Honecker als Nachfolger zum 1. Sekretär zu wählen. Beiden „Wünschen" entsprach das ZK in gewohnter Einstimmigkeit. Mit der Ablösung Ulbrichts erfolgte ein tiefer Einschnitt in der Geschichte der DDR. Die SED unter Honecker orientierte sich wieder stärker an der KPdSU, sie revidierte ideologische Sonderthesen und akzeptierte die Führungsrolle der Sowjetunion für die DDR als verbindlich. Obwohl die DDR-Führung sich nun wieder der Strategie und Taktik der UdSSR unterordnete, brachte dies keine Rückkehr zur totalen und unkritischen Abhängigkeit der vierziger und fünfziger Jahre. Entsprechend ihres wirtschaftlichen Gewichts konnte die DDR durchaus auch ihre eigenen Interessen wahrnehmen. Rücktritt Ulbrichts

Im Inneren entwickelte sich unter Honecker ein sachlicherer Arbeitsstil. Die SED wollte die sozialen Belange der unteren Einkommensschichten stärker berücksichtigen. Dazu wurden Sozialmaßnahmen beschlossen und eingeleitet. Eine neue Linie signalisierte der VIII. Parteitag der SED im Juni 1971, dessen über 2.000 Delegierte 1,9 Millionen Mitglieder und Kandidaten repräsentierten. Erstmals fehlte Walter Ulbricht auf einem SED-Parteitag, seine Eröffnungsrede verlas Hermann Axen, Berichterstatter des ZK war Erich Honecker. Deutlich grenzte er sich von überzogenen früheren Plänen ab. Generelles Ziel mußte es nach Honeckers Worten sein, alles zu tun „für das Glück des Volkes". Für die SED und die DDR wurde die „Einheit von Wirtschafts- und Sozialpolitik" verkündet. Dies bedeutete, daß die Führung den Bürgern solche sozialen Verbesserungen in Aussicht stellte, die durch ökonomisches Wachstum erreichbar waren. Intensivierung der Produktion und Rationalisierung galten jetzt als vordringlich, die Probleme der Wirtschaft wurden in den Mittelpunkt gerückt. Honeckers Ziele Einheit von Wirtschafts- und Sozialpolitik

Um die komplizierter werdenden Aufgaben zu meistern, waren Ansätze einer Partizipation von unten nötig, die freilich nur zögernd eingeleitet wurden, um die „führende Rolle" der Partei nicht zu gefährden. Mit den neuen Praktiken konnten Verbesserungen der Lage der Massen erzielt werden. Neben Lohn- und Rentenerhöhungen sollte ein forcierter Wohnungsbau die Lebensbedingungen erleichtern. Durch die Beachtung der Interessen des „kleinen Mannes" wollte die DDR sich nun auch von der Ulbricht-Periode abheben. Trotz stärkeren Engagements der SED für sozial Schwache war indes nicht zu übersehen, daß die Hauptfunktion der Staatspartei weiterhin in der Ausübung und Festigung ihrer Herrschaft bestand, sie als Machtorgan fungierte. An der politischen Allgewalt der SED änderte sich unter Honecker ebensowenig wie an den Privilegien für die herrschende Oberschicht. Auch

nach Ulbricht wollte die Führung das DDR-System in seinen Grundzügen beibehalten, doch Reformen sollten es effektiver machen. Alle Veränderungen waren darüber hinaus auch ideologisch abzusichern. Nach eigener Einschätzung der SED hat-
te ihr VIII. Parteitag eine neue gesellschaftliche Etappe eingeleitet, gerade dieser Parteitag galt als eine „besonders wichtige Zäsur in der Geschichte der DDR" [Staat und Recht, 1974, 7, 1083]. Die Ulbricht-Ära wurde ganz gezielt in den Hintergrund gerückt, die Veränderungen nach Ulbrichts Rücktritt besonders drastisch betont, damit konnte die Politik der Honecker-Führung demonstrativ und überpointiert als etwas Neues herausgestellt werden.

Zäsur VIII. Parteitag

Das Zurückdrängen der Etappe unter Ulbricht im Geschichtsbewußtsein diente auch dazu, unangenehme Seiten der eigenen Entwicklung in Vergessenheit geraten zu lassen. Vor allem galt das für die stalinistische Diktatur der fünfziger Jahre und die Distanzierung vom sowjetischen Modell Ende der sechziger Jahre. Doch auch die Person Walter Ulbrichts selbst verschwand in den siebziger Jahren aus der Geschichte. Nach seinem Tod 1973 war er zunächst „Unperson", sein Name und seine Rolle wurden kaum noch erwähnt. Aber auch Ulbrichts Nachfolger beharrten auf der in der Verfassung verankerten Führungsrolle, sie forderten sogar, diese „führende Rolle" der Partei müsse kontinuierlich ausgebaut werden. Voraussetzung blieb in dieser Sicht eine geschlossene und schlagkräftige Parteiorganisation, entscheidend war daher der innere Zustand der Partei. Eine straffe, ja eine „eiserne Disziplin" [919: Politisches Grundwissen, 1972, 540] hatte auch nach 1971 den hierarchischen Zentralismus zu garantieren.

Ulbricht „Unperson"

In der SED-Spitze setzte sich allerdings wieder die Vorstellung vom Primat der Politik gegenüber technokratischen Tendenzen durch und das spiegelte sich auch in dem obersten Parteigremium selbst wider. Während sich in den sechziger Jahren unter den neu aufrückenden Kandidaten des Politbüros und den neuen ZK-Mitgliedern vorwiegend Fachleute (vor allem Wirtschaftler) befanden, zeichnete sich unter Honecker ein gegenläufiger Trend ab: Statt der Technokraten, die zurückgedrängt wurden, kamen ins ZK und auch ins Politbüro jüngere Parteiführer, die eine typische Apparatkarriere durchlaufen hatten und die nun vor allem politische Aufgaben lösen sollten.

Die Nachwuchspolitiker (und früheren Mitarbeiter Honeckers in der FDJ) Werner Felfe, Joachim Herrmann, Ingeburg Lange und Konrad Naumann rückten im Oktober 1973 ins Politbüro auf, dafür schied der unter Ulbricht ins Politbüro geholte Technokrat Walter Halbritter aus diesem Gremium aus.

Sozialstruktur der SED

Auch die Sozialstruktur der Partei änderte sich bis 1976 weiter. Gegenüber 1966 stieg der Anteil der Arbeiter von 45 auf 56 Prozent, der der „Intelligenz" von 12,3 auf 20 Prozent, dagegen sank der Anteil der Angestellten von 16 auf 13 Prozent und der der Bauern von 6,4 auf 5,2 Prozent. Diese Zahlen dokumentierten das Bemühen der Parteiführung, auch in der sozialen Zusammensetzung der herkömmlichen Vorstellung einer „Arbeiterpartei" zu entsprechen. Das änderte allerdings nichts am Trend bei den hauptamtlichen Funktionären: Dort dominierten zunehmend Fachleute mit Hoch- und Fachhochschulabschluß.

Ihr innerparteiliches Regime und die zentralistische Willensbildung konnte die Inner-
SED-Führung mit drei verschiedenen Prinzipien durchsetzen: An erster Stelle stand parteiliche
die freiwillige Disziplin, d. h. die Ein- und Unterordnung der Mitglieder und vor Prinzipien
allem der Funktionäre. Die SED bezeichnete sich daher selbst als einen „freiwilligen
Kampfbund Gleichgesinnter". Ein begrenztes Mitspracherecht der Mitglieder und
der Basis sollte die Partei flexibler machen, eine intensivere ideologische Schulung
die Überzeugung festigen, die politischen Ziele könne nur eine „geschlossene
Kampfpartei" realisieren, das setzt wiederum unbedingte Parteidisziplin voraus.
Dort, wo die freiwillige Unterordnung nicht eingehalten wurde, konnte die Führung auch Repressionen anwenden.

Das zweite Prinzip des zentralistischen Parteiaufbaus war die Allmacht des haupt- Macht des
amtlichen Apparats, der sich hierarchisch gliederte. Hier änderte sich gegenüber der Apparats
Ulbricht-Periode nichts. Neben den personalpolitischen Entscheidungen dirigierte
der Parteiapparat durch Beschlüsse, Direktiven und Anweisungen das gesamte Par-
teileben und die Aktivitäten der Mitgliedschaft. Darüber hinaus leitete der Parteiapparat auch die Massenorganisationen und den Staatsapparat, er besaß entscheidenden Einfluß in Wirtschaft und Kultur.

Auswahl und Heranbildung parteiergebender Kader schufen gleichermaßen die Kaderauswahl
dritte Absicherung der hierarchischen Strukturen, eine Garantie für die Geschlossenheit der SED. Gerade bei der Kaderauswahl zeigte sich, daß keineswegs die
„Wahlen" auf den einzelnen Parteiebenen über die Zusammensetzung der Leitung
entschieden, vielmehr wurden Auswahl und Kaderplanung von den jeweils übergeordneten Instanzen getroffen. Sowohl Kader-„Entwicklungspläne" als auch die „Nomenklatur" der Kader bei den nächsthöheren Leitungen ermöglichten der Führung
eine langfristige und zielstrebige Kaderentwicklung. Die Auswahl erfolgte nach
„Qualifikationsmerkmalen", zu denen u. a. gehörten: politische und fachliche
Kenntnisse sowie Fähigkeiten, Ausbildung, praktische Erfahrung, persönliche Ei-
genschaften („politisch-ideologische Haltung, moralisches Verhalten, persönliches
Auftreten" [495: G. Liebe, 1973, 41]).

Diese Kaderpolitik bot der Führung die Gewähr, daß nur solche qualifizierten
und ergebenen Mitglieder Funktionen erhielten, mit denen sowohl die innerparteiliche Stabilität als auch die „führende Rolle" der SED im Gesamtsystem der DDR
gesichert schien.

Die Durchsetzung der drei Prinzipien freiwillige Disziplin, Macht des Apparats
und Kaderauswahl war die Voraussetzung für eine funktionsfähige Parteistruktur
auch nach 1971. Damit konnte die Spitzenführung, Politbüro und Sekretariat des
ZK, ihre Herrschaft festigen und sogar noch ausbauen. Obwohl nun die freiwillige
Unterordnung besonders betont wurde, bestimmten doch die Macht des Apparats
und die Kaderauswahl weiterhin den hierarchischen Aufbau. Durch ihn wies sich
die SED als kommunistische Partei sowjetischen Typs aus und sie blieb bis zum Ende ein Relikt des Stalinismus.

Wichtigstes Bindeglied der Parteimitgliedschaft blieb die Ideologie, der Marxis- Rolle der
mus-Leninismus. Das Kerndogma der SED bestand auch nach 1971 unverändert in Ideologie

der Behauptung, sie wende den Marxismus-Leninismus in der Praxis an, ihre Politik sei deshalb wissenschaftlich begründet und daher habe die Partei „immer recht".

Aus dieser These leitete die SED ihren absoluten Führungsanspruch in Staat und Gesellschaft ab. Somit behielt die Ideologie als Instrument der Führung überragende Bedeutung: Der Marxismus-Leninismus sowjetischer Auslegung bestimmte die Normen des Verhaltens und diente der Anleitung des sozialen und politischen Handelns; Bewußtseinsbildung sollte die Integration der Führungselite erreichen. Die wesentliche Funktion der Ideologie bestand in der Verschleierung und Rechtfertigung der realen Machtverhältnisse. Bereits 1972 verkündete der „Chefideologe" der SED, Kurt Hager, die entscheidenden Veränderungen der Ideologieeinhalte gegenüber der Ulbricht-Ära: Verworfen wurde nun der auf die DDR-Gesellschaft bezogene Begriff der „sozialistischen Menschengemeinschaft". Für falsch erklärte er die Ulbrichtsche Bezeichnung der DDR als „entwickeltes gesellschaftliches System des Sozialismus". Vor allem aber widerrief Hager Ulbrichts Hauptthese vom Sozialismus als einer „relativ selbständigen Gesellschaftsformation". Diese Theorie ließe sich keineswegs mit der marxistisch-leninistischen Lehre vom Übergang vom Sozialismus zum Kommunismus in Übereinstimmung bringen. Die Ablehnung der einst von Hager mitentwickelten Ulbricht-Thesen bedeutete die erneute uneingeschränkte Anerkennung der damaligen sowjetischen Ideologie.

Um ihre Herrschaft zu stabilisieren, instrumentalisierte die SED nach 1971 verstärkt das Parteiensystem. Dabei bezog sie sowohl die vier „nichtkommunistischen Parteien" – wie sie nun genannt wurden – als auch die Massenorganisationen in ihre Pläne mit ein. Die Mitglieder der Parteien mußten allerdings zwei „Grundsatzanforderungen" genügen: der „vollen Anerkennung des Führungsanspruchs der Arbeiterklasse und der SED" und dem „entscheidenden Bekenntnis zur Sowjetunion". Alle Parteien waren inzwischen nach dem Prinzip des demokratischen Zentralismus aufgebaut, ihre Hauptfunktion bestand weiterhin darin, Transmissionsorganisationen für spezielle Bevölkerungskreise zu sein.

Aufwertung des Ministerrats Im Oktober 1972 verabschiedete die Volkskammer das Gesetz über den Ministerrat der DDR, das die Rechte dieses Gremiums sowie der Ministerien erweiterte. Damit verlor der Staatsrat seine bisherige Kompetenz als führendes politisches Staatsorgan. Der Ministerrat war nun nicht nur für die Wirtschafts- und Kulturpolitik zuständig, sondern auch für die Innen- und Außenpolitik der DDR, selbstverständlich bei Wahrung der Führung der SED, z. B. auf dem Weg der Personalunion. Im Juli 1973 erweiterte die Volkskammer auch die Rechte der örtlichen Volksvertretungen und ihrer Organe, zentrale Stellen sollten damit entlastet und regionale Probleme bereits auf unteren Ebenen entschieden werden können.

Nach dem Tode Ulbrichts (1. August 1973) wählte die Volkskammer am 3. Oktober 1973 Willi Stoph zum Vorsitzenden des Staatsrates, seine Nachfolge als Regierungschef trat am gleichen Tag Horst Sindermann an. Die umfassenden Aufgaben des Staates für die DDR-Gesellschaft wurden stärker betont. Im Oktober 1974 wur-

Verfassungs-änderung 1974 de die DDR-Verfassung von 1968 in entscheidenden Punkten geändert, sie sollte zum 25. Jahrestag der Staatsgründung „in volle Übereinstimmung mit der Wirklich-

keit" gebracht werden. Tatsächlich erfolgte mit der Verfassungsänderung eine Annäherung an die politische Praxis seit Ulbrichts Ablösung. Alle Hinweise auf Deutschland und eine Wiedervereinigung sowie auf die deutsche Nation wurden ausgemerzt.

Trotz Neuformulierung des Artikels 1 änderte sich an der in der Verfassung festge-
schriebenen Führungsrolle der SED nichts. 1968 lautete Artikel 1 der Verfassung:
„Die Deutsche Demokratische Republik ist ein sozialistischer Staat deutscher Nation. Sie ist die politische Organisation der Werktätigen in Stadt und Land, die gemeinsam unter Führung der Arbeiterklasse und ihrer marxistisch-leninistischen
Partei den Sozialismus verwirklichen." Nach den Änderungen von 1974 hieß es
nun: „Die Deutsche Demokratische Republik ist ein sozialistischer Staat der Arbeiter und Bauern. Sie ist die politische Organisation der Werktätigen in Stadt und
Land unter Führung der Arbeiterklasse und ihrer marxistisch-leninistischen Partei."
In Artikel 6 wurde u. a. das Verhältnis zur Sowjetunion neu definiert, danach war
die DDR „für immer und unwiderruflich mit der Union der Sozialistischen Sowjet-
republiken verbündet". Beibehalten wurde in der Verfassung der Aufbau des Staates;
lediglich die Legislaturperioden der Volkskammer wurden von vier auf fünf Jahre
verlängert; die bereits vollzogene Aufwertung des Ministerrates wurde neu in die
Verfassung eingefügt.

Mit Hilfe des Staatsapparates und der Rechtsordnung gedachte die Führung die
Bevölkerung besser und schneller in das System der DDR zu integrieren. Als eine
wichtige Methode galt dabei die formale „Partizipation". Die 200.000 Abgeordneten   Partizipation
der Volksvertretungen waren damit ebenso in die unterschiedlichen Formen der
Mitwirkung einbezogen wie die knapp eine halbe Million Bürger, die in Ständigen
Kommissionen und örtlichen Aktivs arbeiteten, die 100.000 Schöffen und Mitglieder von Schiedskommissionen, die 200.000 Mitglieder in Kommissionen und Komitees der Arbeiter- und Bauerninspektion oder die fast 700.000 Bürger in Elternbeirä-
ten und Elternaktivs. Mit einer Vielzahl solcher institutionaler Einrichtungen sollten bessere Kontakte zum Staat und die Identifikation mit der DDR vor allem bei
denen hergestellt werden, die sich trotz aller Kritik doch als Bürger dieses Staates
fühlten. Durch eine intensive Mitbeteiligung von unten sollte das System zukünftig
flexibler funktionieren. Dies alles bedeutete freilich nicht die geringste Einschränkung der Macht der SED, die nicht nur die politische Linie weiterhin allein bestimmte, sondern auch deren exakte Durchführung kontrollierte.

Aus vielen Indizien ging überdies hervor, daß die soziale Einbindung breiterer
Kreise doch nicht zu der gewünschten Integration führte. Große Teile der DDR-Bevölkerung waren offensichtlich gegen das System eingestellt, die Machtmittel des
Staates, insbesondere das MfS wurden weiterhin gegen oppositionelle Regungen eingesetzt, der Überwachungsapparat ausgebaut.

Die DDR-Regierung glich 1972 die Eigentumsformen ihrer Wirtschaft weiter an
die der UdSSR an. In Staatseigentum überführt wurden im ersten Halbjahr 1972
Betriebe mit staatlicher Beteiligung (halbstaatliche Betriebe) und ebenso private
Betriebe im Industrie- und Baubereich sowie industriell arbeitende Produktions-

genossenschaften des Handwerks. Damit entstanden 11.300 neue „Volkseigene Betriebe" mit 585.000 Beschäftigten; die in den Staatsbetrieben erzeugte industrielle Warenproduktion wuchs von 1971 bis 1972 von 82 Prozent auf über 99 Prozent.

Sozialstruktur
der DDR

In Handwerk und Gewerbe waren noch eine halbe Million Menschen beschäftigt (130.000 Mitglieder von PGH, 322.000 Berufstätige in 105.000 privaten Handwerksbetrieben und 55.000 im privaten Einzelhandel). In der Landwirtschaft, wo durch Zusammenlegung von LPGs zu Kooperativen Abteilungen Pflanzenproduktion (KAP) neue Großbetriebe entstanden, die bereits zwei Drittel der landwirtschaftlichen Nutzfläche bearbeiteten, ging die Zahl der Berufstätigen weiter zurück (1950: 2,2 Millionen, 1965: 1,1 Millionen, 1974: 850.000). In der gesamten Volkswirtschaft stieg gleichzeitig der Anteil der Beschäftigten mit einem Hoch- oder Fachschulabschluß, er betrug 1974 bereits 875.000 (= 11,1 Prozent). Der Anteil der „Hochschulkader" vermehrte sich von 4,3 Prozent im Jahre 1971 auf 5,5 Prozent im Jahre 1975, die Hälfte davon war in kulturellen oder sozialen Einrichtungen tätig. Im gleichen Zeitraum stieg die Zahl der Facharbeiter von 42,6 auf 49,5 Prozent der Gesamtbeschäftigten; auch von den Frauen hatten bereits 42 Prozent eine abgeschlossene Berufsausbildung, gleichzeitig ging die Zahl der ungelernten Arbeiter von 42,3 auf 32,9 Prozent zurück.

Solche offiziellen Daten belegten, daß die DDR nach 1971 die typischen Strukturen eines modernen Industriestaates aufwies: Der Rückgang der Beschäftigten in der Landwirtschaft, ein Übergewicht des industriellen Sektors. Höhere Qualifizierung der Arbeitskräfte und der Anstieg der Berufstätigen mit akademischer Ausbildung sowie eine ständige Spezialisierung der Berufe galten zugleich als Indizien für die industrielle Dynamik und für den technischen Fortschritt.

Bildungssystem

Auch das Bildungssystem wurde nach 1971 effektiver ausgebaut, vor allem der Vorschulerziehung erhöhte Aufmerksamkeit gewidmet. Demgegenüber bremste der Staat den starken Zulauf zur Hochschulausbildung: kamen 1972 noch 90 Hochschulstudenten auf 10.000 Personen der Bevölkerung, so 1974 nur noch 80. Das neue Jugendgesetz von 1974 sollte die Identifikation der jungen Bürger mit ihrem Staat fördern, die Erziehung zum „neuen Menschen" beschleunigen. Eine liberalere Kulturpolitik ermöglichte früher verfemten Künstlern wieder zu arbeiten, eine weite Auslegung des Begriffs „sozialistischer Realismus" steigerte zugleich die Qualität mancher Kunstwerke. Schließlich war es nach offiziellen Angaben gelungen, die Ziele des Fünfjahrplanes 1971 bis 1975 weitgehend zu erfüllen.

Insgesamt konnte die DDR die industrielle Produktion (Stand 1974) seit 1950 versiebenfachen, seit 1961 mehr als verdoppeln und seit 1970 um fast 30 Prozent steigern. Daher wuchs bis Mitte der siebziger Jahre das Lebensniveau der Bevölkerung der DDR, der Mehrzahl der Bürger ging es besser als fünf Jahre zuvor. Die DDR-Führung konnte es als Erfolg verbuchen, daß es trotz der Weltwirtschafts- und Rohstoffkrise keine Arbeitslosigkeit, dagegen stabile Preise für Grundnahrungsmittel gab; das monatliche Durchschnittseinkommen stieg von 755 Mark (1970) auf 860 Mark (1974).

Entsprechend war die Ausstattung mit Gebrauchsgütern merklich angewachsen; auf je 100 DDR-Haushalte kamen 1975 26 PKW (1970: 15), 82 Fernsehempfänger (1970: 69), 86 Kühlschränke (1970: 56) und 73 elektrische Waschmaschinen (1970: 53). Allerdings existierten nach wie vor riesige Schwierigkeiten in der DDR-Wirtschaft, so war der Abstand zur Bundesrepublik größer und nicht geringer geworden.

Ausstattung mit Gebrauchsgütern

Doch die relativ günstige Bilanz der DDR ließ vermuten, daß es gelungen war, ein allgemein funktionierendes Wirtschaftssystem aufzubauen. Nach der wirtschaftlichen Krisensituation 1969/70 erfolgte bis 1975 ein neuer Aufschwung und damit eine Konsolidierung.

2. Die DDR im internationalen System

Im Bündnis des Warschauer Paktes erwies sich die DDR für die Sowjetunion als ein zuverlässiger und stabiler Partner. Seit den sechziger Jahren gab es in der DDR keine sozialen Unruhen wie in Polen, keine Demokratisierungstendenzen wie in der CSSR und keine nationalen Sonderbestrebungen wie in Rumänien. Nachdem die Ideen Ulbrichts von einem „Modell DDR" verworfen waren, vertieften sich auch wieder die Beziehungen der DDR zur UdSSR. Honecker erneuerte das Treuebekenntnis zur Sowjetunion, denn das gute Verhältnis der SED zu den sowjetischen Kommunisten, die Freundschaft zur UdSSR sei für die DDR ein „Lebensbedürfnis" [E. Honecker, Antwort auf aktuelle Fragen. Berlin (Ost) 1971, 13]. Die SED bestätigte zugleich, daß sie ihre Politik nach 1945 „nur dank der ständigen Hilfe und Unterstützung der KPdSU und der Sowjetunion" praktizieren konnte [Neues Deutschland, Nr. 121 vom 3. 5. 1974].

Verhältnis zur UdSSR

Wie eng die Bindungen der DDR zur Sowjetunion waren, zeigte der neue Freundschafts- und Beistandsvertrag, den Breschnew und Honecker am 7. Oktober 1974 unterzeichneten. Dieser auf 25 Jahre abgeschlossene Pakt sah die verstärkte Zusammenarbeit auf allen Gebieten, insbesondere der Wirtschaft vor. Damit geriet die DDR rechtlich in noch größere Abhängigkeit von der Sowjetunion.

Darüber hinaus sollte aber die Zusammenarbeit aller Staaten des Rates für Gegenseitige Wirtschaftshilfe forciert werden, war eine „Integration" geplant. Die DDR-Geschichtsschreibung erklärte später, die Aufgaben zur „Gestaltung der entwickelten sozialistischen Gesellschaft und die Auseinandersetzung mit dem Imperialismus" hätten in den siebziger Jahren den „Übergang zur sozialistischen ökonomischen Integration" verlangt. „Das ist ein langfristiger Prozeß, der alle Wirtschaftsbereiche erfaßt und von den regierenden marxistisch-leninistischen Parteien sorgsam gesteuert wird" [317: H. Heitzer, 1986, 230].

Die „Integration" in den Ostblock gestaltete sich für die DDR jedoch problematisch. Sie brachte engere ökonomische Verflechtungen, allein der Warenaustausch mit der UdSSR stieg von 1970 bis 1975 um 50 Prozent. Die Einbindung ging zu Lasten des Westhandels, der für die DDR wegen des Technologie-Transfers ausgebaut werden mußte. Da der Lebensstandard in der DDR weit höher lag als in der Sowjetunion, widersprach eine zu weit getriebene „Annäherung" den Interessen des zweiten deutschen Staates.

Grundlagen-
vertrag   Durch besondere Anstrengungen auf dem internationalen Parkett bemühte sich die DDR, Eigenständigkeit zu beweisen. Grundlegend änderte sich die außenpolitische Situation allerdings erst mit Abschluß des Grundlagenvertrags zwischen der Bundesrepublik Deutschland und der DDR im Dezember 1972. Ende 1970 hatte der Meinungsaustausch über Regelungen der deutschen Frage zwischen dem DDR-Vertreter Michael Kohl und Staatssekretär Egon Bahr vom Bundeskanzleramt begonnen. Nach Ulbrichts Ablösung und der Unterzeichnung des Abkommens der vier Mächte (USA, UdSSR, Großbritannien und Frankreich) über Berlin im September 1971 konnte im Dezember 1971 ein Transitabkommen zwischen beiden deutschen Staaten getroffen werden, dem im Mai 1972 ein Verkehrsvertrag folgte. Im Juni begannen dann die Verhandlungen, die im Dezember mit der Unterzeichnung des „Vertrags über die Grundlagen der Beziehungen zwischen der Bundesrepublik Deutschland und der Deutschen Demokratischen Republik" abgeschlossen wurden. Damit war der Weg zu friedlichem Nebeneinander und zur Normalisierung der Beziehungen beschritten.

Der Grundlagenvertrag bestand aus einem Vertragstext und einer Reihe verbindlicher Vereinbarungen und Zusagen in Form von Protokoll-Vermerken und Briefwechseln. In der Präambel des Vertrages bestätigten beide Staaten, sie wollten einen „Beitrag zur Entspannung und Sicherheit in Europa leisten" und „normale gutnachbarliche Beziehungen zueinander auf der Grundlage der Gleichberechtigung" entwickeln.

Souveränität
anerkannt   Die DDR hatte so ein entscheidendes Ziel ihrer Politik erreicht, ihre Souveränität und ihre Grenzen waren anerkannt. Andererseits gab es jedoch für die Bundesrepublik auch nach dem Vertragsabschluß nach wie vor nur eine deutsche Staatsangehörigkeit, denn in einer Protokollnotiz war festgehalten: „Staatsangehörigkeitsfragen sind durch den Vertrag nicht geregelt worden". Damit konnte weiterhin jeder Einwohner der DDR das Bürgerrecht der Bundesrepublik beanspruchen.

Der Grundlagenvertrag wurde Thema im Wahlkampf der Bundesrepublik. Die seit 1969 regierende sozial-liberale Koalition verfügte nicht mehr über eine Mehrheit im Parlament (vor allem aus der FDP waren einige Abgeordnete zur CDU Opposition übergetreten). Zwar scheiterte im April 1972 ein konstruktives Mißtrauensvotum gegen Bundeskanzler Brandt, doch folgten Neuwahlen. Hauptstreitpunkt waren die Ostverträge (mit Polen und der Sowjetunion) gewesen, die die CDU/CSU-Opposition abgelehnt hatte, sie konnten dann aber nach neuen Verhandlungen mit der UdSSR durch Stimmenthaltung der Opposition im Mai 1972 angenommen werden.

Die Bundestagswahlen im November 1972 brachten Brandt und der Koalition aus SPD und FDP dann eine stabile Mehrheit, daraufhin wurde auch der Grundlagenvertrag ratifiziert.

Internationale
Aufwertung   Die DDR, die ursprünglich ihre völkerrechtliche Anerkennung durchsetzen wollte, mußte nachgeben, erreichte aber eine internationale Aufwertung. Zwar hatte sie

schon von 1970 bis 1972 diplomatische Beziehungen zu Algerien, Chile und Indien aufnehmen können, doch erst nach dem Grundlagenvertrag wurde die DDR international akzeptiert. Noch im Dezember 1972 konnte die DDR zu 20 Staaten diplomatische Beziehungen herstellen (u. a. Iran, Schweden, Schweiz, Österreich), im Januar 1973 kamen weitere 13 Staaten hinzu (u. a. Italien, Niederlande, Finnland). Die DDR bewies dabei eine durchaus pragmatische Haltung. Nachdem Spanien die DDR diplomatisch anerkannt hatte, scheute sich das SED-Zentralorgan „Neues Deutschland" nicht, am 13. Januar 1973 einen freundlichen Bericht über das seinerzeit noch faschistische Spanien abzudrucken, selbst Staatschef Franco wurde (mit Bild!) völlig unkritisch vorgestellt. Bereits bei der Anerkennung der DDR durch Indonesien hatte „Neues Deutschland" am 23. Dezember 1972 von den „Erfolgen" dieses Landes unter Staatspräsident Suharto geschrieben, jedoch die dortigen Massaker an Kommunisten mit keinem Wort erwähnt.

Bis 1978 gelang es der DDR mit der völkerrechtlichen Anerkennung durch insgesamt 123 Regierungen in aller Welt die wichtigste Phase ihrer Außenpolitik positiv abzuschließen. Auch in internationale Organisationen wurde die DDR einbezogen, sie kam 1972 als Mitglied in die UNESCO und 1973 in verschiedene Unterorganisationen der UN. Am 18. September 1973 fand die DDR als 133. Staat auch Aufnahme in die Weltorganisation und wurde 1980 sogar für zwei Jahre nichtständiges Mitglied des UN-Sicherheitsrates. Im September 1974 kam es auch zu diplomatischen Beziehungen zwischen den USA und der DDR, sie war nun in Ost und West anerkannt. Da die SED als Staatspartei auch die Außenpolitik der DDR bestimmt (natürlich in Absprache mit der Sowjetunion), verbuchte sie dies als ihren Erfolg.

Aufnahme in die UNO

Die Einbindung der DDR in das internationale System führte auch zur Konkretisierung ihrer bislang mehr verbalen „Friedenspolitik" und ihrer antiimperialistischen Deklamationen.

Die schon seit langem geltende Doktrin der „friedlichen Koexistenz" zwischen Staaten verschiedener Gesellschaftsordnungen wurde von Honecker 1976 noch dahingehend definiert, daß sie „weder Aufrechterhaltung des sozialökonomischen Status quo noch eine ideologische Koexistenz" bedeute [Neues Deutschland, Nr. 119 vom 19. 5. 1976]. Zunehmend gerieten solche Dogmen in den Hintergrund, weil die Sicherung des Friedens in Europa zur „Leitlinie" der DDR-Außenpolitik deklariert wurde. Die These, daß von deutschem Boden nie wieder ein Krieg ausgehen dürfe und daher eine „Sicherheitspartnerschaft" notwendig sei, ergab Ende der siebziger Jahre neue Aspekte der DDR-Außenpolitik. Ihre Einbeziehung in die internationale Politik – im Rahmen des Ostblocks – zeigte positive Auswirkungen.

Freilich bedeutete dies keine grundsätzliche Änderung ihrer Militärdoktrin, nach der der „Schutz des Friedens" eine starke Landesverteidigung erfordere. Die DDR versicherte, daß sie zuverlässig ihre Pflicht als Mitglied des Warschauer Vertrages erfüllen werde. Im Oktober 1978 beschloß die Volkskammer das Gesetz über die Landesverteidigung der DDR, das das Verteidigungsgesetz vom September 1961 ablöste. In das neue Gesetz wurden eine Reihe weiterer Militärverordnungen aufgenommen. Interessanterweise wurden frühere polemische Angriffe gegen die Bundesrepublik

Verteidigungsgesetz

Deutschland weggelassen, so die Behauptung der Präambel von 1961, die BRD sei ein „gefährlicher Kriegsherd in Europa". Nunmehr hieß es dort, die Aufgabe der NVA bestehe im „Schutz des Friedens und der sozialistischen Errungenschaften des Volkes".

KSZE   Die DDR beteiligte sich auch an der Konferenz über Sicherheit und Zusammenarbeit in Europa (KSZE), und sie gehörte im August 1975 zu den Unterzeichnerstaaten der Schlußakte in Helsinki. Honeckers Anwesenheit auf der Gipfelkonferenz vom 30. Juli bis 1. August 1975 bedeutete für die DDR eine Bestätigung ihrer Souveränität im Bündnis des Warschauer Paktes und einen Höhepunkt ihrer außenpolitischen Aktivitäten. Honecker traf auf der Konferenz Bundeskanzler Helmut Schmidt, der Willy Brandt als Regierungchef der Bundesrepublik im Mai 1974 abgelöst hatte, nachdem ein DDR-Spion im Bundeskanzleramt enttarnt worden war. Auch für die DDR galt schließlich die Festlegung in der Schlußakte: „Die Teilnehmerstaaten werden gegenseitig ihre souveräne Gleichheit und Individualität sowie alle ihrer Souveränität innewohnenden und von ihr umschlossenen Rechte achten, einschließlich insbesondere des Rechtes eines jeden Staates auf rechtliche Gleichheit, auf territoriale Integrität sowie auf Freiheit und politische Unabhängigkeit." Allerdings verpflichtete sich die DDR auch zur Wahrung der Menschenrechte: „Die Teilnehmerstaaten werden die Menschenrechte und Grundfreiheiten, einschließlich der Gedanken-, Gewissens-, Religions- oder Überzeugungsfreiheit für alle ohne Unterschied der Rasse, des Geschlechts, der Sprache oder der Religion achten."

Menschenrechte   Die innenpolitischen Auswirkungen dieser Zugeständnisse waren für die DDR unübersehbar. Unter ausdrücklicher Berufung auf die KSZE-Schlußakte wurden von zahlreichen Bürgern Gewährleistung der Menschenrechte und insbesondere das Recht auf Freizügigkeit angemahnt, aus allen Schichten wurden Ausreiseanträge gestellt. Gerade hier zeigte die Einbindung in die internationalen Verträge spürbare Folgen für die inneren Zustände der DDR. Auch mit rigoroser „Abgrenzungspolitik" gegenüber dem Westen und insbesondere der Bundesrepublik konnte sie ihre Bevölkerung eben nicht immunisieren. Das stellte Staat und Partei vor grundsätzliche Probleme. Die DDR-Führung war sich bewußt, daß ihre politische Stabilität von Wirtschaftserfolgen abhing, diese jedoch nur durch Kooperation mit den westlichen Industriestaaten, vor allem der Bundesrepublik, zu erreichen waren. Dazu bedurfte es selbstverständlich der Öffnung der Grenzen. Doch gelangten so neue Ideen in die DDR, sie weckten dort Hoffnungen auf eine Änderung des Regimes. Um diese inneren Schwierigkeiten zu vermeiden, praktizierte die DDR wiederum eine Politik der Abgrenzung, der Distanz zum Westen. Beides zugleich funktionierte aber nicht, so kam es zum politischen Zick-Zack-Kurs, blieb es bei ständigen Schwankungen zwischen „harter" und „weicher" Politik nach innen und außen.

3. Programmatische Aussagen und krisenhafte Entwicklung
1976–1980

Obwohl die DDR den höchsten Lebensstandard aller kommunistisch regierten Staaten erreichte und obwohl es vielen DDR-Bürgern in den siebziger Jahren besser ging als früher, nahm die Unzufriedenheit ab Mitte der siebziger Jahre wieder zu. Die von Honecker gegebenen Versprechungen hatten sich nicht erfüllt, Erwartungen und Realität klafften weiterhin auseinander. Von der internationalen Rohstoffkrise blieb auch die DDR nicht verschont, schließlich stagnierte der Lebensstandard. Es waren aber nicht nur ökonomische Schwierigkeiten, aus denen eine krisenhafte Entwicklung erwuchs, auch das Ende der liberalen Kulturpolitik hatte erhebliche Unruhe bei Künstlern, Intellektuellen und Jugendlichen ausgelöst. Ebenso wirkten die Ideen des Eurokommunismus mit dem Anspruch nach Unabhängigkeit von der Sowjetunion und einer Demokratisierung in die DDR hinein. Und schließlich ermutigte die Entspannungspolitik viele Bürger, gestützt auf die Erklärungen der KSZE, ihre Menschenrechte einzufordern.

Der IX. Parteitag der SED im Mai 1976, der die politische Linie nicht nur für die zwei Millionen Parteimitglieder, sondern für die gesamte DDR festlegen sollte, ließ Lösungsmöglichkeiten für die brennenden Probleme vermissen. Vom Parteitag wurden ein neues Parteiprogramm, ein neues Statut und die Direktive für den Fünfjahrplan bis 1980 beschlossen. Ausdrücklich bestätigten die Delegierten die Politik Honeckers, der nun den Titel Generalsekretär erhielt; seine Position als Parteiführer war sichtlich gefestigt.

Das neue Parteiprogramm löste das erste SED-Programm von 1963 ab, das also nur für ein Dutzend Jahre gültig war. Die Sprache des neuen Programms war nüchterner, doch vorangestellt wurde eine ideologische Betrachtung der Weltsituation. Der Hauptteil thematisierte die Ziele der SED in Wirtschaft, Staat, Wissenschaft, Bildung und Kultur, ebenso außen- und militärpolitische Aufgaben. Der Schlußabschnitt befaßte sich mit dem „Kommunismus" als Ziel der Partei. Gerade dieser Teil bewies die Bedeutung des Programmdenkens für die Kommunisten. Das Ideal einer klassenlosen Gesellschaft sollte eine große emotionale Kraft bei der Anhängerschaft auslösen, obwohl die Beschreibung dieser Gesellschaft sehr vage und alles andere als anschaulich war. Nachdem die Prophezeihung des KPdSU-Programms aus der Chruschtschow-Ära, der Kommunismus sei bereits in den Jahren 1980 bis 2000 zu verwirklichen, eine Illusion blieb, rückte diese Zukunftsgesellschaft im Parteiprogramm der SED nun wieder als bloße Idee in nebelhafte Ferne.

Vor allem die „führende Rolle" der SED, d. h. ihre Herrschaft über alle Bereiche der Gesellschaft, bildete den roten Faden im neuen Programm. Die SED konnte auch aufgrund ihrer Programmatik als Hegemonialpartei bezeichnet werden. Der Verzicht auf die ausführliche Beschreibung der Entwicklung der DDR, wie sie noch das Programm von 1963 enthielt, ermöglichte es, die Ulbricht-Ära zu verdrängen. Ulbrichts Name (im alten Programm neben Thälmann, Pieck u. a. mehrfach genannt) würde nicht mehr erwähnt.

SED-Parteiprogramm

Das bis zum Ende der Partei gültige SED-Programm von 1976 diente als Festschreibung der Politik und Zielsetzung der Parteiführung nach Ulbricht. Daraus waren wesentliche Änderungen der Positionen der DDR-Staatspartei in den siebziger Jahren abzulesen, die bis Mitte der achtziger Jahren verbindlich blieben.

1. Anerkennung der Hegemonie der UdSSR. Das Parteiprogramm hob die „Allgemeingültigkeit" des sowjetischen Modells hervor, danach galt die Sowjetunion auch als die „Hauptkraft der sozialistischen Gemeinschaft". Wurde im Programm von 1963 noch die „Unabhängigkeit und Souveränität" der sozialistischen Länder hervorgehoben, so war laut neuem Programm die DDR nunmehr nur ein „fester Bestandteil der um die Sowjetunion gescharten Völkerfamilie".

2. Mobilisierung für Erfolge des DDR-Systems. Die SED als „freiwilliger Kampfbund gleichgesinnter Kommunisten" sollte Initiatorin ständiger Verbesserungen sein. Dabei war selbstverständlich auch im Parteiprogramm der verfassungsrechtlich abgesicherte Führungsanspruch der SED manifestiert, wonach „deren Rolle im Leben der Gesellschaft unablässig wächst". Die SED definierte sich so in Anspruch und Praxis als das Führungsorgan in allen Bereichen, damit als die Hegemonialpartei der DDR.

3. Verbesserung der Lebenslage als Ziel. Die SED versprach der Bevölkerung, vor allem den unteren Einkommensschichten, durch die „Einheit von Wirtschafts- und Sozialpolitik" die Erhöhung des materiellen und kulturellen Lebensniveaus". Konkret wurden mehr Wohnungen, „stabile Versorgung mit Konsumgütern" und die 40-Stunden-Arbeits-Woche zugesagt.

4. Sicherung des Friedens durch Koexistenz. Hauptziel der Außenpolitik blieb nach dem Programm die Sicherung des Friedens, die Erhaltung des Friedens durch aktive Koexistenzpolitik. Besonders auffällig war freilich die veränderte Haltung zur „deutschen Frage". Während die Einheit Deutschlands und die „Einheit der Nation" noch Hauptanliegen des Programms von 1963 waren, blieben diese Probleme nun unerwähnt, stattdessen wurde die „sozialistische Nation der DDR" proklamiert, die zur Bundesrepublik nur noch Beziehungen „friedlicher Koexistenz" anstrebte.

Das Programm der SED (und dessen Auslegung durch die Parteiteilung) ließ deren theoretische Ziele erkennen, die jedoch keineswegs mit ihrer täglichen Praxis übereinstimmten. Der Stellenwert des Programms für die Realpolitik sollte daher nicht überschätzt werden. Innerhalb weniger Jahre waren Teile des Programms von 1963 überholt, so wenn Ulbricht 1967 sich vom sowjetischen Modell distanzierte oder wenn mit der „Abgrenzungsthese" die programmatischen Grundsätze der Deutschlandpolitik fallengelassen wurden. Trotz aller Behauptungen und Ansprüche konnten auch die Kommunisten sich nicht an ihre „wissenschaftliche" Strategie und Taktik halten und damit ihre Programmatik durchsetzen. Die SED war eben nicht, wie damals bei uns oft angenommen wurde, eine Partei planmäßiger Aktionen, sie mußte vielmehr auf zahlreiche unvorhergesehene Ereignisse reagieren.

In dem vom IX. Parteitag angenommenen neuen Statut charakterisierte sich die SED als der „bewußte und organisierte Vortrupp der Arbeiterklasse und des werktätigen Volkes", sie berief sich dabei wie eh und je auf Marx, Engels und Lenin sowie die revolutionäre deutsche Arbeiterbewegung. Der demokratische Zentralismus war darin ebenso festgeschrieben wie die Aufgaben der einzelnen Parteiorgane vom ZK bis zu den Grundorganisationen. Die hierarchische Macht des Parteiapparats wurde durch das neue Statut nicht angetastet.

Enttäuscht von den Ergebnissen des IX. Parteitages zeigten sich große Teile der Bevölkerung, die sozialpolitische Verbesserungen erhofft hatten. Auf dem Parteitag blieben solche Beschlüsse aus, da zuerst eine Steigerung der Produktivität erfolgen sollte. Doch unmutige Reaktionen weiter Kreise veranlaßten die Führung bereits eine Woche später zu Teilzugeständnissen, sie versprach, im Oktober 1976 die Mindestlöhne und ab Dezember die Mindestrenten zu erhöhen, außerdem wurde der Mutterschutz verbessert.

Die Wahlen zur Volkskammer am 17. Oktober 1976 brachten das übliche Ergebnis: 99,86 Prozent der gültigen Stimmen wurden für den Wahlvorschlag der Nationalen Front abgegeben. In der konstituierenden Sitzung der Volkskammer am 29. Oktober 1976 erfolgten allerdings personelle Veränderungen an der Spitze: Der bisherige Vorsitzende des Ministerrates, Horst Sindermann, wurde Präsident der Volkskammer. Gründe für diese – einer Degradierung gleichkommenden – Umbesetzung wurden nicht genannt.

Zum Vorsitzenden des Staatsrates berief die Volkskammer Erich Honecker. Da er zugleich als Vorsitzender des Nationalen Verteidigungsrates bestätigt wurde, vereinigte der Generalsekretär der SED von 1976 bis 1989, wie seinerzeit Ulbricht, die drei wichtigsten Partei- und Staatsfunktionen in seiner Hand. Der bisherige Staatsratsvorsitzende Willi Stoph wurde zum Vorsitzenden des Ministerrates berufen und übernahm damit wieder das Amt, das er schon früher lange Jahre verwaltet hatte.

Honecker Vorsitzender des Staatsrates

Die Staats- und Parteiführung hatte sich nicht nur mit der Innen- und Außenpolitik zu befassen, sie mußte auch Position bei den Konflikten im Weltkommunismus beziehen. Die Auseinandersetzungen innerhalb der kommunistischen Weltbewegung zeigten, daß damals unter dem Begriff „Kommunismus" vielfältige politische und ideologische Strömungen wirksam waren. Aus dem monolithischen Stalinismus ging eine Bewegung hervor, deren Spannweite in den siebziger Jahren vom sowjetischen bürokratisch-diktatorischen Staatskommunismus bis zur chinesischen Variante, zum Reformkommunismus Jugoslawiens oder dem Eurokommunismus der KP Italiens reichte.

Auf dem IX. Parteitag der SED 1976 nahm die SED nicht nur klar für Moskau und gegen Peking Stellung, sie wies auch alle Ideen der westlichen Reformkommunisten zurück. Dennoch bemühte sich die SED, die Kontakte zu den Eurokommunisten, die immer deutlicher die Vormacht der UdSSR und das sowjetische Modell ablehnten, nicht abreißen zu lassen. Im Juni 1976 gelang es der SED, in Ost-Berlin eine Konferenz von 29 kommunistischen Parteien Europas durchzuführen. Sie veröffentlichte sogar die Reden der abweichenden Eurokommunisten, etwa des damaligen spanischen KP-Führers Carrillo, der sich eindeutig gegen „diktatorische For-

Eurokommunismus

men" und für „politischen und ideologischen Pluralismus ohne Einparteiensystem" aussprach.

Solche Vorstellungen der Unabhängigkeit von der Sowjetunion und von Freiheiten im Sozialismus wirkten auf die DDR zurück. Signal dafür war z. B. Rudolf Bahros Buch „Die Alternative", das 1977 nur im Westen erscheinen konnte. Bahro wurde deswegen 1978 zu acht Jahren Zuchthaus verurteilt und durfte dann 1979 in die Bundesrepublik ausreisen. Symptomatisch war auch das vom „Spiegel" im Januar 1978 veröffentlichte „Manifest" einer demokratischen Opposition in der DDR. Offen wurde die Forderung nach Demokratisierung und Rechtsstaatlichkeit in der

Robert Havemann   DDR weiterhin von Robert Havemann vertreten, der wegen seiner demokratisch-kommunistischen Opposition ständigen Verfolgungen ausgesetzt war (Havemann starb 1982).

Diese vereinzelte Opposition war rasch zu unterdrücken, sie konnte das Regime damals noch nicht erschüttern. Doch mußte die DDR-Führung erkennen, daß Ideen gegen die Parteidiktatur tief verwurzelt waren. Nach 1976 stieg die Zahl der Unzufriedenen, die Ausreiseanträge stellten und auf die DDR-Staatsbürgerschaft verzichten wollten, sprunghaft an. Schikanen gegen kritische Künstler verschärften die Lage. Ausgelöst wurde der Konflikt durch die Ausbürgerung Wolf Biermanns während einer (zunächst genehmigten) Vortragsreise nach Köln im November 1976. Sowohl dieser Vorgang als auch die im Jahre 1977 erfolgte Ausbürgerung Reiner

Wende der   Kunzes signalisierten eine Wende der Kulturpolitik. Prominente Schriftsteller und
Kulturpolitik   Künstler, die sich mit Biermann solidarisiert hatten und gegen seine Ausbürgerung auftraten, wurden unter Druck gesetzt; etliche Künstler verhaftete das MfS und schob sie später in die Bundesrepublik ab.

Viele Schriftsteller verließen dann bis 1981 die DDR, erwähnt seien Karl-Heinz Jakobs, Günter Kunert und Erich Loest, Stefan Heym wurde vielfältiger Repressalien unterworfen, aber auch die weltbekannte Schriftstellerin Christa Wolf, ehemaliges ZK-Mitglied der SED, wurde gerügt. Auch in den Jahren zwischen 1976 und 1980 zeigte sich: In der DDR existierte trotz gegenteiliger Beteuerungen der Honecker-Führung der Widerspruch zwischen Geist und Macht ebenso, wie er zuvor für die Ulbricht-Periode typisch war. Die Literatur litt besonders unter dem Exodus vieler Schriftsteller, deren Rolle in der DDR politisch bedeutsamer war als die ihrer Kollegen im Westen. Das Meinungsmonopol der Führung mit einer öden Presselandschaft, die Vorgaben von Staat und Partei an die Kulturschaffenden, DDR-relevante Probleme aufzugreifen, „politisierten" die Belletristik. Daher fanden sich bei Schriftstellern sowohl nonkonformistische Gedanken als auch oppositionelle Äußerungen. Das veranlaßte wiederum Kulturfunktionäre zu ideologischen Angriffen, auch riefen sie die Zensurgremien auf den Plan.

Gleichzeitig bemühte sich die DDR-Führung aber auch, elastischer zu agieren, so

Evangelische   u. a. gegenüber der Evangelischen Kirche. Nach einem Gespräch zwischen Ho-
Kirche   necker und der Evangelischen Kirchenleitung im März 1978 erhielt die Kirche mehr Spielraum für eigene Aktivitäten. Vor allem an Friedensinitiativen der Kirchen war die DDR interessiert, und sie unterstützte diese teilweise. Dabei entstanden freilich

- etwa wegen des neu eingeführten Wehrunterrichts an den Schulen - auch wieder Konflikte. Als deutliches Zeichen der Entkrampfung der Beziehungen zwischen Staat und Kirche war die Einweihung eines Kirchengebäudes in Eisenhüttenstadt im Mai 1981 zu bewerten. Diese 1954 noch als „Stalinstadt" gegründete neue „sozialistische Stadt" benötigte nach Auffassung der Parteiführung keinen Kirchenbau. Doch mußte die SED ihre Vorstellung von der „absterbenden Kirche" revidieren und Zugeständnisse machen. Nach den polnischen Unruhen von 1980 wurde die Regierung der Kirche gegenüber wieder argwöhnischer, sie verschärfte die Zensurmaßnahmen bei kirchlichen Publikationen, doch blieb sie insgesamt bei ihrer flexiblen Haltung.

Freilich mußte die Führung erkennen, daß am Ende der siebziger Jahre bei einem Großteil der Bürger weiterhin Unzufriedenheit herrschte. Zur Stagnation des Lebensstandards kamen Versorgungspässe und mangelnde Qualität der Produkte, der Abstand zur Bundesrepublik, auf die die Bevölkerung fixiert blieb, war nicht verringert worden. Die Zuwachsraten der Industrie gingen zurück, und die Nettoverschuldung des Staates an den Westen wuchs erheblich an. Die SED war nun bestrebt, ihre Macht durch eine Verschärfung des Strafrechts abzusichern. Im Juni 1979 beschloß die Volkskammer ein 3. Strafrechtsänderungsgesetz, das die Strafbestimmungen gegenüber der sogenannten „staatsfeindlichen Hetze" erheblich erweiterte. Unzufriedenheit

Mit der Verschlechterung der Weltlage verschärfte sich der Ost-West-Konflikt und auch die Außenpolitik der DDR. Allerdings zeigte sich gerade in der Krise nach der sowjetischen Intervention in Afghanistan im Dezember 1979, daß die Institutionalisierung des deutsch-deutschen Verhältnisses während der Entspannungsphase sich insgesamt bewährte. Auch die Regierung der DDR sah die Friedenssicherung in Europa weiterhin als vorrangiges Ziel, und bei diesen Bemühungen stimmte sie mit der Bundesregierung überein. Außenpolitik

Die Streiks in Polen im Sommer 1980 und die Entstehung der unabhängigen Gewerkschaft „Solidarität" beunruhigten die DDR-Führung, die die deutsch-deutschen Kontakte abermals einengte. Bundeskanzler Schmidt sagte eine geplante DDR-Reise ab, Ost-Berlin erhöhte wenige Tage nach der Bundestagswahl von 1980 den Zwangsumtausch für Westbesucher und belastete damit das Verhältnis zu Bonn erheblich.

Bemerkenswert war freilich - nach jahrelanger Ablehnung jeglichen Gedankens einer Wiedervereinigung - Honeckers These vom Februar 1981. Er erklärte, bei einer „sozialistischen Umgestaltung" der Bundesrepublik „steht die Frage der Vereinigung beider deutscher Staaten vollkommen neu" [Neues Deutschland, Nr. 39 vom 16. 2. 1981]. Seine Ausführungen - von den Parteifunktionären mit „starkem Beifall" aufgenommen - konnten als Indiz dafür gewertet werden, daß in der DDR nach wie vor die nationale Idee präsent blieb, die Honecker-Führung also ihrem Ziel einer „sozialistischen Nation" der DDR keineswegs nähergekommen war.

E. NIEDERGANG UND ENDE DER DDR 1981–1990

1. Vergebliches Ringen um Stabilität

Anfang der achtziger Jahre unternahm die DDR große Anstrengungen, die Instabilität des Systems zu überwinden und außenpolitische Erfolge zu erreichen. Neue Impulse für diese Politik sollte der X. Parteitag der SED geben, der im April 1981 stattfand. Die SED präsentierte sich mit ihren fast 2,2 Millionen Mitgliedern erneut als „führende Kraft" der DDR.

X. Parteitag der SED

Der Kongreß bestätigte die Generallinie der Partei: ihren Anspruch auf die „führende Rolle" in Politik und Gesellschaft, die „Einheit von Wirtschafts- und Sozialpolitik" im Innern, die Friedens- und Entspannungspolitik und das Treuebekenntnis zur Sowjetunion nach außen. Es war ein Parteitag der Kontinuität. Erich Honecker gab den Rechenschaftsbericht, Willi Stoph referierte zum neuen Fünfjahrplan. Mehr als 10 Jahre nach Übernahme der Führung bemühte sich Honecker – nun durch Personenkult herausgehoben – seine Politik der Herrschaft der Partei fortzusetzen.

Ziele Honeckers

Honecker nannte „drei Hauptrichtungen" für die Parteiarbeit. Erstens werde eine hohe Effektivität der Führung dann erreicht, wenn die „Umsetzung der Beschlüsse" des ZK „einheitlich und geschlossen bis in die Parteigruppen" gesichert sei. Die SED wollte also den straffen Zentralismus in der Partei unbedingt beibehalten.

Zweitens betonte Honecker, für die SED bleibe die Wirtschaft das entscheidende Kampffeld, dort müßten die Parteiorgane „einen hohen Leistungszuwachs sichern". Höhere Effizienz der Wirtschaft sollte den Lebensstandard verbessern, die noch unzufriedenen Teile der Bevölkerung neutralisieren und somit die Herrschaft der SED stabilisieren.

Drittens schließlich forderte Honecker ein „hohes Niveau"der Massenarbeit zur „Festigung des politischen Bewußtseins der Werktätigen". Die Partei dürfe sich nicht abkapseln, sie solle vielmehr aktiv auf die Menschen einwirken, wobei die ideologische Indoktrination Vorrang hatte.

Diese keineswegs neuen Aufgaben wollte die SED mit der amtierenden Führungsmannschaft lösen, fast alle bisherigen ZK-Mitglieder wurden wiedergewählt, und auch in der Spitzenführung, dem Politbüro und dem Sekretariat, gab es kaum Veränderungen.

Wie wenig sich in der praktischen Politik wandelte, bewiesen die Wahlen zur Volkskammer im Juni 1981, bei denen die üblichen 99,86 Prozent der gültigen Stimmen für die Einheitslisten registriert wurden. An der Staatsspitze bestand weiterhin Personalunion zwischen Partei und Staat: SED-Generalsekretär Honecker wurde wieder Vorsitzender des Staatsrates und des Verteidigungsrates, Politbüromitglied Stoph als Vorsitzender des Ministerrates bestätigt.

Personalunion

Das politische System blieb unangetastet und bis Mitte der achtziger Jahre am Modell der Sowjetunion orientiert. Allerdings existierte formal weiterhin anstelle des sowjetischen Einparteiensystems (das auch in Rumänien und Ungarn bestand) das sogenannte sozialistische Mehrparteiensystem. Die vier Blockparteien, CDU, LDPD, NDPD und DBD verfügten beispielsweise auch über mehr Sitze in den Parlamenten (Volkskammer, Bezirkstage usw.) als entsprechende Parteien in Polen oder der Tschechoslowakei. Doch war ihr Einfluß in der realen Politik ebenso gering. Da sie die Führungsrolle der SED anerkannten, in der Praxis die gleiche Transmissionsrolle übernommen hatten wie die Massenorganisationen, unterschied sich das Parteiensystem der DDR in der Realität kaum von dem der damaligen UdSSR.

Die Kongresse der vier „befreundeten" Parteien machten sich 1982 – wie schon in der Vergangenheit – die Beschlüsse der SED zu eigen. Der 13. Parteitag der LDPD im April 1982 konnte 82.000 Mitglieder (davon 23 Prozent Handwerker und 18 Prozent Angehörige der „Intelligenz") mustern, d. h. sie hatte seit dem 12. Parteitag 1977 7.000 Mitglieder mehr. Anfang 1987 zählte sie sogar 104.000 Mitglieder. Im April 1982 tagte auch der 12. Parteitag der NDPD, der ebenfalls „Übereinstimmung" mit den Zielen der SED feststellte. Die Partei hatte 91.000 Mitglieder (gegenüber 85.000 1977 und dann 110.000 1987). Im Mai trat der 11. Parteitag der Demokratischen Bauernpartei zusammen, hier wurde versichert, die Beschlüsse des X. Parteitages der SED seien für alle Mitglieder der DBD das „Kampfprogramm". Diese Partei zählte 103.000 Mitglieder gegenüber 92.000 im Jahr 1977 und schließlich 115.000 1987. Als letzte Partei veranstaltete die CDU im Oktober 1982 ihren 15. Parteitag. Diese größte und wichtigste Blockpartei zählte bereits auf ihrem Parteitag 1977 115.000 Mitglieder, 1982 waren es 125.000, im Jahr 1987 sogar 137.000. Daß von den CDU-Mitgliedern allein 20.000 als „hauptamtliche Staatsfunktionäre und als Abgeordnete" tätig waren, zeigt, wo wesentliche Arbeitsfelder der vier Parteien lagen.

Mitgliederzahlen der Parteien

Wichtigere Aufgaben im Parteiensystem hatten für die SED die Massenorganisationen, dort konnte sie durch Parteigruppen und Personalunion ihren Einfluß auch leichter durchsetzen. Große Aufmerksamkeit widmete die SED vor allem der FDJ, der Nachwuchsorganisation und „Kampfreserve" der Partei. Für die FDJ mit 2,3 Millionen Mitgliedern blieb es freilich eine negative Tatsache, daß sich in ihr vor allem diejenigen Jugendlichen organisierten, die wegen persönlicher Aufstiegschancen fast zwangsläufig beitreten mußten (Schüler und Studenten), während die Arbeiterjugend nur ein Viertel der Mitgliedschaft ausmachte.

FDJ

Wie wenig es der Führung insgesamt gelungen war, die unruhige DDR-Jugend zu disziplinieren, zeigte z. B. ein aus Anlaß der Weltjugendfestspiele in Moskau 1985 geschriebener Protestbrief. Er war von 34 jungen Menschen, darunter Pfarrer Rainer Eppelmann und dem Schriftsteller Rüdiger Rosenthal unterzeichnet. In dem Brief wurden auch Rechte wie Meinungsfreiheit, Freizügigkeit, freie Information und Versammlungsfreiheit angemahnt. Bei solchen Aktionen versuchten unabhängige Friedensgruppen den Staat auf seine eigene Verfassung festzulegen. Trotz des Organisationsmonopols konnte die FDJ also die ihr zugedachte Rolle unter der DDR-Jugend nicht erfüllen.

FDGB   Eine wichtige Funktion kam nach wie vor der größten Organisation, dem FDGB zu, der 1987 9,5 Millionen Mitglieder erfaßte, also über die Hälfte aller DDR-Bewohner. Der FDGB galt wie alle „gesellschaftlichen Organisationen" als Bestandteil des Parteiensystems. Darüber hinaus sollten diese auch „Heimstatt des politischen Wirkens" für die Mehrheit der Bevölkerung sein [Staat und Recht, 1977, 7, 690]. Das trifft ebenso zu für die „Gesellschaft für deutsch-sowjetische Freundschaft", die 1985 6 Millionen Mitglieder zählte, für den Kulturbund mit 263.000 Mitgliedern und für den DFD mit 1,5 Millionen organisierter Frauen.

Eine Aufwertung der Massenorganisationen zeigte sich am Beispiel der „Vereinigung der gegenseitigen Bauernhilfe" (VdgB), deren Rolle auf dem Land gegenüber der Bauernpartei wesentlich verstärkt wurde. Ihre Mitgliederzahl stieg von 138.000 im Jahr 1980 auf 529.000 im Jahr 1985. Nach den letzten Wahlen 1986 wurde die VdgB erstmals seit 1963 wieder mit einer eigenen Fraktion in die Volkskammer aufgenommen. Dafür mußten die übrigen Massenorganisationen (FDGB, FDJ, DFD und Kulturbund) zusammen 14 Sitze abtreten, die nun die Abgeordneten der VdgB einnahmen. Die Wahlen vom 8. Juni 1986 brachten im übrigen das gewohnte Ergebnis: eine Wahlbeteiligung von 99,74 Prozent (gegenüber 99,21 Prozent 1981), es stimmten 99,94 Prozent (1981: 99,86) für den „gemeinsamen Wahlvorschlag der Nationalen Front der DDR". Bei der üblichen „offenen Stimmabgabe" waren so angeblich nur 7.512 Bürger der DDR gegen die Kandidaten der Einheitslisten. Allein die große Zahl der Ausreisewilligen ließ erkennen, was von solchen „Wahlergebnissen" zu halten war.

Die krisenhaften Symptome der Wirtschaft erwiesen sich als besonders gravierend. 1982 gab es bedenkliche Engpässe bei der Versorgung, da die DDR die Importe gedrosselt und die Exporte erhöht hatte, um die riesige Auslandsverschuldung abzubauen. Flexiblere Methoden sollten den Alltag erträglicher machen. Egon Krenz, der seit 1983 Mitglied des Politbüros war und als Stellvertreter Honeckers aufgebaut wurde, betonte, daß die Partei die Versorgung der Bevölkerung als eine „erstrangige politische Aufgabe" betrachte, deshalb sollten auch „kleine Gaststätten und Geschäfte" unterstützt werden [Neues Deutschland, Nr. 54 vom 3./4. 3. 1984].

Ausreisewelle   Dennoch blieb die DDR von der erwünschten Stabilität weit entfernt. Die Ausreisewelle von 1984, als 35.000 Bürger in die Bundesrepublik übersiedelten, war ein Indiz für die Unzufriedenheit breiter Kreise. Dafür gab es immer wieder die unterschiedlichsten Beispiele und Signale. Demonstrationen in Jena im Sommer 1983 gehörten ebenso dazu wie „Mahnwachen" der unabhängigen DDR-Friedensbewegung am 1. September 1983 in Ost-Berlin (die von der Polizei gewaltsam aufgelöst wurden) oder die spektakuläre Flucht Ausreisewilliger in osteuropäische Botschaften der Bundesrepublik.

Evangelische Kirche   Im Rahmen der Friedensdiskussionen konnte die Evangelische Kirche ihre Rolle als einzige autonome Organisation ausbauen. Kirchenführer verwiesen zwar auf das seit den siebziger Jahren normale Verhältnis zum Staat, sprachen aber auch offen allgemeine Probleme an. So konstatierte der sächsische Bischof Hempel im September 1983 die Verbitterung vieler Bürger über ihre Behandlung durch die Staatsbehörden und er kritisierte die „gefilterte" Art der Information. Häufig beklagten gerade Jugendliche den Bürokratismus. Und immer wieder zeigte sich, daß der Alltag nicht nur von hoher Politik geprägt wurde, sondern selbst in einer so politisch verfaßten Gesellschaft wie der DDR Beruf, Familie, Freizeit, Sport, Liebe, persönliche Freundschaften und Feindschaften für die meisten Menschen eine entscheidendere Rolle spielten.

Auch daran versuchte die DDR-Führung anzuknüpfen, um das System zu konsolidieren. So wurde herausgestellt, daß der Staat seinen Bürgern „Gesetzlichkeit, Ordnung und Sicherheit" garantiere [Neue Justiz, 1984, 4, 123]. Darüber hinaus wurde neben der immer wieder beschworenen „sozialen Gerechtigkeit" nun auch „Geborgenheit" versprochen, die „ausgebaut" werde [620: O. REINHOLD, 1986, 124]. Auf dem XI. Parteitag der SED im April 1986 versicherte Honecker in seinem Rechenschaftsbericht, in der DDR seien „soziale Sicherheit und Geborgenheit" gewährleistet [Protokoll XI. Parteitag, 32]. Auch in der Direktive des XI. Parteitags der SED zum Fünfjahrplan 1986–1990 und entsprechend dann auch im „Gesetz über den Fünfjahrplan" war von der notwendigen „Geborgenheit der Bürger" die Rede [Neues Deutschland, Nr. 281 vom 28. 11. 1986]. Selbst im Bericht über die Plandurchführung 1986 hieß es, ab 1. Mai 1986 seien „umfassende Maßnahmen zur Förderung der sozialen Sicherheit und Geborgenheit" wirksam geworden [Neues Deutschland, Nr. 15 vom 19. 1. 1987]. Die politische Kultur sollte damit um traditionelle (und auch „spezifisch deutsche") vormoderne Haltungen erweitert werden. Dazu sollte die Bevölkerung auf kommunaler Ebene mehr eingebunden und daher der Rang der Kommunalpolitik angehoben werden. Bei einer Beratung des ZK der SED und des Ministerrates der DDR mit Kommunalpolitikern im Oktober 1986 bezeichnete Regierungschef Willi Stoph das „Territorium" als eine „wichtige Quelle für die Erhöhung der volkswirtschaftlichen Leistungskraft". Er vergaß aber nicht zu betonen, es befördere auch das „Wohlbefinden" der Bürger, wenn im „Wohngebiet geordnete Verhältnisse herrschen, Kinder und Erwachsene nicht gefährdet, gesellschaftliches und persönliches Eigentum geschützt sind". Auch Stoph benutzte den Begriff „Geborgenheit" und erklärte, diese erfordere „Rechtssicherheit" [Einheit, 41, 1986, 1069, 1078]. Die Berufung auf konservative Werte wie Geborgenheit, Recht und Ordnung sollte Emotionen wecken und das Regime der DDR für breitere Schichten attraktiv machen. Dies mißlang völlig.

„Geborgenheit"
der Bürger

2. KEIN AUSWEG AUS DER KRISE

Der Abbau der Spannungen zwischen Führung und Volk wurde vor allem durch verkrustete Herrschaftsstrukturen verhindert. Diese waren von der Allmacht der SED gekennzeichnet. Das wichtigste Ziel der Partei blieb es, ihre Hegemonie abzusichern. Darauf hatte sie stets ihre Organisationsarbeit ausgerichtet. Indessen zeigten viele Hinweise, so etwa Ausführungen Honeckers vor den 1. Kreissekretären der SED im Februar 1983, daß der Partei immer wieder die gleichen Aufgaben gestellt wurden, sich Kampagnen ständig wiederholten, die Arbeit sich förmlich im Kreise drehte.

Bei der Diskussion der immer wieder beschworenen Prinzipien der Kaderpolitik wurden freilich auch Interna bekannt. Der Leiter der Abteilung Kader im ZK-Apparat der SED, Fritz Müller, berichtete im Mai 1981, daß 339.000 Nomenklaturkader des ZK, der Bezirks- und Kreisleitungen der SED Weiterbildungslehrgänge besuchten. Diesen Zahlenangaben ist zu entnehmen: Von den 2,2 Millionen Mitgliedern gehörten rund eine halbe Million zu den „Nomenklaturkadern", d. h. sie waren die hauptamtlichen Funktionäre in Partei, Staat, Wirtschaft und Kultur, und sie bildeten den Kern der Machtelite. Um den Zusammenhalt gerade dieser Kader zu bewahren und zu fördern, sah sich die Parteiführung wiederholt zu ideologischen Offensiven veranlaßt. Die Ausrufung eines „Karl-Marx-Jahres" 1983 war dafür beispielhaft. Anläßlich des 100. Todestages von Marx (oder des 165. Geburtstages, wie die SED pietätvoll anmerkte) veröffentlichte die Partei Thesen, in denen sie nicht nur Marx ehrte, sondern vor allem den „realen Sozialismus" der DDR als konsequente Verwirklichung seiner Ideen ausgab. Marx wurde im Lichte Lenins präsentiert, und nicht mehr wie beim ersten Karl-Marx-Jahr 1953 im Sinne Stalins interpretiert. Die SED definierte sich als orthodoxe Vertreterin der „Lehre" von Marx, sie wollte mit ihrer These von der „schöpferischen Weiterentwicklung" den Widerspruch von Theorie und Praxis vertuschen. Aber der Kontrast zwischen der Praxis der DDR und den Konzeptionen von Marx war nicht zu übersehen. Sozialismus bedeutete für Marx und die von ihm geprägte freie Arbeiterbewegung Emanzipation des Menschen, Selbstbestimmung der Arbeiter in einer solidarischen Gesellschaft. Dies beinhaltete auch politische Demokratie, Rechtssicherheit und Freiheitsrechte des Einzelnen. Doch da gerade diese Grundrechte im „realen Sozialismus" fehlten, reduzierte dieser sich faktisch auf die Allmacht der Partei. Die SED benötigte seine Person und sein Werk zur Legitimation, obwohl doch gerade Marx und Engels auf die „Explosivkraft der demokratischen Ideen und den der Menschheit angeborenen Drang nach Freiheit" verwiesen hatten [MARX/ENGELS, Werke, Bd. 9, Berlin (Ost) 1960, 17].

Die DDR-Führung bemühte sich nun, ihrer Legitimation eine breitere Basis zu geben. Sie stützte sich nicht mehr nur auf die revolutionären Traditionen, sondern bewußt auf die ganze deutsche Geschichte. Noch vor der Proklamierung des Marx-Jahres erklärte die DDR 1983 zum Luther-Jahr. Im Oktober 1983 hatte Honecker versucht, diese Wendung als „Weiterentwicklung" des Luther-Bildes darzulegen. Bei einem Festakt im November 1983 ehrte der Staatsratsvorsitzende dann Luther als Vorbild. Auch der Widerstand konservativer Kreise gegen das NS-Terrorregime wurde gewürdigt, und selbst Friedrich II. oder Bismarck teilweise positiv herausgestellt.

In der praktischen Politik lehnte die DDR die Eskalation der Konfrontation, wie sie von der Tschernenko-Führung und der Reagan-Administration betrieben wurde, ab. Den raschen Wechsel von Breschnew zu Andropow (November 1982), von Andropow zu Tschernenko (Februar 1984) und schließlich von Tschernenko zu Gor-

Nomenklatur-Kader

Karl-Marx-Jahr

Luther-Jahr

batschow (März 1985) und die damit verbundene Unbeweglichkeit der Sowjetspitze nutzte die DDR-Führung für eigene Manövriertätigkeit aus. Zwar blieb ihr nichts anderes übrig, als nach der Stationierung der US-Raketen in der Bundesrepublik der Aufstellung neuer sowjetischer Raketen auf ihrem Territorium zuzustimmen, doch Honecker bekannte offen, daß dies „keinen Jubel" auslöse. Trotz der Verhärtung der sowjetischen Haltung beharrte die DDR auf ihrer These: „Sicherung des Frie- **Friedenspolitik** dens ist Staatsdoktrin" [Einheit, 39, 1984, 106]. Sie befürchtete, eine neue „Eiszeit" in den Ost-West-Beziehungen werde eine stärkere Einbindung der kleineren Staaten in den Block bringen und damit eigene politische Spielräume einengen. Hier befand sie sich im Widerspruch zur Führungsmacht. Durch die indirekten Angriffe in der Moskauer „Prawda" gegen Honeckers Deutschlandpolitik gerieten diese Differenzen auch an die Öffentlichkeit.

In der Deutschlandpolitik kam es dennoch zu weiterer Annäherung beider deut- **Annäherung** scher Staaten. Auch nach dem Regierungswechsel von der sozial-liberalen zur **beider** CDU/CSU/FDP-Koalition unter Bundeskanzler Helmut Kohl blieb die DDR auf **deutscher** Entspannungskurs. Milliardenkredite und Abbau von Selbstschußanlagen an der **Staaten** Grenze sowie zahlreiche Gespräche zwischen Politikern der Bundesrepublik und der DDR signalisierten Veränderungen. Der geplante Besuch Honeckers 1984 in der Bundesrepublik sollte zum Höhepunkt werden. Seine Absage im September 1984 war ein Rückschlag, maßgeblich dafür war der Druck aus Moskau. Es erfolgte jedoch keine Kehrtwendung der DDR, diese setzte vielmehr ihre „Politik der Vernunft" fort. So konnten 1984 35.000 Einwohner der DDR legal in die Bundesrepublik übersiedeln. 1985 kamen 18.000 und 1986 war dies 20.000 Personen möglich. Nach DDR-Mitteilungen konnten 1986 573.000 Personen, die noch nicht im Rentenalter waren, die Bundesrepublik besuchen. Der Tod Tschernenkos sowie die Ablösung Gromykos als Außenminister der UdSSR hatten diese DDR-Politik erleichtert.

Zum 40. Jahrestag des Kriegsendes in Europa im Mai 1985 präsentierte Honecker die DDR nicht nur als den antifaschistischen deutschen Staat, sondern er beharrte zugleich auf seiner These, es könne „keine Aufgabe wichtiger sein, als den Frieden zu sichern" und dazu sei „eine Koalition der Vernunft und des Realismus" nötig **Koalition der** [Neues Deutschland, Nr. 70 vom 23./24. 3. 1985]. Selbstverständlich stellte sich die **Vernunft** DDR ohne Zögern hinter die Vorschläge, die Gorbatschow Reagan beim Treffen in Reykjavik (Oktober 1986) unterbreitete. Honecker sagte, bei einer „Lösung der Fragen der Mittelstreckenraketen" gebe es keine Notwendigkeit mehr für die Stationierung taktischer Raketen, dann sei es möglich, „dieses Teufelszeug vom Boden der DDR zu entfernen" [Neues Deutschland, Nr. 276 vom 22./23. 11. 1986].

In ihrer Innenpolitik konnte sich die DDR-Führung allerdings nicht zu einem Umdenken entschließen. Vor allem bestand die SED weiterhin auf ihrem Anspruch, in allen Bereichen die „führende Rolle" auszuüben.

Die SED blieb eine zentralistisch-monolithische Partei, ihre autoritäre Führung befahl den Kurs, dessen Realisierung sie streng kontrollierte. Alle politischen Grundsatzentscheidungen traf allein das Politbüro, es war als selbstherrliche Machtzentrale die eigentliche „Regierung" der DDR. Seine Zuständigkeit umfaßte sämtliche gesellschaftlichen, wirtschaftlichen und kulturellen Bereiche.

An dieser zentralistischen Struktur ließ die SED-Führung seit der Stalinisierung 1948/49 nicht rütteln. Die politische Rolle der SED blieb in der DDR auch in den achtziger Jahren unverändert: Wie seit der Gründung des Staates war sie Hegemonialpartei, d. h. Führungsorgan mit uneingeschränktem Machtmonopol. Nachdem die SED mit Hilfe sowjetischer Besatzungsinstanzen über die Alleinherrschaft verfügte, galt für sie erstens die Sicherung ihres Regimes als das entscheidende Ziel, zweitens gestattete sie keine Teilung der Macht und verhinderte jede Möglichkeit einer legalen Ablösung, drittens erlaubte sie keinen Pluralismus, viertens schließlich entschied sie überall, im Staat wie im gesamten öffentlichen Leben (sie hat sogar versucht, bis in das persönliche Leben der Bürger hinein zu dirigieren). Die SED hat als Hegemonialpartei in der DDR bis 1989 eine allumfassende, diktatorische, unkontrollierte Herrschaft ausgeübt.

Detaillierte Informationen über die Zusammensetzung ihrer Organisation enthielt ein Bericht des Sekretariats des ZK in „Neues Deutschland" vom 9. Januar 1986. Danach waren die knapp 2,3 Millionen Mitglieder und Kandidaten in 58.573 Grundorganisationen erfaßt. Der Anteil der „Arbeiter" hatte sich von 57,6 (X. Parteitag) auf 58,2 Prozent im Januar 1986 erhöht. Von diesen „Arbeitern" wurden allerdings erstmals als wirkliche Zahl an „Produktionsarbeitern" 37,9 Prozent der Mitglieder angegeben. Frühere Statistiken hatten die tatsächliche Zahl der Arbeiter also um 20 Prozent zu hoch registriert, hier waren sowohl alle Parteiangestellten als auch ein Teil der (14 Prozent) Rentner usw. mit einbezogen und so 460.000 Personen zu den „Arbeitern" hinzugerechnet worden, obwohl diese Mitglieder im eigentlichen Sinn keine Arbeiter waren. Zu den „Angehörigen der Intelligenz" zählten nun 22,4 Prozent, zu den Angestellten 7,7 Prozent, Bauern waren 4,8 Prozent, Studenten und Schüler 2,1 Prozent und Hausfrauen 0,9 Prozent. Den stärksten Zuwachs verzeichnete die „Intelligenz", von 12,3 Prozent im Jahre 1966 auf 22,4 Prozent im Jahre 1986 hatte sich ihr Anteil in zwanzig Jahren beinahe verdoppelt.

Arbeiter in der SED

Die Mitgliedschaft der SED war so groß, daß ihr jeder sechste erwachsene Bürger der DDR angehörte. Neben einem beträchtlichen Teil von Arbeitern („Produktionsarbeiter") befanden sich vor allem die Eliten von Staat, Wirtschaft und Kultur sowie die Funktionäre der Massenorganisationen in den Reihen der Führungspartei. Diese Kader, vor allem die „Parteiaktivs", sollten die Hegemonie der SED nicht nur sichern, sondern mithelfen, sie weiter auszubauen.

XI. Parteitag der SED

Das bestätigte erneut der XI. Parteitag vom 17. bis 21. April 1986. Generalsekretär Honecker erstattete wieder den Bericht des ZK, und er betonte abermals, „daß sich die führende Rolle der Partei beim Aufbau des Sozialismus ständig erhöht" [Protokoll XI. Parteitag, 93].

Dieser letzte ordentliche Parteitag der SED lief nach den gewohnten stalinistischen Ritualen ab. Honecker breitete – wie üblich – tatsächliche und vermeintliche Erfolge der DDR seit 1981 aus. Ungeachtet der Tatsache, daß die Sowjetunion mit der kritischen Aufarbeitung ihrer Vergangenheit begonnen hatte, schwelgte er in

Selbstbeweihräucherung. Der vorsichtige Hinweis in Gorbatschows Begrüßungsrede an den XI. Parteitag der SED, die KPdSU halte Selbstkritik für eine „unerläßliche Bedingung für den Erfolg" einer Partei, wurde von den Delegierten ignoriert. Statt dessen behauptete Honecker vollmundig, es gebe ein „unerschütterliches Vertrauensverhältnis zwischen Partei und Volk", die SED sei „wie das Leben zeigt, ihrer Verantwortung als führende Kraft der Gesellschaft jederzeit gerecht" geworden [Protokoll XI. Parteitag, 32, 93]. Dreieinhalb Jahre vor dem Zusammenbruch der SED-Diktatur war auch dieser Parteitag wie gehabt eine Veranstaltung voller Phrasen und ohne Realitätsbezug.

Die Spitzenführung, das Politbüro, zählte 22 Mitglieder und 5 Kandidaten. Die wichtigsten Änderungen waren bereits 1983 und 1984 erfolgt, das 11. ZK-Plenum im November 1985 hatte weitere Personalentscheidungen getroffen, so z. B. die Ablösung von Konrad Naumann. | Parteiführung

In das vom Parteitag „gewählte" ZK (165 Mitglieder und 57 Kandidaten) kamen größtenteils wieder die Personen, die dem Gremium bereits seit 1981 angehörten; hier zeigte die Partei Kontinuität. Auffallend auch, daß im ZK zwar zehn Generäle und sechs Kombinatsdirektoren, aber nur zwei Brigadiere, also Arbeiter saßen, die SED ihren Anspruch, eine „Arbeiterpartei" zu sein, selber in Frage stellte. Doch auch nur 16 Frauen waren in diesem Organ vertreten, d. h. weniger als 10 Prozent (der Anteil der weiblichen Mitglieder betrug über 35 Prozent).

Das an der Spitze der SED stehende Politbüro war eine überalterte Herrenriege (Vollmitglieder waren wieder nur Männer, der Älteste zählte knapp 80 Jahre, der jüngste auch schon fast 50 Jahre). Diese Funktionäre bestimmten die Politik, Wirtschaft, Gesellschaft und Kultur der DDR bis Oktober 1989, sie trugen daher auch die Verantwortung für den endgültigen Niedergang.

Zum Schluß geriet die SED-Führung vor allem deshalb in eine Krise, weil sie sich von der Politik Gorbatschows distanzierte und damit die Bevölkerung aufbrachte sowie die eigene Mitgliedschaft und selbst die Funktionäre verunsicherte. Die Wahl Michail Gorbatschows zum Generalsekretär der KPdSU im März 1985, der XXVII. Parteitag der KPdSU im März 1986 und nicht zuletzt die Allunionskonferenz der KPdSU im Juli 1988 brachten für die Sowjetunion einen Umbruch. Die Politik von „Perestrojka" und „Glasnost"" beabsichtigte, durch grundlegende Reformen die allgemeine Krise der Sowjetunion zu überwinden, die stalinistischen Strukturen zu verändern. Eine schonungslose Abrechnung mit dem Stalinismus sollte neue Wege in Politik, Wirtschaft und Kultur ermöglichen. | Rolle Gorbatschows

In der Außenpolitik, sowohl bei den Friedensinitiativen als auch bei den Abrüstungsbemühungen, folgte die DDR-Führung der neuen Linie Gorbatschows ohne Einschränkung, sie sah darin ihre eigene Auffassung bestätigt. Doch schon bei ersten Ansätzen innerer Reformen in der Sowjetunion versperrte sich die SED unter Honecker ähnlichen Maßnahmen. Die DDR, die seit den vierziger Jahren die Parole verkündet hatte, „von der Sowjetunion lernen, heißt siegen lernen", verwies plötzlich auf ihre Eigenständigkeit. Und die Partei, die früher immer jede Schwenkung der KPdSU mitmachte und sich in Ergebenheitsadressen an die jeweiligen Sowjetführer überschlug, nutzte den liberaleren Kurs Gorbatschows innerhalb des RGW aus und ging auf Distanz.

Probleme
der Wirtschaft
Außer der Krise des politischen Systems hat in den achtziger Jahren vor allem das Versagen der Wirtschaft zum weiteren Zerfall geführt. Schon am Anfang des Jahrzehnts stand die DDR – wie nach dem Zusammenbruch des Staates bekannt wurde – vor dem finanziellen Ruin. Allein die vom Westen gewährten Milliardenkredite zögerten den sich anbahnenden Kollaps noch hinaus. Mit der sich ausbreitenden Umweltkatastrophe, bei anhaltender Stagnation der Wirtschaft (die damals verschleiert wurde) verschlechterte sich die Situation rapide. Aus der spürbaren Ausweglosigkeit entstand überall Resignation. Das Fehlen von Innovationen verschlimmerte die Stagnation noch zusätzlich. Der Ausbau des Überwachungsstaates mit flächendeckender Kontrolle und die Verfolgungen durch die Stasi brachten keine Stabilität. Im Gegenteil, der Strom der Ausreisewilligen schwoll an und ebenso nahmen die Aktivitäten der kleinen Gruppen der Oppositions- und Menschenrechtsbewegung zu, die sich mutig gegen das Regime wandten.

Mit der Abgrenzung – wie zum Westen – nun gegenüber ihrer Schutzmacht Sowjetunion, die ja die staatliche Existenz der DDR sicherte, isolierte sich die SED-Führung und beschleunigte damit letztlich selber den Untergang der DDR.

Wie realitätsfern die SED-Spitze bereits war, zeigte sich auf dem 7. Plenum des ZK. Dort meinte Honecker am 1. Dezember 1988, „im Grunde genommen" sei „der Lebensstandard in der DDR höher" als der in der Bundesrepublik. [Neues Deutschland, Nr. 285 vom 2. 12. 1988] Er ignorierte das Zurückbleiben der DDR-Wirtschaft und behauptete trotz immer krasser zutage tretenden Versagens der Ökonomie, „seit 17 Jahren" – also mit seinem Amtsantritt – sei „unsere Volkswirtschaft umgestaltet auf Intensivierung".

Demonstrativ wollte die SED-Führung beweisen, im vollen Besitz der Macht zu sein und daran unbeirrt festzuhalten. Das veranlaßte sie den (nach den Statuten erst 1991 fälligen) XII. Parteitag bereits zum Mai 1990 einzuberufen. Honecker sollte dann wieder den Bericht des ZK vorlegen. Solch krampfhafte Versuche signalisierten Brüchigkeit, das Versagen der überalterten Führungsriege war durch nichts zu kaschieren, der Zusammenbruch nicht mehr aufzuhalten.

Wachsende Unsicherheit und hier und dort auch vorsichtige Kritik hatten inzwischen die Parteibasis erreicht. Zu internen Diskussionen veranlaßt hatten schließlich die Informationen über die Aufarbeitung der Geschichte des Stalinismus in der Sowjetunion, die Enthüllungen der fürchterlichen Verbrechen Stalins und die Hinweise auf seine diktatorischen Machenschaften im Weltkommunismus. Solche Debatten wollten die DDR-Machthaber vermeiden, deshalb griffen sie im November 1988 zu einem üblen Mittel: Kurzerhand verfügten sie, die deutsche Ausgabe der

Verbot
„Sputnik"
sowjetischen Zeitschrift „Sputnik" sei aus der DDR-Postzeitungsliste zu streichen. Kritische Artikel zur Entwicklung des Weltkommunismus, der Nachweis der Mitschuld Stalins am Aufstieg Hitlers, waren dadurch für „normale" DDR-Bürger nicht mehr greifbar. Solche Restriktionen schockierten selbst SED-Funktionäre, weil sie zeigten, daß sich die Parteispitze nicht nur gegen den „feindlichen" Westen, sondern

in einem „Zweifrontenkrieg" sogar gegen die „brüderliche" Schutzmacht Sowjetunion wandte. Dieses Unterfangen mußte in einem Desaster enden.

Auch die Blockparteien konnten ihre Aufgaben kaum noch erfüllen. Jahrzehntelang hatten sie als Transmissionsorgane die Politik der SED in jene Kreise getragen, an die die Hegemonialpartei nicht direkt herankam. Außerdem vermittelten diese „befreundeten" Parteien den Machthabern die Stimmungslage der verschiedenen Bevölkerungsschichten. **Blockparteien**

Die letzten Parteitage der Blockparteien vor der Wende in der DDR fanden 1987 statt, also wieder nach dem Parteitag der SED von 1986. Auch sie signalisierten ihre Funktion, denn auf allen Parteitagen wurden abermals zustimmende Bekenntnisse zu den Beschlüssen der SED abgelegt.

Die größte Blockpartei, die CDU, führte genau zwei Jahre vor der Wende, vom 14. bis 16. Oktober 1987, ihren 16. Parteitag in Dresden durch. Von den CDU-Delegierten wurde das Ritual gewahrt, wie gewohnt die „bewährte Gemeinsamkeit" beschworen und weiterhin die Führungsrolle der SED bedingungslos akzeptiert. Bei diesen Praktiken blieben auch die Parteitage von LDPD, NDP und DBD.

Bis zum Ende der DDR fungierten die vier Blockparteien als verläßliche Stützen des SED-Regimes, zeigten sich ihre Führungen der Hegemonialpartei ergeben. Dafür wurden sie mit erheblichen materiellen Ressourcen ausgestattet, verfügten vermutlich über Parteivermögen in Milliardenhöhe. In den letzten DDR-Jahren stiegen ihre Mitgliederzahlen nochmals an, in der Zeit von 1977 bis 1987 von 366.000 auf 469.000 Parteimitglieder. Trotz zahlenmäßiger Stärke änderte sich an ihrer Funktion nichts. Grundsätzlich wurde ihnen von der SED die politische Linie klar vorgegeben, ihnen nur spezielle Zielgruppen zugewiesen und immer hat die Einheitspartei sie dirigiert und überwacht. Für ihre Mitglieder erfüllten die Blockparteien zwar auch eine „politische Nischenfunktion", ebenso förderte sie aber deren berufliche Karriere und eröffnete ihnen etliche staatliche Positionen, schließlich waren sämtliche Parteien in den „Parlamenten" vertreten.

Die DDR blieb von der erstrebten und von ihr stets verkündeten Stabilität weit entfernt. Indiz dafür war die wachsende Zahl derjenigen, die ihre „Entlassung aus der Staatsbürgerschaft" beantragten, die die DDR verlassen wollten. Die Ausreisewelle von 1984, mit der 35.000 Bürger der DDR legal in die Bundesrepublik übersiedelten (1985: 18.000, 1986: 20.000, 1987: 11.500 1988: knapp 30.000, außerdem 10.000 Flüchtlinge), galt als Gradmesser für die Unzufriedenheit breiter Schichten. Zeichen des Vorhandenseins einer Opposition in Teilen der Bevölkerung – gerade auch unter Jugendlichen – gab es immer wieder.

An den Demonstrationen zum Gedenken des Jahrestages der Ermordung von Rosa Luxemburg und Karl Liebknecht am 17. Januar 1988 wollten sich junge oppositionelle Bürger der DDR beteiligen und auf Transparenten u. a. Rosa Luxemburgs Grundsatz „Freiheit ist immer Freiheit des Andersdenkenden" als eigene Losung mitführen. Diese Antidemonstration am Rande der offiziellen Kundgebung verhinderten die MfS-Organe mit der größten Massenverhaftung der letzten Jahre. Mehr als hundert Bürger wurden festgenommen, Schüler relegiert, einige Dutzend Ausrei- **Rosa-Luxemburg-Demonstration** sewilliger durften die DDR verlassen. Aber andere, die bleiben wollten, wurden dennoch abgeschoben. Die Staatssicherheitsorgane, völlig überrascht von dieser Form des Protestes und selbstbewußten Auftretens junger Oppositioneller, gingen brutal gegen kritische Bürger vor.

Die fehlende Freiheit führte ebenso wie ständige materielle Schwierigkeiten und rigorose Reisebeschränkungen immer wieder zur Unruhe, gerade in der jüngeren Generation. Zu den wichtigsten innenpolitischen Ereignissen in der DDR gehörte die Herausbildung einer unabhängigen Friedensbewegung, die insbesondere bei der nachdenklichen Jugend zunehmend auf Resonanz stieß.

Die vergreiste DDR-Führung aber setzte vor allem auf Willkür, Überwachung und Verfolgung. Argwohn und Angst sollten unter der Bevölkerung gesät werden. Das überdimensionale Ausmaß des Ministeriums für Staatssicherheit und die Prak- | Mielke-Drohung | tiken seiner Spitzel schuf permanente Furcht. Stasi-Chef Mielke drohte 1985:

„Wer die Hand gegen unseren sozialistischen Staat und seine auf das Wohl des Volkes und die Sicherung des Friedens gerichtete Politik erhebt, bekommt die sozialistische Macht gebührend zu spüren. Gegen Feinde – unter welcher Tarnung sie auch glauben, gegen die sozialistische Ordnung operieren zu können – werden wir auch weiterhin konsequent vorgehen..." [Neues Deutschland, Nr. 32 vom 7. 2. 1985]

Nach dem Reformaufbruch im Osten wollte die SED-Führung die stalinistischen Strukturen mit Hilfe der Stasi noch fester zementieren. Sie dehnte die Kompetenzen des MfS erheblich aus: „Jeder im Lande wußte, daß die Staatssicherheit über ein gigantisches Potential verfügte. 85.000 hauptamtliche und 108.000 sogenannte Inoffizielle Mitarbeiter (IM's), wie die Spitzel in der betriebsinternen Terminologie des MfS hießen, beschäftigte das Ministerium. In jeder noch so harmlosen Versammlung saß ein Spitzel, 'nach Bedarf' wurden Telefone abgehört und Briefe geöffnet. Wer einmal in die Fänge des Apparates geriet, war ihm faktisch auf Gedeih und Verderb ausgeliefert, denn kein Gesetz schützte ihn. Erst wenn man diesen Zustand psychologisch nachvollzieht, wird verständlich, weshalb in der Bevölkerung der DDR quer durch alle sozialen Schichten ein solcher Haß auf die Staatssicherheit bestand." [A. MITTER: Angst und Hilflosigkeit in den Köpfen. Das Parlament, Nr. 38 vom 14. September 1990, 17]. Doch trotz der „Hilfe" des MfS war die SED-Führung außerstande, die Systemkrise zu erkennen oder gar abzuwenden.

3. DIE FRIEDLICHE REVOLUTION 1989

| Kommunal-wahlen | Die tiefe politische Krise der DDR trat besonders kraß bei den Kommunalwahlen im Mai 1989 zutage. Schon bei deren Vorbereitungen zeigte sich, daß oppositionelle Kreise die üblichen Fälschungen nicht mehr einfach hinnehmen wollten. Obwohl die DDR-Regierung im Vorfeld der Wahlen viele Personen „aus der Staatsbürgerschaft" entließ und ihnen gestattete, in die Bundesrepublik überzusiedeln, konnte

sie damit den Unwillen immer breiterer Schichten im Lande nicht mehr neutralisieren.

Bei den Kommunalwahlen entfielen nach offiziellen Ost-Berliner Angaben 98,85 Prozent auf den „gemeinsamen Wahlvorschlag der Nationalen Front". Zum ersten Mal bei einer Wahl in der DDR wurden also weniger als 99 Prozent Ja-Stimmen registriert (bei den Kommunalwahlen von 1984 betrug das veröffentlichte Ergebnis noch 99,88 Prozent). Auch die Wahlbeteiligung lag mit 98,78 Prozent (1984: 99,37 Prozent) niedriger. Hatten bei der Volkskammerwahl 1986 nur 7.500 oder 0,06 Prozent gegen den offiziellen Wahlvorschlag gestimmt, so waren es nun über 140.000 Wähler oder 1,15 Prozent.

Diese Zahlen waren indes wieder gefälscht. In Wirklichkeit gab es viel mehr Gegenstimmen, in Ost-Berlin z. B. hatten Vertreter oppositioneller Friedens- und Ökologiegruppen die Wahlen sowie die Auszählungen beobachtet und bis zu 20 Prozent errechnet. Wegen der Fälschungen kam es zu Protesten, in Leipzig und anderen Orten zu kleineren Demonstrationen. Regimekritiker erstatteten Hunderte von Strafanzeigen wegen Manipulation und Wahlfälschung. Der Bürgerprotest ließ ein gewachsenes Selbstbewußtsein gegen die Allmacht von Partei und Staat erkennen.

Die kritische Haltung war durch ein ökumenisches Treffen von 19 christlichen Kirchen der DDR im April in Dresden gestärkt worden. Die Anwesenden forderten nachdrücklich die Reformierung und Demokratisierung des Wahlrechts. Signalisierten die Reaktionen auf die Fälschungen bei den Kommunalwahlen, daß der Dissens zwischen Volk und Führung in der DDR viel tiefer ging, als lange angenommen wurde, so wuchs der Unmut wegen der mangelhaften Versorgung und durch die strikte Abschottung der DDR gegenüber den fortschreitenden politischen Reformen in der Sowjetunion, insbesondere aber in Ungarn und Polen. Proteste verursachte auch die mehr oder weniger offene Zustimmung der Führung zur blutigen Niederschlagung der Demokratiebewegung in Peking im Juni 1989.

Bereits am 2. Mai hatte Ungarn mit dem Abbau seiner Grenzsperren zu Österreich begonnen, und damit einen neuen Fluchtweg geschaffen. Sehr schnell waren die Botschaften der Bundesrepublik in Budapest und dann in Warschau und Prag mit DDR-Bürgern überfüllt. Als die ungarischen Behörden am 10./11. September 1989 ohne Absprache mit der DDR-Regierung allen Fluchtwilligen, die sich in ihrem Land aufhielten, die Ausreise gewährte, kam es zu einem lawinenartigen Exodus wie einst vor dem Bau der Berliner Mauer 1961. Nachdem bis Ende September über 25.000 Übersiedler in die Bundesrepublik gelangten, mußte das DDR-Regime seinen Zusammenbruch befürchten.

Flucht über Ungarn

Nun gab es auch im Land selbst rasch anwachsenden Widerstand, der Oppositionsgruppen, die nicht ausreisen, sondern die DDR verändern wollten. Bürgerrechtler wie die der Initiative Frieden und Menschenrechte verbreiteten z. B. ihre eigene Informationsschrift „Grenzfall". Darin wurde am 15. Juni 1989 ein von 57 Personen unterschriebener Offener Brief abgedruckt, in dem die Aufarbeitung des Stalinismus in der DDR gefordert wurde.

Wegen der überheblichen und geradezu provokativen Haltung der Parteispitze verbreiterten sich die oppositionellen Tendenzen bis in die Reihen der SED hinein. Empörung gab es unter den Intellektuellen über die Beschönigung und Rechtfertigung des Massakers in Peking und über Äußerungen Margot Honeckers auf dem IX. Pädagogischen Kongreß im Juni 1989. Die Volksbildungsministerin hatte dort – ganz im Geiste Stalins – von „Feinden", „dem Sozialismus feindliche Kräften" und „Konterrevolutionären" gesprochen und sich sogar dazu verstiegen, die DDR-Pädagogen zu beauftragen, die Jugend so zu erziehen, daß sie den Sozialismus „wenn nötig, mit der Waffe in der Hand" verteidige [Deutsche Lehrerzeitung, 2. Juni-Ausgabe 1989].

Die miserable Versorgungslage und die personellen Lücken in Betrieben, Versorgungsunternehmen oder Kliniken, die der Ausreisestrom gerissen hatte, verärgerten zunehmend auch solche Bevölkerungskreise, die an ideologischen oder historischen Diskussionen kaum interessiert waren. Der Staat reagierte mit Härte. Am 11. September 1989 erfolgten nach einer Demonstration im Anschluß an ein Friedensgebet in Leipzig Massenfestnahmen. Das vergrößerte den Unwillen, in Leipzig strömten von da an Montags immer mehr protestierende Menschen auf die Straße.

Demonstrationen

Nun fand auch die politische Opposition zu organisatorischen Formen, sie artikulierte ihre grundsätzlichen wie aktuellen Vorstellungen. Schon Anfang September hatte Neues Forum in seinem Gründungsaufruf den „demokratischen Dialog über die Aufgaben des Rechtsstaates, der Wirtschaft und der Kultur" angemahnt. Am 19. September beantragte das Neue Forum, das rasch stärkste Oppositionsbewegung wurde, seine offizielle Zulassung. Obwohl der Antrag am 20. September abgelehnt und das Neue Forum als „staatsfeindlich" bezeichnet wurde, wuchs die Gruppierung rasch an. Die Bürgerbewegung „Demokratie jetzt" hatte ihrem Gründungsaufruf vom 12. September „Thesen für eine demokratische Umgestaltung der DDR" beigefügt. In ähnliche Richtung zielten die programmatischen Aussagen anderer Oppositionskreise.

Neues Forum

„Mit dem Ziel, eine sozialdemokratische Partei in der DDR ins Leben zu rufen" hatten Martin Gutzeit, Markus Meckel, Arndt Noack und Ibrahim Böhme (der allerdings, wie sich später zeigte, für das MfS arbeitete) bereits am 24. Juli 1989 für eine Initiativgruppe geworben. Der dann am 26. August vorgestellte sozialdemokratische Aufruf postulierte: „Unsere Gesellschaft wird durch den absoluten Wahrheits- und Machtanspruch der SED bestimmt, auf den hin alle Verhältnisse in Staat und Gesellschaft geordnet sind."

Sozial-demokratische Partei

Ideenreich und mutig trat die Opposition gegen die SED-Diktatur auf. Während am 2. Oktober in Leipzig bereits 20.000 Menschen friedlich für Reformen in der DDR demonstrierten, kam es am 4. Oktober in Dresden vor dem Hauptbahnhof zu gewalttätigen Auseinandersetzungen zwischen 3.000 Bürgern und Sicherheitskräften. Die DDR hatte darauf bestanden, daß die 7.600 Flüchtlinge aus der Tschechoslowakei über ihr Gebiet in die Bundesrepublik transportiert würden. An den Fahrtstrecken, auf Bahnhöfen – und eben vor allem in Dresden –, warteten viele, um gleichfalls die Sonderzüge benutzen und die DDR verlassen zu können.

Doch erhielten jetzt die oppositionellen Kräfte, die bleiben und die DDR verändern wollten, enormen Auftrieb. Am 4. Oktober forderten Bürgerbewegungen freie Wahlen in der DDR unter UN-Kontrolle, ihre Zielsetzung richtete sich direkt auf die Abschaffung der SED-Diktatur. In der Folge kam es beinahe wöchentlich zu Treffen einer sogenannten „Kontaktgruppe" jener Gruppierungen, die dann ab Dezember am „Runden Tisch" saßen. Das waren die seit 1985 bestehende Initiative Frieden und Menschenrechte, das Neue Forum, Demokratie jetzt, Demokratischer Aufbruch, die Sozialdemokratische Partei, die dann im November gegründete Grüne Partei sowie die Vereinigte Linke.

Forderung:
Freie Wahlen

Zunächst zeigte sich die DDR-Führung weder von der Ausreisewelle noch von den Demonstrationen beeindruckt, obwohl es warnende Mitteilungen des Ministeriums für Staatssicherheit gab.

Dort war am 31. August 1989 bei einer Dienstbesprechung mit MfS-Minister Mielke schon festgestellt worden: „Die Stimmung ist mies. Es gibt umfangreiche Diskussionen über alle berechtigten und unberechtigten Probleme, die es gibt, und was uns hierbei besonders bewegt, es gibt solche miese Stimmungen auch innerhalb der Parteiorganisation."

MfS: „Stimmung
ist mies"

Zwei Wochen später, am 11. September, meldete das MfS nicht nur eine „erhebliche Zunahme von Parteiaustritten", sondern äußerte auch „ernste Befürchtungen hinsichtlich der weiteren Erhaltung der politischen Stabilität der DDR" [108c: A. MITTER, S. WOLLE, 1990, 127].

Der rapide Niedergang des alten Systems war in der Woche nach dem 40. Jahrestag nicht mehr zu übersehen. Tausende DDR-Bürger benutzten die Gelegenheit der beginnenden Herbstferien, über die CSSR und über Ungarn zu fliehen. Den erfolgreichen Durchbruch erreichten die gegen die SED-Diktatur gerichteten Protestierenden mit der Leipziger Montagsdemonstration vom 9. Oktober. An diesem Abend befanden sich 70.000 Menschen auf den Straßen und bis zuletzt bestand die Gefahr, daß die in der Stadt konzentrierten bewaffneten Kräfte mit Gewalt gegen die mutigen, friedlich demonstrierenden Bürger vorgehen würden.

Leipziger
Demonstration

Die Oppositionsbewegungen erhielten weiteren Zulauf, bis Mitte Oktober hatten sich schon 25.000 Bürger dem Neuen Forum angeschlossen. Allen voran die Evangelische Kirche verlangte nun im Namen der Bürger von der Staats- und Parteiführung eine Wende. Das Präsidium des Schriftstellerverbandes trat am 11. Oktober für eine „revolutionäre Reform" ein.

Selbst die Blockpartei LDPD sprach sich am 17. Oktober für „rasche und spürbare Veränderungen" aus, der Druck auf die SED-Führung kam von allen Seiten. Insbesondere nachdem an der Leipziger Montagsdemonstration vom 16. Oktober 120.000 Personen teilgenommen hatten, mußte die Parteispitze reagieren. Im Politbüro der SED verständigten sich jene Mitglieder, die allein in einem Rücktritt Honeckers und einer „Wende" die Möglichkeit sahen, das Regime vor dem endgültigen Fiasko zu retten. Vor der Routinesitzung des Politbüros am 17. Oktober hatten Egon Krenz und Günter Schabowski gemeinsam mit Willi Stoph, Harry Tisch u. a. Schritte zur Absetzung Honeckers besprochen.

Absetzung
Honeckers

Am 18. Oktober hat das ZK Honecker „auf eigenen Wunsch" von allen Ämtern entbunden, es sprach ihm – der wenige Wochen später aus der SED ausgeschlossen wurde – aber noch herzlichen Dank aus. Joachim Herrmann und Günter Mittag wurden aus dem Politbüro abberufen. Neuer Generalsekretär der SED wurde Egon Krenz. Ungeachtet aller Proteste der 300.000 Teilnehmer bei der Leipziger Montagsdemonstration am 23. Oktober gegen die neue „Machtkonzentration" hat die Volkskammer am 24. Oktober (bei 26 Gegenstimmen und 26 Enthaltungen) Krenz dann zum Staatsratsvorsitzenden und bei acht Gegenstimmen auch zum Vorsitzenden des Nationalen Verteidigungsrates gewählt. Die Beibehaltung der formellen Machtkonzentration bei Krenz bewies, daß die SED-Spitze weiterhin realitätsfern agierte.

Krenz: „Wende" Krenz versprach zwar die „Wende", doch damit war für ihn und andere SED-Führer die Vorstellung verbunden, es bedürfe nur einiger Korrekturen der alten Politik. Dagegen war eine grundsätzliche Erneuerung des politischen Systems die Mindestforderung der oppositionellen politischen Kräfte. Krenz traf sich sofort mit Kirchenvertretern, und er telefonierte schon am 26. Oktober mit Bundeskanzler Kohl (wobei die Fortsetzung der Zusammenarbeit beider deutscher Staaten besprochen wurde). Seine erste Reise als DDR-Staatsratsvorsitzender führte ihn am 31. Oktober zu Gorbatschow nach Moskau, beide stimmten überein, daß das Thema Wiedervereinigung „nicht auf der Tagesordnung" stehe.

Berliner Demonstration Im November überstürzten sich die Ereignisse. Zur größten Massendemonstration kam es am 4. November in Ost-Berlin: Hier forderten etwa 1 Million Menschen Presse-, Reise-, Meinungs- und Versammlungsfreiheit und insbesondere freie Wahlen. Zu der Veranstaltung hatten DDR-Künstlerverbände aufgerufen, 26 Personen, darunter die Schriftsteller Stefan Heym, Christa Wolf und Christoph Hein, sprachen zu den Versammelten. Diese Massenkundgebung wirkte bis in die Reihen der SED, die Partei zeigte deutliche Zerfallserscheinungen.

Am 8. November tagte das ZK der SED, und erst jetzt wurden personelle Veränderungen im Politbüro beschlossen, dieses sofort auf elf Mitglieder und sechs Kandidaten verkleinert. Elf Parteiführer mußten ausscheiden, darunter, Hermann Axen, Kurt Hager, Erich Mielke, Horst Sindermann, Willi Stoph. Hans Modrow wurde erstmals Mitglied des Politbüro. Die Volkskammer wählte ihn am 13. November zum neuen Regierungschef.

9. November: Grenzöffnung Die plötzliche, überraschende Öffnung der Grenzübergänge nach West-Berlin und in die Bundesrepublik am Abend des 9. November war die wirkliche Zäsur der „Wende". Der faktische Fall der Mauer ermöglichte in den darauffolgenden Wochen Millionen von DDR-Bürgern den Besuch der Bundesrepublik und West-Berlins. Die unmittelbare Anschauung der unterschiedlichen Lebensverhältnisse überwältigte, ja schockierte die Menschen. Schnell schwanden nun die Vorstellungen, die DDR sei zu reformieren, umgekehrt wuchs der Wunsch nach einer alsbaldigen Vereinigung.

Vor diesem Hintergrund vollzog sich schließlich eine tiefgreifende Veränderung des Parteiensystems, vor allem war die Hegemonie der SED zu Ende. Die „führende Rolle" der Partei wurde am 1. Dezember aus der DDR-Verfassung getilgt. Schließlich verlor die SED bis zum außerordentlichen Parteitag im Dezember 1989 ihre Machtinstrumente: Ihre Privatarmee, die „Kampfgruppen in den Betrieben" wurde entwaffnet und aufgelöst, das Ministerium für Staatssicherheit, das wichtigste Repressionsorgan der SED-Führung, existierte nicht mehr, die Nationale Volksarmee diente nicht mehr als Parteiarmee. Die bisher wohlhabendste DDR-Partei, die vom Staat zehrte, büßte ihre Privilegien ein.

Der Beginn des SED-Parteitags – zwar zum 16. Dezember einberufen – wurde schließlich auf den 8. Dezember vorverlegt. Nach nur 50 Tagen Amtszeit war Krenz mit dem Politbüro und ZK am 6. Dezember geschlossen zurückgetreten, deshalb mußte die führerlos gewordene Partei rasch handeln.

In der kurzen Zeitspanne bis zum Parteitag hatten viele Organisationseinheiten für die Auflösung der SED plädiert, doch lehnte das der Parteitag am 8. Dezember einstimmig ab. Das politisch klarste Zeichen einer Absage gegenüber dem Stalinismus blieb aus. Die Delegierten fürchteten um die materiellen Ressourcen der Partei. Aber gerade wegen der Finanzen, ihres Milliardenvermögens, geriet die Partei später noch in mancherlei Schwierigkeiten.

Der neue Vorstand, der die Partei dann im Februar 1990 in „Partei des Demokratischen Sozialismus", PDS, umbenannte, versprach die stalinistische Ideologie und die stalinistischen Strukturen zu beseitigen. Mit Rechtsanwalt Gregor Gysi als Vorsitzenden ebenso wie mit seinen Stellvertretern Hans Modrow, Wolfgang Berghofer (der dann aber schon im Januar aus der SED austrat) und Wolfgang Pohl wurden als unbelastet angesehene Funktionäre gewählt. **PDS**

Die Modrow-Regierung betrachtete die Bewältigung der Wirtschaftskrise, die Durchsetzung demokratischer Reformen und eine „Vertragsgemeinschaft" mit der Bundesrepublik als vorrangige Aufgabe. Dagegen ertönte inzwischen auf den Massendemonstrationen immer lauter der Ruf nach freien Wahlen, ab Dezember war dann deutlich die Forderung nach der Einheit Deutschlands zu hören. Die friedliche Revolution in der DDR hatte gesiegt, die SED-Diktatur war zusammengebrochen. Das war ein Verdienst der Bürgerbewegungen.

Generell sind als Ursachen für den Untergang des DDR-Regimes 1989 und die folgende Vereinigung Deutschlands sowohl Strukturdefekte als auch konkret-aktuelle internationale Ereignisse zu nennen. Die Diktatur der SED in der DDR, der hierarchische Aufbau nach dem Organisationsprinzip des „demokratischen Zentralismus", der Widerspruch zwischen Theorie und Praxis, erwiesen sich als gravierende Strukturfehler des Regimes. Der Stalinismus als Gesellschafts- und Herrschaftssystem vermochte die anstehenden Probleme nicht zu lösen, gerade er bedingte das Ausmaß allgemeinen Zurückbleibens und hemmte notwendige Innovationen in Wissenschaft, Technik und Wirtschaft. Das Fehlen von politischer Demokratie, von Rechtssicherheit und Meinungsfreiheit sowie die Sozialisation einer bevormundeten, ja entmündigten Bevölkerung bei ständigem Gegensatz zwischen Anspruch und Wirklichkeit, mußte nicht nur einen Konsens zwischen Regierten und Regierenden verhindern, sondern zunehmend sogar die Funktionäre verunsichern. Außerdem hatten die weltweiten ökonomischen und politischen Krisen der siebziger **Ursachen des Zusammenbruchs**

Jahre die DDR besonders schwer getroffen, sie waren mit den erstarrten SED-Me-chanismen auch nicht zu bewältigen.

Die überholten stalinistischen Strukturen der DDR einerseits und die Fixierung der Bevölkerung auf den größeren, reicheren und demokratischen Teilstaat Bundes-republik Deutschland andererseits führten permanent zu Krisen in der DDR. In den achtziger Jahren brachten Engpässe in der Versorgung, Bevormundung und Überwachung der Bürger durch Partei und MfS weitere Destabilisierung.

Aktuelle Gründe Zudem traf die Wirkung der Strukturdefekte diesmal zusammen mit aktuellen Er-eignissen, hervorgegangen aus einer veränderten Situation im gesamten Ostblock. Gorbatschow hatte faktisch die „Breschnew-Doktrin" aufgehoben, die bis dahin die absolute Vorherrschaft der Sowjetunion festgeschrieben, aber auch den Bestand der kommunistischen Regime in Osteuropa abgesichert hatte. Dadurch konnten Erneu-erungen in Polen und Ungarn beginnen. Als wesentlicher erster Faktor der Umwäl-zung in der DDR bleibt Gorbatschows Politik festzuhalten, ohne Wandlungen in der Sowjetunion und ohne Beendigung des Kalten Krieges wäre die Wende auch dort nicht möglich gewesen. Zum zweiten Faktor für die Veränderungen in der DDR wurde die Öffnung der Grenzen für die Ausreisewilligen durch das demokra-tisierte Ungarn. Aus den Flüchtlingsströmen ergab sich ein dritter Faktor: erstmals seit 1953 gingen in der DDR wieder Menschenmassen protestierend auf die Straße. Sie demonstrierten friedlich gegen die unfähige Führung, gegen die SED-Diktatur. Dieser intensive Druck von unten bewirkte die Ablösung Honeckers und schließ-lich die Absetzung der ganzen DDR-Führung, damit war Schluß mit der SED-Herr-schaft.

4. Auf dem Weg zur deutschen Einheit

Die Ermahnung der friedlichen Demonstranten, „keine Gewalt", ging während des Umbruchs in der DDR rasch über in die fast einstimmige Parole: „Wir sind das Volk". Das war gegen die SED-Diktatur gerichtet, zielte auf eine Veränderung in der *Einheit Deutschlands* DDR. Mit der Öffnung der Grenzen schlug diese Losung um in den Ruf „Wir sind ein Volk" sowie „Deutschland einig Vaterland" (damit wurde auf eine Zeile der DDR-Nationalhymne von 1949 zurückgegriffen). Inzwischen wünschte die große Mehrheit der Bevölkerung keine „andere" DDR, sondern die Einheit Deutschlands. Der Wille, die Vereinigung ganz rasch zu vollziehen, war in der DDR 1990 nicht mehr aufzuhalten. Viele hofften, in Kürze ebenfalls den Lebensstandard der Bun-desrepublik zu erreichen, andere befürchteten, daß diese einmalige Chance durch reaktionäre Veränderungen in der Sowjetunion verschwinden könnte. Westliche Po-litiker vermuteten die Gefahr, daß die Fluchtwelle in die Bundesrepublik die wirt-schaftliche Situation in West und Ost verschärfen würde. Unter solchen Vorausset-zungen erhielt die Forderung nach einer alsbaldigen Währungs- und Wirtschafts-union beachtlichen Widerhall.

Diese Massenstimmung nach rascher wirtschaftlicher, aber auch politischer Vereinigung berührte auch das Parteiensystem der DDR. Die SED/PDS konnte sich nur schwer mit ihrer veränderten Rolle abfinden, stammte doch die übergroße Mehrheit ihrer Mitglieder aus der SED. Doch die Mitgliederzahlen sanken von einst 2,4 Millionen rapide bis auf 700.000 im Februar 1990 und bald auf unter 300.000.

Rasch hatten die früheren Blockparteien ihre Position und teilweise ihre Führungen gewechselt. Die LDP, vor allem ihr Vorsitzender Manfred Gerlach, hatte bereits im Vorfeld der Wende „abweichende" Meinungen geäußert. Am 24. November strich **Parteiensystem** diese Partei – wie die anderen auch – ihr Bekenntnis zur „führenden Rolle" der SED aus dem Statut. Unter Gerlachs Führung (der am 6. Dezember als Nachfolger von Krenz Vorsitzender des Staatsrats wurde) änderte die LDP einige Vorstellungen.

Die CDU verlangte am 28. Oktober – zunächst nur in einem „Diskussionsentwurf" für ein Positionspapier – freie Wahlen und Rechtsstabilität. Mit der Wahl von Lothar de Maizière am 10. November wollte die Partei – nach dem am 2. November erfolgten Rücktritt des diskreditierten Vorsitzenden Gerald Götting – auch einen personellen Neuanfang signalisieren. Ähnlich agierten die Nationaldemokraten, deren Vorsitzender Heinrich Homann ebenfalls am 2. November zurücktrat: der bisherige Stellvertreter Hartmann übernahm die Führung. Dagegen konnte die Bauernpartei ihren Vorsitzenden Maleuda dann (in einer Stichwahl) sogar noch als Parlamentspräsidenten der Volkskammer durchbringen.

Während der „Wende" zeigte sich, daß sich die Blockparteien schwer taten, über ihre lang gewohnte Satellitenrolle zu reflektieren und sie schließlich aufzugeben. Alle saßen weiterhin in der Volkskammer und blieben an der Regierung beteiligt. Fest etabliert, behielten sie ihre Ressourcen, ihr Apparat (Presse, Gebäude usw.) wurde nicht angetastet. Deshalb konnten sie sich gegenüber neuen Bürgerbewegungen und den neu entstehenden Parteien gut behaupten.

Die Bürgerbewegungen, aufgespalten in verschiedene Richtungen, erwarteten anfangs noch, sie könnten die DDR reformieren. Unmittelbaren Einfluß auf die Regierungspolitik erlangten die wichtigsten Oppositionsgruppen erst am 7. Dezember durch die Einrichtung des „Runden Tisches". Dort saßen nun neben Vertretern der **Runder Tisch** Blockparteien, der SED, des FDGB und der VdgB auch Sprecher der neuen Parteien und Gruppen: Demokratischer Aufbruch, Demokratie jetzt, Grüne Liga, Grüne Partei, Initiative Frieden und Menschenrechte, Neues Forum, Sozialdemokratische Partei, Unabhängiger Frauenverband und Vereinigte Linke.

Der „Runde Tisch" beabsichtigte sofort, den Entwurf einer demokratischen Verfassung für die DDR zu erarbeiten (im April 1990 noch vorgelegt, blieb er ohne praktische Wirkung, weil der Weg nach Art. 23 des Grundgesetzes zur deutschen Einheit ging). Als zentralen Punkt nannte das Gremium die Herstellung von Rechtssicherheit. Die Auflösung des MfS und später des Nachfolgeorgans „Amt für Nationale Sicherheit" zählte zu einer seiner wichtigsten Tätigkeiten.

Die bisher von der SED gegängelten Massenorganisationen verloren rasch ihre Bedeutung. Da sich zahlreiche unabhängige Organisationen bildeten, verschwand ihr Organisationsmonopol und alle Massenorganisationen registrierten einen immensen Mitgliederverlust, im politischen System der DDR hatten sie ausgespielt.

Das Parteiensystem der DDR paßte sich 1990 schrittweise an das der Bundesrepublik an. Schon auf ihrem Sonderparteitag am 15. und 16. Dezember 1989 bekannte sich die CDU unter de Maizière zur Marktwirtschaft und zur „Einheit der Nation".

Auch die neugegründeten Parteien orientierten sich erkennbar an den Schwesterorganisationen in der Bundesrepublik. Die Sozialdemokratische Partei, die SDP, nannte sich auf ihrer Delegiertenkonferenz vom 12. bis 14. Januar 1990 in Berlin um in SPD in der DDR und es kam zu enger Zusammenarbeit mit der SPD der Bundesrepublik.

Die Deutsche Soziale Union – als Partei am 20. Januar 1990 in Leipzig gegründet – verstand sich ausdrücklich als Schwesterpartei der bayerischen CSU. Sie wollte eine von „christlichen Wertvorstellungen geprägte" Volkspartei sein.

Sowohl die nach der Wende in der DDR neugegründeten FDP als auch die LDP waren bemüht mit der FDP in der Bundesrepublik engere Beziehungen herzustellen. Wegen des vorgezogenen Termins zu den Volkskammerwahlen wurden alle Anstrengungen zur Kooperation mit den westdeutschen Parteien nochmals forciert.

Die seit November 1989 amtierende Regierung Modrow geriet unter starken Erfolgszwang. Doch die schwierigen Probleme der Wirtschaft waren von ihr nicht in den Griff zu bekommen, notwendige Reformen stockten, die Auflösung des MfS geschah nur schleppend.

Nachdem Bundeskanzler Kohl am 28. November 1989 ein „Zehn-Punkte-Programm zur Überwindung der Teilung Deutschlands und Europas" vorgelegt hatte, traf er sich am 19. Dezember mit DDR-Regierungschef Modrow in Dresden. Da dort noch ein „Vertrag über Zusammenarbeit und gute Nachbarschaft" ins Auge gefaßt wurde, beharrte Modrow in der Volkskammer-Sitzung am 14. Januar in seiner Regierungserklärung darauf, daß „eine Vereinigung von DDR und BRD nicht auf der Tagesordnung steht". Aber diese Ansicht war schon in kürzester Frist überholt. Etliche Versuche der SED-PDS im Januar, ihre verlorene Macht zu restaurieren, führten zu erneuten Demonstrationen gegen Partei und Stasi. Außerdem drohten Vertreter der früheren Blockparteien, die Regierungskoalition zu verlassen, falls sich die SED/PDS nicht endgültig von ihrem früheren Machtanspruch lossage. Als die Krise Ende Januar alarmierend wurde, einigte sich der „Runde Tisch" darauf, die für den 6. Mai terminierten ersten freien Volkskammerwahlen auf den 18. März 1990 vorzuziehen. Eine „Regierung der nationalen Verantwortung" wurde gebildet: am 5. Februar traten daraufhin acht Persönlichkeiten oppositioneller Parteien und Gruppen als Minister ohne Geschäftsbereich in die Regierung Modrow ein.

Gorbatschow hatte Modrow bei einer Visite in Moskau am 30. Januar erklärt, prinzipiell habe die Sowjetunion nichts gegen eine Vereinigung beider deutschen Staaten einzuwenden. Nun unterbreitete Modrow am 1. Februar einen eigenen Plan zur Vereinigung. Schließlich konnten seit dem Besuch von Bundeskanzler Kohl bei Gorbatschow am 10. Februar konkrete Schritte einer Vereinigung überdacht und geplant werden.

Voraussetzung dafür waren allerdings freie, geheime Wahlen in der DDR, die am 18. März 1990 bei der Volkskammerwahl stattfanden. Im Vorfeld ließen die Parteien klarere Konturen erkennen, teilweise vereinbarten sie Wahlbündnisse. So schlossen sich die drei konservativen Parteien – die frühere Blockpartei CDU und die beiden neuen Parteien DSU und Demokratischer Aufbruch – zur „Allianz für Deutschland" zusammen, kandidierten jedoch selbständig.

Ebenso schlossen sich die frühere Blockpartei LDP, die neugegründete FDP, die vom Neuen Forum abgespaltene Neue Forumpartei am 12. Februar 1990 zu einem festen Wahlbündnis unter der Bezeichnung „Bund freier Demokraten" zusammen. Die Bürgerbewegungen Neues Forum, Demokratie jetzt und Initiative Freiheit und Menschenrechte bildeten das „Bündnis 90". Schließlich gab es weitere Aktionsbündnisse kleinerer Gruppen. Insgesamt stellten sich den knapp 12,5 Millionen DDR-Stimmberechtigten erstmals 24 Parteien, Gruppen und Bündnisse zur Wahl. Da keine Sperrklausel existierte, konnten 12 Listen eigene Abgeordnete in die Volkskammer entsenden. Die CDU errang 163 Sitze, DSU 25 und DA vier Mandate, die SPD kam auf 88 Sitze, die PDS auf 66, die Freien Demokraten erhielten 21 und „Bündnis 90" 12 Abgeordnete, Grüne acht Mandate, es gab noch Splittergruppen, darunter die NDPD mit zwei Vertretern, DFD und Vereinigte Linke nur je einen.

Wahlen zur Volkskammer

Der Wahlausgang war für viele überraschend. Der hohe Sieg der konservativen Allianz war von niemanden vorausgesagt worden, viele Beobachter der politischen Szene, vor allem aber auch die Mehrheit der Bevölkerung der DDR, hatten einen Erfolg der SPD erwartet. Daß gerade die frühere „Blockpartei" CDU weitaus stärkste Fraktion wurde und fast doppelt so viele Stimmen bekam als die SPD zeigte freilich: Die Wähler hatten sich weniger am neuen Parteiensystem der DDR, sondern vielmehr sofort am Parteiengefüge der Bundesrepublik orientiert. Hier erfolgte eine erwartungsvolle Zustimmung zur CDU von Bundeskanzler Kohl.

Das Resultat für die konservative Allianz war im Süden der DDR viel besser als im Norden, während die SPD nur in Berlin die stärkste Partei wurde, wo allerdings auch die PDS mit 30 Prozent erheblich über ihrem Durchschnitt von 16 Prozent lag. Bemerkenswert ist das schlechte Abschneiden der SPD und das gute Ergebnis der Allianz in der Arbeiterschaft. Die Wahl machte sichtbar – 50 Jahre nach den letzten freien Wahlen von 1932 –, daß es kein traditionelles Wahlverhalten mehr gab: die SPD war in ihren Stammländern Sachsen und Thüringen sehr schwach, in der jahrzehntelangen sozialdemokratischen Hochburg Dresden registrierte sie überhaupt eines der schlechtesten Ergebnisse (hingegen schnitt sie in der früheren Hochburg der Konservativen, im preußischen Potsdam, besonders gut ab).

Auch die Kommunalwahlen, die bereits am 6. Mai 1990 folgten, haben an diesem politischen Bild der Parteienlandschaft der DDR nichts grundlegendes geändert. Allerdings verlor die CDU über 6 Prozent, blieb aber mit 34,4 Prozent vor den Sozialdemokraten (die leicht auf 21,3 Prozent zurückgingen). Die Stimmen der DSU wurden fast halbiert, die PDS verlor leicht, während die Bauernparteien Wähler gewannen.

Kommunalwahlen

In der DDR arbeitete erstmals eine frei gewählte Regierung, das Kabinett der Großen Koalition unter Lothar de Maizière aus CDU, DSU, Demokratischer Aufbruch, SPD und BfD. Darin hatte der DSU-Politiker (der später seine Partei verließ und

Regierung der Großen Koalition

zur CDU übertrat) Peter Michael Diestel das Innenministerium, der Sozialdemo-
krat Markus Meckel das Außenministerium, Walter Romberg (SPD) das Finanzmi-
nisterium. Rainer Eppelmann (DA) war Minister für Abrüstung und Verteidigung,
Gerhard Pohl (CDU) Wirtschaftsminister, Hans-Joachim Meyer (parteilos, von der
CDU nominiert) Minister für Bildung und Wissenschaft sowie Kurt Wünsche
(Bund freier Demokraten) Justizminister.

Auch nach der Volkskammerwahl übersiedelten wöchentlich noch fast 5.000 Personen aus der DDR in die Bundesrepublik, das forcierte den Abschluß des Vertrages
über die Schaffung einer Währungs-, Wirtschafts- und Sozialunion. Bereits am 18.
Mai, nur zwei Monate nach der Volkskammerwahl, konnten Finanzminister Theo
Waigel und DDR-Finanzminister Walter Romberg einen entsprechenden Vertrag
unterzeichnen.

Währungs- und | Als am 1. Juli 1990 die Währungs- und Sozialunion für ganz Deutschland in Kraft
Sozialunion | trat, war der erste Schritt zur Einheit getan. Doch schon rasch zeigte sich, daß nach
der Euphorie des 9. November 1989 die Schwierigkeiten des Zusammenwachsens
ungeheure Probleme aufwarfen.

Alle Weichen liefen nun auf die politische Einheit zu. Zusammen mit den Außen-
ministern der Sowjetunion, der USA, Großbritanniens und Frankreichs erarbeiteten Bundesregierung und Regierung der DDR internationale Rahmenbedingungen
für die Vereinigung. In mehreren „Zwei plus Vier-Verhandlungen" wurde eine Regelung getroffen. Bundestag und Volkskammer nahmen am 21. Juni gleichlautende
Entschließungen zur Bestätigung der deutsch-polnischen Grenze an, die für die internationalen Aspekte der deutschen Einheit mit ausschlaggebend waren. In der
Entschließung hieß es, der Bundestag gebe seinem Willen Ausdruck, daß „der Verlauf der Grenze zwischen dem vereinten Deutschland und der Republik Polen" sich
nach dem Abkommen zwischen der DDR und Polen von 1950 bestimme, also die
Oder-Neiße-Grenze | Oder-Neiße-Linie Staatsgrenze bleibe und entsprechend dem Vertrag zwischen der
Bundesrepublik und Polen von 1970 festgehalten wurde:

„Beide Seiten bekräftigen die Unverletzlichkeit der zwischen ihnen bestehenden
Grenze jetzt und in der Zukunft und verpflichten sich gegenseitig zur uneinge-
schränkten Achtung ihrer Souveränität und territorialen Integrität. Beide Seiten erklären, daß sie gegeneinander keinerlei Gebietsansprüche haben und solche auch in
Zukunft nicht erheben werden."

Aufgrund dieser wichtigsten Entscheidung konnten die deutschen Nachbarn mit
einer raschen Vereinigung Deutschlands einverstanden sein. Maßgeblich für den folgenden schnellen Weg zur Einheit war indes Gorbatschows Einwilligung dazu. Bei
dem Besuch von Bundeskanzler Kohl und Außenminister Genscher vom 14. bis
16. Juli 1990 verzichtete die Sowjetregierung auf frühere Einwände gegen die Zuge-
hörigkeit des vereinigten Deutschland zur NATO. Das Ende des Kalten Krieges ermöglichte die deutsche Einheit, so wie einst die Spaltung eine Folge dieses Kalten
Krieges gewesen war. Schon vor Abschluß der Zwei plus Vier Gespräche war die
letzte außenpolitische Hürde beseitigt. Den „Vertrag über die abschließende Regelung in Bezug auf Deutschland" unterzeichneten dann am 12. September 1990 in

Moskau die Außenminister der vier Siegermächte zusammen mit Bundesaußenminister Genscher und DDR-Regierungschef de Maizière (der nach dem Ausscheiden von SPD-Minister Meckel aus der Ostberliner Regierung zugleich als Außenminister amtierte). Der Vertrag gestattete dem vereinigten Deutschland seine „volle Souveränität über seine inneren und äußeren Angelegenheiten" wahrzunehmen.

Ins Auge gefaßt war der Beitritt der DDR zur Bundesrepublik ursprünglich erst nach den Wahlen vom 2. Dezember 1990. Doch die hektischen politischen Auseinandersetzungen des Sommers erforderten neue Zeitpläne. Dies hing auch mit dem Zerfall der Regierungskoalition in der DDR zusammen, die sich über verschiedene Fragen kaum noch verständigen konnte. Am 24. Juli verließ der Bund freier Demokraten die Regierung, und nachdem sich Ministerpräsident de Maizière am 15. August von Finanzminister Romberg u. a. trennte, schieden auch die übrigen SPD-Minister aus der Regierung aus.

Schließlich kam es am 22. August zum Konsens über ein Gesetz zum Wahlvertrag DDR-Bundesrepublik, das ein einheitliches Wahlgebiet vorsah (das jedoch vom Bundesverfassungsgericht verworfen wurde). Die Sondertagung der Volkskammer in Berlin beschloß am 23. August mit den Stimmen von 294 Abgeordneten der CDU/DA, DSU, FDP und SPD gegen 62 Stimmen von Bündnis 90/Grünen und PDS, bei sechs Enthaltungen, den Beitritt der DDR zur Bundesrepublik Deutschland nach Art. 23 des Grundgesetzes zum 3. Oktober 1990.

Die Beratungen zum Einigungsvertrag standen unter großem Zeitdruck, bis dieser am 31. August 1990 von Bundesinnenminister Wolfgang Schäuble und DDR-Staatssekretär Günther Krause unterzeichnet werden konnte. Im Vertrag „über die Herstellung der Einheit Deutschlands – Einigungsvertrag" waren in 45 Artikeln die Änderungen des Grundgesetzes festgelegt, ebenso die Rechtsangleichung. Er berücksichtigte bestehende Verträge, regelte die öffentliche Verwaltung sowie öffentliche Vermögen und Schulden, zugleich Fragen von Arbeit, Soziales, Frauen, Kultur, Wissenschaft usw. Dem Vertrag folgten am 6. September ein „Protokoll" mit Klarstellungen sowie am 20. September (den Forderungen der Volkskammer entsprechend) eine „Vereinbarung", die die Sicherung und Nutzung der Stasi-Akten sowie ein zu beschließendes Rehabilitierungsgesetz betraf.

Die eiligen Schritte zur deutschen Einheit bewirkten eine ebenso schnelle Anpassung des Parteiensystems der DDR, es kam zu Vereinigungen mit den westlichen Schwesterparteien; zunächst allerdings erst zur Parteienkonzentration. Im März 1990 war die frühere Blockpartei NDPD mit noch rund 50.000 Mitgliedern der LDP beigetreten. Schließlich vereinigte sich die Bauernpartei am 25. Juni 1990 mit der CDU, der Sonderparteitag des Demokratischen Aufbruch beschloß im August 1990 seinen Beitritt zur CDU.

Als erste der Parteien gingen die Liberalen aus Ost und West zu einer gesamtdeutschen FDP zusammen. Zur FDP der Bundesrepublik mit 67.000 Mitgliedern traten die Liberalen der DDR mit etwa 140.000 Mitgliedern über, auf dem Vereinigungsparteitag am 11./12. August in Hannover hatte sich interessanterweise der Delegiertenschlüssel aber nicht an diesen Mitgliederzahlen orientiert, sondern an den

Einigungsvertrag

Gesamtdeutsches Parteiensystem

Stimmergebnissen bei Wahlen, wodurch der West-FDP die große Mehrheit gesichert war.

Die SPD schloß sich auf dem Berliner Vereinigungsparteitag vom 26. bis 28. September zusammen. Nach dem Austritt aus der Regierung war die SPD der DDR in eine spürbare Krise geraten. Auf einem Sonderparteitag in Halle im Juni 1990 hatte sie mit Wolfgang Thierse einen neuen Vorsitzenden gefunden. Ihn wählte der Vereinigungsparteitag dann zum stellvertretenden Vorsitzenden der gesamtdeutschen SPD.

Als letzte Partei vereinigten sich am 1. Oktober in Hamburg die CDU der Bundesrepublik und die der DDR. Zum Stellvertreter Helmut Kohls wurde dort Lothar de Maizière gewählt.

Vereinigung Deutschlands
Am 3. Oktober 1990, rund 41 Jahre nach ihrer Gründung, hörte die Deutsche Demokratische Republik auf zu existieren. Mit der Vereinigung Deutschlands an diesem Tag haben sich dort die fünf neuen Bundesländer Brandenburg, Mecklenburg-Vorpommern, Sachsen, Sachsen-Anhalt und Thüringen konstituiert. Freie Wahlen zu den Landtagen bestätigten am 14. Oktober die neugebildeten Länder. Innerhalb dieses Jahres waren die Bürger der ehemaligen DDR zum dritten Mal zur

Landtagswahlen
Wahlurne gerufen worden, nur noch rund 70 Prozent der Wahlberechtigten beteiligten sich.

In vier der neuen Länder wurde die CDU stärkste Partei (in Sachsen erreichte sie die absolute Mehrheit), nur in Brandenburg bekam die SPD mit 38,3 Prozent die meisten Stimmen. Gegenüber den Volkskammerwahlen hatte die CDU insgesamt fast 3 Prozent gewonnen, die SPD 3,3 Prozent, die FDP 2,5 Prozent und die Bürgerbewegungen knapp 2 Prozent; Verlierer waren PDS (fast 5 Prozent) und DSU (3,3 Prozent).

Nach den Regierungsbildungen konnte in Sachsen CDU-Ministerpräsident Kurt Biedenkopf mit absoluter Mehrheit regieren. In Thüringen und Sachsen-Anhalt gab es klare Mehrheiten für CDU-FDP-Regierungen. In Mecklenburg-Vorpommern waren Grüne und Bündnis 90 getrennt aufgetreten, sie scheiterten beide an der 5-Prozent-Hürde. CDU und FDP hatten nur die Hälfte der Sitze erreicht, lediglich die Stimme eines SPD-Überläufers verhalf ihnen dann zu einer Regierung. Allein im Land Brandenburg gelang es der SPD mit dem evangelischen Konsistorialpräsidenten Manfred Stolpe an der Spitze eine Regierung mit FDP und Bündnis 90 zu schaffen.

Bundestagswahlen
Die spürbare Verunsicherung der Bevölkerung der neuen Bundesländer schlug bei den Bundestagswahlen vom 2. Dezember 1990 noch nicht durch. Das Wahlverhalten unterschied sich in den neuen Bundesländern nicht wesentlich von dem in den alten Ländern. Für die CDU stimmten in der alten Bundesrepublik 44,1 Prozent, in der früheren DDR 43,4 Prozent, für die FDP im Westen 10,6, im Osten 13,4. Nur die SPD (im Westen 35,9) kam im Osten mit 23,6 Prozent erheblich schlechter weg, sie hatte dort als neue Partei schwierigere Ausgangsbedingungen. Bündnis 90/Grüne erreichten in der ehemaligen DDR 5,9 Prozent, die PDS 9,9 Prozent.

In den folgenden Monaten spitzte sich die Lage in der ehemaligen DDR bedenklich zu. Obwohl die politische Vereinigung vollzogen war, blieben wirtschaftliche und soziale Differenzen. Die Erwartungen der Ostdeutschen wurden vielfach enttäuscht. Die tiefgreifenden Folgen der SED-Diktatur und der jahrelangen wirtschaftlichen Stagnation wurden durch die rasche Einbeziehung der Industrie in die Marktwirtschaft und den Verlust der bisherigen östlichen Märkte besonders augenfällig. Hinzu kamen manche Oberflächlichkeit im Einigungsvertrag, Fehleinschätzungen über Ausmaß und Tempo des Umbaus der Wirtschaft, eine große Machtkonzentration bei der Treuhand-Anstalt sowie die Überforderung der Menschen durch eine gleichzeitige Einführung westlicher Wirtschafts-, Steuer-, Rechtsformen usw. Die Unruhe wuchs parallel mit der dramatisch steigenden Arbeitslosenzahl, der Unsicherheit über den Erhalt der Arbeitsplätze, vor allem aber wegen des Ausbleibens der versprochenen und erwarteten Anschubkräfte des Marktes.

Probleme der Einheit

Immer deutlicher zeigte sich, daß durch die friedliche Revolution in der DDR die politische Einheit zwar vergleichsweise rasch und ohne allzu schwerwiegende Erschütterungen möglich geworden war, aber das gesellschaftliche, wirtschaftliche und kulturelle Zusammenwachsen durch die Wirtschaftsmisere, nicht zuletzt durch die vierzigjährige Auseinanderentwicklung in Ost und West sehr erschwert wurden und noch lange Zeit benötigt.

Gerade ein kritischer Rückblick auf Verhaltensweisen und Erfahrungen mit der vierzigjährigen SED-Diktatur könnten im vereinigten Deutschland zu neuen Erkenntnissen führen und besseres Verständnis fördern. Doch dies kann nur gelingen, wenn sich die Bürger der neuen und alten Bundesländer mit der deutschen Vergangenheit auseinandersetzen. Hier gilt die Mahnung von Bundespräsident Richard von Weizsäcker vor dem Landtag von Mecklenburg-Vorpommern im Dezember 1990, es sei notwendig, „daß wir uns in unserem nunmehr vereinten Land vorbehaltlos einander zuwenden". Die Menschen „im Osten und ganz gewiß nicht weniger im Westen" seien dazu aufgerufen, vieles aus der Vergangenheit aufzuarbeiten [Informationen, hrsg. Bundesminister für innerdeutsche Beziehungen, Bonn, Nr. 79 vom 22.6.1990].

Erfahrungen

Aufarbeitung der Geschichte

Die Einheit Deutschlands vollzog sich in demokratischen Formen und im Sinne eines künftigen europäischen Zusammenschlusses. Dies bleibt sowohl für die Sicherheit der Nachbarstaaten wichtig, als auch für die Zukunft eines freiheitlichen Deutschland selbst. Der Doppelcharakter der untergegangenen DDR, ihre Zwiespältigkeit, wird bei der gesamtdeutschen Entwicklung auch weiterhin zu verspüren sein. Die DDR gab sich modern, sie hat fortschrittliche, humanistische Ideale proklamiert, doch eine verheerende jahrzehntelange Diktatur hat diese in ihr Gegenteil verkehrt. Festzuhalten ist: die SED in der DDR hat den Stalinismus praktiziert, den sie vor über 40 Jahren von der Sowjetunion übernahm und dann mit „deutscher Gründlichkeit" während ihrer Herrschaft sogar noch verschlimmerte. Obwohl dieses System 1989 zugrunde gegangen ist, es kurze Zeit eine demokratische DDR gab, wird die Geschichte der vierzigjährigen Diktatur in der DDR die Deutschen noch lange beschäftigen.

II. Grundprobleme und Tendenzen der Forschung

Die wissenschaftliche Beschäftigung mit der Geschichte der DDR hat relativ spät begonnen. Noch Anfang 1978 stellten Wissenschaftler im „Gutachten zum Stand der DDR- und vergleichenden Deutschlandforschung" fest: „Bis heute ist in der Bundesrepublik Deutschland die politische Geschichte der DDR in ihrer Gesamtheit nur wenig erforscht. Ursache dafür ist zum Teil die Quellenlage, die für die sechziger Jahre auch gegenwärtig noch ungünstig ist, teilweise aber auch die Tatsache, daß sich die Historiker in der Bundesrepublik der Probleme der Geschichte der DDR bisher kaum angenommen haben." Danach hatte sich die Situation erheblich geändert, worauf noch zurückzukommen sein wird.

In der DDR hingegen hatte die Untersuchung der eigenen Geschichte seit den sechziger Jahren einen überragenden Platz in der Historiographie gefunden, dort waren die Publikationen auf fast unüberschaubare Dimensionen angewachsen. Da die Geschichte für die Legitimation und Rechtfertigung der SED-Herrschaft eine wesentliche Rolle spielte, standen für deren Erforschung umfassende Ressourcen zu Verfügung. Aber gerade der politische Auftrag verlangte von der DDR-Geschichtsschreibung, die Vergangenheit „parteilich", also verzerrt darzustellen. Daraus ergab sich ein gefälschtes und deformiertes Geschichtsbild, das über (preiswerte) Lizenzausgaben, und über DKP-nahe Verlage auch in die Bundesrepublik getragen wurde. Der westdeutschen historischen DDR-Forschung entstand daher die Aufgabe, die Geschichte der DDR möglichst kritisch, aber objektiv zu beschreiben. So gab es zwei grundsätzlich verschiedene Sichtweisen der Geschichte der DDR: eine differenzierte Betrachtung durch die methodisch wie inhaltlich vielfältige „westliche" Forschung, insbesondere in der Bundesrepublik, und eine apologetische, legendenhafte Darstellung in der DDR selbst. **Zwei Sichtweisen der DDR-Geschichte**

Letztlich war der Zugang zu den Quellen wichtig, und die Öffnung der östlichen Archive nach der deutschen Vereinigung bietet ganz andere Chancen weiterer Untersuchungen. Erstmals existiert nun für Historiker, die sich mit der DDR befassen, ein „abgeschlossenes" Forschungsfeld, haben sie die einmalige Möglichkeit, die Entwicklung der DDR von Anfang bis Ende auch anhand der internen Dokumente zu analysieren. Bei den großen und umfassenden Forschungsprojekten wird sich dies wohl erst in einigen Jahren in Veröffentlichungen niederschlagen. Für den gegenwärtigen Forschungsstand ist daher zunächst ein Hinweis auf die Veränderung beim Quellenzugang sowie ein Überblick über die jetzige Situation der Archive angebracht.

1. Die Quellenlage zur Geschichte der DDR

Zeitgeschichtliche Untersuchungen stehen generell vor einer schwierigen Quellenlage, da Archivalien im allgemeinen erst nach 30 oder gar 50 Jahren für die Forschung zugänglich werden. In Arbeiten über die Geschichte der DDR wurde bis zur „Wende" von 1989 immer wieder betont, daß hier die Quellenbasis besonders ungünstig sei. Zum einen wirkte sich die restriktive Informationspolitik der DDR und insbesondere der SED hemmend aus, zum anderen war es westlichen Forschern nur in wenigen Ausnahmefällen gestattet, Archivgut der DDR zur Nachkriegsentwicklung einzusehen. Daher blieben östliche Archivalien zur Geschichte der DDR der westlichen Forschung weitgehend verschlossen, obwohl gerade für dortige Sammlungen die These galt, daß „das staatliche Archivwesen der DDR seit 1949 eine nach Umfang und Intensität kaum zu überschätzende organisatorische und methodisch-fachliche Reorganisation erfahren hat, die seine Bedeutung... objektiv steigerte und verbesserte" [894: F. P. Kahlenberg, 1972, 83]. Viele Anzeichen ließen vermuten, daß selbst DDR-Wissenschaftlern die Quellen zur eigenen Geschichte nur zu selektiver Einsicht zur Verfügung standen.

Archivwesen der DDR

Immerhin zeigten die in der DDR und auch im Westen bis 1989 vorliegenden Arbeiten und vor allem Dokumentationen zur Geschichte der DDR, daß die Quellenlage keineswegs so dramatisch schlecht war, wie häufig angenommen. Viele Details der DDR-Geschichte waren durchaus zu rekonstruieren, deskriptive Untersuchungen der Verlaufsgeschichte oder Analysen zu Strukturen zu erstellen.

DDR-Dokumentationen

Die DDR hatte vielfach Akten und andere offizielle Texte publiziert, es lagen wissenschaftlich aufgearbeitete Quellen, also Dokumentationen zu ausgewählten Themen oder Zeiträumen vor, auch eine große Zahl von Erinnerungen war erschienen.

Vor allem gab es zahlreiche wissenschaftliche Untersuchungen (Dissertationen, Habilitationen), die auf einer breiten Quellenbasis beruhten, und darin waren nicht selten wichtige Dokumente im Wortlaut wiedergegeben, die auf diesem Wege bekannt wurden [Vgl. dazu W. Bleek, Dissertationen aus der DDR, in: DA 17, 1984, 1188 ff.]. Obwohl manche dieser Werke nicht in den Westen ausgeliehen werden durften und die Arbeiten selbst „parteilich" verzerrt, zudem die Auswahl der Dokumente einseitig waren, blieb durch die DDR-Veröffentlichungen für westliche Forscher die Quellensituation insgesamt nicht ganz unbefriedigend. Dies galt insbesondere für die Vor- und Frühgeschichte der DDR. Vor dem Ende der SED-Diktatur war zwar ein umfassender und genauer Überblick über sämtliche Bereiche der DDR-Geschichte noch nicht möglich, aber es waren für bestimmte Fragestellungen doch Unterlagen vorhanden. Schließlich standen weitere gedruckte Dokumente zur Verfügung, z. B. in DDR-Zeitungen, Zeitschriften, Funktionärsorganen, auch Ton-

und Fernsehdokumente, Stenographische Protokolle von Kongressen der Parteien und Organisationen, Gesetzesblätter, offizielle Statistiken, Beschlüsse einzelner Institutionen usw. lagen vor. Die Geheimhaltungspolitik der DDR-Führung stieß eben auch an Grenzen, mußte sie doch die eigene Bevölkerung informieren, ihre Funktionäre anleiten und daher ihre Politik mitteilen und nach „außen" darstellen.

Vor allem aber kam hinzu, daß zur Geschichte der DDR auch in westlichen Archiven mehr Material lagerte, als ursprünglich angenommen. In Akten der US-Behörden (OMGUS) wurden Beobachtungen über die SBZ festgehalten, es gibt in westlichen Archiven z. B. Protokolle von ZK-Sitzungen der SED oder im Bundesarchiv Koblenz in den Nachlässen von Kaiser oder von Friedensburg wichtige Unterlagen. Insbesondere sind in den „Ostbüros" der Parteien der Bundesrepublik Dokumente und Materialien aus der SBZ/DDR gesammelt worden, speziell zur Frühzeit; und die beachtliche „graue Literatur" ist an zahlreichen Plätzen zu finden. Zusammenfassend bleibt zur insgesamt also gar nicht so dürftigen Quellenlage bis zum Ende der DDR festzustellen:

Quellen im Westen

Quellenlage bis zum Ende der DDR

1. Seit den siebziger Jahren hatte sich die Situation für die westliche Forschung insofern verbessert, als die seitdem in der DDR publizierten Dokumentationen, Erinnerungsbände und zahlreiche materialreiche Untersuchungen neue Einsichten vermittelten. In Ausnahmefällen erfolgten sogar in der Bundesrepublik wichtige Quellenveröffentlichungen, beispielsweise die Protokolle des „Blocks" der Parteien [Vgl. 136: S. SUCKUT, 1986].

2. Die Quellenlage zur Frühzeit war allerdings weit besser als für die sechziger Jahre oder bei den letzten zwei Jahrzehnten. Die meisten Dokumentationen oder Veröffentlichungen umfaßten deshalb jene Periode, über die auch in westlichen Archiven – durch seinerzeit noch existierende Verbindungen – eher Material vorhanden war als für die jüngste Zeit.

3. Die in der DDR stark angewachsene Literatur zur regionalen und lokalen Geschichte (von sehr unterschiedlicher Ergiebigkeit und Wert) erlaubte nicht nur Einblicke in das Geschehen auf zentraler Ebene, sondern teilweise auch an der „Basis".

4. Allerdings blieb zu berücksichtigen, daß die veröffentlichten Unterlagen ganz gezielt oft nur Teilbereiche behandeln durften, die Fragestellungen meist sehr einseitig waren und es daher häufig von Zufälligkeiten abhing, welches Material publiziert wurde.

5. Die Quellenlage war außerdem je nach Thematik unterschiedlich. Schwierigkeiten bestanden weniger bei ideologischen oder programmatischen Fragestellungen, generell auch nicht für die organisatorische Ebene. Hingegen waren solche Probleme wie die Meinungsbildung oder Entscheidungsfindung, Interna der Führungsebene oder die Formen der Verbindung zur sowjetischen Führung wegen nichtzugänglicher Quellen kaum zu erforschen.

6. Noch schwerer wog stets die „Parteilichkeit" der DDR-Geschichtswissenschaft, die sich sogar bis in Dokumentationen auswirkte. Auslassungen oder Verzerrungen waren auch dort ebensowenig überprüfbar wie die Kriterien der Auswahl von Materialien oder Statistiken, die nur mit äußerster Vorsicht benutzt werden konnten. Ei-

ne ideologiekritische Sicht war deshalb nicht nur – wie selbstverständlich üblich – bei Erinnerungen von Akteuren nötig, sondern genauso bei Untersuchungen und selbst Dokumentationen aus der DDR.

Situation seit 1990 Mit der deutschen Vereinigung im Oktober 1990 hat sich die Situation der Archive und damit der Geschichtswissenschaft grundlegend verändert, nun konnte eine Vereinheitlichung des Archivwesens wie der Wissenschaftslandschaft eingeleitet werden. Allerdings zeigte sich, daß der Zugang der Forscher zu den Archiven der ehemaligen DDR doch komplizierter war, als zunächst vermutet. Von Politikern, Bürgerkomitees und Wissenschaftlern waren 1991 verschiedene und oft kontroverse Äußerungen und Pläne über Verbleib und Nutzung der Archive zu vernehmen. Im Mai 1991 wurden daher im Zusammenhang mit der Archiv-Situation in Berlin folgende Grundforderungen der Wissenschaft für die DDR-Archive formuliert:

Sicherung der Archive „1. Sicherung der Bestände, der Akten und der Nachlässe.

2. Fachkundige Behandlung sämtlicher Archivalien.

3. Kein Auseinanderreißen vorhandener Bestände und auch keine Trennung der wichtigen Archive von ihren Bibliotheken.

4. Vor allem: Ungehinderter Zugang der Forschung zu den Quellen, also auch keine 30–Jahres-Sperre." [DA 24, 1991, 452 ff.].

Schwierigkeiten ergaben sich vor allem mit den nichtstaatlichen Akten. Bekanntlich war die DDR ja ein Staat, in dem die SED die Diktatur ausübte und sich dabei auf Massenorganisationen und „befreundete" Blockparteien stützte. Deshalb wurde sofort auf die Archive dieser verschiedenen Organisationen aufmerksam gemacht.

Noch 1991 war der Ruf nach „Verstaatlichung" von Akten der SED, Blockparteien und Massenorganisationen laut, oder es gab Überlegungen, alle Archive könnten gemeinsam einem neu zu schaffenden zentralen Forschungsinstitut zugeordnet werden. Im Verlauf der Debatte setzte sich dann die vernünftige Idee durch, diese Archive in eine Stiftung des öffentlichen Rechts einzubringen.

Stiftung Archiv der Parteien und Massenorganisationen der DDR im Bundesarchiv Nach Hearings der Fraktionen und des Innenausschusses des Deutschen Bundestages kam es zum Kompromiß einer unselbständigen Stiftung unter dem Dach des Bundesarchivs. Die vom Bundestag im Januar und vom Bundesrat im März verabschiedete Novellierung des Bundesarchivgesetzes trat am 28. März 1992 mit der Verkündung im Bundesgesetzblatt in Kraft. Unter dem Namen „Stiftung Archiv der Parteien und Massenorganisationen der DDR" wurde im Bundesarchiv diese unselbständige Stiftung öffentlichen Rechts eingerichtet, die 1993 zum Tragen kam. Damit sind rechtliche und finanzielle Möglichkeiten geschaffen, sowohl die vorhandenen Bestände der Archive als auch zugehörige Bibliotheken sowie hinterlegte Nachlässe zu sichern, um sie weiterhin für die Benutzer offenzuhalten. Vor allem die im Bundesarchivgesetz (§ 5, Abs. 1) genannte „Schutzfrist" von 30 Jahren findet keine Anwendung für Archivalien der Stiftung, womit die 30-Jahres-Sperre für diese Quellen aus der früheren DDR hinfällig geworden ist. Für die Forscher sind nun alle entscheidenden Archive zugänglich [vgl. dazu G. BRAUN: Anmerkungen zur Quellenbasis zeitgeschichtlicher DDR-Forschung am Beispiel der Überlieferungen von Parteien und Massenorganisationen, in: Der Archivar, 45, 1992, 538 ff. Vgl. auch

Keine 30-Jahres-Sperre

H. Weber, Die Bedeutung der Archive für die Erforschung der DDR-Geschichte, in: Der Archivar, 46, 1993, 21 ff.]

Reibungslos hatte sich die Überführung der staatlichen Akten vollzogen, diese be- Staatsarchive finden sich nun in den Staatsarchiven der östlichen Länder, die zentralen Archivalien kamen zum Bestand des Bundesarchivs (Abteilung Potsdam). Dort ist die Sicherung und sachgemäße Bearbeitung sowie der Zugang gewährleistet, auch wenn durch das Archivgesetz formal die 30–Jahres-Sperre gilt. Die Unterlagen in den Staatsarchiven ermöglichen inzwischen einen umfassenden Überblick über die staatliche, kulturelle, oft ökonomische Entwicklung der DDR.

Im Gesetz über die Akten des Ministeriums für Staatssicherheit ist ebenfalls der Zugang von Forschern zu diesen umfangreichen Beständen geregelt. Da in der DDR das MfS sowohl Verfolgungs- als auch ein Überwachungsinstrument war, befinden sich in diesen Archiv außer den (schätzungsweise über 200 km messenden) Akten über verfolgte Personen, ebenso Lageberichte über Stimmungen der Bevölkerung und detaillierte Beobachtungen aller Lebensbereiche [vgl. D. Unverhau: „Alles sehen, alles hören, nichts wissen?" Zur archivalischen Hinterlassenschaft der Staatssicherheit, in 1020 g: L. Siegele-Wenschkewitz, 1993, 26 ff.]. Allerdings ist festzuhalten: Es geht bei der wissenschaftlichen Erforschung nicht nur um die Akten des Ministeriums für Staatssicherheit, aber der Einblick in diese Unterlagen erweist sich als unbedingt notwendig und der Zugang zu den Akten als richtig. An der gegenwärtigen Diskussion – die teilweise zum Medienspektakel abrutscht – ist indes störend: Moralisch besonders verwerflich sind selbstverständlich die Aktivitäten der Inoffiziellen Mitarbeiter (IM), die ihnen vertrauende Personen bespitzelten und schadeten. Doch politisch verantwortlich zu machen sind die hauptamtlichen Funktionäre des MfS, und die dürfen nicht aus dem Blickfeld geraten. Und erst recht sollen die Herrschaftsstrukturen nicht verwischt werden. Das MfS fungierte als „Hilfsorgan" der SED. Die Erforschung der DDR-Geschichte ist also keineswegs auf die Funktion des Ministeriums für Staatssicherheit einzuengen.

Die Diktatur in der DDR hat die SED ausgeübt, deshalb sind in ihrem ehemali- Zentrales Parteiarchiv gen Zentrale Parteiarchiv alle relevanten Dokumente zur Erforschung der vierzig- der SED jährigen Geschichte, insbesondere der politischen Entwicklung, gesammelt. Einem Beschluß der SED-Führung vom April 1963 entsprechend sind im Februar 1966 20.000 Akten des zentralen Parteiapparates in dieses Archiv überführt worden [Vgl. ZPA, IV A, 2/9.07/44]. Dort lagert der Bestand des Zentralkomitees der SED von 1946 bis Ende 1989 in mehr als 60.000 Akteneinheiten. Das sind Materialien des zentralen Parteiapparats, z. B. die Sitzungsprotokolle verschiedener Parteigremien wie ZK, Politbüro und Sekretariat sowie Unterlagen der einzelnen Abteilungen des ZK oder der Zentralen Parteikontrollkommission [Vgl. H. Vosske: Über die Bestände des Archivs im Institut für Geschichte der Arbeiterbewegung in Berlin, in: IWK, 26, 1990. 191 ff.]. Darüber hinaus befinden sich auf 6.000 laufenden Metern Regalfläche aber auch historisch-archivalische Quellen von der Entstehung der ersten Arbeitervereinigungen in den dreißiger Jahren des 19. Jahrhunderts bis zum 2. Weltkrieg: Darunter der Marx-Engels-Bestand, Dokumente zur Geschichte der SPD, das historische Archiv der KPD (auch ca. 16.500 Mikroaufnahmen aus dem Kominternbestand des ZPA in Moskau). Das Archivgut der SED wird ergänzt durch 270 schriftliche Nachlässe bzw. Teilnachlässe, die meist auf der Grundlage von Depositarverträgen übernommen wurden. Hinzu kommen Sammlungen (etwa allein 2 500 Erinnerungen) sowie Schallplatten, Fotos und Filme. Neuerdings ist auch das Archiv der ehemaligen Akademie für Gesellschaftswissenschaften beim ZK der SED im Parteiarchiv. Schließlich gehört zum Archiv die unschätzbare Bibliothek mit über 400.000 Bänden. Archiv und Bibliothek bleiben im Gebäude Berlin, W.-Pieck-Str. 1 untergebracht.

FDGB-Archiv   Das zweite umfangreiche Archiv, das seit 1993 in die „Stiftung Archiv der Parteien und Massenorganisationen der DDR" einbezogen ist, kommt vom früheren Freien Deutschen Gewerkschaftsbund (leider wurden aus Platzgründen Archiv und Bibliothek räumlich getrennt). Es enthält das gesamte zentrale Schriftgut des ehemaligen FDGB von 1945 bis zur Auflösung 1990 (1.200 laufende Meter) sowie die regionalen Akten (5.500 laufende Meter). Erfaßt sind noch Akten der ehemaligen Einzelgewerkschaften des FDGB. Wichtige Unterlagen enthalten die Fragmente aus der Zeit des ADGB vor 1933, außerdem sind 48 Nachlässe vorhanden. Auch zu diesem Archiv gehört eine umfangreiche Bibliothek – mit etwa 180.000 Bänden, davon allein 70.000 aus der Zeit vor 1933 –, die als bedeutendste aus 140 Jahren deutscher Gewerkschaftsgeschichte gilt [Vgl. dazu K. KUBA: Archiv- und Bibliotheksbestände zur Gewerkschaftsgeschichte in der Johannes-Sassenbach-Stiftung, in: IWK, 27, 1991, 330 ff.].

Zur „Stiftung" gehören nun auch die Archive anderer „Massenorganisationen" der früheren DDR, erwähnt seien insbesondere die des Kulturbundes [Vgl. dazu M. THÖNS: Über die Bestände des Archivs des Kulturbundes e. V., in: IWK, 27, 1991, 366 ff.] und der Gesellschaft für Deutsch-Sowjetische-Freundschaft. [Vgl. dazu B. LANGE: Das Archiv der Gesellschaft für Deutsch-Sowjetische Freundschaft beim Zentralausschuß, in: Archivmitteilungen, 40, 1990].

FDJ-Archiv   Das Archiv der Freien Deutschen Jugend ist momentan noch außerhalb der Stiftung, es ist beim „Institut für zeitgeschichtliche Jugendforschung" verblieben. Dieses Archiv besitzt etwa 30.000 erschlossene und aufgearbeitete sowie zahlreiche noch aufzuarbeitende Akten sowie eine Bibliothek mit über 20.000 Einheiten [Vgl. dazu U. MÄHLERT/R. THYZEL: Über die Bestände des Jugendarchivs beim Institut für Zeitgeschichtliche Jugendforschung in Berlin, in: IWK, 27, 1991, 211 ff.].

Archive der   Das Archiv der Ost-CDU befindet sich seit 1991 bei der Konrad-Adenauer-Stif
Blockparteien   tung in St. Augustin, das der LDPD bei der Naumann-Stiftung in Gummersbach. Inzwischen bietet das CDU-Archiv mit ca. 200 laufenden Metern (6.000 Akteneinheiten) die „optimale Möglichkeit", die „Entwicklung der CDU detailliert untersuchen zu können" [Vgl. J. FRANKE, Das ehemalige Archiv der CDU/Ost, in: DA 24, 1991, 724 ff.]. Ähnliches gilt für das Archiv der LDPD, während die Archive der Bauernpartei (ebenfalls in der Konrad-Adenauer-Stiftung) und der NDPD (jetzt im Bundesarchiv Potsdam) weniger umfassend sind.

Schon rasch zeigte sich, daß die ungehinderte Akten-Einsicht in den Medien, aber auch in der Wissenschaft geradezu eine Flut von Veröffentlichungen auslöste. Dies ist zwar einerseits positiv zu bewerten, denn die Publikation bisher geheimgehaltener Dokumente (zunächst gerade von ehemaligen DDR-Historikern vorangetrieben) vermittelte ja auch neue Erkenntnisse. Doch anfangs erfolgten andererseits auch „Schnellschüsse". Es mangelte manchem Herausgeber an nötiger Sorgfalt, detaillierter Kenntnis und Abgewogenheit.

Es fällt auf, daß der „Boom" sogar einige Personen in die Archive gelockt hatte, die die Komplexität der 40 Jahre schon deswegen kaum begreifen konnten, weil sie sich nie zuvor mit der Thematik „DDR" befaßt hatten. Dies wird sich allmählich normalisieren. Immerhin, durch Veröffentlichungen in den ersten drei Jahren nach der „Wende" sind einige frühere Tabus der DDR-Geschichte überwunden worden. Tabus überwunden Es gibt Publikationen über sowjetische „Speziallager" nach 1945, die Beschreibung von Herrschaftsmechanismen der SED-Führung, Belege über Hintergründe des 17. Juni 1953 oder des Mauerbaus vom 13. August 1961.

Allein schon diese Hinweise unterstreichen die eminente Bedeutung der Archive für die Erforschung der DDR-Geschichte: die nun zugänglichen Quellen helfen die Legenden der früheren DDR-Historiker als solche zu entlarven. Darüberhinaus ermöglichen sie die noch vorhandenen „weißen Flecken" aufzudecken, die ja vorher von der westlichen DDR-Forschung wegen der ihr verschlossenen Quellen nicht umfassend bearbeitet werden konnten.

Bei seiner Zustimmung zum Gesetz über die Errichtung der Stiftung der Archive hatte der Bundesrat die Bundesregierung gebeten, „sicherzustellen, daß die auf der Bezirks- und Kreisebene entstandenen Unterlagen" der Parteien und Organisationen in „den zuständigen Archiven der neuen Länder archiviert werden".

Bereits vor 1992 standen alle Landesparteiarchive der SED zur Benutzung offen. SED-Regional-
Im einzelnen war im Frühjahr 1993 folgende Situation zu registrieren: archive

Mecklenburg-Vorpommern: Die Materialien aus den früheren Bezirken Rostock, Schwerin und Neubrandenburg sind in Bolz, Kreis Sternberg zusammengefaßt. Die Übernahme durch das Landesarchiv soll erfolgen, allerdings gibt es noch zu erschließende Teilbestände.

Brandenburg: Seit dem 1. Januar 1992 sind die Bezirks-Bestände von Potsdam, Frankfurt/Oder und Cottbus dem Brandenburgischen Landeshauptarchiv in Potsdam zugeordnet, und zwar aufgrund eines Depositarvertrags.

Sachsen-Anhalt: Die Archivalien der Bezirke Halle und Magdeburg gingen an das Landeshauptarchiv.

Sachsen: Die Archive in Dresden, Leipzig und Chemnitz wurden durch vertragliche Vereinbarung mit der PDS vom Dezember 1992 vom Land übernommen und sollen in absehbarer Zeit zugänglich sein.

Thüringen: Die Archive in Erfurt, Gera und Suhl sollen durch Eingbringungsvertrag mit der PDS in die thüringischen Staatsarchive kommen. Zunächst gab es Bestrebungen der Regierung, die PDS-Archive zu „verstaatlichen". Die Akten werden nun frühestens ab Herbst 1993 zugänglich sein. Obwohl viele Akten erst aufgearbeitet werden müssen, ist die Lage insgesamt zufriedenstellend.

Lokale Akten   Alle Landesregierungen haben inzwischen zugestanden, daß die 30-Jahre-Sperre für die SED-Akten in den Landesarchiven keine Anwendung findet.

Gefährdete Bestände in den neuen Ländern sind noch viele der dortigen Betriebs-, Kreis- oder Gemeindearchive. Auf einer Tagung des Unabhängigen Historikerverbandes machten Vorstandsmitglieder im April 1992 darauf aufmerksam, daß nicht zuletzt aus Gründen der Gemeindereform Archiven „die Vernichtung droht". Inzwischen liegt ein „erster Überblick" über die Bestände zur Geschichte der SBZ 1945–1949 in den Staatsarchiven vor, der auf die Akten der Kreisverwaltung als Quelle für die Forschung verweist und Bestände von Kreisen in einigen Staatsarchiven aufführt [Vgl. Archivmitteilungen 41, 1991, 155 ff.]. Für die Aufarbeitung der Geschichte „volkseigener Betriebe" hat sich eine „Projektgruppe Wirtschaftsarchive" gebildet, die die Unterlagen erfassen will. Schätzungen gehen von einem Gesamtbestand von insgesamt 100 Kilometern schriftlicher Überlieferung aus.

Bürgerbewegungen   Hinzuweisen ist auch auf zahlreiche Sammlungen und Bibliotheken, die im Zusammenhang mit der Bürger- und Friedensbewegung am Ende der DDR entstanden waren und die für die Erforschung der Umwälzung in der DDR unersetzliche Dokumente aufbewahren. Das geplante „Archiv der deutschen Einheit in Leipzig" könnte einen Teil dieser Materialien übernehmen und zugänglich machen.

Archive der früheren Sowjetunion   Auch Archive der ehemaligen UdSSR sind für die Erforschung der Geschichte der DDR relevant. Schließlich hatte die Sowjetische Militäradministration in Deutschland von 1945 bis 1949 die oberste Gewalt in der SBZ ausgeübt. 1949 bis 1953 waren die Sowjetische Kontrollkommission in Deutschland und dann 1953/54 der Hohe Kommissar in Ost-Berlin mit entscheidenden Vollmachten betraut. Alle diese drei Institutionen waren staatliche Organe und von daher verpflichtet, ihren Aktennachlaß an staatliche Archive in Moskau abzuliefern.

Anders bestellt war es um die Kontakte auf der Parteiebene, die bis 1991 Sache der KPdSU blieben und deren schriftlicher Niederschlag im ehemaligen Parteiarchiv in Moskau aufbewahrt wurde, das mit der Verstaatlichung Ende 1991 ebenfalls in den russischen Staatsbesitz übergegangen ist. Die neugegründeten Dokumentationszentren in Moskau arbeiten allerdings außerhalb des Zentralen Staatsarchivs. Im Russischen Zentrum für die Aufbewahrung und das Studium der Dokumente der neuen Geschichte ist das Archivmaterial aus der Agenda des Apparates des ZK der KPdSU aus der Zeit bis 1952 vorhanden, und im Zentrum für die Aufbewahrung moderner Dokumente die Unterlagen des Zeitraums zwischen 1952 und 1991.

Hochrangiges Quellenmaterial zur DDR-Geschichte dürfte sich im sogenannten Kreml-Archiv befinden, das früher unmittelbar dem Generalsekretär des ZK der KPdSU unterstellt war. Es ist für die wissenschaftliche Forschung 1993 noch nicht zugänglich. Ähnliches gilt für Dokumente im KGB-Archiv. Lediglich kleinere Teile der Aktenbestände der SMAD sind seit einiger Zeit im Zentralen Staatsarchiv der Oktoberrevolution in Moskau einzusehen.

Gute Quellenlage   Die derzeitige Archivsituation bietet für die Vorgeschichte und Geschichte der DDR 1945 bis 1990 allgemein eine sehr gute Quellenbasis, um in den nächsten Jahren, vielleicht Jahrzehnten, die Entwicklung des zweiten deutschen Staates bis in die

Details beschreiben zu können. Dies bedeutet jedoch keineswegs, daß der heutige Forschungsstand nicht bereits wesentliche Einschätzungen erlaubt. Trotz mancher gegenteiliger Meinungen ist – wie im folgenden gezeigt wird – bereits auf einem soliden Forschungsstand aufzubauen, muß das „Rad nicht neu erfunden" werden.

Allerdings ist ein nicht geringer Teil der Arbeiten, die in der früheren DDR so zahlreich publiziert wurden, kaum zu gebrauchen und oft nur noch Makulatur. Dies hängt mit der SED-„Parteilichkeit" dieser Historiographie – vor allem bei der Zeitgeschichte – zusammen, die daher zunächst nochmals dargestellt wird.

2. Die „Parteilichkeit" der früheren DDR-Geschichtswissenschaft

Die Geschichtswissenschaft hatte sich, wie jede Gesellschaftswissenschaft in der ehemaligen DDR, den Vorstellungen und Ansprüchen der SED untergeordnet. Inhalte wie Methoden der Forschung richteten sich nach Vorgaben der Parteiführung, weil der Geschichtsbetrachtung in der DDR eine zentrale politische Funktion bei der ideologischen Legitimation der SED-Herrschaft zukam. Der Marxismus-Leninismus mit seinen drei Teilbereichen Philosophie (zu der auch der historische Materialismus, die Geschichtstheorie, gehörte), Politische Ökonomie und Wissenschaftlicher Kommunismus sollte durch ein entsprechendes Geschichtsbild abgesichert und ergänzt werden. Dieses Geschichtsbild sollte Geschichtsbewußtsein schaffen. Erich Honecker hatte auf dem X. Parteitag der SED 1981 darauf verwiesen: „Von großer Bedeutung für die Festigung des sozialistischen Bewußtseins der Werktätigen sind Arbeiten zur weiteren Vervollkommnung des marxistisch-leninistischen Geschichtsbildes, vor allem zur Geschichte der DDR und unserer revolutionären Kampfpartei" [Protokoll X. Parteitag der SED, Bd. I, 100]. *(Geschichte als ideologische Legitimation)*

Nun ist eine marxistische Geschichtsdeutung nicht weniger legitim als andere methodische Ansätze, von einer stark auf die ökonomische Entwicklung gerichteten Sicht könnten durchaus interessante Erkenntnisse erwartet werden. Doch die Behauptung der SED-Historiker, eine marxistische Geschichtsinterpretation zu liefern, erwies sich bei näherer Betrachtung – insbesondere ihrer Arbeiten zur DDR-Geschichte – als unzutreffend. Die Meinung, die frühere DDR-Historiographie sei eine marxistische Wissenschaft gewesen, ist zumindest in drei Punkten zu korrigieren: *(Marxistische Geschichtsschreibung)*

Erstens beschränkte sich diese „marxistische" Deutung oft nur auf die Terminologie und einige dogmatische Grundaussagen oder genauer: parteiliche Zitatenauswahl. Soweit es sich um die Definition bisheriger Gesellschaftsformationen oder die „gesetzmäßige" Entwicklung handelte, haben die DDR-Historiker orthodox am historischen Materialismus festgehalten. Doch bei der Einschätzung ihrer eigenen Geschichte haben sie sich eher auf idealistische als auf materialistische Positionen gestützt. Als Erklärungsmuster sind nicht ökonomische, politische und organisatorische Determinanten in Zusammenhang gebracht worden, sondern wurde auf ideologische Konzeptionen abgehoben und diese sind dann als Kenntnisse einer angeblich „objektiven Gesetzmäßigkeit" des Geschichtsverlaufs ausgegeben worden.

Zweitens wurde in der ehemaligen DDR keineswegs die ideologiekritische marxistische Methode angewandt, sondern im Gegenteil Widersprüche vertuscht, Differenzen umgedeutet und Brüche geleugnet. Die Unterordnung des Geschichtsbildes unter die Erfordernisse aktueller SED-Politik hatte verhindert, daß der „Marxismus" als Methode empirischer Forschung diente. Vielmehr wurde er für politische Zwecke instrumentalisiert oder war eine Schablone, in die die tatsächlichen Ereignisse gepreßt wurden. Insofern handelte es sich beim dortigen „Marxismus-Leninismus" um eine Rechtfertigungs- und Verschleierungsideologie, ganz wie Marx sie schon kritisierte.

Parteilichkeit und Objektivität

Drittens ist die offizielle „marxistische" Geschichtsschreibung der DDR allein von der SED-Spitze bestimmt worden. Objektivität bei der Beschreibung der eigenen Geschichte kann zwar von keiner Partei erwartet werden. Doch die penetrante „Parteilichkeit", die von der SED-Ideologen weitgehend durchgesetzt wurde, ließ nicht nur Objektivität (was ja keineswegs bloße Faktologie ist) vermissen, sondern ebenso jeden Respekt vor historischen Fakten, falls dies aus politischen Erfordernissen „notwendig" schien.

Das Geschichtsbild hatte grundsätzlich der Sinngebung der SED-Politik zu dienen, wobei als Axiom galt: Da sich die Partei stets in Übereinstimmung mit dem „Rad der Geschichte" befände, sei ihr Kurs wissenschaftlich begründet und deshalb richtig.

Ausgehend von dieser ideologisch-politischen Anschauung war die Beschreibung der eigenen Geschichte in der DDR durch einheitliche Grundthesen gekennzeichnet. Statt einer Vielfalt an Aussagen und Interpretationen gab es nur parteiliche Monotonie. Viel verheerender als das ständige Selbstlob der eigenen Entwicklung wirkte sich aus, daß dies nicht nur die offizielle, sondern auch die einzig zulässige Lesart war, eine abweichende Meinung kaum an die Öffentlichkeit kam. Der für die Geschichtswissenschaft unabdingbare Pluralismus fehlte.

Fehlender Pluralismus

In ihrem Selbstverständnis waren SED und DDR Erbe „alles Progressiven in der Geschichte des deutschen Volkes" (Programm der SED). Diese Traditionen, insbesondere der Arbeiterbewegung, fanden nach dortiger Sicht in der DDR ihre „gesetzmäßige" Fortsetzung. An dieser Grundaussage der politischen Führung orientierte sich die DDR-Geschichtswissenschaft, deren Funktionen sich daher zusammenfassend so charakterisieren lassen:

Entsprechend ihrer Ideologie sah die SED ihre Geschichte als einen objektiven, gesetzmäßigen Prozeß. Da die Partei- und Staatsführung für sich in Anspruch nahm, kraft „wissenschaftlicher" Ideologie die genaue Kenntnis von der Gesetzmäßigkeit des Geschichtsverlaufs zu besitzen, leitete sie daraus ihren Führungsanspruch gegenüber der DDR-Geschichtswissenschaft ab. Deren Auftrag lautete daher, durch Darstellung verwertbarer Fakten ein für die SED positives und ihr politisch nützliches Geschichtsbild zu vermitteln und Traditionsbewußtsein zu schaffen. Immer hatte die Historiographie zu „beweisen", daß die Traditionen der deutschen Arbeiterbewegung in der DDR konsequent fortgeführt würden.

Die Behauptung, die Politik der SED basiere auf der Kenntnis der historischen Gesetzmäßigkeiten sowie die Berufung auf die Tradition der Arbeiterbewegung hatten allein der Legitimation ihrer Herrschaft, der ideologischen Absicherung ihrer „führenden Rolle" zu dienen. Damit sind die Kernpunkte des Auftrages der Geschichtswissenschaft angesprochen: Die Berufung auf progressive Traditionen implizierte die Prognose für eine fortschrittliche Politik in Gegenwart und Zukunft. Aus der angeblichen Kenntnis der historischen Gesetze und ihrer Beachtung galt es Siegesgewißheit zu verbreiten und den Führungsanspruch der SED zu untermauern.

Deshalb verpflichtete die DDR-Führung ihre Historiker, den „Beweis" zu erbringen für die zentrale Aussage der Ideologie, daß die Kommunisten in der Vergangenheit „immer recht" hatten, woraus abgeleitet wurde, daß dies auch für Gegenwart gelte und in der Zukunft zuträfe. „Partei hat immer Recht"

Diese Politisierung hatte in der DDR Geschichte zur rückprojizierten Gegenwart degradiert. Das bedeutete, daß die aktuelle politische Linie in die Vergangenheit transformiert wurde. Geschichte war so zu schildern, wie sie laut Parteidekret hätte sein sollen, aber nicht so, wie sie wirklich verlief. Für die Rechtfertigung der politische Linie der Parteiführung mußte die Geschichte aber ständig umgeschrieben werden. Nach jeder politischen Kurskorrektur erfolgte, falls „notwendig", auch eine Neufassung der Geschichtsdarstellung. Die Historiker waren „Dienstmagd" der Politik. Da in der Gegenwart keine „Abweichungen" geduldet wurden, durfte es auch in der Geschichte nur eine gültige Linie, an der Spitze der Bewegung stets also nur eine Gruppe oder gar Person geben, die „immer recht" hatte. Auf diese Weise entstanden neue Versionen, gab es Legenden, Verzerrungen und Fälschungen, aber auch – falls dies der gerade gültigen Politik entsprach – Annäherungen an die historische Wirklichkeit, die freilich beim nächsten Kurswechsel wieder revidiert werden konnten.

Selbstverständlich waren diese Vorgaben von der Geschichtswissenschaft nicht durchgehend und restlos zu erfüllen, schließlich bestand ein Spannungsverhältnis zwischen dem Anspruch der Partei und dem wissenschaftlichen Eigeninteresse der Forschung. Natürlich waren auch dort Historiker bemüht, wissenschaftlich tragfähige Ergebnisse vorzulegen, wollte sich die „Zunft" Freiräume schaffen, allein schon wegen ihrer eigenen Reputation auf internationalem Feld. Freiraum der Wissenschaft

Die völlige Unterordnung der Forschung unter die Parteidirektiven der SED wurde insofern verringert, als diese sich allmählich auf die Vorgabe der Grundrichtung beschränkte, deren Ausgestaltung aber den Fachwissenschaftlern – darunter die meistens bis zum Ende noch überzeugte SED-Mitglieder – und ihrem Diskussionsprozeß überließ. Allerdings erwies sich der Gestaltungsraum der Wissenschaftler umso größer, je weiter sie historisch zurückgingen oder vom Kern der Ideologie entfernt ihre Studien betrieben. Daher blieb die Zeitgeschichte eindeutig von der Parteilichkeit der SED-Politik bestimmt, gerade sie war ideologischer Gängelung unterworfen. Dies traf erst recht für die Darstellung der Geschichte der DDR selbst zu, hier konnte die Parteiführung ihre Vorgaben durchsetzen.

Stalinistische
Historiographie
bis 1965

Dabei sind allerdings zwei unterschiedliche Phasen zu beachten. Bis 1965 führten primitive Fälschungen der historischen Fakten zu einer dogmatisch verzerrten Geschichtsdarstellung. Die Merkmale stalinistischer Historiographie prägten die Forschung in der DDR:

— Die Geschichtsschreibung war strikt „parteilich", die Vergangenheit wurde mittels einseitiger Auswahl und voreingenommener Bewertung verzerrt.

— Die Historiker verschwiegen nicht nur unbequeme und die Partei kompromittierende Fakten, sie fälschten auch Dokumente. Wichtige Passagen wurden unterschlagen, in Faksimiles z. T. durch Ätzungen unkenntlich gemacht, Bilder retuschiert usw.

— Besonders gravierend war die Eliminierung von Namen, z. B. wurden ehemalige Führer, die mit der Partei in Konflikt geraten waren, zu „Parteifeinden" und „Agenten" erklärt, und sie wurden geradezu „Unperson", ihre wirkliche Rolle aus der Geschichte getilgt.

Diese stalinistischen Methoden behielt die DDR-Geschichtswissenschaft zunächst auch bei, als sie ab 1960 die Erforschung des eigenen Staates intensivierte. In der ersten Gesamtgeschichte der DDR von S. Doernberg [311] fehlte 1964 z. B. bei der umfassenden Vorstellung des Gründungsaufrufes der KPD von 1945 der Punkt zwei, in dem die „private Unternehmerinitiative auf der Grundlage des Privateigentums" bejaht worden war.

Namen
verschwinden

Auch ein anderes typisches Beispiel von „Parteilichkeit" ist bei Doernberg zu finden. In der Erstauflage seiner „Kurzen Geschichte der DDR" 1964 war der sowjetische Parteichef Nikita Chruschtschow auf 27 Seiten genannt und außerdem auf zwei Fototafeln (Präsidium des VI. Parteitags der SED und Veranstaltung zum 70. Geburtstag Ulbrichts) abgebildet. Bereits 1965 erschien die zweite Auflage des Buches, nun war Chruschtschow aber nur noch auf 5 Seiten erwähnt, die Bilder mit ihm vom VI. SED-Parteitag und sogar von Ulbrichts Geburtstag waren verschwunden und durch andere ersetzt worden. Nach Chruschtschows Absetzung im Oktober 1964 erfolgte also sofort 1965 die Verdrängung seiner Person und seines Wirkens aus Geschichtsdarstellungen der DDR.

Selbst aus Ulbrichts Werken wurden Passagen, die mit der Parteilinie nicht mehr übereinstimmten, ohne Kenntlichmachung weggelassen. So fehlten etwa in Band 2 seiner Auswahl „Zur Geschichte der deutschen Arbeiterbewegung" von 1953 in einem Artikel aus dem Jahr 1946 die Hinweise auf den „besonderen deutschen Weg" zum Sozialismus. In Band 4 von 1958 geschah das gleiche mit früheren Verdammungen der „Tito-Clique" oder damaligen Verherrlichungen Stalins. Auf diese Weise waren sogar Dokumentationen als Quellen nicht benutzbar.

Bildfälschungen

Ging der Parteiführer mit solchen Methoden selbst voran, so scheuten „Historiker" sogar vor Bildfälschungen nicht zurück. In einem 1964 (2. Auflage 1965) erschienenen Werk „120 Jahre deutsche Arbeiterbewegung" (309) wurde der Kopf des ehemaligen 2. Vorsitzenden der KPD, Kurt Müller, der 1965 als „Parteifeind" galt, aus einem Bild des Präsidiums des Gründungsparteitags der SED wegretuschiert. Das gleiche Bild wurde später, in einem Buch von 1976 „Die Vereinigung von KPD und SPD zur SED" [643: 275] wieder ungefälscht veröffentlicht. In einem 1961 von der FDJ herausgegebenen Band „Freie Jugend – Neues Leben" (29) ist das Präsidium des Gründungskongresses der FDJ 1946 abgebildet, aber ein FDJ-Funktionär durch Hineinretuschieren eines Bartes und veränderter Haarfrisur nicht zu identifizieren. Es handelt sich um Robert Bialek, der später aus der DDR geflüchtet war. Andererseits hatten die Herausgeber dieses Buches eine Fälschung des FDJ-Gründungsbeschlusses wieder „rückgängig" gemacht. Aus der Gründungsurkunde waren im Band „Zur Geschichte der Arbeiterjugendbewegung in Deutschland" 1956 (366) Namen von Gründungsmitgliedern weggeätzt, 1961 wurde dieses Dokument (25) wieder im Original faksimiliert.

Arbeiten zur Geschichte der DDR blieben bis Mitte der sechziger Jahre weitgehend von diesem Prinzip bestimmt und sind daher für die Forschung kaum ergiebig. Seit der danach vollzogenen Wende wurden im allgemeinen direkte Fälschungen vermieden, doch viele historische Gegebenheiten noch durch eine ideologische Brille betrachtet und damit verzerrt gesehen; weiterhin diente die Geschichtswissenschaft der Untermauerung parteipolitischer Anliegen, indem sie vorgefaßte politische Einschätzungen zu bestätigen hatte. Diese Methode wurde mit dem Begriff „Parteilichkeit" umschrieben, die dazu in einem Spannungsverhältnis stehende Schilderung der Fakten aber ebenfalls als notwendig erklärt. Wende ab 1965

Doch die „Parteilichkeit" blieb bestimmend. Dies ging so weit, daß für die jeweilige „Richtigkeit" historischer Fakten – wie sich nach Öffnung der Ost-Archive nachweisen läßt – die politischen Instanzen zuständig waren. Schon vor längerer Zeit war z. B. nachgewiesen worden, daß die Teilnehmerliste der letzten Sitzung des ZK der KPD 1933 in jeder der drei Auflagen des Berichts anders aussah [vgl. H. WEBER, Kommunismus in Deutschland 1918 – 1945, Darmstadt 1983, 14 ff.]. Ein jetzt erstmals einzusehender Brief des Leiters der Kaderabteilung des ZK der SED, Fritz Müller, vom 20. Oktober 1970 an das Institut für Marxismus-Leninismus dokumentiert, wie sich dabei die Politik einschaltete: Vorgaben der Politik

„Da Genosse Hans Kippenberger in der Sowjetunion rehabilitiert wurde, kann er unserer Meinung nach erwähnt werden, doch sollte man nur das Geburts- und Todesjahr erwähnen ohne nähere Angaben, wo und unter welchen Umständen Gen. H.K. verstorben ist. Weiterhin schlagen wir vor, den Genossen Hans Pfeiffer nicht zu erwähnen, weil er im Konzentrationslager, als er es nicht mehr notwendig hatte, weitgehende Angaben über seine internationale Arbeit bei der Profintern gemacht hat." (Zentrales Parteiarchiv, IV A 2/9.07/44).

In ähnlicher Weise hatte der Zentralrat der FDJ, Abteilung Agit.-Prop.-Kultur im Mai 1956 angeordnet, daß die (oben erwähnte) Gründungsurkunde der FDJ „nur noch mit folgenden Abänderungen zu veröffentlichen ist, und zwar sind folgende Unterschriften zu entfernen" – das waren die Namen von zwei inzwischen zu „Feinden" erklärten Mitbegründern, nämlich Emil Amft und Fritz Votava. Namen entfernen

Auch wenn solche direkten Eingriffe wohl die Ausnahme bildeten, erwies sich die Abhängigkeit der Geschichtsschreibung von der Politik als verheerend, führte zum Umschreiben der Fakten, zur Eliminierung mißliebiger Namen, degradierte – wie

DDR-Historiker gleich nach der Wende selbst bestätigten – die Geschichtswissenschaft zur „Magd" der SED.

Schließlich hatte die Geschichtswissenschaft der DDR mit den gleichen Schwierigkeiten zu kämpfen wie alle Gesellschaftswissenschaften, die sich mit ihren Forschungsprogrammen der ideologischen Doktrin und der Parteilinie unterordnen mußten. Doch sind gewisse Differenzierungen im Verhältnis zwischen Gesellschaftswissenschaften und Ideologie beachtenswert. Bei der Untersuchung von Teilfragen war es allmählich durchaus möglich, empirisch abgesicherte Einzelergebnisse zu veröffentlichen, selbst wenn diese in ihrer Summe oder in der theoretischen Verallgemeinerung vom herrschenden Dogma abwichen.

Probleme der DDR-Gesellschaftswissenschaften

Allgemein zeigte sich, daß Monographien und Untersuchungen zu bestimmten Problemen oder Detailfragen der DDR-Geschichte ergiebiger waren, vor allem neue Fakten brachten, während offizielle Werke und Gesamtdarstellungen stärker an der „Parteilichkeit" ausgerichtet blieben.

Auch in den achtziger Jahren änderte sich an diesen Prinzipien der Historiographie der DDR nichts, soweit es die hier zu untersuchende Darstellung der Geschichte des zweiten deutschen Staates betrifft. Unter den zahlreichen Werken zur Entwicklung der DDR befinden sich durchaus wichtige Studien mit einer Fülle bisher unbekannter Dokumente. Hauptmangel vieler Arbeiten war jedoch die Gängelung der DDR-Historiker durch die SED. Trotz begrenzter Fortschritte der DDR-Geschichtswissenschaft machte eine solche Grundhaltung der „Parteilichkeit" das Verhältnis zur eigenen Tradition fragwürdig.

3. Probleme der Periodisierung

Die „Parteilichkeit" der DDR-Geschichtsschreibung beeinflußte die Debatten der Periodisierung. Damit hatte sich auch die westliche DDR-Forschung beschäftigt. Die Frage, welche Phasen die DDR durchlief, in welche Perioden oder Etappen ihre Geschichte zu unterteilen ist, hatte in der Historiographie an Bedeutung gewonnen, je länger der andere deutsche Staat existierte. In der DDR vollzog sich diese Diskussion im Rahmen allgemeiner Überlegungen zur Periodisierung, Ausgangspunkt war die Arbeit von E. Engelberg zu „methodologischen Problemen der Periodisierung" [ZfG 19, 1971, 1219 ff.]. Freilich ging Engelberg damals auf die Entwicklung der DDR selbst kaum ein, er unterschied nur zwei „Hauptperioden", die Zäsuren setzte er 1945 und 1961. In der folgenden Diskussion versuchte K. Reissig [BzG 15, 1973, 426 ff.] die Periodisierung der DDR-Geschichte im Kontext mit der Entwicklung der anderen kommunistisch regierten Staaten zu bringen, er stützte sich dabei auf die sowjetische These der „entwickelten sozialistischen Gesellschaft". Entsprechend wurde nun statt der vorher üblichen Unterscheidung von „zwei Revolutionen" (der demokratischen und der sozialistischen) in der DDR vom „einheitlichen revolutionären Prozeß" gesprochen.

Periodisierung durch die DDR-Historiker

Bis 1981 war folgender Diskussionsstand erreicht: Die Entwicklung vollzog sich in zwei „großen Perioden", nämlich der Übergangszeit vom Kapitalismus zum Sozialismus bis Anfang der sechziger Jahre und von da an das Stadium des „Sozialismus". Dabei wurden folgende Etappen unterschieden: 1. die „antifaschistisch-demokratische Umwälzung" von 1945-1949, 2. die „Schaffung der Grundlagen des Sozialismus" von 1949 bis Anfang der sechziger Jahre, 3. die „beginnende Errichtung des entwickelten Sozialismus" in den sechziger Jahren, 4. die „Gestaltung der entwickelten sozialistischen Gesellschaft" in den siebziger Jahren [308: R. BADSTÜBNER, 1974, 15].

Unabhängig von dieser Methodendebatte hatte sich in der Geschichtsschreibung der DDR eine Periodisierung herausgebildet, die sichtbare Zäsuren besonders betonte. In Gesamtdarstellungen, die zwischen 1964 und 1974 erschienen [so 311: S. DOERNBERG, 1964; 314: Geschichte der deutschen Arbeiterbewegung, 1966; 171: Deutsche Geschichte in Daten, 1967; 310: DDR, Werden und Wachsen, 1974; 319: Klassenkampf, Tradition, Sozialismus, 1974] galten als Einschnitte die Jahre 1949, 1955/56, 1961, 1965 und 1971. Einige Daten der DDR-Geschichte waren so gravierend, daß sie in Ost und West übereinstimmend als Zäsuren der Entwicklung gesehen wurden. Das galt für die Gründung des Staates 1949, die Abriegelung durch den Bau der Mauer und das Ende der strukturellen Umwälzungen 1961 oder die Ablösung Ulbrichts und den VIII. Parteitag der SED 1971.

Allerdings zeigt eine Analyse der jeweiligen Charakterisierung der Etappen in den damaligen DDR-Untersuchungen selbst keine Einheitlichkeit. Bei der Kennzeichnung der einzelnen Phasen in den – zu verschiedenen Zeiten erarbeiteten – DDR-Werken wird der Einfluß der jeweiligen SED-Politik deutlich [vgl. zu den Einzelheiten 875: A. FISCHER/H. WEBER, 1979].

Beispielsweise wurde die erste Periode 1945 bis 1949 bei DOERNBERG 1964 [311] als „antifaschistisch-demokratische Umwälzung im Osten" beschrieben, in der „Deutschen Geschichte in Daten" 1967 [171] die Einheit Deutschlands vorangestellt und sogar von der „antifaschistisch-demokratischen Revolution" im Osten Deutschlands gesprochen. In „Klassenkampf, Tradition, Sozialismus" von 1974 [319] stand hingegen die „Befreiungstat der Sowjetunion" am Anfang. War also während der Ulbricht-Ära der sechziger Jahre die Rolle der UdSSR zurückgedrängt, die Umwälzung zu einer „Revolution" hochstilisiert worden, so spiegelte sich in Arbeiten von 1974 die Politik Honeckers wider, rückte nun die Rolle der UdSSR an die Spitze der Aufzählungen von Merkmalen einer Etappe, und es verschwand sogar die früher problematisierte Einheit Deutschlands.

Schon die Charakterisierung der jeweiligen Zeitspanne und die Einschätzung der Hauptfaktoren für die vorgenommene Periodisierung lassen erkennen, daß Geschichtsbetrachtung für die DDR rückprojizierte Gegenwart hieß. In den achtziger Jahren ist die Periodisierung entsprechend den oben für 1981 angeführten Kriterien vereinheitlicht worden, so bei HEITZER 1979 [317, 5. Aufl. 1989]. Er läßt auf die „antifaschistisch-demokratische Umwälzung" 1945 bis 1949 die „Errichtung der Grundlagen des Sozialismus" 1949 bis 1961 folgen, danach sieht er die DDR „auf dem Wege zur entwickelten sozialistischen Gesellschaft" 1961 bis 1970 und

Zäsuren der
Entwicklung

Kennzeichnung
der Phasen
im Wandel

von 1971 bis 1984 die „weitere Gestaltung der entwickelten sozialistischen Gesellschaft". Kleinere Zeitabschnitte zeigt die Periodisierung hingegen in Geschichtsdarstellungen der Parteien und Organisationen, so z. B. in der „Geschichte der SED. Abriß" [581], der Geschichte des FDGB [699], der NVA [990] oder der Geschichte der Freien Deutschen Jugend [700]. Doch auch hier entsprachen die verwendeten Hauptbezeichnungen der Etappen und die aufgezählten Faktoren der gerade gültigen politischen Linie der SED.

Kritik der westlichen Forschung

Diese Probleme mit der Periodisierung führten zur Kritik durch die westliche Geschichtsforschung. In einer Untersuchung nahm 1980 C. von BUXHOEVEDEN [867] die Frage der Periodisierung zum Anlaß, das Verhältnis von Geschichtswissenschaft und Politik in der DDR zu thematisieren. Nach der Darstellung methodologischer Probleme der Periodisierung ging sie auf die Politik der „antifaschistisch-demokratischen Phase" ein und untersuchte die Stellungnahme der DDR-Historiker zu dieser Periode. Sie kam zum Schluß (219 ff.), in der DDR werde versucht, mit „immer neuer Theoriebildung die erste Phase der SBZ/DDR-Entwicklung in ein aus jeweiliger politischer Aktualität gewünschtes Geschichtsbild einzufügen". Die Verfasserin konstatiert nach genauer Analyse der Debatten über die Periodisierungskriterien, daß es in der DDR „nicht nur um methodisch-theoretische Klärung fachspezifischer Fragen geht, sondern daß politische Überlegungen diese Diskussion immer mitbestimmen", dies aber die Begriffe mehr verwirrt als klärt.

Nachträgliche parteiliche Deutung

Gerade anhand der Periodisierung wird die nachträgliche parteiliche Deutung der dortigen Geschichte sichtbar. Das Jahr 1952, von den Akteuren, insbesondere Ulbricht, zunächst als deutliche Zäsur gedacht – wurde doch auf der 2. Parteikonferenz der SED erstmals der „Aufbau des Sozialismus" offiziell verkündet – wurde schon ein Jahrzehnt später kaum noch als Einschnitt genannt. Da die Umwandlung des Systems – also der „Aufbau des Sozialismus" – ohnehin bereits früher begonnen und dies nur vertuscht worden war, kam dem Datum 1952 später die anfangs zugesprochene Bedeutung nicht mehr zu.

Daher hatte sich die westliche Geschichtswissenschaft auch weniger an den konzeptionellen als an tatsächlichen Zäsuren orientiert. In Gesamtdarstellungen der DDR-Geschichte sind die Daten 1949, 1961 und 1971 als Einschnitt der politischen Geschichte unumstritten. Allerdings äußerte sich STARITZ [325: 1985, 8 f.] skeptisch gegenüber Versuchen, „DDR-Geschichte in markante Entwicklungsabschnitte zu unterteilen", es böten sich eher „die augenfälligen Zäsuren an, die von den politischen Akteuren wie von der Gesellschaft auch als solche empfunden" worden seien.

Einen anderen Aspekt hatte GLAESSNER [880, 638 ff.] eingebracht. Er verwies darauf, daß verschiedene Gesellschaftsbereiche wie Wirtschaft oder Bildungswesen teilweise andere Eckdaten haben, und kommt zu dem Schluß, Periodisierungen der „verschiedenen Disziplinen, der politischen Geschichte, der Sozialgeschichte, der Wirtschaftsgeschichte" usw. seien zu verbinden und „mit bestimmten Querschnittsfragestellungen" zu erproben. Konkret nannte er Lernfähigkeit und Wandlungsfähigkeit des Systems, aber auch „Modernität" der DDR. Die Diskussion um die Periodisierung ist eben kaum zu trennen von der generellen Einschätzung der untergegangenen DDR, ihrer Gesamtgeschichte und den Debatten um die Typologie des Systems.

4. Typus und Entwicklung der DDR-Gesellschaft im Widerstreit der Forschung

Die Gesamteinschätzung der Entwicklung der DDR war für die dortigen Historiker problemlos: für sie erfolgte „gesetzmäßig" die Überwindung des Kapitalismus durch eine „sozialistische Revolution", die Errichtung der Herrschaft der Arbeiterklasse und schließlich der Aufbau des Sozialismus. Bei einer Konkretisierung dieser allgemeinen Beurteilung zeigt sich jedoch, daß das Sozialismus-Bild der DDR stets am jeweiligen politischen Standort der UdSSR ausgerichtet blieb. Zunächst galt der Stalinismus als „Sozialismus", später der verknöcherte Bürokratismus der Breschnew-Ära, aber auch die Reformansätze Chruschtschows. Schließlich sollte der Begriff „realer Sozialismus" eine Abgrenzung von anderen Formen, vor allem vom demokratischen Sozialismus ermöglichen. Zu Ulbrichts Zeiten nannte sich die DDR „entwickeltes sozialistisches System", später „entwickelte sozialistische Gesellschaft", aber in allen Entwicklungsstadien blieb die Führungsrolle der SED als entscheidender Faktor dieses „Sozialismus" unangetastet.

Auch in der westlichen Forschung hängt die Einschätzung der 40 Jahre DDR, die Frage nach ihrer Typologie, eng mit der jeweiligen theoretischen Beurteilung des Sowjetkommunismus zusammen. Die materialreichen Untersuchungen zur Geschichte der DDR in den fünfziger Jahren waren – ohne daß dies immer thematisiert wurde – stark von der Totalitarismusdoktrin beeinflußt. Aus dieser Sicht konnte die DDR-Geschichte nur als Teilentwicklung des Sowjetkommunismus verstanden werden. Die Grundthese von der Sowjetisierung der DDR und vom Totalitarismus ihrer Gesellschaft war zwar einseitig, sie belegte aber die Abhängigkeit von der Führungsmacht UdSSR, die in späteren Untersuchungen oft vernachlässigt wurde.

Selbst wenn die Totalitarismusthese in letzter Zeit wieder aufgenommen wurde, genügt es, hier nur auf sie zu verweisen, weil sie die sowjetische und nicht die DDR-Entwicklung in den Mittelpunkt stellt. Außerdem gibt es inzwischen neben der breiten Diskussion über den Totalitarismus auch Untersuchungen, die seine Rolle in der Kommunismus-Forschung erläutern [z. B. 883: V. Gransow, 1980] oder die sich sogar speziell mit Ansätzen in der damaligen DDR-Forschung befassen [879: G.-J. Glaessner, 1982]. Obwohl diese Arbeiten in unserem Zusammenhang nicht befriedigen können, weil darin die historische Forschung kaum berücksichtigt wird, bieten sie zur Frage der Typologie der DDR-Gesellschaft genügend Diskussionsstoff. Eine andere Einschätzung hatte bereits 1965 R. Dahrendorf gegeben [723], er definierte die DDR als eine „moderne Gesellschaft". Seine These von der DDR als Modernität in totalitärer Form wurde indes kaum weitergeführt [vgl. später 880: G.-J. Glaessner, 1984, 649].

Totalitarismus-Doktrin

Übergangs-
gesellschaft

Der in der Kommunismus-Forschung anzutreffende Begriff von der Übergangsgesellschaft wurde ebenfalls für die DDR verwendet. Dabei war der Blick auf die Rolle der Arbeiterschaft gerichtet [1060: B. SAREL, 1975], oder es gab die politisch geprägte Vorstellung, die nachstalinschen Reformen als Restauration des Kapitalismus zu erklären [837: W. LINDNER, 1971; P. NEUMANN, Zurück zum Profit, 1973; 5520: U. WAGNER, 1974]. Ein Sammelband mit differenzierten Thesen [410: A. v. PLATO (Hrsg.), 1979, 19] konstatierte im Sinne der damaligen (maoistischen) KPD eine „Gesamtentwicklung der DDR", die zur „Herausbildung einer neuen herrschenden Klasse über die Arbeiterklasse" und zur „sowjetischen Dominanz über die DDR", angeblich erst nach Stalins Tod führte. Die Frühphase des Stalinismus in der DDR wurde also positiver bewertet als die spätere Praxis. Diese wenig überzeugenden Definitionen kamen damals in der DDR-Forschung selbst ebensowenig zum Tragen wie die These vom Staatskapitalismus.

Ludz: autoritäres System

Einen eigenständigen, auch durch empirische Arbeiten abgesicherten theoretischen Ansatz der DDR-Forschung entwickelte in den sechziger Jahren C. P. LUDZ. Er konstatierte eine Veränderung der Gesellschaft vom totalitären zum flexiblen autoritären System einer kommunistisch regierten Industriegesellschaft, und er sah in der Ablösung der älteren SED-Führungskader durch jüngere Eliten einen Wandlungsprozeß der Versachlichung und Verfachlichung zum „konsultativen Autoritarismus". Die bis ins Politbüro der SED aufsteigenden Fachleute stellte er sogar als „institutionalisierte Gegenelite" der „strategischen Clique" der alten Führer gegenüber [603]. Die spätere Kaderpolitik unter Honecker hat diesen Trend keineswegs bestätigt. Ludz gab mit der methodischen Konzeption einer kritischen „systemimmanenten" Betrachtung aber auch Impulse für die historische Forschung. Von dieser war inzwischen die Frage nach Wandel und Kontinuität der DDR-Entwicklung ebenfalls thematisiert worden.

Stalinismus

In diesem Zusammenhang diente auch der Terminus „Stalinismus" zur Kennzeichnung des Systems der DDR. Die Übertragung des Stalinismus, das heißt der Strukturen und Mechanismen der Macht sowie der dogmatischen Ideologie der damaligen UdSSR, wurde dabei als Herrschaft der Apparate auch in der DDR interpretiert. Die Abkehr vom Personenkult und vom Terror nach Stalins Tod, die „Entstalinisierung", die ab 1961 schließlich auch in der DDR erfolgte, brachte danach nur Nuancen der politischen Diktatur. Diese These vom Stalinismus in der DDR wurde von einigen westlichen Forschern wiederum als zu „personalisierte" Sicht kritisiert.

DDR-Historiker: „feindliche" Einschätzungen

Mit diesem Aspekt und mit den Thesen von LUDZ setzten sich ihrerseits die DDR-Wissenschaftler vorrangig auseinander. Für sie galten alle Typologien von seiten der westlichen Forschung, ob Totalitarismus, konsultativer Autoritarismus, Staatskapitalismus oder Stalinismus, als gegen die DDR gerichtete „feindliche" Einschätzungen. Allerdings unterschieden sie nun „flexiblere" Methoden gegenüber den ursprünglichen Ansätzen der Totalitarismus-Doktrin. G. LOZEK systematisierte solche flexiblen „bürgerlichen Darstellungen zur Geschichte der DDR" [ZfG 21, 1973, 509 ff.]. Er behauptete zunächst, von den über die Geschichte der DDR arbeitenden westlichen Forschern seien es „nur wenige, die bestimmenden Anteil an der Ausarbeitung neuer und modifizierter Konzeptionen haben. Zu ihnen gehören P. C. LUDZ, E. FÖRTSCH und H. WEBER" [ebd., 516f.]. In einer späteren Publikation nannte LOZEK 1980 freilich weit mehr Personen. Inzwischen war dieser „flexiblen" Gruppe, einer nach LOZEK „in sich nuancierten Richtung" die „Mehrheit der ,DDR-Forscher' zuzurechnen" [903, 46].

Solche Zuordnungen dienten indes lediglich dazu, westliche Überlegungen zur Geschichte der DDR als nicht wissenschaftlich, sondern politisch orientierte Konzeptionen abzuqualifizieren. So warf LOZEK vor allem LUDZ vor, mit seiner „systemimmanenten Analyse der DDR" ein „Evolutionskonzept" für eine Veränderung der DDR zu entwickeln. Außer der Theorie von der Industriegesellschaft und der Konvergenz griff LOZEK die Einbeziehung des kritischen Rationalismus in die westliche DDR-Forschung an. Nachdrücklich lehnte er die „Konzeption und Methode" von einer Wandlungsmöglichkeit des Kommunismus ab. Für ihn zielte die These von historischen Wandlungen der kommunistischen Bewegung darauf ab, auch künftige Veränderungen als „möglich und wahrscheinlich" anzusehen. Scharf wandte sich LOZEK [903, 118f.] gegen Aussagen über eine „Transformation" auch der DDR und insbesondere der SED.

Wandlungsfähigkeit des Kommunismus

Die Kritik LOZEKS richtete sich also gegen die auf Kontinuität und Wandel abhebende historische Betrachtungsweise, die besagte, daß sich in der Geschichte bereits Veränderungen des Kommunismus vollzogen haben, wobei der diktatorische stalinsche Kommunismus keineswegs die genuine Ausformung war. Ursprünglich gab es im Kommunismus neben dem Stalinismus, der sich durchsetzte, auch demokratische Bestrebungen. In einem Transformationsprozeß (Stalinisierung) wurden diese jedoch aus der kommunistischen Bewegung weitgehend ausgeschaltet. Eine Wandlung, die demokratische Tendenzen erneut hervorbringt, schien also möglich, wie die Reformen in der CSSR 1968 bewiesen.

Gerade dies bestritten die DDR-Historiker. Sie waren bemüht, speziell für die DDR ein Bild der Kontinuität zu zeichnen. Das ergibt sich nicht nur aus der von ihnen erstellten Typologie, nach der die DDR eine sozialistische Gesellschaft sein sollte, sondern noch deutlicher aus den vorgelegten Gesamtdarstellungen der DDR-Geschichte. Sowohl in der Untersuchung von S. DOERNBERG [311] als auch in Beschreibungen von R. BADSTÜBNER [308] oder H. HEITZER [317] sind nicht nur, wie erwähnt, die „Parteilichkeit" und die Materialfülle bemerkenswert, sondern ebenso der Versuch, eine bruchlose Aufwärtsentwicklung der DDR nachzuweisen. Auch dies war einer der Gründe, die Phase der Übertragung des Stalinismus auf die DDR in den Darstellungen zu vertuschen. Schon DOERNBERG unterschlug die Auswirkungen des Stalinismus auf die DDR, selbst Stalins Name wurde kaum genannt, und entsprechend waren die Berichte über die Entstalinisierung sehr dürftig. Gleiches gilt für Geschichtsüberblicke, die in den siebziger Jahren erschienen [310: DDR. Werden und Wachsen, 1974]. An diesem Trend hat sich bis zum Ende wenig geändert. Die Person Stalins und seine Bedeutung für die Schaffung und frühe Entwicklung der SBZ/DDR wurden niemals angemessen erwähnt.

Kontinuitätsthese

Stalinismus-
Kritik

Es ist bemerkenswert, daß der Terminus Stalinismus von der historischen Wissenschaft der DDR strikt abgelehnt wurde, es aber eine Literaturhistorikerin (B. SCHRADER) in der Einleitung zur Neuauflage eines Sammelbandes [Dreißig neue Erzähler des neuen Deutschland, Leipzig 1983, 16] wagte, unverblümt von der „Welle der stalinistischen Verhaftungen" in der Sowjetunion zu schreiben. Ganz vereinzelt wurde im Sommer 1989 bei der Beschreibung sowjetischer Literatur in der DDR der Begriff „Stalinismus" verwendet [Weltbühne vom 8. 8. 1989, 1015]. Auch in manchen Memoiren sind klarere Aussagen zu finden als in historischen Werken. So hat 1984 E. GESCHONNECK [244, 62 ff.] über seine Erlebnisse während der stalinistischen Säuberungen in der UdSSR der dreißiger Jahre berichtet, über das allgemeine Mißtrauen und er schreibt konkret, „mancher, den man gestern getroffen hatte, war heute plötzlich verschwunden". GESCHONNECK nennt Opfer der Säuberungen, so die berühmte deutsche Schauspielerin Carola Neher, und schildert seine eigene Ausweisung. Die Begriffe Stalinismus und Stalinzeit verwendete 1983 auch J. KUCZYNSKI [266], allerdings setzte er sie stets in Anführungszeichen. Für die DDR-Historiker ging das offenbar schon zu weit. Der Stalinismus blieb ein Trauma und wurde daher tabuisiert.

Nach der
„Wende"

Nach der „Wende" wurde der Terminus „Stalinismus" aber von den Historikern (wie auch den Politikern) der DDR in geradezu inflationärer Weise verwendet. Im Dezember 1989 verlangten JOHN/KÜTTLER/SCHMIDT [893d] die „schonungslose Klärung der Stalinismus-Problematik, speziell in der deutschen Geschichte". Doch in der Folgezeit kamen die DDR-Historiker weder zu eindeutigen Aussagen noch zu einsichtigen Definitionen. Manche Historiker bewerteten Fakten und Themen, die sie einst im SED-Sinne darstellten, nun einfach umgekehrt, hielten aber an ihren Denkschablonen fest. Der Terminus Stalinismus blieb für viele eine Leerformel, die sie so beliebig benutzten wie vorher etwa den Begriff Imperialismus.

Nur wenige Arbeiten beschäftigten sich direkt mit dem Stalinismus in der DDR. Die erste Monographie, die knapp 100 Seiten starke Abhandlung des DDR-Historikers H. KÜHNRICH [895b] ist in Form eines „Gesprächs" mit Jürgen Weidlich verfaßt. In der Broschüre wird auch der „Stalinismus nach 1945" thematisiert, sowie der „Versuch einer Definition" gemacht.

Richtige Aussagen zum Stalinismus und seinen Folgen, die Fakten über die Säuberungen usw. wurden in diesem „Gespräch" nicht gerade glaubwürdig vorgetragen, weil KÜHNRICH, der früher parteifromm schrieb, sich plötzlich als eine von der damaligen Parteiführung verfolgte Unschuld präsentierte. Zur Aufarbeitung des Stalinismus in der DDR ist Glaubwürdigkeit aber eine unerläßliche Voraussetzung. Da genügen weder die rasche Zitierung von Thesen sowjetischer Historiker (diese Quellen sind an einigen Stellen erwähnt) noch die Übernahme westlicher Aussagen (über diese Quellen findet sich kaum ein Wort). „Schnellschüsse" solcher Art blieben daher wenig hilfreich. Selbst Dokumentationen hinterließen unter diesem Aspekt einen widersprüchlichen Eindruck.

Glaubwürdigkeit

Weit bedenklicher war indes, daß neben den richtigen Fakten viele der in Jahrzehnten übernommenen und wohl auch verinnerlichten Verdrehungen weiterhin kolportiert wurden. Wenn beispielsweise über die angeblich verschiedenen „Wege zum Sozialismus" nach 1945 philosophiert wurde, sind alte Legenden modifiziert und so Ansätze für neue geschaffen worden.

Von Widersprüchlichkeit ist auch eine zweite noch von DDR-Historikern geschriebene Broschüre zum Stalinismus nicht frei. Die von HEDELER, HELAS und WULFF verfaßte Schrift [886b] problematisiert vor allem das Thema „Der Stalinismus und die deutsche Arbeiterbewegung" (so der Untertitel). In die Arbeit wird die sowjetische Diskussion seit Gorbatschow einbezogen und auch die Herkunft des Stalinismus als „Gesellschaftstyp" geprüft.

Den Versuch, den Stalinismus als „Syndrom" zu beschreiben und seine Entwicklung chronologisch darzustellen, unternahm 1991 der frühere DDR-Historiker NIEMANN [914a]. Seine „Vorlesungen zur Geschichte des Stalinismus" gehen auch kurz auf die „deutsche Nachkriegsgeschichte im Schatten Stalins" ein.

Bei diesem Themenfeld wurden Legenden fortgeschrieben. Bei HEDELER, HELAS und WULFF heißt es z. B. „daß die KPD nach 1945 bewußt an Traditionen der bürgerlichen Demokratie anknüpfen wollte". Die Instrumentalisierung von politischen Begriffen durch die damalige stalinistische KPD wird so gar nicht hinterfragt.

Schlimmer ist eine Lesart der DDR-Geschichte, die sich bei vielen früheren DDR-Historikern 1990/91 ausmachen ließ: Alle historische Schuld auf die Sowjetunion abzuwälzen. Aus der einsichtigen These, daß für die SBZ und dann die DDR eine generelle Alternative zum Stalinismus wohl kaum bestand, solange die Sowjetunion die Politik vorschrieb, wurde zugleich etwa von HEDELER abgeleitet, daß „der SED wie der Regierung der DDR nichts anderes übrig" blieb. *Alleinschuld der Sowjetunion?*

Wie eng verflochten in Wirklichkeit die Politik und die Herrschaftsmechanismen der sowjetischen und der deutschen Kommunisten waren, das geht beispielsweise für 1953 aus den Niederschriften von R. HERRNSTADT [254a] hervor. Wie bereits die Erinnerungen E. WOLLWEBERS [BzG, 32, 1990, 350 ff.], belegen auch sie den bestimmenden Einfluß der Sowjetunion, zeigen aber zugleich die Intrigen der deutschen Stalinisten, allen voran Ulbrichts.

Richtig ist, daß die KPD/SED und SBZ/DDR von der KPdSU bzw. der Sowjetunion abhängig waren und nicht gegen die „Schutzmacht" Politik betreiben konnten. Die deutschen Kommunisten wollten dies aber (bis 1985) auch gar nicht. Daher ist ihre Eigenverantwortung nicht zu übersehen und nicht einfach wegzuschieben. So wie eben tatsächlich die KPD „nicht nur Opfer des Stalinismus" war, so erst recht nicht die SED. Gerade sie schuf eine Kopie des Stalinismus in einem Teil Deutschlands, sorgte für seine penetrante Ausformung, und sie hielt daran noch fest, als Gorbatschow und die Reformer 1985 in der UdSSR mit dessen Überwindung begannen.

Gefährlicher ist der Versuch einer Verharmlosung des Stalinismus. Weiterhin beharren ehemalige DDR-Historiker auf ihren Einschätzungen von Ende 1989 oder Anfang 1990, in denen sie – noch auf eine „Erneuerung des Sozialismus" in der DDR hoffend – den Stalinismus als „Entartung des Sozialismus" interpretierten, ihn *Verharmlosung des Stalinismus* als „deformierten" oder „administrativen" Sozialismus bezeichneten und ihn nicht als selbständige Gesellschaftsformation sehen wollten.

Stalinismus im allgemeinen und engeren Sinne

Tatsächlich war der Stalinismus ein eigenständiges System, er ist in einem allgemeineren und in einem engeren Sinne zu unterscheiden. Allgemein betrachtet war der Stalinismus ein gesellschaftspolitisches System. Dessen Kern war die Allmacht, die Diktatur der kommunistischen Partei, die mit Hilfe der politischen Polizei (in der DDR das Ministerium für Staatssicherheit) das gesamte öffentliche Geschehen bestimmte und sogar das persönliche Leben der Bürger zu dirigieren suchte. Im engeren Sinne war Stalinismus eine Willkürherrschaft mit blutigen „Säuberungen", gekennzeichnet durch völlige Rechtsunsicherheit und den Personenkult um Stalin, um die kleinen Stalins (Ulbricht oder Honecker). Lediglich der Stalinismus im engeren Sinne wurde teilweise überwunden.

Alle wesentlichen Merkmale des gesellschaftspolitischen Systems des Stalinismus sind in der DDR bis 1989 zu registrieren: der Absolutheitsanspruch mit dem ideologischen Dogma, „die Partei hat immer recht", die straffe Organisationsstruktur des hierarchischen „demokratischen Zentralismus"; das Erziehungs-, Informations- und Organisationsmonopol von Partei und Staat. Diesem Regime war das Spitzelsystem des Überwachungsstaates ebenso immanent wie Repressalien, die keineswegs als „Betriebsunfälle" zu verharmlosen sind. Die Ideologie des Stalinismus benötigte stets ein „Feindbild", ständig mußten „Feinde" aufgespürt, verfolgt und sogar „vernichtet" werden. Der Stalinismus war ein Regime, dessen Strukturen und Praktiken zum Konformismus erziehen sollten und in dem jeder „Abweichler" unterdrückt und verfolgt wurde.

Viele ehemalige DDR-Historiker, die dies über Jahrzehnte hinweg verschleierten, wollen davon ablenken und ihre früheren Stellungnahmen nun mit Hinweisen auf den „Kalten Krieg" rechtfertigen und sie verweisen auf entsprechend einseitige westliche Darstellungen.

Ein Blick in bisherige Gesamtdarstellungen der DDR-Geschichte im Westen läßt erkennen, daß es auf dem Höhepunkt des Kalten Krieges in den fünfziger Jahren Tendenzschriften gab [313: H. FRANK, 1965; 323: U. RÜHMLAND, 1959; 324: H. SCHÜTZE, 1960]. Sie ließen nicht nur wichtige Faktoren der Entwicklung unberücksichtigt, sondern verzerrten durch oft willkürliche Auswahl von Fakten und Überbewertung von Einzelheiten die historische Realität. Doch erschienen auch damals schon Werke, die sich durch Akribie und quellenkritische Zuverlässigkeit aus-

Frühe westliche Überblicke

zeichneten. Das gilt für die historischen Überblicke von J. P. NETTL, H. DUHNKE, K. C. THALHEIM und z. T. auch R. LUKAS. Das Schwergewicht dieser Arbeiten lag auf den politischen und ökonomischen Veränderungen, die als von der Besatzung aufgezwungen, als Sowjetisierung verstanden wurden. Der gesamtdeutsche Aspekt hatte dabei große Bedeutung. J. P. NETTLS nüchterne Analyse von 1950 [321] richtete das Hauptaugenmerk auf wirtschaftliche Probleme. Trotz der damals schwierigen Quellenlage enthält das Buch, das bereits 1953 in deutsch herauskam, viele Übersichten und Tabellen.

In seiner umfassenden Darstellung ging H. DUHNKE 1955 [312] vom Totalitarismusansatz aus. Die quellenkritische Arbeit behandelt alle Bereiche der Politik und Gesellschaft. Allerdings war für seine wie für alle damaligen Auffassungen typisch, daß auch er nur die aktiv geplante Strategie der Kommunisten berücksichtigte. Die Tatsache, daß diese ebenso auf Ereignisse und Realitäten zu reagieren hatten, kommt bei ihm zu kurz. Noch drastischer ist die Vorstellung einer Sowjetisierung als konzeptioneller Politik in einer historischen Skizzierung zu finden, die die „freiheitliche Demokratie" der Schweiz der „totalitären Diktatur" der DDR gegenüberstellte [342: R. Dubs (Hrsg.), 1966, 35 ff.]. Hier wurde zunächst die Ideologie, speziell die Leninsche Revolutionstheorie, bemüht, um daraus eine gradlinige und gezielte Politik der Sowjetisierung der DDR durch die Besatzungsmacht abzuleiten.

K. C. Thalheims Untersuchung von 1959 [326] skizziert in einem vierzigseitigen Beitrag die Geschichte, die er unterteilt in die „Scheindemokratie" bis 1949, die Sowjetisierung bis 1953; bis 1958 konstatierte er dann eine verstärkte Integration der DDR in den Ostblock. Die Arbeit von R. Lukas [320], die sich auf Deskription beschränkt, enthält neben einem chronologischen auch einen systematischen Teil über Parteien, Wirtschaft und Kultur; hinzuweisen ist auf seine umfassende Sammlung von Daten und Fakten. Hervorzuheben ist schließlich eine ebenfalls kurze zusammenfassende Darstellung der DDR-Geschichte in E. Richerts Studie von 1959 „Agitation und Propaganda" [548]. Darin werden auf etwa 70 Seiten in einem Abriß zur Entwicklung der SBZ/DDR von 1945 bis Mitte der fünfziger Jahre wesentliche Probleme angesprochen und Erklärungsmuster angeboten.

Diese Beispiele belegen, daß im Westen bereits früh eine Auseinandersetzung mit der damals noch jungen DDR stattfand. Auch wenn die in den fünfziger Jahren geschriebenen Arbeiten durch neuere Forschungen und die nunmehr zugänglichen Quellen teilweise überholt sind, zeigen sie doch, daß hier – entgegen den Behauptungen der DDR-Historiker – schon bald mit wissenschaftlichen Untersuchungen begonnen wurde.

In den sechziger Jahren unternahm E. Richert, einer der Begründer der westdeutschen DDR-Forschung, den Versuch, die DDR-Geschichte auf andere Weise darzustellen. In seiner Arbeit [506] verknüpfte er ausdrücklich die politische und die sozioökonomische Entwicklung und registrierte die neuen Strukturen in der DDR. Richert initiierte eine Diskussion zur Thematik der DDR als Industriegesellschaft, er verwies auch erstmals darauf, daß in der DDR eher „potentieller als virtueller Terror" die Gesellschaft in Schach hielt. Wegen seiner systematischen Fragestellungen war das Buch freilich keine historische Beschreibung der DDR. Richert ging später in einem längeren Aufsatz [DA 7, 1974, 955 ff.] auch auf die Wechselwirkung von Gesellschafts- und Außenpolitik der DDR ein und verband historische und systematische Fragestellungen.

Richert: Industrie-gesellschaft

Einige zeitgeschichtlich orientierte Arbeiten, wie z. B. die von A. M. Hanhardt jr. [316] in den USA, waren als Einführung für Studenten konzipiert.

Umfangreiche historische Gesamtdarstellungen der DDR-Geschichte erschienen im Westen erst wieder in den siebziger und achtziger Jahren. Nun wurden vor allem der Transformationsprozeß der DDR analysiert und die systemimmanenten Fakto-

Neuere westliche Darstellungen

ren herausgearbeitet. Dabei bildete einerseits der Prozeß der Machterringung und Machtsicherung der SED den Schwerpunkt [328: H. Weber, 1980; 330: ders., 1985], andererseits wurden die sozioökonomischen Prozesse und Strukturen sowie Konflikte und deren Regulierung als die entscheidende Problematik betont [325: D. Staritz, 1985].

Zu beobachten ist inzwischen, daß manche Historiker der ehemaligen DDR ihre Selbstkritik der Zeit unmittelbar nach der „Wende" 1989 wieder abschwächen, teilweise erneut an ihre einstige Legitimationsfunktion gegenüber der SED-Diktatur anknüpfen. Sie präsentieren sich als die „marxistischen Wissenschaftler" und versuchen, die Wesenszüge des Stalinismus zu verwischen und durch Überpointierung zweitrangiger Faktoren die Existenz des DDR-Regimes doch noch als „fortschrittlich" zu rechtfertigen.

Differenzierte   In diesem Zusammenhang bekommen dann heutige Aussagen von ehemals tonan-
Sicht   gebenden Historikern der SED einen besonderen Stellenwert, wenn es sich um Versuche einer differenzierten Sicht handelt. Beispielhaft dafür ist eine Arbeit von G. Benser [vgl. 308a] zur Frage der Legitimation „des zweiten deutschen Weges".

Für Benser waren die „totalitären Strukturen der Macht mit der SED in ihrem Zentrum" sowie die mit „Anspruch auf Wahrheitsmonopol auftretende Ideologie" Kennzeichen „unseres Systems". Aus diesen „strukturellen Zusammenhängen heraus" leitet er die Ursachen ab für die Verletzungen von Bürger- und Menschenrechten. Seine Einsichten riefen sofort dogmatische „Kritiker" auf den Plan, die ihm solche Aussagen als „Kniefall" verübelten. [Neues Deutschland, Nr. 272 vom 21./22. 11. 1992].

Bei näherer Betrachtung zeigt sich indes, daß es Benser in erster Linie aber nicht um eine „Generalabrechnung" mit der SED-Diktatur in der DDR geht. Bei allem Respekt gegenüber seinen Ansätzen einer Differenzierung und durchaus diskussionswürdigen Thesen ist doch festzuhalten, daß sein Argumentationsmuster letztlich darauf hinausläuft, „die Tragik der Niederlage" eines angeblichen „Versuchs einer historischen Alternative auf deutschem Boden", eines mißlungenen „Sozialexperiments", das „Millionen Deutsche zu ihrer eigenen Sache gemacht hatten", zu betrauern.

In Wirklichkeit handelt es sich bei der Einschätzung der DDR und ihres Untergangs nicht um die Frage von „Alternativen", sondern darum, daß sich die DDR
Diktatur und   in der Auseinandersetzung zwischen parlamentarischer Demokratie und sozialer
Demokratie   Marktwirtschaft einerseits und der Diktatur mit zentralgesteuerter Staatswirtschaft andererseits als nicht reform- und überlebensfähig erwiesen hat, die Diktatur von der Demokratie überwunden wurde. Und es ist schon gar nicht ein „neues Gesellschaftsmodell" gescheitert, sondern das brutale Machtsystem einer diktatorischen Führungsclique. Aus der Sicht etwa der freiheitlichen Arbeiterbewegung ist dies weder eine Niederlage noch eine Tragödie, sondern ein Sieg der Demokratie [vgl. Gewerkschaftliche Umschau, Hannover, Februar 1992].

Benser sucht seine Ansicht mit der Behauptung abzustützen, das „Wagnis, diese Idee in die Tat umzusetzen, und zwar ohne den schuldigen Respekt vor seiner Majestät Privateigentum – das war die eigentliche Unverschämtheit der DDR, für die alle ihre Bürger heute zu büßen haben". Abgesehen von den propagandistischen Tönen wird hier wieder einmal erklärt, zum Charakteristikum der DDR gehöre die Verwirklichung von Theorien der deutschen Arbeiterbewegung. Tatsächlich hat es sich dort aber von Anfang an nicht um ein System in der Tradition der sozialistischen Arbeiterbewegung gehandelt, vielmehr haben die sowjetischen und deutschen Kommunisten schrittweise den Stalinismus, die totalitäre Diktatur, auf die SBZ/DDR übertragen. Dies verschleierte die SED mit ihrer ständigen Berufung sowohl auf die Ideen der Arbeiterbewegung als auch auf die angebliche „Gesetzmäßigkeit" der Geschichte. Bei der Instrumentalisierung des „Marxismus" für ihr Regime haben die Kommunisten nicht nur die Theorie von Marx, sondern alle sozialistischen Vorstellungen völlig diskreditiert und progressive Ideen belastet.

Es ging eben im untergegangenen System der DDR nicht um soziale Gerechtigkeit, sondern um den Erhalt der Macht, um die Hegemonie der SED-Spitze. Eines gilt für die Ulbricht-Ära genauso wie für die Phase, in der Honecker die SED führte: Verfolgungen waren nicht nur „Deformationen" und „Fehlentwicklungen", vielmehr blieb die Unterdrückung bis zum Ende systemimmanent. *Machterhalt als Kern der Ideologie*

Da in vielen Werken zur Geschichte der DDR, die im Westen zu verschiedenen Zeiten herauskamen, die Frage der generellen Einschätzung und teilweise auch des besonderen Typus der neuen Gesellschaft immer ein großes Interesse fanden, richtete sich die Aufmerksamkeit vor allem auf die Herausbildung dieser Gesellschaft. Dies erklärt auch, warum gerade die Frühphase der DDR, in der die Weichenstellungen erfolgten, besonders oft untersucht und gründlich dokumentiert wurde.

5. Vorgeschichte, Entstehung und Frühphase der DDR

Mit Blick auf die deutsche Spaltung nach 1945 fanden sowohl die Vorgeschichte als auch die ersten Schritte des zweiten deutschen Staates sofort reges Interesse, das sich auch in der Forschung niederschlug. Hinzu kam, daß die DDR-Historiker der Entstehungsgeschichte ihres eigenen Landes ebenfalls besondere Aufmerksamkeit schenkten. So war schon vor dem Ende der DDR die Zahl der Arbeiten und der Dokumentationen zur Vor- und Frühgeschichte der DDR ganz erheblich angewachsen, was auch von einer relativ guten Quellenlage begünstigt wurde. Die Binsenweisheit, daß 1945 die Besatzungsmächte als Inhaber der Gewalt die Weichen für die Entwicklung stellten, wurde weder in Ost noch West ernsthaft angezweifelt. Allerdings wurden die Akzente sehr verschieden gesetzt, und die Bewertung der Tatsache fiel recht kontrovers aus. In der DDR ist zudem – insbesondere in den sechziger Jahren – versucht worden, die Mitwirkung und Bedeutung der deutschen Kommunisten überpointiert und unverhältnismäßig herauszustreichen, um ihre Abhängigkeit sowie den Einfluß und die Dominanz der stalinistischen Sowjetunion bei der Entstehung und Frühphase der DDR nicht thematisieren zu müssen. Dennoch ist nicht zu übersehen, daß die Spaltung Deutschlands als Voraussetzung für die Existenz der DDR eine Folge des Kalten Krieges, des Ost-West-Konfliktes zwischen den Großmächten war.

Kalter Krieg   Die Literatur über den Kalten Krieg, die europäische Situation nach 1945 und die sowjetische Deutschlandpolitik ist in diesem Zusammenhang zwar wichtig, sie kann aber in den Einzelheiten ebensowenig referiert werden wie die Arbeiten zur westdeutschen Geschichte bzw. zur Frühgeschichte der Bundesrepublik oder über die Spaltung Deutschlands. Das ist hier auch nicht erforderlich, weil dazu inzwischen ein eigener Band dieser Reihe vorliegt, [vgl. R. MORSEY, Die Bundesrepublik Deutschland. Entstehung und Entwicklung bis 1969, Oldenburg Grundriß, Bd. 19, 1987].

Über die Gründe, die zum Kalten Krieg und damit auch zur Spaltung Deutschlands führten, sind in Ost und West vielfältige Überlegungen angestellt worden. Zunächst wurde im Westen allgemein der Sowjetunion und ihrem Expansionsstreben die Alleinschuld zugewiesen. Die „revisionistische" Schule der Geschichtsschreibung in den USA hat später die Hauptverantwortung am Ost-West-Konflikt den Vereinigten Staaten gegeben und dabei einen Zusammenhang zwischen den ökonomischen Interessen des amerikanischen Imperialismus und der USA-Außenpolitik herausgearbeitet. Diese These wurde allerdings inzwischen von einer dritten Richtung als einseitig bemängelt, weil sie die sowjetische Strategie und Politik unberücksichtigt ließ. Es waren wohl eine ganze Reihe unterschiedlicher Faktoren, die den Kalten Krieg entfachten.

Die Alleinschuld an der damit verbundenen Spaltung Deutschlands wurde von der DDR-Geschichtsschreibung bis zuletzt dem Westen angelastet, während die hiesige Forschung sie anfangs ebenso eindeutig dem Osten zuschrieb. Inzwischen wird dies differenzierter gesehen, weil die Geschichte der SBZ/DDR nicht mehr nur als gewollte Aktion der Kommunisten eingeschätzt wird, sondern ebenso als eine Reak-

Sowjetische   tion auf weltpolitische bzw. deutschlandpolitische Ereignisse. Schließlich ist die ge-
Außenpolitik   samte Osteuropa-Politik der Sowjetunion nach 1945 zu berücksichtigen, über die Untersuchungen vorliegen [1165: D. GEYER (Hrsg.), 1972; 1156: Z. BRZEZINSKI, 1962; 1169: J. HOENSCH, 1977; 1167: J. HACKER, 1983]. Die für die Deutschlandfrage wichtigen Aspekte des Kalten Krieges sind in der Literatur breit erörtert worden [vgl. z. B. 445: W. LOTH, 1980; 444: W. LINK, 1980; 437, 438: A. HILLGRUBER, 1974, 1981]. Trotz unterschiedlicher Forschungsansätze und Bewertung hat sich doch die Meinung durchgesetzt, daß weder die USA noch die Sowjetunion die Teilung Deutschlands als Ziel verfolgten, vielmehr die gesamtdeutschen Pläne beider Großmächte an der Realität scheiterten. Aufgrund der Öffnung westlicher Archive, vor allem Großbritanniens, konnte diese Forschung vertieft werden; von ihr wird sowohl die westliche als auch die westdeutsche Politik kritisch bewertet [493: J. FOSCHEPOTH (Hrsg.), 1985; 450: R. STEININGER, 1985] oder erneut die Verantwortung der Sowjetunion stärker hervorgehoben [434: H. GRAML, 1985]. Die Deutschlandpolitik der Sowjetunion behält für die Forschung einen zentralen Stellenwert die Öffnung der sowjetischen Archive dürfte neue Einsichten ermöglichen. Detailliert hat diese Politik bis zum Ende des zweiten Weltkrieges 1975 A. FISCHER dargestellt

[1162], während A. Sywottek 1971 eine historisch-kritische Analyse der KPD-Politik und ihres Volksfront-Modells im Zusammenhang mit der sowjetischen Politik vorlegte [636]. Das Thema: Der Kalte Krieg und die DDR ist jetzt in einem Band des Deutschen Historischen Museums thematisiert worden [452a, 1992]. Die DDR entstand zwar als Produkt des Kalten Krieges, sie verschärfte diesen aber auch. Zudem wurden viele Maßnahmen bei der Übertragung des stalinistischen Modells mit dem Kalten Krieg gerechtfertigt, obwohl dieser nicht das Motiv der Stalinisierung war.

Bei der Analyse der Nachkriegspolitik Stalins werden die Reparationsforderungen als ein „Schlüsselproblem der sowjetischen Deutschlandpolitik" eingeschätzt [1163: R. FRITSCH-BOURNAZEL, 1977, 27]. Daher trat die UdSSR zunächst auch vorrangig für eine gesamtdeutsche Lösung ein, die ihr einen Zugriff auf das Wirtschaftspotential des Ruhrgebiets ermöglicht hätte. Erst mit dem Kalten Krieg änderte sich die sowjetische Strategie, die sich nun auf die „kleine Lösung", die Schaffung der DDR als eines deutschen „Kernstaates", beschränkte. Die meisten westlichen Forscher bezeichnen daher 1947 als das entscheidende Jahr der deutschen Spaltung. Hingegen sieht W. v. BUTLAR 1980 [1157] (vgl. aber auch GRAML u. a.) den wichtigen Einschnitt bereits 1946. Vor allem aber mißt er der Reparationspolitik der UdSSR weniger Gewicht bei und erblickt in äußerer Sicherheit, Stabilität und Expansion maßgebende Faktoren der sowjetischen Konzeption. In einer umfassenden Arbeit hat 1974 E. NOLTE [446] die deutschlandpolitischen Spannungen im Kontext mit der sowjetischen Politik untersucht und zugleich die ganze Spannweite der Diskussion über Entstehung und Entwicklung des Kalten Krieges ausgebreitet. Er liefert aber auch eine relativ ausführliche politische Geschichte der DDR, vor allem der hier angesprochenen Probleme der frühen DDR. *Rolle der Reparationen*

In der Wertung hatte sich bei der DDR-Geschichtsschreibung wenig geändert. Die DDR lehnte jede Verantwortung für die Entstehung der Spaltung ab, und ebenso beharrten ihre Historiker auch für die Frühzeit ihres Staates auf der Behauptung von einem „gesetzmäßigen" historischen Ablauf. Dabei haben sie allerdings die anfangs von ihnen überbetonten deutschlandpolitischen Aktivitäten der DDR zugunsten der These von der Kontinuität ihrer eigenen Geschichte relativiert. Hervorzuheben ist, daß die frühe Phase auch in der DDR ein wichtiges Forschungsfeld war.

Bereits 1959 gab S. DOERNBERG [389] einen erstmals auf vorher unbekannte Archivalien gestützten Überblick zur Vorgeschichte der DDR. In dieser Arbeit (seiner Dissertation) definierte DOERNBERG die Etappe von 1945 bis 1949 als erste Etappe des Aufbaus, als „demokratische Revolution", die zum „Typ der bürgerlich-demokratischen Revolution in der Epoche des Imperialismus" gehöre (464). In der Darstellung zeigte der Verfasser freilich anhand seines vorgelegten Materials, daß sowohl die Veränderung der Strukturen als auch die Neubesetzung der Funktionen den Kommunisten schon frühzeitig eine Dominanz sicherten. Er beschrieb den Aufbau der Staatsmacht, die Durchführung der Bodenreform, den Aufbau des „volkseigenen Sektors" der Industrie. Die „nationale Frage" hob er besonders hervor, wäh- *DDR-Geschichtsschreibung zur Vorgeschichte* rend er der sowjetischen Besatzungsmacht nur wenige Seiten widmete und deren Bedeutung sogar herunterzuspielen versuchte.

Rolle der SMAD   Eine Reihe von Befehlen der SMAD wurden indes 1968 in einer wichtigen Dokumentation der DDR [141] veröffentlicht. Mit fast 300 Dokumenten sowie einem Tabellenanhang eröffnete das Werk auch für die westliche Forschung bisher unbekannte Quellen. Ebenso wichtig waren zwei dokumentarisch fundierte Bände von K. H. Schöneburg [127], die eine Chronologie von 1945 bis 1965 brachten und breiter angelegt waren als die 1967 erschienene Chronik zur Geschichte der Arbeiterbewegung [175]. Dokumentationen der folgenden Zeit, z. B. eine Geschichte des Staats und des Rechts [90; 91], zur Sozialpolitik [155] oder zur Schulreform [38] kamen an die Qualität dieser frühen Veröffentlichungen nicht heran, auch wenn sie neue Materialien publizierten. Einen Überblick der Periode 1945 bis 1949 (in den Gesamtdarstellungen zur DDR-Geschichte sind diese Jahre natürlich ebenfalls enthalten) erarbeitete 1983 ein Autorenkollektiv unter Leitung von K. H. Schöneburg [415]. Im Mittelpunkt standen die Errichtung der neuen Staatsorgane, die Bodenreform, die Wirtschafts- und Bildungsreform sowie der Aufbau der Sicherheitsorgane und der Justiz. In diesem Band nahmen die Struktur und die Rolle der SMAD (aber auch der Kontrollrat) breiteren Raum ein. So wurden die Befehle der SMAD als „rechtsetzende Tätigkeit" definiert und ihre umfassende Kontrolle thematisiert.

Ansonsten wurde über die SMAD in der SBZ/DDR eher in abgelegeneren Veröffentlichungen berichtet [390; 596]. Einzelheiten fanden sich auch in Erinnerungsbänden [258; 240] oder Memoiren [227: F. J. Bokow, 1979; 401: L. M. Malinowski, 1980]. Erst später waren in Tulpanows Erinnerungen [292] detaillierte Hinweise zu finden.

Übergriffe der   Wurde die dominierende Rolle der SMAD nur sehr zurückhaltend beschrieben,
Roten Armee   so blieben Ausschreitungen der Besatzungstruppen erst recht tabu. Eine bemerkenswerte Ausnahme ist wiederum nicht in wissenschaftlichen Untersuchungen zu finden, sondern in der Memoiren-Literatur. So geht H. Zinner in ihren Erinnerungen [Auf dem roten Teppich, 1978, Neuaufl. 1986, 35 ff.] auf Vergewaltigungen durch die Rote Armee ein. Auch die Flucht und Vertreibung aus den deutschen Ostgebieten wurde spät thematisiert, aber wiederum nicht in historischen Darstellungen, sondern in einem autobiographischen Roman [U. Höntsch-Harendt, Wir Flüchtlingskinder, Halle 1985].

Obwohl im Westen Quellen zur SMAD kaum zur Verfügung standen (und auch jetzt noch längst nicht alle zugänglich sind), hatte die historische Forschung dennoch über die Rolle, die Politik und auch die Struktur der SMAD bereits wichtige Ergebnisse vorgelegt. Dies gilt vor allem für die Untersuchung von J. Foitzik im „SBZ-Handbuch" [163a, vgl. auch 390b]. Gerade die unbegrenzte Macht der SMAD in der SBZ beweist, daß es eine „demokratische Vorgeschichte" nicht gegeben hat – auch wenn dies neuerdings von ehemaligen DDR-Historikern wieder behauptet wird [vgl. dazu 330b, auch 385a], es gab lediglich demokratische Ansätze.

Nach der Zerschlagung der NS-Diktatur erlaubten die Alliierten im besetzten Deutschland kulturelle Freiheit und Pressevielfalt, Pluralismus bei den politischen

Parteien und in der Gesellschaft. Solche demokratischen Tendenzen wurden auch von der sowjetischen Besatzungsmacht toleriert, obwohl in ihrem Lande ja die stalinistische Diktatur herrschte. Und sie genehmigte sogar als erste mehrere demokratische Parteien, die sich allerdings nur unter ihrer Kontrolle und entsprechend ihren Anweisungen betätigen durften. Da die Sowjetische Militäradministration die „oberste Macht" in der SBZ ausübte, war beispielsweise die gewährte Pressefreiheit durch politische Vorgaben eingeschränkt. Somit konnte sich die „antifaschistisch-demokratische Umwälzung" der Jahre 1945/46 – von der SMAD gestattet und gefördert – lediglich im Rahmen der sowjetischen Strategie vollziehen.

Nebeneinander existierten in den Jahren 1945 bis 1947 stalinistische Strukturen und demokratische Bestrebungen. 1946 erfolgte die Zwangsvereinigung von SPD und KPD, aber gleichzeitig war bei den Hitler-Gegnern, – aus dem KZ oder Exil zurückgekehrt – auch die Aufbruchstimmung da, um gerade in der SBZ ein „besseres Deutschland" zu errichten, und es gab eine liberale Kulturpolitik. Diese demokratischen Ansätze veranlaßten dann die Kommunisten 1948/49, zur umfassenden Übertragung des Stalinismus in der SBZ/DDR eine Transformation des politischen und gesellschaftlichen Systems, aber auch des kulturellen Lebens vorzunehmen.

Stalinistische Strukturen und demokratische Ansätze

Zur Frühgeschichte der DDR ist ein 1979 von R. BADSTÜBNER und H. HEITZER herausgegebener Sammelband [385] zu nennen, der diese Probleme umgeht. Neben Beiträgen zu methodologischen Fragen wie zur Diskussion über den „revolutionären Prozeß" von 1945 bis 1961 oder zur „Dialektik von objektiven Bedingungen und subjektivem Faktor" finden sich darin Untersuchungen zur Aktivistenbewegung oder zum Parteien-Block mit neuem Material. Interessant ist auch ein Artikel zur Sozialpolitik der DDR, in dem freilich unerwähnt bleibt, daß dieser Begriff bis Ende der fünfziger Jahre in der DDR verfemt war, ja damals die Notwendigkeit einer „sozialistischen" Sozialpolitik sogar verneint wurde. Ein anderer Beitrag dieses Bandes berichtete über die Struktur der Arbeiterklasse, wobei er bemerkenswerte Hinweise auf Auswirkungen durch territorial veränderte Industrie-Standorte gab.

Kurz nach der Wende 1989 wurde ein Band ausgeliefert, dessen Erscheinen einige Jahre zuvor noch als positives Zeichen für die DDR-Geschichtswissenschaft hätte gelten können: der von R. BADSTÜBNER u. a. verantwortete Band 9 der „Deutschen Geschichte" [385a]. Das umfangreiche Werk beschrieb die Vorgeschichte der DDR von 1945 bis 1949 mit vielen Details und unter Verwendung zahlreicher Archivalien (erstmals wurden in einer Auswahlbibliographie neuerer Forschungsliteratur sogar westliche Werke aufgeführt). Die Darstellung ging manchmal bis an die Grenze der „notwendigen" Parteilichkeit, blieb von dieser aber doch so stark bestimmt, daß ihre Einseitigkeit seit Öffnung der östlichen Archive für jedermann augenscheinlich ist.

Entsprechende Forschungen im Westen registrierten die grundlegenden Umstrukturierungen (Bodenreform, Industriereform, Schulreform, Entnazifizierung usw.), kommen aber zu ganz anderen Bewertungen. Inzwischen erschienen auch hier Gesamteinschätzungen der Frühphase, so 1984 von STARITZ [418], der auch einen kurzen Überblick zum Forschungsstand vorlegt. Der Autor thematisiert die Etablie-

Westliche Gesamteinschätzungen der Frühphase

rung und Festigung der Macht auf dem Weg zur „Volksdemokratie". In ihr sieht STA-
RITZ eine „Revolution von oben", die ein Konzept entwickelte, in dem Arbeiter,
Bauern und Mittelschichten „eher als Adressaten denn als politische Akteure fungie-
ren" und von denen politische Loyalität und Arbeitseifer erwartet werden. STARITZ'
Arbeit fußt auf einer von ihm 1976 vorgelegten Untersuchung [419]. Mit diesem
Band erweiterte er die Analyse von Institutionen und prüfte die Problembereiche,
die charakteristisch waren für die Herausbildung des politischen und sozialen Gefü-
ges der DDR.

Einen kürzeren Zeitabschnitt wählte G. W. SANDFORD [411] in seiner Dissertation,
er befaßte sich vor allem mit Reformen von 1945 und 1946. SANDFORD konnte für
seine Untersuchung auch Archivmaterial des FDGB heranziehen, das freilich keine
neuen Erkenntnisse vermittelt. In größeren Zusammenhang stellte 1984 KLESSMANN
[395] die Frühphase der DDR, denn er vergleicht die Entwicklung in West- und
Ostdeutschland von 1945 bis 1955. Auf diese Weise gelingt es, die sonst meist zu
kurz kommende gegenseitige (meist negative) Beeinflussung beim Aufbau beider
Staaten näher zu beleuchten. Der materialreiche Band mit einem großen Dokumen-
tenteil ist wichtig, weil der Autor sich mit der Literatur auseinandersetzt und auf
die inzwischen vorliegenden zahlreichen Untersuchungen und Quelleneditionen
aufbauen konnte. Schließlich sind nicht nur die erwähnten Dokumentationen in
der DDR erschienen, sondern ebenso gerade für die Vorgeschichte und Frühzeit
Materialienbände in der Bundesrepublik, sowohl zur Bildungspolitik [40: S. BAS-
KE/M. ENGELBERT (Hrsg.), 1966; 42: S. BASKE, 1979], zur Kulturpolitik [129:
E. SCHUBBE (Hrsg.), 1972] oder zu verschiedenen Bereichen [55: E. DEUERLEIN
(Hrsg.), 1971; 149: H. WEBER (Hrsg.), 1986].

Wie schon vor dem Ende der DDR mit Spürsinn Quellen aufzufinden und mit
Akribie auszuwerten waren, hat S. SUCKUT [402: 1982] bewiesen. Es gelang ihm,
Betriebsräte nicht nur die Entwicklung der Betriebsräte in der SBZ bis 1948 nachzuzeichnen,
sondern auch wichtige Daten zur Sozialstruktur zusammenzutragen, da er eine sehr
große Zahl von Zeitungen, auch Betriebszeitungen, heranzog. SUCKUT verweist darauf, daß es neben den Planungen der SMAD und der deutschen Kommunisten im
Wirtschaftsbereich auch eine gegenläufige Entwicklung gab: Die Vertreter der Arbeiterschaft, vor allem die Betriebsräte, wollten das „Machtvakuum" in den Betrieben ausfüllen (wie übrigens auch in Westdeutschland), um den Wiederaufbau von
der Basis her zu organisieren. Dies verhinderte jedoch die Politik der Kommunisten,
die schließlich 1948 die Betriebsräte sogar auflösten.

Durch Befragungen von Zeitzeugen und kritische Auswertung der regionalen Literatur konnte B. BOUVIER [567, 417 ff.] Einzelheiten über den Aufbau der regionalen und lokalen Verwaltung in den Ländern der SBZ im Jahr 1945 herausarbeiten,
wobei ihre besondere Aufmerksamkeit den Sozialdemokraten galt.

Gruppe   Die „Gruppe Ulbricht", die bereits vor der deutschen Kapitulation in Berlin ein-
Ulbricht   traf und dort im Auftrag der sowjetischen Besatzungsmacht wirkte, war von der
DDR-Geschichtsschreibung je nach der gerade gültigen politischen Linie der SED
unterschiedlich dargestellt worden. Vor allem gab es über deren personelle Zusam-

mensetzung im Laufe der Jahre einen wahren „Eiertanz" mit 15 Versionen, wie W. LEONHARD - damals das jüngste Mitglied der Gruppe - in seiner neuen Arbeit [357a, 1993] belegt. Inzwischen wurde nach Öffnung des SED-Archivs erstmals eine breit dokumentierte Darstellung über diese Gruppe publiziert [394a: G. KREIDERLING, 1992]

Während in der DDR relativ spät versucht wurde, die Geschichte der DDR in den Zusammenhang mit der Entwicklung der „sozialistischen Gemeinschaft" einzuordnen [1170: E. KALBE, 1981], ist im Westen ein Vergleich der Frühphasen verschiedener „Volksdemokratien" schon vorher erfolgt. W. DIEPENTHAL [388] vergleicht Polen, die Tschechoslowakei und die SBZ. Dabei setzt er sich kritisch mit der These auseinander, die „Sowjetisierung" sei allein die planmäßige Vollstreckung einer langfristigen strategischen Konzeption der Sowjetunion gewesen. Er weist vielmehr zahlreiche Brüche in der kommunistischen Politik nach. Allerdings macht seine Untersuchung nicht deutlich, daß die SBZ als Besatzungsgebiet ein Sonderfall war, anderen Zwängen unterlag und deshalb nicht einfach mit Staaten, die eine eigene Regierung besaßen, gleichzusetzen ist. *(margin: Vergleichende Untersuchungen)*

Eine umfassende Geschichte der kommunistisch regierten Staaten Europas von F. FEJTÖ [1161] entstand in Frankreich. Der 1. Band erschien bereits 1952 und behandelte die SBZ/DDR nur am Rande, erst im 2. Band für die Zeit 1953 bis 1972 wurde die Entwicklung der DDR mit berücksichtigt.

Einen ähnlichen Versuch machte J. HACKER 1983 [1167], der die Entwicklung von 1939 bis 1980 prüfen will. Obwohl er die SBZ/DDR stärker einbezieht, kann er nur auf bestimmte Probleme eingehen, hinzu kommt, daß er für die Frühphase nicht immer den neuesten Forschungsstand aufnimmt. So zeigt sich bei HACKER wie bei FEJTÖ, daß zwar bei einem Vergleich mehrerer Länder interessante Parallelen und unterschiedliche Konturen besser zu erkennen sind als bei isolierter Betrachtung der DDR, andererseits werden viele Probleme durch eine knappe Darstellung verkürzt.

Stärker auf die Vorgeschichte der SED konzentriert ist die Dissertation von H. KRISCH [398]. Sie ist ein Beispiel dafür, daß das Parteiensystem und die SED (die an anderer Stelle zu untersuchen sind) immer das besondere Interesse der Forschung fanden.

Bereits ein Blick auf die Darstellungen der Frühphase läßt erkennen, welche Themen die Forschung kontrovers diskutierte. Es waren dies vor allem die Entstehung und Entwicklung des Parteiensystems (auch und gerade die Gründung der SED), aber ebenso - wie schon erwähnt - die Ursachen der Spaltung Deutschlands. Zu gegensätzlichen Bewertungen kamen natürlich die Historiker in Ost und West, aber auch innerhalb der „westlichen" Einschätzungen gibt es Differenzen. Für die Frühphase soll dies hier kursorisch an wenigen Beispielen skizziert werden, nämlich den „Reformen" von 1945/46, der Entnazifizierung, der Stalin-Note von 1952 und dem Aufstand vom 17. Juni 1953. *(margin: Kontroversen der Forschung)*

Die Boden-, Schul-, Justiz- und Industriereform wurden von der DDR-Historiographie von Anfang an als Maßnahmen zur Überwindung des Nationalsozialismus gedeutet. Während aber früher vor allem ihr demokratischer Charakter hervorgehoben wurde [389: S. DOERNBERG, 1959], ist in späteren Darstellungen bereits deren grundsätzlicher Charakter für eine Umstrukturierung der Gesellschaft eingeräumt worden.

Bodenreform   Die Bodenreform hatte zu einer Krise innerhalb der CDU geführt; deren Vorsitzende Hermes und Schreiber, die eine entschädigungslose Enteignung ablehnten, wurden sogar von der SMAD abgesetzt [686: S. SUCKUT, 1982, 1080]. Aber auch auf der Linken war umstritten, ob die Aufteilung der großen Ländereien in kleine Parzellen der richtige Weg sei. Dies bestätigte auch die DDR-Geschichtsschreibung, die z. B. registrierte, daß der ZA der SPD noch am 30. August 1945 für eine genossenschaftliche Bewirtschaftung des enteigneten Großgrundbesitzes eintrat [409: J. PISKOL, 1984, 38]. Dagegen bestritten die DDR-Historiker [ebs., 38] die von P. HERMES [672: 1963, 37 f.] geäußerte – und von der westlichen Forschung weitgehend übernommene – Ansicht, die geringe Größe der Neubauernwirtschaften sei damals bewußt gewählt worden. Nach HERMES sollte so aus ideologischen Gründen „eine auf Dauer angelegte selbständige und ertragreiche Bewirtschaftung" nicht möglich sein, um dann später die Landwirtschaft leichter kollektivieren zu können. Freilich ist diese Auffassung in der westlichen Literatur auch nicht einhellig. So wird nicht nur von „linker" Seite die Bodenreform „überwiegend als positiv" eingeschätzt, wie z. B. von PLATO [410: 1979, 183], sondern ebenso von CHILDS [460: 1983, 15] ähnlich gesehen.

Die DDR-Geschichtsschreibung behauptete, die Umverteilung des Bodens sei eine vor allem von den deutschen Kommunisten initiierte Reform gewesen. Doch bereits 1955 hatte W. LEONHARD [270, 410 f.] in seinen Erinnerungen berichtet, daß die SMAD der treibende Faktor war und sogar der Gesetzestext für die Bodenreform erst aus dem Russischen übersetzt werden mußte.

Die Gesamteinschätzung der Bodenreform ist so geradezu beispielhaft für die Behandlung einzelner Probleme der Vorgeschichte der DDR. Sie wurde von den DDR-Historikern zu verschiedenen Zeitpunkten unterschiedlich interpretiert, aber auch in der westlichen Literatur durchaus kontrovers diskutiert. Zugleich ist aber zu diesem Thema inzwischen ein so umfangreiches Faktenmaterial publiziert worden, daß eine differenzierte Betrachtung möglich ist.

Ähnliche Aussagen sind zu anderen Ereignissen der Vorgeschichte und Frühzeit der Geschichte der DDR zu machen, doch sollen diese hier nur noch skizziert werden. Die Entnazifizierung z. B. ist bereits von P. J. NETTL [321: 1953, 35 f.] als „viel wirksamer als im Westen" beurteilt worden. Hingegen bezeichneten spätere Darstellungen die Entnazifizierung negativ, sahen darin „oft nur einen Vorwand, um Enteignungsmaßnahmen zu tarnen" [158, 170]. Auch in differenzierenden Arbeiten kommt der Aspekt der Verfolgung von NS-Verbrechern während der sowjetischen Säuberungen 1945/46, bei den Verschleppungen und Internierungen in den Jahren nach 1945 vor [1035: K. W. FRICKE, 1979]. Da die DDR-Historiker über die Entnazifizierung in der SBZ/DDR umfangreiches Material vorlegten [z. B. 402: W. MEINICKE, 1983], wurde auch in westlichen Darstellungen die Meinung vertreten, sie sei in der SBZ jedenfalls gründlicher als in den Westzonen praktiziert worden.

Entnazifizie-
rung

Inzwischen ist durch genauere Untersuchungen der enge Zusammenhang der Entnazifizierung mit dem erstrebten personellen Wandel bei der politischen und sozialen Umgestaltung der SBZ durch die SMAD und deutsche Kommunisten konkreter zu belegen [421b: H. WELSH, 1989 vgl. auch 369b]. Deutlich zeigt sich der zwiespältige Charakter der Entnazifizierung vor allem in der Praxis der „Speziallager" der SBZ.

Die Lager sind Symptom für den Doppelcharakter der sowjetischen Besatzungsmacht. Sie war (wie in ihrem Gefolge die deutschen Kommunisten) antifaschistisch, daher galt es für sie, die nationalsozialistischen Kriegsverbrecher und ihre Handlanger zu bestrafen. Zugleich aber waren die Kommunisten Stalinisten, die entsprechend der Praxis Stalins jeden politischen Gegner, ja jeden Abweichler blutig verfolgten. Somit wurde schon bald nicht nur der Antifaschismus für die stalinistische Politik ideologisch instrumentalisiert, sondern auch durch stalinistische Methoden ersetzt, also jede wirkliche und potentielle Opposition brutal bekämpft.

Doppelcharakter der Besatzungsmacht

In der DDR-Forschung blieben die Lager bis 1989 ein „weißer Fleck". Obwohl von 1945 bis 1950 zwischen 160.000 und 260.000 Personen (so die Schätzungen) in den Schweigelagern interniert waren, von denen dort über ein Drittel ums Leben kamen, wurde dieses Problem nur im Westen thematisiert. Erste detaillierte Fakten brachte ein schon 1952 von der „Kampfgruppe gegen Unmenschlichkeit" – in deren kämpferischer Sprache – vorgelegter Bericht [H. JUST, Die sowjetischen Konzentrationslager auf deutschem Boden, o.O. 1952]. In dem weit verbreiteten, vom Ministerium für Gesamtdeutsche Fragen herausgegebenen Taschenbuch „SBZ von A bis Z" fehlte in den drei ersten Auflagen (1953 bis 1956) noch jeder Hinweis, ab der 4. Auflage 1958 (bis zur 11. Auflage 1969) enthielt es dann einen kurzen Beitrag „Konzentrationslager".

Speziallager

Ab der 5. Auflage 1959 wurde dann die Zahl von 65.000 Toten genannt und zwar unter Berufung auf die Arbeit von G. FINN [1030]. FINN hatte in seinem Buch über Aufbau und Organisation der einzelnen „Konzentrationslager" der NKWD ausführlich berichtet und auch Dokumente veröffentlicht.

Während das Thema Internierungslager bis 1989 in der DDR-Forschung und Publizistik ein Tabu blieb, wurde auch in westlichen Gesamtdarstellungen zur DDR-Geschichte über die Lager berichtet [vgl. z. B. 327]. Die bisher umfassendste Untersuchung stammt von K. W. FRICKE 1979 [1035]. Er gab eine chronologische Übersicht der Entwicklung der Internierungslager, schilderte die Haftbedingungen und Lebensverhältnisse in den Lagern, die Deportationen in die UdSSR sowie die Entlassungsaktionen und die Auflösung der Lager. FRICKE hatte 15 Speziallager untersucht und schließlich errechnete er, daß in den 10 Speziallagern in der SBZ etwa 75.000 Menschen umgekommen sind.

Das „SBZ-Handbuch" hat 1990 [163a] über die Lager ebenfalls knapp berichtet. Im Rahmen seines Beitrages über die SMAD registrierte J. FOITZIK 65.000 bis 80.000 Tote unter den Internierten.

Nach der „Wende" in der DDR haben dort zunächst die Medien dieses Thema aufgegriffen. Schließlich erschienen Untersuchungen in Zeitschriften [vgl. 1029b,

1029c] und zahlreiche Erinnerungsberichte. Hier sei der Band von M. KLONOVSKY und J. v. FLOCKEN über „Stalins Lager in Deutschland" [1052c] genannt. Er bringt nach einer einleitenden Übersicht Häftlingsberichte aus sämtlichen Lagern. Die Autoren bewerten die Internierung als Mittel der Herrschaftssicherung.

Erinnerungs-
berichte

Für Erinnerungsberichte typisch sind einige Neuerscheinungen. Das Buch von U. FISCHER [240b] sowie der Band von E. KLOTZ [1052d] sind persönliche Zeugnisse von Internierten, die andere Berichte ergänzen [vgl. 237b, 244i, 264c, 275n, 281a, 300a]. Wie in den meisten Schilderungen werden dort die eigenen Erfahrungen aus den Lagern verarbeitet, aber auch das Thema Denunziation angesprochen.

Eine Dokumentation von besonderem Wert ist das Werk von A. KILIAN über das Lager Mühlberg [1052a]. Der Band enthält neben KILIANS Erinnerungen sorgsam recherchiertes Material über das Lager. Da auch die „Vorgeschichte", das Kriegsgefangenenlager der Wehrmacht (und das Schicksal vor allem der sowjetischen Kriegsgefangenen), einbezogen ist, werden hier die Verstrickungen unserer Geschichte deutlich. Das Buch vermittelt ein authentisches Bild vom Schrecken des Schweigelagers Mühlberg, dokumentiert aber darüber hinaus die ganze Problematik dieser Speziallager. Achim KILIANS Bericht kann mithelfen, sowohl die Auswirkungen der Gewaltpolitik des Nationalsozialismus zu erkennen, die eine Voraussetzung für die Lager waren, als auch und vor allem Einblicke geben in die Verfolgungen, die den stalinistischen Herrschaftssystemen immanent waren.

Die Diktatur der SED in der DDR entwickelte sich zum Spiegelbild der Diktatur der Kommunistischen Partei in der UdSSR. Bei der Übertragung des stalinistischen Regimes auf die SBZ/DDR, die ab 1948 forciert wurde, behielten die sowjetischen Besatzungsbehörden die Fäden fest in der Hand. Mit ihrer Militärjustiz und den „Speziallagern" verfügten sie über Verfolgungsinstrumente, die sie zur Umformung der SBZ einsetzten. Dabei bediente sich die SMAD schließlich der Mitarbeit deutscher Kommunisten, die bemüht waren, ihre eigene stalinistische Macht zu etablieren.

In Deutschland sind von 1933 bis 1945 die Kommunisten vom Nationalsozialismus blutig verfolgt worden, sie brachten im Widerstandskampf gegen Hitler die größten Opfer. Tausende deutscher Emigranten in der UdSSR waren ab Mitte der

Kommunisten
als Stalin-Opfer

dreißiger Jahre aber auch in die Stalinschen Säuberungen geraten. Obwohl seit Jahren bekannt, hat die DDR-Geschichtsschreibung bis 1989 vertuscht, daß sich unter den Opfern des Stalinschen Terrors deutsche Kommunisten befanden. Tatsächlich sind von den vor Hitler in die Sowjetunion geflüchteten oder von der Führung dorthin „abkommandierten" KPD-Funktionären über 60 Prozent nach 1936 verhaftet, ermordet oder sogar nach Nazi-Deutschland, an die Gestapo, ausgeliefert worden. Deutsche Kommunisten waren bis 1945 politisch Verfolgte [vgl. 1048a, 1064a].

Doch nach 1945 wurden aus Opfern auch Täter. Jene Minderheit der KPD-Führer, die den Terror Hitlers oder die Säuberungen Stalins überlebt hatte und trotz der stalinistischen Politik bei der Parteifahne geblieben war, trägt für die Verfolgungen insbesondere Anfang der fünfziger Jahre eine Mitschuld.

Ein Beispiel dafür, wie eine Geschichts-Kontroverse fast ausschließlich im Westen   Stalin-Note
geführt wurde, ist die Diskussion um die Stalin-Note von 1952. Bis heute ist der
Streit darüber im Gange, wie ernst diese Note zu bewerten ist und ob eine Chance
zur Wiedervereinigung vertan wurde, weil das sowjetische Angebot nicht genügend
ausgelotet wurde. Eine zusammenfassende Beurteilung unternahm G. WETTIG [377].
Von den zahlreichen Beiträgen, die in der Stalin-Note keinen ernsthaften Versuch
sehen, seien nur der von H. GRAML [Die Legende von der verpaßten Gelegenheit,
in: VfZ 29, 1981, 307 ff.] und der von H. P. SCHWARZ herausgegebene Sammelband
[370] genannt. Die Gegenposition vertritt vor allem R. STEININGER, der die Diskussion neu aufnahm [450; vgl. dazu auch 433: J. FOSCHEPOTH (Hg.), 1985] zusammenfassend hat GRAML [347 a] die Debatte 1988 nochmals beurteilt. Wenn sich die DDR-
Historiker kaum äußerten (allerdings brachte die BzG 27, 1987, 135 ff., eine sachli-
che Rezension des Bandes von STEININGER), so wohl auch deswegen, weil die Note
mit ihren Vorschlägen für den anderen deutschen Staat eine Marginalie blieb. Die
DDR-Führung hatte kaum Einfluß auf diesen Vorgang, es war eine Frage zwischen
der UdSSR und den Westmächten, in der die Bundesrepublik gefordert war. Nur
ernsthafte Verhandlungen oder gar Erfolge hätten die DDR betroffen, die dann
wohl schon damals als historisch kurzlebiger Staat von der Bildfläche hätte verschwinden müssen.

Auch die Beurteilung des Aufstands vom 17. Juni 1953 ist beispielhaft für die   17. Juni 1953
Kontroversen bei der Erforschung der Frühgeschichte der DDR; in diesem Fall bestand ein besonders scharfer Gegensatz zwischen Ost und West. Die DDR-Historiker verwendeten den Ausdruck „faschistischer Putsch" gegen Ende zwar kaum
noch, doch mußten sie sich immer an die Vorgaben der Geschichte der SED [581]
halten, wonach am 17. Juni 1953 ein „gegenrevolutionärer Putschversuch" mit
„operativer Anleitung" aus dem Westen stattfand, dabei Gruppen tätig waren, in
denen „ehemals aktive Faschisten" eine Rolle spielten. Da aber in der Geschichte
der SED auch von „Unzufriedenheit und Mißstimmung von Werktätigen" die Rede
war, kam es auf Akzente an. So wurde in Darstellungen noch 1985, z. B. von
W. GLEDITZSCH [583] sogar geschrieben, Dulles habe „von Westberlin aus die unmittelbare Leitung der Aktion" übernommen, die Legende von einem Putsch, der von
außen gesteuert wurde, also wieder verbreitet. Insgesamt bestätigten aber auch
DDR-Zeithistoriker die Unzufriedenheit in der Bevölkerung als eine der Ursachen,
und sie sagten selbst, daß die Normenerhöhung die Unruhen bei den Arbeiten auslöste.

Im Westen wurde die ursprüngliche Auffassung von einem allgemeinen Volksaufstand besonders nach der Arbeit von A. BARING [332] von der Forschung neu definiert, der 17. Juni nun meist als Arbeiteraufstand charakterisiert. Aufgrund der vorhandenen Quellen sind im Westen die Spontaneität der Bewegung wie die allgemeine Unzufriedenheit als Ursache nie in Zweifel gezogen worden. Das Thema ist
umfassend abgehandelt [vgl. 373: I. SPITTMANN u. K. W. FRICKE (Hrsg.), 1982]. Von
der späteren Literatur werden vor allem die Auswirkungen, ein „Lernschock" bei
Führung wie Bevölkerung, konstatiert. Dieser blieb wie andere wichtige Ereignisse

nicht ohne spürbare Folgen auf die weitere Entwicklung des Herrschaftssystems der DDR.

Neue Details   Inzwischen hat die Aufarbeitung der archivalischen Quellen nicht nur neue Details über den Aufstand vom 17. Juni 1953 vor Ort ergeben, z. B. in Leipzig [1057e; H. Roth], sondern auch die Einschätzung konkretisiert. Vor allem A. Mitter, der sich intensiv mit den Stasi-Akten befaßte [401b] hat Belege für die Breite der Unterstützung des Aufstandes durch andere Bevölkerungsschichten als nur die Arbeiter gefunden. Vor allem aber konnte er nachweisen, daß es selbst nach der Niederschlagung des Aufstandes noch zu umfangreichen Aktionen gegen das Regime kam. Zur Vorgeschichte des 17. Juni sind auch die Ausführungen auf dem Plenum des ZK der KPdSU vom Juli 1953 aufschlußreich, dessen Stenographischer Bericht nun auch in deutsch vorliegt [1029d]. Die schon veröffentlichten Quellen [95a] und Untersuchungen [341a, 348a, 886a] haben die Forschung zu diesem wichtigen Ereignis der DDR-Geschichte bereits jetzt um ein beachtliches Stück vorangebracht.

6. Das Verfassungs- und Regierungssystem der DDR

Verfassungs-   Mit dem Regierungssystem der DDR hat sich die Wissenschaft dort wie in der Bun-
entwicklung   desrepublik häufig befaßt, ebenso mit den Verfassungen von 1949 und 1968 (einschließlich der Veränderungen von 1974). Schon vor der Gründung der DDR debattierten Politiker in der SBZ über eine Verfassung: dabei sprach sich O. Grotewohl [481] bereits gegen die Gewaltenteilung aus. Zunächst ging die Diskussion freilich um die Länderverfassungen, darüber hatte K. Schultes [520] schon 1948 informiert. Nun liegt zu dieser Problematik eine umfassende wissenschaftliche Darstellung von G. Braas vor [474].

Stalin und die   Über die Hintergründe, die zur Schaffung der DDR führten, wurden nach Öff-
DDR-Gründung   nung der Ost-Archive eine Reihe von Untersuchungen und Analysen erarbeitet. Sie gehen weit über das hinaus, was die DDR-Forschung früher berichtete [vgl. 379b, 404]. So zeigen Akten aus dem zentralen SED-Archiv, welchen Einfluß die Sowjetunion und speziell Stalin auf die Gründung der DDR ausübten [134a]. Die Protokolle der Beratungen des Parteivorstandes der SED zur DDR-Gründung sind ebenso veröffentlicht [136a] wie die innenpolitischen Aspekte der Staatsbildung [420a]. Dokumentiert werden konnten nun die Wahlfälschungen, die speziell das Ministerium für Staatssicherheit schon bei den ersten Volkskammerwahlen im Oktober 1950 vornahm [399a].

Die noch stark von der Weimarer Konstitution beeinflußte erste Verfassung der DDR von 1949 war in der Praxis schon bald ausgehöhlt. Indessen verlagerte sich der Meinungsstreit sowohl über den Stellenwert der Verfassung für die politische Realität als auch über Veränderungen an der Verfassung selbst von der DDR weg in die Bundesrepublik. Das ermöglichte eine historische Betrachtung der Verfassungsentwicklung, die sich dann in zahlreichen Arbeiten niederschlug [478: M. Draht, 1956; 499: S. Mampel, 1964; 498: ders., 1968; D. Müller-Römer, 1966].

Einige Wissenschaftler gingen von der Beschreibung der marxistisch-leninistischen Ideologie aus und deuteten die Verfassungsentwicklung als Versuch einer Realisierung dieser Ideologie (MAMPEL), vor allem aber wurden Unterschiede zur Weimarer Republik und der Gegensatz zwischen geschriebener und Realverfassung thematisiert. Deutlich herausgearbeitet wurde auch die in der Verfassung gar nicht vorgesehene „Suprematie der SED". Entscheidende Verfassungsänderungen der fünfziger Jahre, die 1952 die Abschaffung der Länder und 1960 die Ersetzung des Präsidenten durch den Staatsrat brachten, fanden ebenso Interesse wie die Ausnutzung der Leerformeln in Artikel 6 zur Verfolgung politischer Opposition.

Erst im Zusammenhang mit der Diskussion um eine neue Verfassung und deren Annahme durch eine Volksabstimmung 1968 gab es auch in der DDR selbst wieder eine Literatur zum Verfassungswesen [530]. Zur Verfassung von 1968 erschien erstmals auch ein offizieller Kommentar, herausgegeben von K. SORGENICHT u. a. [524].   DDR-Kommentar
Ausführlich wurde nun die in Artikel 1 verfassungsrechtlich abgesicherte Führungsrolle der SED begründet. Die dann relativ bald erfolgten abermaligen Neuformulierungen in der Verfassung im Jahre 1974 (die zwar einige Grundsätze wie die Einheit Deutschlands oder das Verhältnis zur UdSSR änderten, nicht aber die Artikel, die Strukturen des Staates betrafen) lösten in der DDR-Wissenschaft keine Debatte mehr aus. Bis zuletzt bedeutete die Verfassungsentwicklung für die DDR-Historiker nur eine Marginalie, auch darin dokumentiert sich der geringe Stellenwert der geschriebenen Konstitution für die Realität der ehemaligen DDR. Hierin spiegelt sich wider, daß die Verfassung für die Machtausübung instrumentalisiert wurde und sie keineswegs die Normen kommunistischer Politik setzte.

In der Bundesrepublik erschienen zahlreiche Untersuchungen zur Verfassung von 1968 bzw. 1974 [500: S. MAMPEL, 1972; 501: D. MÜLLER-RÖMER, 1974; 507: H. ROGGEMANN, 1980]. In diesen Arbeiten wird auch die historische Dimension berücksichtigt. Die Verfassungsfunktion, ihre Prinzipien und vor allem die Kontrollmechanismen hat G. BRUNNER [476: 1972] bis ins Detail beschrieben und dabei eine generelle Einschätzung der gesamten Verfassungsordnung in beiden deutschen Staaten gegeben. Obwohl die Diskrepanz zwischen geschriebener Verfassung und Realität 1968 bzw. 1974 geringer war als 1949, zeigen alle Analysen, daß das Regierungssystem der DDR nicht nur am Verfassungstext gemessen werden konnte. So war in Artikel 1 die Führungsrolle der SED nur ganz allgemein beschrieben, die tatsächliche Rolle der Institutionen, z. B. der Volkskammer, nicht korrekt dargelegt. Wichtig blieb hingegen das Prinzip des demokratischen Zentralismus, das die formale Struktur aller Institutionen festlegte. Über die Bedeutung des demokratischen Zentralismus er-   Demokratischer
schienen in der DDR einige Darstellungen [512: R. ROST, 1959; 518: G. SCHÜSSLER,   Zentralismus
1981]. In diesen Arbeiten wurde freilich die demokratische Seite (Wahl aller Organe von unten nach oben, Rechenschaftspflicht der Gewählten sowie Mehrheitsentscheidung) stark betont, obwohl gerade diese Teile in der Realität kaum eine Rolle spielten. Dagegen verdiente das zentralistische Prinzip einer straffen Leitung von oben und strikter Disziplin besondere Beachtung, denn in der Praxis war dieser Zentralismus für das System entscheidend. Dies wurde vorrangig von westli-

chen Wissenschaftlern herausgearbeitet [506: E. RICHERT, 1963; 494: G. LEISSNER, 1961; 528: J. TÜRKE, 1960], wobei letztere vor allem den Verwaltungsapparat untersuchten.

Staatsapparat   Das eigentliche Regierungssystem der DDR, also die Institutionen der Machtausübung sowie der Staatsapparat, sind in Gesamtdarstellungen des DDR-Systems behandelt [460: D. CHILDS, 1983; 465: H. RAUSCH/T. STAMMEN, 1978; 466: E. SCHNEIDER, 1975; 467: K. SONTHEIMER/W. BLEEK, 1972; 468: R. THOMAS, 1972]. Skizziert sind die DDR-Institutionen auch in Überblicken der Systeme der kommunistisch regierten Staaten [479: R. FURTAK, 1979, 74 ff.; 526: R. F. STAAR, 1977, 74 ff.]. Einzelne Organe sind in speziellen Monographien beschrieben. Bereits 1971 hat sich U. HOFFMANN [484] mit dem Ministerrat der DDR beschäftigt und sich dabei theoretisch von den Thesen von LUDZ abgehoben Die Arbeiten von P. LAPP [490: 1982; 492: 1975; 491: 1971] zeigen, daß es möglich war durch gründliche Auswertung veröffentlichter Materialien eine Übersicht über Aufgaben, Organisation und Arbeitsweise dieser Führungsgremien des Staates zu gewinnen. Allerdings wurde nur die historische Entwicklung der Volkskammer skizziert, entsprechende Untersuchungen für andere Institutionen stehen aus.

Vorbildhaft für die Darstellung der Strukturen der DDR ist noch immer die Arbeit von E. RICHERT [506] aus dem Jahr 1963. Darin hat er nicht nur den Staatsapparat untersucht, sondern das gesamte Regime einschließlich der Wirtschaftspolitik sowie der Rolle der SED. Freilich ist dieses Werk weniger historisch angelegt, als aus der Sicht der politischen Soziologie geschrieben. Dennoch ist die wichtige Analyse beispielhaft für die Erforschung der Geschichte des DDR-Herrschaftssystems.

Obwohl W. ULBRICHT selbst bereits 1949 ein „Lehrbuch für den demokratischen Staats- und Wirtschaftsaufbau" [529] vorlegte, haben die DDR-Historiker die Geschichte ihres Staats nicht umfassend beschrieben. Während für die Vorgeschichte die Arbeit von H. FIEDLER [576] und vor allem K. H. SCHÖNEBURG [415] interessante Einsichten vermittelten, gab es für die spätere Zeit nur einen weit weniger instruktiven Band ebenfalls von SCHÖNEBURG [514: 1973]. Einblicke in die Geschichte der Staatsordnung gewährten indes auch Dokumentationen, so neben den bereits erwähnten Bänden zur Vorgeschichte die Dokumente zur Staatsordnung [65], die auch umfangreiche Literaturhinweise enthalten, oder „Das System der sozialistischen Gesellschaftsordnung" [137].

Rolle der Kader   Für die Entwicklung des Machtapparats wurde in der DDR immer wieder die Bedeutung der Funktionäre, der „Kader" auch im Staat beschrieben [483: R. HERBER/H. JUNG, 1968; 471: W. ASSMANN/G. LIEBE, 1972; 495: G. LIEBE, 1973]. Über dieses wichtige Thema ist jedoch auch im Westen gearbeitet worden, so 1976, von G. J. GLAESSNER [480] und R. SCHWARZENBACH [626]. GLAESSNERS Arbeit ist stärker historisch orientiert und berücksichtigt auch das „Qualifizierungssystem" der Kader im Staatsapparat. Veränderungen der sozialen Struktur der außenpolitischen Führungsgruppen untersuchte J. RADDE [1092: 1976; vgl. auch 1188: DERS., 1977]. Dagegen versuchte G. NEUGEBAUER 1979 [613], die Instrumentalisierung des Staatsapparats durch die SED zu analysieren, wobei er die Prognose wagte, es komme zu einer „relativen Verselbständigung" des Staatsapparats gegenüber der SED. Das wurde nicht nur von der DDR – zu recht – anders gesehen. K. SORGENICHT [525] war bemüht, gerade die Führungsrolle der SED im Staat herauszuarbeiten. Auch systematische Darstellungen [517: G. SCHÜSSLER, 1978] hoben die Hegemonie der Partei im Staat hervor.

Die Herausbildung und Geschichte des Rechtswesens wurde aus dem Blickwinkel der DDR-Historiker ebenso eindeutig mit der Führungsrolle der SED verbunden. Seit 1983 liegt ein „Grundriß" zur Staats- und Rechtsgeschichte vor [527], der viele Daten und Materialien brachte, vorher erschien ein Band zur „Entwicklung der sozialistischen Rechtsordnung" [470]. Zum 30. Jahrestag der DDR-Gründung kam ein Sammelband zum Thema Staat und Recht heraus [534]. Eine zweibändige Geschichte der Rechtspflege von 1945 bis 1961, von einem Autorenkollektiv unter Leitung der ehemaligen Justizministerin H. BENJAMIN verfaßt [472], war zwar ebenfalls materialreich (z. B. mit Details über die Zentralverwaltung Justiz nach 1945), aber doch parteiisch verzeichnet. Typisch daran war, wie die Praxis der politischen Justiz in den fünfziger Jahren verharmlost oder die Existenz der Internierungslager der sowjetischen Besatzungsmacht in Deutschland verschwiegen wurde. Auch andere unliebsame Fakten wurden vertuscht, beispielsweise in der Kurzbiographie des ehemaligen Justizministers Max Fechner nicht erwähnt, daß er 1953 abgesetzt und verhaftet worden war.

In der Bundesrepublik ist indessen gerade die Rechtsunsicherheit und das Unrecht in der Geschichte der DDR herausgearbeitet und dies auf die Instrumentalisierung des Rechts durch die SED zurückgeführt worden. G. BRUNNER hat in seiner Einführung in das Recht der DDR [477] die Rechtsordnung, das politische System und die einzelnen Rechtsgebiete skizziert, eine entsprechende Dokumentation erstellte E. LIESER-TRIEBNIGG [105]. Bereits früh gab es Dokumentationen zu Rechtsverletzungen [142]. Einen historischen Überblick über das für das Regierungssystem wesentliche Strafrecht bis 1968 legte W. SCHULLER vor [519], wobei er auch das Prozeßrecht einbezog. K. W. FRICKE hat 1979 die Geschichte der politischen Verfolgung herausgearbeitet [1035]. Einzelne Bereiche des Rechtswesens sind umfassend analysiert, dabei ist meist auch deren historische Entwicklung gestreift worden. Das gilt beispielsweise für das Strafrecht [515: F. C. SCHRÖDER, 1983; 121: H. ROGGEMANN, 1978; 511: W. ROSENTHAL, 1968; 521: SCHWINDT, 1979]. Hingewiesen sei weiter auf Werke über die Grundrechte [502: D. MÜLLER-RÖMER, 1966; 486: H. KASCHKAT, 1976], das Zivilgesetzbuch]122: H. ROGGEMANN, 1976], das Arbeitsrecht [496: S. MAMPEL, 1966]. Schließlich gibt es Arbeiten über die Notstandsverfassung [513: H. SCHMITZ, 1971] oder die Wehrverfassung [532: J. WECK, 1970]. Das übergreifende Rechtssystem des RGW hat W. SEIFFERT 1982 vorgestellt [522]. Nicht zuletzt haben auch die Materialien zum Bericht zur Lage der Nation (1972 und 1974) [162] die Situation des Rechts in der früheren DDR dargelegt, freilich ohne die historischen Tendenzen genügend einzubeziehen.

Die Untersuchungen zum Verfassungs-, Regierungs- und Rechtssystem der DDR

Rechtswesen

belegen, daß es sich dort um eine straff politisch formierte Gesellschaft handelte. Den Kern dieses Regierungstypus bildete die kommunistische Einparteienherrschaft, die daher in allen Arbeiten über das Herrschaftssystem behandelt wurde, einerlei, ob sie als Staats- oder Führungspartei bzw. – wie im vorliegenden Band – als Hegemonialpartei definiert wird. Bei der Analyse der DDR wurde daher von der Forschung dem Parteiensystem entscheidende Bedeutung zugemessen.

7. Entwicklung der Parteien und Massenorganisationen und die Rolle der SED

Parteiensystem im Mittelpunkt der Forschung

Die Geschichte des Parteiensystems und die Entwicklung der SED sind in der DDR mit unterschiedlichen Schwerpunkten in großem Umfang untersucht worden. Auch die Forschung der Bundesrepublik hat dazu zahlreiche Veröffentlichungen hervorgebracht. Offensichtlich konzentrierte sich die Forschung früher auf das Parteiensystem, wobei die SED im Mittelpunkt stand. Dies ist wenig erstaunlich angesichts der Tatsache, daß das Parteiensystem den Kern des politischen Regimes der DDR bildete und die SED als Hegemonialpartei in Politik, Gesellschaft, Wirtschaft und Kultur bestimmte, ihre Diktatur entscheidend für das System war. Bisher erschienen allerdings noch keine ausführlichen historischen Analysen des Parteiensystems und auch noch keine umfassenden Untersuchungen zur Geschichte der SED. In den bereits erwähnten Gesamtdarstellungen zur Geschichte der DDR wird indes dem Parteiensystem und insbesondere der Entwicklung der SED breiter Raum gewidmet. Genauere Einblicke vermitteln inzwischen Dokumentationen und gedruckte Quellen. Hier sind vor allem die aussagekräftigen Protokolle des „Blocks" der Parteien hervorzuheben [136: S. Suckut, 1986; er gibt zugleich einen kurzen Überblick zum Forschungsstand]. Auch in anderen Bänden finden sich lange Zeit unveröffentlicht gebliebene Materialien der einzelnen Parteien und Massenorganisationen [148: H. Weber (Hrsg.), 1982; 85: O. K. Flechtheim (Hrsg.), 1962-1970]. Für die SED lagen in der DDR 20 Bände mit Dokumenten ihrer Führungsorgane vor [58], ebenso Dokumente der Nationalen Front [111] oder der CDU [56], LDPD [103, 104] und FDJ [63].

Quellen

Untersuchungen der DDR-Historiker zum gesamten Parteiensystem befaßten sich in erster Linie mit der Politik der SED gegenüber den anderen Parteien. Die „Führungsrolle" der SED wurde als ganz selbstverständlich herausgestrichen und die Praktiken zu ihrer Herausbildung als eine Art „gesetzmäßiger" Prozeß gedeutet. Selbständigkeitsbestrebungen von CDU und LDP hatten dagegen lediglich als Abweichung bürgerlicher und uneinsichtiger Politiker zu gelten [535: Bündnispolitik, 1981; 537: Gemeinsam zum Sozialismus, 1969; 536: Im Bündnis, 1966; 544: M. Krause, 1978].

Über die Frühphase des Parteiensystems der SBZ/DDR erschienen in der Bundesrepublik einige Überblicke, die neue Einsichten ermöglichten, etwa im SBZ-Handbuch [163 a]. Richert hatte seiner Studie über Agitation und Propaganda, die in Zusammenarbeit mit C. STERN und P. DIETRICH bereits 1958 erschienen ist [548], eine historische Skizze vorangestellt, in der er kenntnisreich auch das Parteiensystem analysierte. Die bisher umfangreichste Untersuchung ist die von N. MATTEDI [546: 1966], doch ist sie weitgehend deskriptiv.

Den wichtigen Ansatz des Vergleichs der „Mehrparteiensysteme" in den Volksdemokratien nahm H. HOFMANN [539: 1976] auf. Sein Versuch blieb jedoch sowohl von der Quellenbasis als auch vom Umfang her (die DDR wird auf weniger als 50 Manuskriptseiten abgehandelt) unzulänglich. Das Blocksystem ist Thema einer kurzen Studie von D. STARITZ [549: 1976]. Der Transformationsprozeß des Parteiensystems von einer ursprünglich formalen Gleichstellung aller Parteien zur Dominanz der SED ist mehrfach beleuchtet worden [542: M. KOCH/W. MÜLLER, 1979; 541: M. KOCH, 1984; 403: W. MÜLLER, 1982].

Daß sich bei der Entwicklung des Parteiensystems ein Transformationsprozeß vollzog, war in der westlichen Forschung unumstritten, doch bei der Bewertung der Anfänge der Blockpolitik bestanden in einem Punkt Differenzen. Hier wurde schon früh von einer „Hineingründung" der Parteien in den „Block" gesprochen. Damit war gemeint, daß die Lizenzierung der „bürgerlichen" Parteien durch die Sowjetische Militärverwaltung erst nach deren Bereitschaft, dem „Block" beizutreten, erfolgte [672: P. HERMES, 1963, 15; 677: E. KRIPPENDORFF, 1961, 83 f.]. Hingegen wies M. KOCH [Der demokratische Block, in: 148, 1982, 282] darauf hin, daß die Begründer von CDU und LDP angesichts der gewaltigen Aufgaben im zerstörten Deutschland auch ohne Zwang für die Zusammenarbeit aller Parteien eintraten. S. SUCKUT [136, 17] machte deutlich, daß ein „Hineingründen" zumindest für die Landesebene nicht gelten konnte, da sich dort der „Block" später als die Parteien konstituierte.

Einig ist sich die westliche Forschung über die Bedeutung des „Blocks" als eines Instruments (neben Volkskongreßbewegung u. a.) zur Transformation des Parteiensystems und für die Entwicklung der SED zur Führungspartei. Die SED hat als die entscheidende Partei der SBZ und DDR daher schon rasch das Interesse der Forschung gefunden. Allerdings haben Arbeiten, die bisher zur Geschichte der SED erschienen, ihre Herausbildung als Hegemonialpartei keineswegs umfassend analysiert. Von den DDR-Historikern, die 1978 auch die einzige Gesamtgeschichte der SED veröffentlichten [581], sind die ideologischen und politischen Konzeptionen zwar untersucht, doch im Laufe der Zeit je nach Parteilinie rückblickend immer wieder umgeschrieben worden. Außerdem war selbst der „Abriß" keine eigentliche Parteigeschichte. Das Schwergewicht lag auf den Konzeptionen der Partei, über Organisationsstrukturen, Mitgliederbewegung, soziale Zusammensetzung der Partei, des Funktionärkorps und der Führung wurde darin nur wenig ausgesagt, über die Mechanismen der Machtausübung durch die Führungsgremien und die Verbindungsstränge zur Sowjetunion gar nichts. Da der „Abriß" die Leitlinie für die übrigen DDR-Abhandlungen zur Geschichte der SED bildete, finden sich diese Defizite in allen Arbeiten mehr oder weniger stark wieder.

In frühen westlichen Monographien über die SED stand entweder die innerparteiliche Entwicklung und Struktur im Mittelpunkt [577: E. FÖRTSCH, 1969; 625:

Transformation des Parteiensystems

Geschichte der SED

J. SCHULTZ, 1956] oder die Beschreibung und Analyse der Parteipolitik [632: C. STERN, 1957]. Wie schon erwähnt, ist die Rolle der SED im politischen System auch von Ansätzen der Rechtstheorie her sowie ihrer Rolle im Staatsapparat untersucht worden.

Eine Geschichte der SED kann sich allerdings nicht darauf beschränken, nur die Politik zur Sicherung ihrer Herrschaft, Mobilisierung und Kontrolle der Bevölkerung zu behandeln, sondern sie muß sich auch mit inneren Strukturen, Kaderfragen und Führungsproblemen befassen. In neueren Darstellungen werden nun zunehmend Teilbereiche über das Wachsen des Institutionsgefüges, Kaderbildung sowie Karrieremuster geschildert. Dagegen war es aufgrund der Quellenlage vor 1990 kaum möglich, die Mechanismen der Machtausübung, das Geflecht der verschiedenen Führungsgremien (Politbüro, Sekretariat, ZK) und deren Arbeitsmethoden ausführlicher zu beschreiben. Ähnliches gilt für die Anleitung der Regierung durch die Partei oder die konkrete Tätigkeit unterer Parteiorgane. Trotz einer immensen Literatur über die SED, vor allem aus der DDR, bestehen so immer noch erhebliche Wissenslücken. Hier macht sich nach wie vor das Fehlen einer umfassenden Geschichte der SED negativ bemerkbar. Zwar erschien 1988 der 1. Band einer parteioffiziellen Geschichte der SED, aber das 850-Seiten-Werk umfaßt nur die Zeit bis 1917. Und auch der (nicht mehr ausgelieferte) 2. Band mit fast 1000 Seiten endete 1945. Die SED, erst 1946 gegründet, wollte also die Hälfte der vier geplanten Bände ihrer „Vorgeschichte" widmen.

Offizieller „Abriß" der SED-Geschichte   Zum bereits erwähnten Versuch der DDR, diese Lücke mit dem „Abriß" [581] zu schließen, sind nur wenige weitere Bemerkungen zu machen. Der „Abriß" blieb in zahlreichen Passagen hinter dem bis dahin erreichten „Standard" der DDR-Geschichtswissenschaft zurück, den 1966 die Abschnitte über die SED-Geschichte in der achtbändigen „Geschichte der deutschen Arbeiterbewegung" [314] gesetzt hatten. Die „Parteilichkeit" im „Abriß" zeigte sich vor allem in der wieder einmal in die Geschichte projizierten aktuellen Politik der SED. Die Abgrenzung gegenüber der Bundesrepublik bewirkte z. B., daß im „Abriß" 1978 zwar das SED-Programm von 1963 vorgestellt wurde, die Autoren jedoch verschwiegen, daß darin die „nationale Einheit" noch ein Hauptbekenntnis war und damals das Programm zur „Wiederherstellung der staatlichen Einheit" aufrief. Ebenfalls verzerrt dargestellt sind im „Abriß" die Gründung der SED oder die Rolle Stalins für die SED. Über Stalin war kaum etwas zu finden. So fehlte bei der Beschreibung des Statuts der SED von 1950 im „Abriß" der Hinweis auf den entscheidenden Satz, die SED lasse sich in ihrer „gesamten Tätigkeit von der Theorie von Marx, Engels, Lenin und Stalin leiten". Während in der unter Ulbricht erarbeiteten „Geschichte" von 1966 noch von den „Massenrepressalien" Stalins die Rede war, wurde 1978 nur noch ganz versteckt vom Personenkult in der UdSSR gesprochen. Es war typisch für den „Abriß", daß in dieser „Parteigeschichte" weder Hinweise auf die Entmachtung der Gruppe um Paul Merker 1950 noch die Absetzung Dahlems und die Verhaftung Fechners 1953 Platz fanden. Wohl aber war nachzulesen, welche Leistungen die Aktivisten Frieda Hockauf für die Volkswirtschaft vollbrachte. Hingegen wurde Walter Ulbricht, der nach 1971 aus der Parteigeschichte verschwunden war, im „Abriß" wieder genannt, aber keineswegs seiner Bedeutung für die SED entsprechend vorgestellt.

In der Folgezeit erschienen zahlreiche Bücher zu Einzelproblemen der SED oder Regionaluntersuchungen, die wieder stärker an den Fakten orientiert waren. Bereits früher hatte die SED eine Vielzahl Lokaluntersuchungen ihrer Partei publiziert, die meist auf ein Thema begrenzt waren (vorrangig auf die Vereinigung der SED). Eine Fülle neuer Dokumentationen und Schilderungen der örtlichen Geschichte der SED wurde in den achtziger Jahren erarbeitet. Typisch für diese Literatur war ein Band über die SED in Leipzig [563: M. BENSING, 1985]. Ergänzend zur Darstellung sind zahlreiche Bilder abgedruckt, aber auch Faksimiles von Plakaten, Briefen und anderen Schriftstücken. Aus solchen Unterlagen waren interessante Einzelheiten zu erfahren. In der Darstellung selbst wurde manches verzerrt, so etwa die Rolle der früher in Leipzig dominierenden Sozialdemokraten heruntergespielt. Die Untersuchung erwähnte (207 ff.) allerdings, daß 1948 früher führende Sozialdemokraten aus der SED ausgeschlossen wurden, ebenso 63 Funktionäre im Kreis Borna (freilich wurde verschwiegen, daß dies meist auch Verhaftung bedeutete). Die Abbildung der Titelseite der Stalinschen „Geschichte der KPdSU (B)" und der Hinweis, daß dieses – von Chruschtschow 1956 als Machwerk verdammte – Buch der SED-Schulung diente, war insofern interessant, als die SED ihre stalinistische Vergangenheit an einigen Stellen wieder erkennen ließ.

Umfassender als die Darstellung der Leipziger SED waren zwei 1986 von den regionalen Geschichtskommissionen vorgelegte offizielle Parteigeschichten, die über Sachsen-Anhalt für die Zeit von 1945 bis 1952 [597: E. KÖNNEMANN] und die über den Bezirk Gera bis 1961 [644: G. VOLKMANN/K. H. PETZKE]. Die SED arbeitete ihre Geschichte in allen früheren Ländern und den Bezirken auf und sie beteiligte daran neben bekannten Historikern auch Parteifunktionäre und Veteranen.

Auch die Bände zur Geschichte der SED in Sachsen-Anhalt und im Bezirk Gera waren (im Gegensatz zum „Abriß") reich illustriert, sie brachten Faksimiles wichtiger Materialien und boten – bei beträchtlichem Umfang (fast 800 Seiten bzw. über 500 Seiten) – viele Details. Die Bewertung der angeführten Fakten war allerdings bezeichnend. So wurde über die SED-Schulung berichtet und behauptet, die von Chruschtschow oder Mikojan bereits 1956 Machwerk genannte „Geschichte der KPdSU (B)" „half den Parteimitgliedern, Klarheit über den Charakter einer marxistisch-leninistischen Partei zu gewinnen" [597, 431]. Bemerkenswert ist ebenfalls, daß in diesem Band die SED-Säuberung von 1951 als die „bisher bedeutendste innerparteiliche Aktion" eingeschätzt und zugleich mitgeteilt wurde, daß dabei im Landesverband Sachsen-Anhalt über 18.000 Parteimitglieder (das waren rund 8 Prozent der Mitgliedschaft) ausgeschlossen wurden (646, 726).

Die Untersuchung der Geschichte der SED im Bezirk Gera bezog die Tradition der KPD mit ein und reichte bis 1961. Auch dieser Band brachte – wie der über Sachsen-Anhalt – detaillierte Angaben über die Mitgliedschaft, macht aber nur sporadische Ausführungen über die Führungsgremien im Bezirk. So wurden von den 11 ostthüringer Mitgliedern des 1. Landesvorstandes nur sieben genannt (231), ob-

Margin notes:
SED-Regionalgeschichten

Leipzig

Sachsen-Anhalt

Gera

wohl sie sämtlich in einem gedruckten Rechenschaftsbericht des Landesvorstands von 1947 aufgeführt sind, aus dem in der Geschichte ansonsten ständig zitiert wurde. Auch die Säuberungen der Thüringer SED 1949 von „nationalistischen" und „antisowjetischen" Gruppen wurden nur gestreift und verharmlost (281), obwohl damals viele Funktionäre verhaftet wurden. Die Säuberung von 1950/51 („Überprüfung") ist zwar erwähnt, aber es fehlten Zahlen über den Umfang der Ausschlüsse.

Sowohl der Band über die Geschichte der SED im Bezirk Gera als auch die Parteigeschichte über Sachsen-Anhalt belegten, daß die Kommunisten 1945 vor Ort zunächst an ihrer früheren Linie festhielten (auf vielen Abbildungen sind z. B. die alten Symbole mit Hammer und Sichel zu erkennen) und erst von oben zu einer neuen Politik gedrängt werden mußten. Das zeigen auch weniger umfangreiche, aber ebenfalls illustrative Darstellungen zur Geschichte der SED in Brandenburg [641: K. URBAN/J. SCHULZ, 1985; 583: W. GLEDITZSCH/M. UHLEMANN, 1985] und Leipzig [618 a]. Darstellungen der SED auf Kreisebene (z. B. Rochlitz [598: 1984], Wismar [582: 1978], Marienberg [649: 1982]) bezeugen dies ebenfalls.

Mecklenburg   Die später publizierten Darstellungen über die Geschichte der SED in Mecklenburg [581a] bzw. Magdeburg [651a: M. WEIEN, 1989] zeigen, daß gerade in der Geschichtsschreibung über die SED die „Parteilichkeit" bis zuletzt bestimmend blieb. Und selbst da, wo die früher übliche Methode fallengelassen wurde, „Parteifeinde" als „Unpersonen" nicht zu nennen, blieb die Wahrheit ausgespart. Über zwei frühere Sozialdemokraten in Mecklenburg hieß es so z. B. „Willy Jesse schied aus seinen Parteifunktionen aus" sowie „von Max Frank mußte sich die Partei trennen". Kein Wort davon, daß beide verhaftet wurden und für viele Jahre im Zuchthaus ver-

Magdeburg   schwanden. Im Band über die Magdeburger SED 1952–1981 wurde erstmals zugegeben, daß es im Dezember 1952 „zu Arbeitsniederlegungen" in Magdeburg kam, aber dies wie früher „feindlichen Kräften" angelastet. Die Eigendarstellungen der Regionalgeschichte der SED waren insgesamt unbefriedigend.

Karl-Marx-Stadt   Eine umfangreiche Untersuchung (über 400 Seiten in sechs großformatigen Heften) wurde über die Geschichte der SED im Bezirk Karl-Marx-Stadt vorgelegt [655: H. ZIMMER, 1984]. Sie ist jedoch weniger informativ, die darin enthaltenen Illustrationen und Faksimile sind nicht so aussagekräftig wie etwa die Darstellung zu Sachsen-Anhalt. Über die innerparteiliche Entwicklung und über die Strukturen der SED im Bezirk Karl-Marx-Stadt – also Themen, die auf jeden Fall in eine „Geschichte der Bezirksparteiorganisation" gehören – wurde nur am Rande berichtet. Immerhin ist angegeben, daß die SED bei den Säuberungen 1950/51 im Land Sachsen 14.736 ihrer Mitglieder ausschloß (H. 3, 65). Schließlich ist der „Geschichte" zu entnehmen, daß die Bezirksleitung Karl-Marx-Stadt der SED 1956 in „Auswertung der Ergebnisse des XX. Parteitags" der KPdSU auch über die „Überwindung der Überreste des Personenkults um J. W. Stalin informierte" (H. 5, 17).

Im Band über Sachsen-Anhalt [597, 160] ist ein Rundschreiben der KPD der Leuna-Werke vom 4. Oktober 1945 abgedruckt, in dem ganz typisch von den Kommunisten als erste „Pflicht" die „Disziplin" verlangt wird. In der faksimiliert wiedergegebenen Anweisung fordert die KPD-Leitung aber auch: „Über jede Arbeitsform

unserer Partei ist Stillschweigen zu halten." Solche Geheimbundmethoden wurden
selbst in der besten Beschreibung der KPD im Jahr 1945 aus der Feder eines damali-   KPD 1945
gen DDR-Historikers verschwiegen. G. Benser gab in seinem Werk [562] ein Beispiel für eine Parteilichkeit, die er durchaus mit einer faktenreichen und differenzierten Darstellung zu verknüpfen wußte. Entgegen herkömmlichen DDR-Abhandlungen zum Thema, in denen meist nur die ideologische Entwicklung (oftmals
verzerrt) untersucht wurde, machte Benser auch detaillierte Angaben zur Organisation der KPD, über die Mitgliederbewegung, den organisatorischen Aufbau und die
Besetzung wichtiger Funktionen. Er sprach auch Probleme der KPD in der SBZ an
und versucht Tabus zu überwinden, so hat er erstmals in der DDR alle Mitglieder
der Gruppe Ulbricht, einschließlich Wolfgang Leonhard, genannt.

Erich Honecker ging in seiner Autobiographie (die 1980 gleichzeitig in der DDR
und im Westen erschien [256]) nicht über das hinaus, was sein ehemaliger Stellvertreter H. Lippmann [1206] bereits berichtet und kritisch bewertet hatte. Die Biographien von Parteiführern der SED, von Pieck, Grotewohl, Ulbricht, Koenen, Matern, Warnke [1217: H. Vosske/G. Nitzsche, 1976; 1199: H. Vosske, 1978; 1234:
ders., 1983; 1210: H. Naumann, 1977; 1212: L. Rothe/E. Woitinas, 1981; 1227:
H. Deutschland/A. Förster/E. Lange, 1982] waren trotz der parteilichen Bewertung meist faktenreich.

Aber auch hier zeigte sich, daß selbst die günstigere Materiallage für die DDR-   Ulbricht-
Historiker (das galt besonders für Voßke, der als Leiter des Parteiarchivs beim Insti-   Biographie
tut für Marxismus-Leninismus beim ZK der SED leichten Zugriff zu den Quellen
hatte) eine kritische und distanzierte Betrachtung nicht wettmachen kann. So ist die
beste Ulbricht-Biographie noch immer eine westliche, nämlich die von C. Stern
[1221].

C. Stern hatte bereits in ihrer 1957 erschienenen Arbeit [632] neben einer systematischen Darstellung eine bis 1957 reichende kurze Geschichte der SED vorgelegt.
Auf 200 Seiten wurde die Entwicklung von der „Vereinigung" über die Massenpartei zur „Partei neuen Typus" und zum Ausbau der Alleinherrschaft geschildert. Die
ideologischen und organisatorischen Probleme und Veränderungen (auch die Säuberungen) standen im Mittelpunkt ihrer wichtigen Untersuchung, die dem damaligen
Quellenstand entsprach. Die Autorin gab später noch einen kurzen Überblick zur
SED [633]. Ähnlich kursorisch wurde die Geschichte in anderen Bänden abgehandelt [628: Die SED, 1967; 647: H. Weber, 1971; SED, in: 167, 1985, 743 ff.]. Darüber
hinaus wurden bloße Faktensammlungen vorgelegt [164]. Auch spätere Arbeiten im
Westen enthielten keine Geschichte der SED, wohl aber sind dafür Ansätze zu finden [W. Müller, in: 148, 1982; 634: F. T. Stössel, 1985].

So bleibt eine Gesamtgeschichte der SED ein Desiderat der Forschung. Sie ist nun
aufgrund der sehr guten Quellenlage möglich. Zwei Teilbereiche ihrer Geschichte
sind relativ gut bearbeitet, zum einen die Parteischulung, zum anderen die Kader-
probleme. E. Förtsch [Parteischulung als System der Kaderbildung in der SBZ
(1946–1963), Diss. Erlangen 1964] hat die Schulung bis 1963 recht umfassend dargestellt, obwohl er das Thema vorwiegend systematisch angeht. Weitere Arbeiten wie

die von W. LEONHARD [602] zeigen die historische Entwicklung und den Umfang der Parteischulung.

Kaderpolitik   Wichtige Hinweise auf die Kaderpolitik der SED finden sich in mehreren Werken über die Partei [632: C. STERN, 1957; 1206: H. LIPPMANN, 1971; 577: E. FÖRTSCH, 1969]. Die Untersuchung von P. C. LUDZ [603] geht zwar von einer elitetheoretischen Fragestellung aus, sie hat aber auch einen historischen Aspekt, da die Zentralkomitees der SED von 1954, 1958, 1963 und 1967 miteinander verglichen werden. Außerdem macht LUDZ Aussagen zur Geschichte der Partei- und Sozialstruktur sowie zu den Herrschaftsmethoden. Neben den Wandlungs- und Beharrungstendenzen im Organisationssystem analysierte LUDZ die Trends im ideologischen Bereich, und auch damit bekommt seine Arbeit – wie schon an anderer Stelle erwähnt – Bedeutung für die historische Forschung. Das gleiche gilt für die ältere Untersuchung von J. SCHULTZ [625]. Der Autor befaßte sich vor allem mit Formen totalitärer Elitebildung.

Eliteforschung   Im Westen liegen gerade zur Problematik der Eliten und über die Führungsgremien der SED weitere Forschungsergebnisse vor. H. ALT [554] beschreibt den Standort des Zentralkomitees der SED im damaligen politischen System, wobei er die Thesen von LUDZ teilweise relativiert. ALT bringt in einem kurzen historischen Rückblick auch Daten zu Personen, er befaßt sich hauptsächlich mit der formalen und realen Funktion des nominell höchsten SED-Organs. Die Eliten der Partei- und Staatsführung hat vor allem G. MEYER geprüft [in: 469, 1983, 72 ff.; 609: DERS., 1984; DERS., Zur Soziologie der DDR-Machtelite, in: DA 18, 1985, 506 ff.]. MEYER beschäftigte sich mit dem „politischen Führungskern" der „politischen Elite" (also einem sehr kleinen Führungskreis), mit der Machtausübung und Legitimierung, wobei er die ideologische Entwicklung erst ab 1971 thematisierte.

Eine konkrete Beschreibung der Führungsorgane fehlt bisher, auch von der SED wurden darüber nur wenige Details offengelegt, etwa vom früheren Sekretär des Politbüros O. SCHÖN [624] oder dem damaligen Politbüromitglied H. DOHLUS [572]. Hinweise auf das Politbüro und das Sekretariat finden sich in Gesamtdarstellungen der DDR-Geschichte [vgl. 330: H. WEBER, 1985, 485 ff.]. In einigen nach dem Ende der DDR veröffentlichten Darstellungen und Erinnerungen sind nun auch Einblicke in die führenden Institutionen zu finden [621 a: G. SCHABOWSKI, 1990, 282 f. DERS. 1991, 640 a: M. USCHNER, 1993].

Stalinisierung   Während im Westen die Stalinisierung der SED 1948, ihre Umwandlung in eine
der SED   „Partei neuen Typus" in zahlreichen Arbeiten nachgewiesen wurde [vgl. 542, 630a, 634, 647], sind Personenkult [vgl. 579a] und Stalinisierung der SED auch heute noch für frühere DDR-Historiker nur in Ausnahmefällen ein Thema. Dies gilt für A. MALYCHA und W. HEDELER, die 1991 eine kleine Schrift vorlegten [605a], in ihr sind anhand der Auswertung der Quellen wesentliche Aussagen, die zuvor nur die westliche Forschung traf, untermauert worden.

Durch die SED-Quellen kann nun exakt belegt werden [vgl. dazu: DA 26, 1993, 255 ff.], daß die Änderungen von Ideologie, Programmatik und Parteistruktur bereits 1947 eingeleitet wurden. Vor allem ist anhand der Akten nachzuweisen, daß

die „Säuberungen" in der SED einen zentralen Platz bei der Umgestaltung der Par- **Säuberungen**
tei einnahmen. Um ihre „führende Rolle" im Parteiensystem auszubauen, die Hegemonie in Staat und Gesellschaft zu erreichen, haben Stalin und die deutschen Kommunisten selbst die SED mit den gleichen Mitteln umgeformt, die sie gegen die Gesellschaft anwandten: Verfolgungen von Gegnern, Konformität durch Verbreiten
von Angst. Bereits 1950 gab die SED-Führung – wie aus nun entdeckten Dokumenten hervorgeht – konkrete Anweisungen für die Durchführung politischer Prozesse
gegen Sozialdemokraten und Christdemokraten. Ein Schauprozeß – von der SED
immer geleugnet – gegen führende Kommunisten wurde vorbereitet, er sollte die
stalinistische Partei „festigen" und die SED-Diktatur zementieren.

In jüngster Zeit ist auch die Rolle der 2. Parteikonferenz der SED im Juli 1952
intensiver diskutiert worden, auf der die Proklamierung des „Aufbaus des Sozialismus" in der DDR erfolgte [vgl. 113a, 126 a, 134 b, sowie H. Heitzer in BzG 34,
1992, 18 ff.]. Die Ulbricht-Führung versuchte damals ihre Eigeninteressen bei der
Machterweiterung durchzusetzen, blieb aber von der Strategie Stalins abhängig.

Zur ideologischen Entwicklung der SED erschienen im Westen einige Untersu- **Ideologische**
chungen. Die ideologischen Kontroversen der frühen SED hat F. T. Stössel nachge- **Konzeptionen**
zeichnet [634]. Im Gegensatz zur DDR-Geschichtswissenschaft, die eine geradlinige
Geschichte einer geschlossenen Partei beschreibt, weist Stössel durch eine Fülle von
Material nach, daß es bis 1954 in der SED zahlreiche „Abweichungen" gab. Er belegt eine Vielzahl konträrer ideologischer Konzeptionen und Auffassungen in der
Einheitspartei, die von der Führung nur schrittweise überwunden werden konnten.
In der SED wirkten anfänglich noch die Traditionen der deutschen Arbeiterbewegung. H. P. Waldrich [645] zeigt den generellen Wandel des Demokratiebegriffs. Er
war in der alten Sozialdemokratie Ausdruck einer freiheitlichen Emanzipationsvor-
stellung. Bei der SED verengt er sich zur „legitimatorischen Basis der parteibürokra-
tischen Diktatur". Waldrich verweist darauf, daß oppositionelle Denker (Havemann, Bahro) auf den traditionellen Demokratiebegriff der frühen Sozialdemokratie zurückgingen. Da sich die kommunistische Partei im 1. Weltkrieg von der
sozialistischen Bewegung abspaltete, blieb ihr Verhältnis zur Sozialdemokratie immer gespannt. In der Weimarer Republik erstrebte die KPD zwar zeitweise eine
„Einheitsfront", am Ende bekämpfte sie aber die Sozialdemokratie – die Konkurrenz beim Kampf um die Arbeiterschaft – als „sozialfaschistischen" Hauptfeind. Im
Jahr 1945 behauptete die KPD selbstkritisch, sie habe diese ultralinke Linie überwunden. In der SED zeigte sich freilich mit dem Stalinisierungsprozeß ab 1948, daß
die kommunistisch dominierte Einheitspartei die Sozialdemokratie nun wütend bekämpfte. Die Sozialdemokraten in ihren eigenen Reihen, die sich nicht zu Kommunisten wandeln wollten, wurden ausgeschlossen und hart verfolgt. Die SED machte
den „Sozialdemokratismus" zum ideologischen Feindbild. Wie die Abgrenzung **Feindbild „Sozial-**
und Bekämpfung dieses „Sozialdemokratismus" konkret erfolgte, hat H. J. Spanger **demokratismus"**
1982 ausführlich dokumentiert und analysiert [938]. Er zeigt die Argumentationsmuster gegenüber der SPD, die Gründe der Abgrenzung, vor allem aber zeichnet
er die verschiedenen Etappen des ideologischen Kampfes gegen den „Sozialdemo-

kratismus" in der SBZ/DDR und der SED nach. Er beschreibt zudem die Kontroversen innerhalb der Einheitspartei.

Hingegen kam es P. C. LUDZ in seiner letzten Arbeit [908] darauf an zu prüfen, wie weit der „Marxismus-Leninismus" der SED neue Phänomene verarbeiten kann. LUDZ versuchte dies auch durch sprachpolitische Analysen von SED-Texten zu erforschen. Ebenfalls anhand von SED-Aussagen, aber auf einem anderen Gebiet, nämlich dem der Zeitgeschichtsforschung, untersuchte H. D. SCHÜTTE [936: 1985] die Parteikonzeptionen. Er gab dabei auch einen historischen Überblick über die Entwicklung der Zeitgeschichtsschreibung in der DDR seit 1955. In einem zweiten Teil setzte sich SCHÜTTE mit systematisch geordneten Einzelfragen, etwa der These vom „besonderen deutschen Weg" zum Sozialismus oder der Darstellung der SED-Gründung auseinander.

Auf diese Weise sind in der Bundesrepublik bereits viele Probleme der Geschichte der SED erforscht worden. Selbstverständlich wurde auch versucht, eine Gesamteinschätzung der SED aufgrund ihrer historischen Entwicklung vorzunehmen. Für die DDR-Geschichtswissenschaft gab es dazu eine einheitliche Sprachregelung, von ihr wurde ständig die „wachsende führende Rolle" der Partei thematisiert und sogar behauptet, daß diese auf einer „objektiven Gesetzmäßigkeit" beruhe. Während die westliche Forschung die Allmacht der SED durchaus registrierte, bewertete sie freilich den Weg dieser Partei zur Herrschaftserringung und die Methoden ihrer Herrschaftssicherung ganz anders. Frühe Untersuchungen betonten den totalitären Charakter der SED. Die spätere Forschung richtete den Blick vor allem auf die Veränderungen, die auch die SED durchlief. P. C. LUDZ wollte nachweisen, daß die Tradition der SED – die leninistische Theorie der Avantgarde-Partei und die Herkunft der Kommunisten aus der „Geheimbund"-Organisation – auch Auswirkungen auf die Struktur der Einheitspartei hatte. Später ist dieser Aspekt genauer geprüft worden Kontroversen   [868: P. DIETRICH, 1985, 133 ff.]. In den Mittelpunkt der Forschung rückte zudem die These von der Transformation auch der SED. Dies rief die DDR-Historiker auf den Plan, die gerade solche Konzeptionen vehement ablehnten. Sie sahen in distanzierten westlichen Darstellungen, wie es G. ROSSMANN [928, 43, und in: 904, 1977, 678] ausdrückte, die „Unfähigkeit der bürgerlichen Ideologen, die tatsächlichen Quellen und Triebkräfte des Voranschreitens und der Erfolge der SED zu erfassen".

Gründung   Meinungsstreit gab es um die Gründung der Einheitspartei 1946. Sie wurde kon- der SED   trovers zwischen den Historikern der DDR und der Bundesrepublik geführt, darüber hinaus bestehen aber auch Differenzen innerhalb der westlichen Forschung. Die Diskussion soll daher beispielhaft skizziert werden.

Für die ehemalige DDR-Geschichtsschreibung war die Gründung der SED, der Zusammenschluß von KPD und SPD in der SBZ im April 1946, „ein historischer Sieg des Marxismus-Leninismus, die bedeutendste Errungenschaft in der Geschichte der deutschen Arbeiterbewegung seit der Verkündung des Kommunistischen Manifests durch Marx und Engels und seit der Gründung der KPD" [317: H. HEITZER, 1986, 48]. Dieser Verherrlichung entsprechend ist die Schaffung der SED in der DDR oft untersucht worden, und zwar auch auf regionaler und lokaler Ebene. Die

DDR-Historiker beharrten auf ihrer Grundaussage, daß nämlich die Gründung der SED „das gesetzmäßige Ergebnis des Kampfes der revolutionären deutschen Arbeiterbewegung (also der Kommunisten, H. W.) für die Einheit der Arbeiterklasse auf marxistisch-leninistischer Grundlage" war, ein „Sieg des Marxismus-Leninismus über den Opportunismus" [581: Abriß, 1978, 122 f.].

Bei einem Vergleich der zu verschiedenen Zeiten erarbeiteten DDR-Veröffentlichungen zur SED-Gründung läßt sich allerdings wieder der Einfluß der aktuellen Politik auf die Geschichtsschreibung leicht nachweisen. So wurde 1961 die neugegründete SED vor allem als eine Partei bezeichnet, die „im Kampf für die nationale Wiedergeburt Deutschlands" entstanden sei [560: G. BENSER, 1961, 5]. 1966 war sogar die Rede davon, die SED sei die Partei der „nationalen Würde und Einheit" [591: W. HORN, 1966, 8]. 1976 war der vorherige gesamtdeutsche Aspekt verschwunden, nun wurde nur noch vom „Volk der DDR" gesprochen [643: Vereinigung 7]. In späteren Darstellungen war gar davon die Rede, seit Gründung der SED werde die „Arbeiterklasse der Deutschen Demokratischen Republik von einer zielklaren" Partei geführt [597: E. KÖNNEMANN, 1986, 272]. *Einfluß aktueller Politik*

Auch andere Probleme der SED-Gründung wurden im Laufe der Zeit je nach politischem Kurs unterschiedlich bewertet, beispielsweise die Maßnahmen der SMAD. Als Ulbricht in den sechziger Jahren versuchte, die DDR von der kritiklosen Nachahmung der Sowjetunion zu lösen, wurde die wirkliche Rolle der Besatzungsmacht aus der Geschichte getilgt. Nach Ulbrichts Ablösung bestätigte die DDR-Geschichtsschreibung zumindest, daß die SMAD die Kommunisten „wirksam beim Aufbau und in der Tätigkeit ihrer Organisationen, bei der Klärung ihrer Probleme unterstützte" [643, 6].

Trotz solcher Nuancen, die von der jeweiligen Politik diktiert waren, blieb die DDR-Geschichtsschreibung bei ihrer Grundaussage zur Schaffung der SED, der Zusammenschluß von KPD und SPD sei freiwillig erfolgt. Die überwältigende Mehrheit der Sozialdemokraten war nach dieser Lesart für den Zusammenschluß, und sie setzte sich gegen eine kleine Minderheit (von Schumacher gelenkter) „rechter" Einheitsfeinde durch. Alles, was nicht in dieses Bild paßte, wurde durchgängig verschwiegen. So trat neben linken Sozialdemokraten in Sachsen gerade ein solcher ehemals rechter Sozialdemokrat wie Buchwitz vehement für die Vereinigung ein, auf dem Gründungsparteitag der SED wurden sogar frühere auf dem äußersten rechten Flügel der SPD stehende Funktionäre wie Eugen Ernst oder Georg Schöpflin besonders herausgestellt. *„Freiwilliger Zusammenschluß"*

Aus den vielen regionalen und lokalen Untersuchungen ging auch hervor, daß der Kreis der sozialdemokratischen Funktionäre, die gegen den Zusammenschluß mit den Kommunisten auftraten, weit größer war, als von der DDR früher zugegeben. So wurde 1986 bestätigt, daß sich die Führung der starken Leipziger SPD gegen eine „paritätische" Vereinigung aussprach. Ihr Sekretär Rothe erklärte, die Kommunisten wollten die Einheitspartei nur, „damit sie bei den kommenden Wahlen nicht verlieren" [357: Leipzig, 1986, 35]. Der Einfluß der Leipziger Sozialdemokraten unter Trabalski auf ganz Sachsen wurden nun thematisiert, u. a. ihr Versuch, Buchwitz *Differenzierungen in Lokalstudien* abzulösen oder ihr Boykott der gemeinsamen Landesveranstaltung von SPD und KPD im Januar 1946 in Dresden [655: H. ZIMMER, 1984, H. 1, 57]. Ebenso wurden die Widerstände der SPD in Plauen erwähnt [ebd.].

Aus einer Habilitationsschrift über Magdeburg [606: H. MATTHIAS, 1985, 118] ging hervor, daß die meisten örtlichen Führer der Magdeburger SPD „gegen eine einheitliche revolutionäre" Kampfpartei auftraten, „angefangen vom Bezirkssekretär Gustav Schmidt über Rudolf Dux, Albert Deutel, Paul Schrader, Wilhelm Korpspeter, Wilhelm Treumann bis hin zu dem eingefleischten Gegner und Kommunistenhasser Scharnowski".

Für Thüringen wurde dargelegt, daß dort die Einheit erst nach „langem und hartnäckigem Kampf" möglich wurde [334: Beiträge 1984, 31]. Örtliche Untersuchungen, etwa über Eilenburg, bestätigten, daß die SPD-Leitung die Losung verbreitete, „Einheit ist Untergang" [622: A. SCHACHE, 1981, 25]. Auch auf den starken sozialdemokratischen Widerstand gegen die Vereinigung im Land Brandenburg wurde hingewiesen [641: W. URBAN/J. SCHULZ, 1986, 105 f.].

Ebenso bestätigten verschiedene Arbeiten, daß in zahlreichen Orten Forderungen nach einer Urabstimmung in der Sozialdemokratie laut wurden (Leipzig, Chemnitz, Rochlitz). Aus Regional- und Lokaluntersuchungen ging auch hervor, daß viele Sozialdemokraten, die Anhänger der Einheitspartei waren, keine Dominanz der Kommunisten hinnehmen wollten, sondern im Gegenteil in ihren Hochburgen für sich „besondere Rechte" verlangten [649: Der Weg, 1982, 23]. Im Kreis Auerbach erklärten sie sogar: „Wir machen die Vereinigung mit, aber wir werden unsere Politik weiterführen und durchsetzen" [655: H. ZIMMER, 1984, H. 1, 80]. Ähnlich reagierten die SPD-Funktionäre in Cottbus, wo sie „alle Posten fest in Händen halten" wollten [642: K. URBAN, 1963, 113].

Abstimmung in West-Berlin   Im Gegensatz zu früheren Darstellungen kam die damalige DDR-Geschichtsforschung in den achtziger Jahren zum Schluß, daß es in der SPD der SBZ wegen der Vereinigung „teilweise heftige innerparteiliche Auseinandersetzungen" gab [600: H. J. KRUSCH, 1986, 204]. Die Urabstimmung der SPD in West-Berlin, die dort zur Ablehnung der Verschmelzung führte, wurde zwar thematisiert, aber behauptet, da sich von 39.000 Mitgliedern nur 23.000 an der Abstimmung beteiligt hätten, gäben die 19.000 Stimmen gegen die sofortige Vereinigung nicht den Willen der Mehrheit der SPD-Mitglieder wieder [G. BENSER, „Zwangsvereinigung" – eine Legende und ihre Variationen, in: 857, 1983, 206].

Gerade die Abstimmung in West-Berlin war aber für die westliche Geschichtsschreibung immer exemplarisch dafür, daß der Zusammenschluß in der SBZ gegen den Willen der Mehrheit der Sozialdemokraten erfolgte und daher eine Zwangsvereinigung war [94: G. GRUNER/M. WILKE (Hrsg.), 1981; 595: A. KADEN, 1964; 610: F. MORAW, 1973, u. a.]. Zahlreiche Beispiele für Druck und Zwang bei der Einschmelzung der SPD in die SED können nachgewiesen werden. Freilich praktizierten die Kommunisten auch eine Reihe differenzierterer Methoden, ausschlaggebend für die Vereinigung waren also mehrere Faktoren [vgl. 330: H. WEBER, 1985, 115 ff.]. Auch wenn die DDR-Geschichtsschreibung Repressalien der Besatzung stets als

„Verleumdung" zurückwies, gab sie doch zu, daß „die SMAD und die Offiziere der Roten Armee" die „Vereinigung durch politisch-ideologische Hilfe" „förderten" [655: H. ZIMMER, 1984, H. 1, 69].

Die Probleme der Sozialdemokraten in der SBZ 1945/46 sind in der Bundesrepublik skizziert worden [567: B. BOUVIER, 1976; W. MÜLLER, Sozialdemokratische Politik unter sowjetischer Militärverwaltung, IWK, 23 (1987), 170 ff.]. Während zur SED-Gründung der Tenor weiterhin auf der These von der Zwangsvereinigung lag und Schumachers antikommunistische Haltung als Rettung der Berliner und der westdeutschen SPD, ja der Demokratie in Westdeutschland, gilt [vgl. 573: Einheit oder Freiheit, 1986], wurde auch Schumachers Rolle kritisch beleuchtet. So schrieb K. STÜHL [in: R. EBBIGHAUSEN/F. TIEMANN (Hrsg.), Das Ende der Arbeiterbewegung in Deutschland, Opladen 1984, 289], er wolle nicht den Eindruck erwecken, „als sei die Gründung der SED und die schließliche Resignation der Mehrheit des ZA in Berlin allein auf die Politik Schumachers" zurückzuführen, doch könne „kein Zweifel daran bestehen, daß Schumacher nichts tat, um den Genossen in der SBZ" zu helfen. Solche Ansichten führten zu heftigen Debatten [vgl. 573], wobei auch die Positionen Grotewohl kontrovers diskutiert wurden [vgl. L. CARACCIOLO, in 419 a].

Situation der Sozialdemokraten

Nach der Wende war es möglich, das Schicksal von Sozialdemokraten unter sowjetischer Besatzung zu dokumentieren und durch Interviews nachzuzeichnen [228a]. Über die Zwangsvereinigung von SPD und KPD informieren nun Berichte auf regionaler Ebene [369c, 557a]. Zur Situation der Sozialdemokratie in der SBZ/DDR 1945 bis 1950 legten H. GREBING u. a. 1992 ein Gutachten vor [671a]. Inzwischen kam es erneut zum Streit darüber, ob der Begriff Zwangsvereinigung überhaupt richtig und angemessen sei. Die Argumente, die den Terminus einsichtig machen, hat nun W. MÜLLER noch einmal zusammengestellt [613a].

Einig sind sich aber die meisten westlichen Forscher nach wie vor darüber, daß die SED bei ihrer Gründung noch keine „marxistisch-leninistische" Partei war, sondern sich erst durch eine Transformation zu einer stalinistischen Partei „neuen Typs" wandelte. Früher behaupteten jedoch einige DDR-Historiker: „Die Aktionen und die politische Taktik der SED waren von Anfang an leninistisch" [H. WOLF, in: Theorie und Praxis, Wissenschaftliche Zeitschrift der Parteihochschule „Karl Marx" beim ZK der SED, H. 1, 1976, 13 f.]. Auch in parteioffiziellen Darstellungen wurde argumentiert, die SED „ließ sich von Anbeginn ihrer Existenz von der Lehre von Marx, Engels und Lenin leiten" [627: Die SED, 1984, 110].

SED anfänglich keine „leninistische" Partei?

Solche Thesen dienten nicht nur dazu, die Kontinuität der Geschichte der SED zu „belegen", sie sollten darüber hinaus auch die Konzessionen vertuschen, die den Sozialdemokraten bei der Einschmelzung gemacht wurden. So vermieden es die Kommunisten auf der zentralen Ebene peinlich genau, ihre traditionellen Symbole oder bekannte Führer beim Vereinigungsprozeß herauszustellen. Neuere Regionalveröffentlichungen zeigen nun, daß es auf der unteren Ebene anders war. Beispielsweise schmückten den Saal des Vereinigungsparteitages in Wittenberg Bilder von Lenin, Stalin, Karl Liebknecht und Thälmann [597: E. KÖNNEMANN, 1986, 206]. Dies war zwar damals die Ausnahme, doch durch die zahlreichen Veröffentlichungen zur Geschichte der SED wurden sie bekannt.

Weniger untersucht ist die Rolle der übrigen Parteien, die zunehmend in Abhängigkeit von der SED gerieten. In der DDR erschienen historische Abhandlungen über bestimmte Zeitabschnitte; sie waren meist von den Parteien selbst erstellt. Arbeiten über die frühe Entwicklung der LDPD sind materialreich und haben so einen gewissen Informationswert, freilich wurde darin über den Wandel dieser Parteien nur sporadisch berichtet und die Gründe dafür nicht klar gezeigt [660: R. AGSTEN u. a., 1974; 661: DIES., 1982; 662: DIES., 1985; 669: U. DIRKSEN, 1977; 673: L. HOYER, 1978].

LDP-Darstellungen in der DDR

Schließlich war die LDPD 1945/46 die einzige Partei in der SBZ, die jede Form von Sozialismus ablehnte. Unter diesen Umständen gestaltete sich der Veränderungsprozeß der LDPD, d. h. ihre Instrumentalisierung, für die SED besonders schwierig. Doch weder die bei der Transformation angewandten Praktiken und Mechanismen der SED noch die Einflußnahme der SMAD gingen aus den Arbeiten der DDR-Autoren hervor. Gleiches gilt für die Biographie ihres ersten Parteiführers Wilhelm Külz, für die ebenfalls Archivmaterial herangezogen wurde [1211: A. BEHRENDT, 1968].

Über die CDU lagen in der DDR nur Arbeiten über die Entwicklung von Bezirksverbänden oder die Mitwirkung bei der Erarbeitung der Verfassungen vor [665: R. BÖRNER, 1975; 674: F. KIND, 1984; 675: H. KOCH, 1974; 688: W. WÜNSCHMANN, 1966]. Die in der Geschichte der DDR neben der SED wichtigste Partei war dort noch am wenigsten erforscht.

Über die beiden erst 1948 gegründeten Parteien, die Nationaldemokraten und die Bauernpartei, gab es in der DDR keine historischen Abhandlungen. In der Bundesrepublik erschienen hingegen sowohl über die NDPD als auch über die DBD instruktive Untersuchungen. Die Arbeit von D. STARITZ [684: 1968], bietet einen fundierten Überblick über Geschichte und Struktur der frühen NDPD. Der von ihm geprägte Begriff „Transmissionspartei“, der sich inzwischen eingebürgert hat, ist das Ergebnis eines fruchtbaren Forschungsansatzes dieser Dissertation, in der die NDPD auf einer breiten Quellenbasis analysiert wird. B. WERNET-TIETZ [687: 1984] hat über die Bauernpartei eine Untersuchung vorgelegt, die den Charakter auch dieser Organisation als „Transmissionspartei“ deutlich macht. Außerdem beschreibt er die VdgB und die kommunistische Bauernpolitik umfassend. Beide Darstellungen lassen schließlich die Rolle der SMAD bei der Schaffung der neuen Parteien und damit deren Eingriffe ins Parteiensystem noch 1948 klar erkennen. Sind NDPD und DBD gut dokumentiert, so wurde auch im Westen die CDU zunächst weniger erforscht.

NDPD-Geschichte

DBD-Geschichte

J. Kaiser-Biographie

Erschienen sind im Westen eine wichtige Biographie Jakob Kaisers [1207: W. CONZE, 1969], eine Darstellung der CDU durch den Zeitzeugen J. B. GRADL [671] sowie Erinnerungen des ehemaligen brandenburgischen CDU-Landtagsabgeordneten P. BLOCH [225]. Bereits 1963 gab der Sohn des ersten (noch 1945 abgesetzten) Parteiführers Andreas Hermes eine knappe Arbeit heraus [672: P. HERMES]. Dazu konnte er Unterlagen seines Vaters heranziehen, so daß sein Buch wichtige Dokumente enthält. Weitere Einsichten in die Frühgeschichte der CDU vermitteln neuerdings die Arbeiten von S. SUCKUT [136, 686].

Inzwischen ist eine fundierte Untersuchung von M. RICHTER über die CDU von   CDU-Geschichte
1945 bis 1952 vorgelegt worden [683a, 1990], in der die Transformation von der selbständigen Partei zur „kleinbürgerlichen Blockpartei" der SED in vorbildlicher Weise nachgezeichnet wird. Da sich gerade über die CDU wichtige Quellen bereits im Westen befanden, konnte deren frühe Entwicklung jetzt gut dokumentiert werden.

Die Endphase der Blockparteien hat ebenfalls starkes Interesse gefunden. Nachdem P. J. LAPP [680a] noch 1988 die Rolle der Blockparteien im politischen System der DDR, ihre Funktion im Rahmen der SED-Diktatur beschrieben hatte, sind seit 1990 aufgrund des Zugangs zu den Akten neue Arbeiten erschienen. Dazu zählen neben der kritischen und spektakulären Darstellung von C. v. DITFURTH „Blockflöten" [669a] konkrete Untersuchungen einzelner Probleme, etwa ihre Rolle im Jahr 1953 [136b, 669a] oder bei der Verstaatlichung der Klein- und Mittelbetriebe 1972 [673a]. Auch zur CDU in der Frühphase gibt es neue Hinweise, etwa über ihre Tätigkeit auf Landesebene [47a, 367b].

Die Geschichte der LDPD war von der Forschung der Bundesrepublik relativ gut   LDP-Geschichte
untersucht. Seit den sechziger Jahren hat diese „bürgerliche" Partei im Westen Be-   in westlichen
achtung gefunden. Hier gilt die Arbeit von E. KRIPPENDORFF von 1961 [677, vgl.   Untersuchungen
auch 678] sowohl von der Fragestellung als auch vom benutzten Material her als ein frühes Standardwerk zum Parteiensystem der SBZ/DDR. Obwohl KRIPPENDORFFS Hauptthese, das Fehlen eindeutiger programmatischer Vorstellungen habe es der LDPD unmöglich gemacht, einen entschlossenen Kurs gegenüber SED und Besatzungsmacht zu steuern, angezweifelt wurde, bleibt sein Buch eine Pionierarbeit. Gegenüber der umfassenden Aufarbeitung der Frühgeschichte der LDPD sind andere Monographien knapp ausgefallen, so eine chronologische Nachzeichnung bis 1958 [676: H. KRIEG, 1965] oder sie beschränkten sich auf Ausführungen zur Funktion der Partei [679: R. KUHLBACH/H. WEBER, 1969; in diesen beiden Arbeiten wurde auch die NDPD mitberücksichtigt]. Bemerkenswert ist schließlich noch ein Band [666: H. J. BRANDT/M. DINGES, 1984], der die Kaderpolitik und Kaderarbeit aller „bürgerlichen" Parteien und Massenorganisationen prüft.

Während die Geschichtsschreibung der DDR versuchte, den tiefgreifenden Wandlungsprozeß der „bürgerlichen" Parteien CDU und LDPD zu bagatellisieren, ihn als einen Sieg der „fortschrittlichen" Kräfte über die Reaktion darzustellen, wird die Transformation dieser Parteien in der westlichen Forschung als entscheidende Entwicklung herausgestellt. Die Überwindung der traditionellen Programmatik und Politik der Parteien durch den Einfluß von SMAD, Block, Volkskongreß usw. wird thematisiert und der Weg von weitgehend autonomen zu „Transmissionsparteien", zu Instrumenten der Hegemonialpartei SED nachgezeichnet, die letztlich die gleichen Aufgaben zu erfüllen hatten wie die Massenorganisationen.

Offizielle Überblicke zur Geschichte der wichtigsten Massenorganisationen erschienen in der DDR, so vom FDGB [699], von der FDJ [700] und über die frühe

Zeit des Kulturbundes [712: K.-H. SCHULMEISTER, 1977]. Während letztere Arbeit einen fundierten Einblick in die Tätigkeit der Kulturorganisation vermittelt, ähneln die Darstellungen zur Geschichte des FDGB und der FDJ eher dem „Abriß" zur Geschichte der SED: sie sind bestenfalls Beschreibungen der allgemeinen Politik aus dem Blickwinkel der SED und weniger Untersuchungen der Geschichte dieser speziellen Organisation, deren innere Strukturen viel zu knapp und nicht präzise genug behandelt werden.

FDGB-Geschichte   In der Bundesrepublik hat der FDGB öfter das Interesse der Forschung gefunden. Dessen Funktion hat bereits 1964 H. ZIMMERMANN [715] klar analysiert. Aber eine Geschichte des FDGB liegt ebensowenig vor wie eine Geschichte der übrigen Massenorganisationen, die im Parteiensystem der DDR eine beachtliche Rolle spielten. Immerhin wurde jetzt die Frühzeit des FDGB näher beschrieben, dabei hat 1984 W. MÜLLER [709] auch die Forschungslage skizziert, worauf hier verwiesen werden kann.

Nach dem Zugang zu den Akten sind eine Reihe interessanter Arbeiten und Dokumentationen zum FDGB entstanden, die Strukturen [693a, 709a] oder die Beziehungen zu westdeutschen Gewerkschaften prüfen [149a, 714a]. Eine neue Gesamtdarstellung des FDGB [701a: Gill, 1991] fußt auf einer Untersuchung des Autors [U. GILL, Der Freie Deutsche Gewerkschaftsbund (FDGB). Theorie – Geschichte – Organisation – Funktion – Kritik, 1989], in der die Geschichte relativ knapp behandelt war und die noch ohne die wesentlichen östlichen Quellen auskommen mußte.

FDJ-Geschichte   Die FDJ ist unter systematischen Gesichtspunkten auch im Westen behandelt worden, die Geschichte wird dabei nur kurz gestreift [695: A. FREIBURG/C. MARAHD, 1982]. Ältere historische Arbeiten zur FDJ sind überholt [698: G. FRIEDRICH, 1952; 704: H.-P. HERZ, 1965]. Die Geschichte anderer Massenorganisationen ist bisher überhaupt nicht erforscht worden (Deutsch-sowjetische Freundschaft, GST)
DFD-Geschichte   oder nur in Aufsätzen skizziert wie der DFD [714: G. WEBER, 1972]. Es war typisch für die Materiallage, daß in der Arbeit von G. GAST [739] über die politische Rolle der Frau in der DDR zwar über die SED berichtet, die einzige Frauenorganisation, der DFD, aber nicht berücksichtigt wurde (bei R. WIGGERSHAUS [791] wurde der DFD auf nur fünf Seiten skizziert). Zwar erschien noch 1989 eine offizielle Geschichte der DFD [698 b], doch dieser 400-Seiten-Band war noch kümmerlicher als die Jubelschriften der anderen Massenorganisationen.

Insgesamt richtete sich das Augenmerk der westlichen Forschung bei den Massenorganisationen auf deren zunehmende Beherrschung durch die SED und dem damit verbundenen Transformationsprozeß der Verbände. Beachtung fand darüber hinaus das Spannungsverhältnis der Organisationen einerseits als Instrumente der SED und andererseits als Interessenvertretung der eigenen Mitgliedschaft. Die Sammelorganisation des Parteiensystems, die Nationale Front, wurde in der DDR dokumentiert [111, 547], in der Bundesrepublik vorwiegend unter normativem Aspekt, allerdings unter Berücksichtigung ihrer Geschichte beschrieben [538: H. GRASEMANN, 1973].

Die Literatur über die Geschichte des Parteiensystems der DDR, insbesondere über die Führungspartei SED, aber auch die übrigen Parteien ist quantitativ groß. Die Forschungslücken sind freilich ebensowenig zu übersehen wie die „parteiliche" Einseitigkeit der Untersuchungen aus der DDR. Immerhin ist die Geschichte des Parteiensystems der SBZ/DDR – vor allem der Frühzeit – inzwischen dokumentiert [vgl. 163 a]. Insgesamt wurden bereits einige Phasen und Komplexe der politischen Geschichte beschrieben (vgl. auch die Literatur zu einzelnen Perioden und Problemen), während die Entwicklung der Gesellschaft und anderer Bereiche weniger intensiv erforscht sind.

8. Probleme der gesellschaftlichen Entwicklung und Literatur zu anderen Bereichen der DDR-Geschichte

Bisher fehlt eine Wirtschaftsgeschichte ebenso wie eine Sozialgeschichte der DDR. Zwar wurden die Entwicklung der Gesellschaft wie die der Wirtschaft, des Alltags, der Kultur, aber auch der Außenpolitik, der Medien oder der Ideologie in Überblicksdarstellungen der Geschichte der DDR angesprochen oder Aspekte daraus in Monographien auch näher untersucht, aber eigene historische Beschreibungen dieser Bereiche bilden die Ausnahme.

Fehlen einer Wirtschafts- und Sozialgeschichte

In der Geschichte der DDR, der Entwicklung ihrer Gesellschaft, waren alle diese Gebiete von Bedeutung. Doch im Gegensatz zur politischen Geschichte ist der Forschungsstand hier diffuser, sind die Grundprobleme und Tendenzen der Forschung, insbesondere was die Behandlung der Geschichte angeht, weniger eindeutig. Während wichtige Bereiche wie die Geschichte der Gesellschaft, der Klassen- und Schichtenformationen, die sozialen Trends usw. historisch kaum untersucht sind, liegt für Randthemen eine Reihe von Arbeiten vor, beispielsweise gibt es eine „Geschichte des Journalismus in der DDR" [921]. Unter diesen Umständen ist eine ausführliche Problematisierung der historischen Entwicklung sowie des Forschungsstandes all dieser Teilbereiche nicht möglich. Die Untersuchung muß sich in diesem Fall auf einige Probleme der Geschichte der Gesellschaft beschränken, auch wenn dies insgesamt zu Disproportionen führt. Auf den Forschungsstand weiterer Bereiche und die entsprechende Literatur (die im Verzeichnis der Quellen und Literatur angegeben ist) kann nur mit wenigen Hinweisen eingegangen werden.

Die DDR-Geschichtsschreibung sah in der von ihr postulierten „Revolution" ab 1945 und dem folgenden Aufbau des „realen Sozialismus" nicht nur eine Veränderung der politischen Machtverhältnisse, sondern darüber hinaus der sozialen Strukturen, der „Produktionsverhältnisse" und der Wirtschaft. Um so erstaunlicher, daß eine Geschichte ihrer Gesellschaft dort noch nicht einmal ansatzweise vorgelegt wurde. Auch die Gesamtüberblicke der Geschichte der DDR [308: R. Badstübner, 1984; 311: S. Doernberg, 1969; 317: H. Heitzer, 1986] gingen mehr auf die Konzeption der Führungspartei und die Beschreibung der politisch-staatlichen Entwicklung ein und weniger auf gesamtgesellschaftliche Probleme. Ar-

Geschichte der Gesellschaft

beiten über die Produktionsverhältnisse [729], die „Entwicklung" der sozialistischen Gesellschaft [780] oder zur Sozialstruktur [796] blieben meist formelhafte, ideologisch gefärbte Darstellungen mit nur sporadisch empirisch abgesicherter Basis und ließen kaum den historischen Werdegang erkennen. Allerdings bestanden Unterschiede, so wurde in einer Arbeit von 1977 über die „Entwicklung" der Klassen und Schichten [795] wie üblich nicht zwischen Arbeitern und Angestellten differenziert, um die These vom „zahlenmäßigen Anwachsen der Arbeiterklasse" (113 ff.) „belegen" zu können. Hingegen waren in einem anderen Band über die „Entwicklung der Arbeiterklasse" [741] zumindest Prozentzahlen über den Rückgang der in den klassischen Arbeiterberufen Tätigen und das Anwachsen der Berufstätigen in der „nichtmateriellen" Produktion zu finden (169 ff.), freilich eben nicht durchgängig, sondern nur für die Jahre 1964 und 1971. Andere Untersuchungen widmeten sich speziellen Problemen wie etwa der quantitativen Strukturentwicklung der Arbeiterklasse [727: A. Diesener, 1983] oder sie behandelten das berufliche Bildungsniveau [740: N. Göllner, 1983]. Solche Monographien beleuchteten zwar Ausschnitte der gesellschaftlichen Situation der DDR, doch die strukturellen Veränderungen im Laufe der Jahrzehnte sind darin bestenfalls beschrieben. Dabei blieben gerade die Wandlungen der Eigentumsformen, vom Privateigentum an Produktionsmitteln zum staatlichen bzw. genossenschaftlichen Eigentum sowie die weitere Veränderung der Sozialstruktur wesentlich für die Einschätzung der DDR. Die entsprechende Diskussion um die Frage der Typologie der DDR ist bereits erwähnt worden, doch standen dabei die politischen Verhältnisse stärker im Mittelpunkt als die gesellschaftliche Ordnung. Die Probleme der sozialen Schichtung wurden in DDR-Darstellungen eher verdeckt als enthüllt. Da die Führung behauptete, es gebe in der DDR keine „antagonistischen Klassen" mehr, sondern nur noch die „befreundeten" Klassen der Arbeiter und Bauern und die „Schicht" der „Intelligenz", war die Geschichte der Entwicklung von Klassen und Schichten dort wissenschaftlich nicht aufzuarbeiten, soweit sie im Widerspruch zu diesem Dogma stand. Die herrschenden Apparate, die hauptamtlichen Funktionäre in Staat, Partei, Wirtschaft, Massenorganisationen, MfS, NVA, Medien usw. blieben für die Forschung tabu, nicht einmal konkretes Material oder Daten darüber standen zur Verfügung. Entsprechend wurden aber auch die Einkommensverhältnisse nicht offengelegt und ebenso blieben die Machtverhältnisse in der DDR-Gesellschaft verschleiert. Dies erklärt, warum in der DDR keine detaillierte Geschichte der dortigen Gesellschaft erscheinen konnte.

Soziale Schichtungen

Zwar wurde in der Bundesrepublik im Laufe der Zeit über die Sozialstruktur gearbeitet [720: W. Bosch, 1958; 754: H. Kabermann, 1961; 783: D. Storbeck, 1964], doch handelte es sich dabei eher um Beschreibungen als um Analysen, und das Schwergewicht lag auf Fragen der generellen Veränderungen der Bevölkerungsstruktur und dem Vergleich mit der Bundesrepublik. Hier kamen die Auswirkungen der systemimmanenten Faktoren ebenso zu kurz wie sozialstrukturelle oder Klassen- und Schichtenprobleme. Eine westliche Arbeit [732: G. Erbe, 1982] untersuchte das Verhältnis zwischen „Arbeiterklasse und Intelligenz" in der DDR und kommt zu dem Schluß, daß - entgegen den Darlegungen der DDR-Wissenschaft - trotz der Mobilitätsprozesse die Tendenz einer Verfestigung vorhandener hierarchischer Strukturen der Arbeitsteilung und weniger der „Abbau sozialer Ungleichheit" festzustellen ist (205). Eine übergreifende Skizzierung der Klassen und Schichten machte der gleiche Autor in einem Sammelband [463: G. ERBE u. a., 1980]. Daß auf diesem Gebiet nicht intensiver gerade die historische Entwicklung erforscht wird, ist auch deswegen erstaunlich, weil bereits 1964 16 Autoren unter Federführung von P. C. LUDZ [906] neben ideologischen Themen und Fragen der Forschung auch über die Gesellschaft informierten, u. a. über die neue Berufsstruktur und das Arbeitskräftepotential (REXIN), Familienpolitik (STORBECK) oder Frauenqualifizierung (KULKE). Diese Ansätze wurden später kaum weitergeführt. Frühe Forschungen

Die Analyse von H. RUDOLPH aus dem Jahr 1972 [772] brachte ähnlich wie die bereits erwähnte von E. RICHERT [322] zwar eine geglückte Verbindung von Systemfragen der Gesellschaft und Alltagswelt, aber die historische Entwicklung blieb fast ganz ausgeblendet.

Ein wichtiges Problem der Geschichte der Gesellschaft, das selten thematisiert wurde, ist 1985 erstmals in der DDR angesprochen worden. Die Aufmerksamkeit galt vorher den gesellschaftlichen Veränderungen; die überkommenen Strukturen und vor allem hergebrachte Verhaltensweisen gerieten demgegenüber fast in Vergessenheit. Der damals führende DDR-Historiker R. BADSTÜBNER konstatierte, daß in der Entwicklung der DDR eigentlich „weniger einfach zerschlagen, an viel mehr angeknüpft wurde, ob wir wollten oder nicht, auf viel mehr aufgebaut werden konnte, als wir bisher im Blick hatten" [ZfG 33, 1985, 340]. Aufgrund der Traditionslinien der deutschen Geschichte - negativen wie positiven - hatte sich eben auch in der DDR nicht nur ein gesellschaftlicher Wandel vollzogen, sondern es hat ebenso Beharrung gegeben. Dies beweist, daß es den Kommunisten keineswegs gelang, stets ihre Pläne durchzusetzen. Die SED konnte oft weniger eine Partei der Aktion sein, sondern sie mußte öfter als angenommen reagieren und überlieferte Verhaltensweisen einfach akzeptieren. Rolle der Traditionen

Von einzelnen Bereichen der Gesellschaft liegen Untersuchungen vor, so über das Gesundheitswesen. In westlichen Arbeiten [769: M. PRIETZEL, 1978; 771: M. E. RUBAN, 1981; 782: J. P. STÖSSEL, 1978] wurde vor allem das System und die Leistung des Gesundheitswesens untersucht, in der DDR [794: K. WINTER, 1980] eine positive Bilanz der Entwicklung gezogen. Auch ein anderes Gebiet, auf dem die DDR große internationale Erfolge und Reputation erzielte, nämlich der Sport, ist ebenso gut erforscht [vgl. 731, 750, 758, 759, 768, 781, 787] Untersuchungen liegen vor zu Jugendfragen [749, 752, 774, 792, 793], über die Probleme von Freizeit [742], Familie [743, 744, 748] oder Kriminalität [717, 737, 773]. Gesundheitswesen

Zunehmend wurde auch die Situation der Frau thematisiert. Die DDR hob nicht nur die bereits früh durchgesetzte juristische Gleichberechtigung der Frau hervor, sondern behauptete auch, deren praktische Verwirklichung erreicht zu haben [736, 760, 786]. Von wenigen westlichen Autoren wurde diese These mehr oder weniger unkritisch übernommen, so in der materialreichen Untersuchung von SCHUBERT Rolle der Frau

[777: 1980]. Gesamtdarstellungen der Geschichte der deutschen Frauenbewegung [791: R. WIGGERSHAUS, 1979] haben die Entwicklung in der DDR skizziert. Vor allem G. GAST wies 1973 nach [739], daß die Gleichberechtigung im politischen System keineswegs realisiert wurde, daß dort wie in einer Pyramide die Frauen zwar auf unteren und mittleren Rängen gut vertreten waren, nicht aber an der Spitze: „Wo Macht ist, sind keine Frauen". Neuerdings hat dies G. MEYER thematisiert [765: 1986]. Das Problem Frau und Familie hat G. HELWIG [743, 744] beschrieben. Kritisch hat sich D. SCHEEL mit dem Frauenleitbild in Zeitschriften der DDR auseinandergesetzt [775].

Gesellschaftliche Prozesse waren auch Schwerpunkt auf den Tagungen zum Stand der DDR-Forschung in der Bundesrepublik Deutschland, deren Ergebnisse in Sonderheften (Edition Deutschland Archiv) des DA publiziert wurden, so über „Lebensweise im realen Sozialismus" [724] und „Lebensbedingungen in der DDR" [761]. Die in einigen Darstellungen enthaltenen historischen Rückblicke auf die Gesellschaft machen das Defizit einer kompletten Gesellschaftsgeschichte der DDR noch deutlicher.

Mit der Überlegung, warum die DDR-Gesellschaft (gemessen an den anderen kommunistisch regierten Staaten) relativ stabil in das politische System eingebunden war, befaßt sich der 1992 publizierte Band von S. MEUSCHEL [764c]. Im Mittelpunkt
Fragen der steht die Frage der Legitimation, so daß sowohl die Gesellschaft und die politische
Legitimation Kultur als auch das Herrschaftssystem analysiert werden. Obwohl für diese Arbeit noch keine Quellen aus den DDR-Archiven benutzt werden konnten, hat sie unter historischem Gesichtspunkt doch große Bedeutung. Dies gilt auch für andere Untersuchungen, die gesellschaftliche Probleme behandeln [z. B. 765a, 765b, 778a, 784a]. Das entscheidende Werk über die Sozialstruktur von D. VOIGT u. a. [788a] erschien bereits 1987. Auch auf neuere Arbeiten zur Frauen- und Jugendproblematik (vgl. die Literaturliste) ist hinzuweisen.

Überschätzt wurde zumeist, wie sich nach dem Zusammenbruch der DDR zeigte, deren Wirtschaftskraft. Z.B. wird das vielgerühmte Wohnungsbauprogramm und dessen Scheitern speziell unter Hinweis auf den „Mißbrauch der Statistik unter dem SED-Regime" geprüft [802a: H.F. BUCK, U. REUTER, 1991]. Ins Blickfeld rücken die Defizite der Wirtschaftsplanung [851a, 855a] nach der Einheit ebenso wie die katastrophalen Umweltprobleme [844b], aber auch die Wirtschaftspolitik Mittags [821b, 828a], das „Schalck-Imperium" [829a, 849a] oder die Industrie- und Betriebspolitik [820a, 840a]. Das Interesse an der Wirtschaft der früheren DDR bleibt weiterhin groß.

Ökonomie Die Ökonomie der DDR fand immer die Beachtung der eigenen wie der westlichen Forschung und ist insofern mit am besten untersucht, doch fehlt eine umfassende Wirtschaftsgeschichte. Das ist umso bemerkenswerter, als die DDR-Geschichtswissenschaft behauptete, sie gehe vom Marxismus aus und räume daher der „ökonomischen Basis" einen ganz besonderen Stellenwert ein. Trotz dieses verbalen
DDR zur Bekenntnisses wurde die Wirtschaftsgeschichte des eigenen Staates dort recht stief-
Wirtschafts- mütterlich behandelt. Allerdings erschien 1968 unter dem Titel „Wirtschaftswun-
geschichte

der DDR" ein Band von H. Müller/K. Reissig [841], der sich als „Beitrag zur Geschichte" verstand, freilich zur „ökonomischen Politik der SED" und nicht zur Wirtschaft der DDR. Dennoch ist das Buch die einzige Darstellung zur Geschichte der DDR-Wirtschaft über einen längeren Zeitraum, nämlich von 1945 bis 1967. Zunächst werden die objektiv schwierigen Startbedingungen beim Aufbau der ostdeutschen Wirtschaft geschildert. Die ungleich schlechtere Ausgangsposition gegenüber dem Westen wird thematisiert, auf die Auswirkungen der Demontagen haben die Autoren freilich nur beiläufig verwiesen. Sie wollten natürlich vor allem den Aufschwung der DDR-Wirtschaft – auch anhand zahlreicher Tabellen – demonstrieren. Daß die Entwicklung der Wirtschaft keineswegs kontinuierlich verlief, daß Fehlplanungen wie Disproportionen Rückschläge brachten und damit der Lebensstandard hinter den Erwartungen der Bevölkerung zurückblieb, wurde bestenfalls angedeutet.

Wie auf den meisten Gebieten ist auch bei der Wirtschaftsgeschichte die Frühphase der SBZ/DDR noch am besten untersucht. In DDR-Arbeiten gingen sowohl W. Krause [831] als auch J. Roesler [846] auf die Anfänge der volkseigenen Wirtschaft und das Planungssystem ein. H. Barthel [798] prüfte die wirtschaftlichen Ausgangsbedingungen. Allerdings stellte sich inzwischen heraus, daß die Zerstörung der Industrie durch den Krieg insgesamt doch geringer war als oft behauptet. Dies geht aus einer westlichen Dissertation hervor, die gedruckt vorliegt: W. Zank [855c].

Im Westen erschienen einige kurze Überblicksdarstellungen der Wirtschaftsgeschichte, die zudem einen Vergleich mit der Entwicklung der Bundesrepublik ziehen; hingewiesen sei vor allem auf die Arbeiten von K. Thalheim [853] und G. Leptin [836]. Einige Untersuchungen zu Teilbereichen der Wirtschaft enthalten selbstverständlich auch historische Bezüge, u. a. in einer Analyse von W. Biermann [718: 1978] über ökonomische Strukturen und die „Mitwirkung im Betrieb" von 1961 bis 1977. Einzelaspekte finden sich auch in anderen Werken, die Probleme der Arbeitsbedingungen und innere Konflikte sowie die Mitwirkung der Arbeiter behandeln [803: A. Bust-Bartels, 1980; 807: R. Deppe/D. Hoss, 1980; 809: K.-H. Eckhardt, 1981]. Unter diesen systematischen Arbeiten sind auch solche ohne jeden historischen Bezug [800: K. Belwe, 1979].

(Randnotiz: Westliche Darstellung der Wirtschaftsgeschichte)

Über die Wirtschaftsbeziehungen zwischen der DDR und der Sowjetunion gibt es eine umfassende historische Darstellung von 1945 bis 1961 [835: M. Lentz, 1979]. Diese Dissertation geht zunächst auf die Wirtschaftsbeziehungen zwischen „Siegern und Besiegten" 1945 bis 1948 ein und thematisiert die Reparationen; danach untersucht der Verfasser die ökonomischen Beziehungen bis zu Stalins Tod. Weitere Abschnitte prüfen „Die DDR auf dem Weg zum Wirtschaftspartner" der UdSSR (bis 1955) und schließlich die „Wirtschaftsgemeinschaft" bis 1961. Die Veränderungen werden anschließend auch systematisch dargestellt. Eine Arbeit, die sowohl nach ihrem Titel (Die Wirtschaft der DDR 1950 bis 1974) und dem Anspruch, nämlich „einen Gesamtüberblick über die Wirtschaft der DDR seit ihrer Existenz" zu geben, eine Gesamtgeschichte der DDR-Wirtschaft erwarten läßt [808: R. Dietz,

(Randnotiz: DDR-UdSSR)

1976] beschränkte sich lediglich auf eine Skizzierung der ökonomischen Entwicklung und ist schon vom knappen Umfang her teilweise nur verkürzende Beschreibung. Hingegen finden sich in einem umfangreichen Buch über die Einkommenssituation wichtige Ansätze zu einer Wirtschaftsgeschichte [H. VORTMANN, Geldeinkommen in der DDR von 1955 bis zu Beginn der achtziger Jahre, Berlin (West) 1985]. Ähnliches gilt für eine umfassende Untersuchung zu Produktion und Beschäftigung von M. MELZER [838: 1980].

Auch bestimmte Wirtschaftsprobleme sind bereits skizziert, so beschäftigte sich D. CORNELSEN mit der Industriepolitik von 1945 bis 1980 [804]. Über die Wirtschaftspolitik informiert ein Artikel in einem Handbuch [RYTLEWSKI, in: 167, 1985, 1488 ff.]. Das sind aber noch Ausnahmen; dem weitaus größten Teil der Untersuchungen zur Wirtschaft der DDR liegen systematische Fragestellungen zugrunde.

Lange Zeit war die Gegenüberstellung von „sozialer Marktwirtschaft" der Bundesrepublik und „zentraler Planwirtschaft" der DDR Schwerpunkt westlicher Darstellungen [819: H. HAMEL, 1983; 852: K. C. THALHEIM, 1964]. Schließlich ist die empirische Beobachtung der DDR-Wirtschaft ein weites Forschungsfeld, wobei dem neuen ökonomischen System besondere Aufmerksamkeit geschenkt wurde [z. B. 813: B. GLEITZE u. a. 1971]. Historische Hinweise finden sich außer zu den bereits genannten Themen auch für die Entwicklung auf dem Dorf. Seit den fünfziger Jahren hat die westliche Forschung die agrarwirtschaftlichen Vorgänge in der DDR untersucht. Die Entwicklung der Landwirtschaft ist im Westen mit verschiedener Akzentuierung weiter analysiert worden [826: H. IMMLER, 1971; 833: H. LAMBRECHT, 1977; 839: K. MERKEL/H. IMMLER, 1972], während die DDR die „Revolution" auf dem Lande ausschließlich positiv beschrieb [828: V. KLEMM u. a., 1978; 855: U. THIEDE, 1980].

Das Planungssystem, das die enge Verknüpfung von Wirtschaft und Politik zeigt, ist auch unter historischen Gesichtspunkten für bestimmte Zeitabschnitte geprüft worden, so von H.-G. KIERA [827] und M. SPAKLER [850]. Über die Anfänge der zentralen Wirtschaftsplanung und die DWK liegt ein Aufsatz von B. NIEDBALSKI [843] vor. Ein geographisches Länderprofil der DDR [730: K. ECKART, 1981] geht auf die historische Entwicklung ein.

Entwicklung des
Bildungssystems
Wie die Wirtschaft, so ist auch das Bildungssystem der DDR in Ost und West oft untersucht worden, aber auch hierzu gibt es keine Gesamtgeschichte. Immerhin liegen aus der DDR nicht nur eine umfassende Dokumentation über die Geschichte des Schulwesens vor [95], sondern auch eine historische Darstellung „Geschichte der Schule in der DDR" von 1945 bis 1971 [964: K. H. GÜNTHER/G. UHLIG, 1974]. Freilich ist diese „Geschichte" nicht nur materialreich und mit vielen Tabellen versehen, sie sollte auch die „Richtigkeit der schulpolitischen Linie der SED" beweisen (118). Inhaltliche Veränderungen dieser Politik wurden freilich kaum angesprochen.

Zahlreiche westliche Dokumentationen und Untersuchungen zum Bildungswesen der DDR registrierten die Effizienz dieses Systems, verwiesen allerdings auch auf das Ziel, den SED-konformen Staatsbürger zu erziehen. Von besonderer Bedeutung war dabei der Zusammenhang mit dem sowjetischen Bildungssystem [953: O. ANWEILER/F. KUEBART (Hrsg.), 1983]. Zunächst richtete sich das Interesse der westlichen Forschung auf die Übernahme sowjetischer Inhalte und Formen, wurde die „Sowjetisierung" des Bildungswesens beschrieben [974: M. G. LANGE, 1954; 961: L. FROESE, 1962]. Spätere Arbeiten gingen von einem systemimmanenten Gesichtspunkt aus, prüften den bildungspolitischen Auftrag der Führung und die pädagogische Praxis [963: G.-J. GLAESSNER/I. RUDOLPH, 1978]. Darüber hinaus stand immer das Hochschulwesen im Mittelpunkt zahlreicher Untersuchungen, auch hier ist meist die historische Dimension berücksichtigt [976: M. MÜLLER/E. E. MÜLLER, 1953; 979: E. RICHERT, 1976; 980: E. SCHIELE, 1984; 983: H. STALLMANN, 1980; 985: M. USKO, 1974]. Einem „Handbuch" zum Bildungswesen der DDR, das in der Bundesrepublik erschien, ist zu entnehmen, wie weit der Forschungsstand auf diesem Gebiet bereits vorangekommen ist [205: D. WATERKAMP, 1986]. Aber auch in der DDR wurden materialreiche Dissertationen über die Anfänge der Umgestaltung des Hochschulwesens erarbeitet [970: H. H. KASPER, 1979; 973: R. KÖHLER, 1983; 975: W. MOHRMANN, 1982]. Nach der Wende erschienen Quellenwerke zur Bildungspolitik [39 a: O. ANWEILER 1992], Untersuchungen zur Schulpolitik [953 a, 967 a, 976 a] und Erziehung [972 a] die gerade die Defizite des Bildungswesens der DDR offenlegten.

Weit mehr Veröffentlichungen liegen über die Ideologie der SED vor, die nach eigenen Aussagen zur „herrschenden Ideologie der DDR" wurde. Im Westen ist die DDR lange Zeit unter dem Gesichtspunkt beobachtet worden, ob und inwieweit (natürlich unter sowjetischer Leitung) die dortige Praxis eine Umsetzung, eine Anwendung der Theorie des Marxismus-Leninismus sei. In vielen älteren Werken zu den verschiedensten Themen ist daher vorab oftmals eine kurze Einführung über die Ideologie zu finden. Diese Auffassung von der Ideologie als der Grundlage und Motivation für die Veränderungen in der DDR wurde ab den späten sechziger und in den siebziger Jahren ersetzt durch die These von der „Entideologisierung", doch trat damit an die Stelle einer Überschätzung der Funktion der Ideologie ihre Unterschätzung als eines Herrschaftsinstruments und Bindeglieds der Eliten.

Ideologie der SED

Von der DDR selbst, deren Führung die Ideologie zur Legitimation ihrer Macht benutzte, war seit Ende der vierziger Jahre stets die überragende Rolle des Marxismus-Leninismus betont worden. In der Selbstdarstellung kam der Ideologie als angeblicher programmatischer Leitlinie der Politik entscheidende Bedeutung zu. Im Westen war und ist die Einschätzung der Funktion der Ideologie durchaus kontrovers. Während einige Experten den Marxismus-Leninismus als ideologische Richtschnur der Politik bewerteten, betrachteten andere die Ideologie – im Sinne von Marx – als Rechtfertigungs- und Verschleierungsideologie der Machtverhältnisse und schließlich konstatierten weitere Beobachter eine Entideologisierung, ein Schrumpfen der Ideologie auf bloße Rituale [858, 881, 902, 907, 911, 931].

Im Gegensatz dazu behielt für die DDR ihre Ideologie zumindest formal stets Priorität in Politik und Gesellschaft. Daher war es folgerichtig, daß dort neben einer Reihe von Wörterbüchern zur Philosophie oder Ökonomie 1979 auch eine

Geschichte der Philosophie „Geschichte der marxistisch-leninistischen Philosophie" für die Jahre 1945 bis Anfang der sechziger Jahre publiziert wurde [952]. Diese Geschichte zeichnete sowohl die Entwicklung als auch die Auseinandersetzung der Philosophie in der DDR nach. Am Rande erwähnt und andeutungsweise kritisiert wurde der Einfluß der Dogmen Stalins. Selbst auf die Bloch- und Lukacz-Diskussion wurde hingewiesen, Oppositionelle wie Havemann und Harich genannt, ihre Ideen jedoch verzerrt und abqualifiziert. Die Geschichte der Philosophie in der DDR war ein typisches Beispiel „parteilicher" Betrachtung, die freilich durch die Ausbreitung reichhaltigen Materials auch wesentliche Einsichten vermittelte. Ähnlich umfassende historische Darstellungen zu anderen Komplexen der Ideologie lagen in der DDR bis zu ihrem Ende nicht vor, so gab es über den „Wissenschaftlichen Kommunismus" lediglich ein „Lehrbuch" [949]. Ein Band „Zur Geschichte der Theorie des Wissenschaftlichen Kommunismus" [W. SCHNEIDER, 1977] befaßte sich ausschließlich mit der Entwicklung der Ideen von Marx, Engels und Lenin. Ähnliches gilt für einen „Grundriß" der „Geschichte der Politischen Ökonomie" [von H. MEISSNER; vgl. auch 872]. Zu den drei „Teilen" der Ideologie, Philosophie, Politische Ökonomie und Wissenschaftlicher Kommunismus existierte also nur eine Geschichte der Philosophie.

Im Westen wurde die Ideologie vor allem im Zusammenhang mit den Gesellschaftswissenschaften auch in einen historischen Kontext gestellt [945: D. VOIGT, 1975; 947: H. WEBER, 1971]. In älteren Arbeiten galt das Interesse vorrangig der Übertragung des Stalinismus auch in die Wissenschaft [900: M. G. LANGE, 1955]. Spätere Forschungen artikulierten die Beziehungen von Ideologie, Wissenschaft und Politik unter den veränderten Verhältnissen [so R. RYTLEWSKI, Organisation und Planung der Forschung und Entwicklung in der DDR, Diss. München 1976; vgl. auch 866: C. BURRICHTER, 1971; 884: H. GÜTTLER, 1975; 876: E. FÖRTSCH, 1976; 899: H. LADES/C. BURRICHTER, 1970; 943: R. THOMAS (Hrsg.), 1971; 948: Wissenschaft in der DDR, 1973]. Die Aufgabe der Theorie der SED ist im Zusammenhang mit der gesellschaftlichen Bewußtseinsbildung – vor allem Jugendlicher in der DDR – in einer Habilitationsschrift dargelegt [R. A. GRUNENBERG, Bedingungen und Formen gesellschaftlicher Bewußtseinsbildung in der DDR, Aachen o. J. (1986)].

Geschichtsverständnis Besonders intensiv diskutiert wurde im Westen das Geschichtsverständnis und die Geschichtswissenschaft in der DDR. Über den Anspruch der Geschichtsschreibung der DDR und deren „Parteilichkeit" ist oben berichtet worden. Sie war ebenso wie die Differenzierung der dortigen Geschichtswissenschaft Thema vieler Untersuchungen der westlichen Forschung.

Die DDR selbst sah in ihrer eigenen Geschichte nicht nur die objektive und gesetzmäßige Fortführung der revolutionären Traditionen des deutschen Volkes, sondern sie stilisierte diese DDR-Geschichte (bei der Aufstellung neuer Lehrpläne für den Geschichtsunterricht) zum „Höhepunkt in der ganzen deutschen Geschichte". Dies stand in Zusammenhang damit, daß die DDR-Geschichtswissenschaft zuletzt zwischen „Tradition" und „Erbe" unterschied. Danach waren Traditionen die progressiven Entwicklungslinien, die die DDR „verkörperte", also etwa die der Arbeiterbewegung. Unter Erbe verstand sie das Verhältnis zur ganzen deutschen Geschichte, „Leistungen und Fehlleistungen aller Klassen und Schichten", die im kritischen Sinne „zu bewältigen" sind [H. BARTEL, in: ZfG 29, 1981, 389]. Diese Deutung der Geschichte der DDR (die einherging mit einer Neubewertung historischer Persönlichkeiten wie etwa Luther, Friedrich II. oder Bismarck) fand in der Geschichtswissenschaft ein breites Echo. Allerdings hatte die westliche Geschichtsschreibung, von Ausnahmen abgesehen [874: A. FISCHER, 1962; 944: A. TIMM, 1966], sich relativ spät mit der DDR-Historiographie auseinandergesetzt. G. HEYDEMANN legte 1980 eine Entwicklungsgeschichte der Geschichtswissenschaft im geteilten Deutschland vor [887, vgl. auch 888]. Schon vorher waren einige wichtige Darstellungen erschienen [vgl. 869: A. DORPALEN, 1974; 898: H. LADES, 1980; 914: U. NEUHÄUSSER-WESPY, 1976; 926: D. RIESENBERGER, 1973]. Auch die Methodologie wurde inzwischen näher beleuchtet [930: J. RUSEN/Z. VASICEK, 1985]. Eine umfassende Darstellung der DDR-Geschichtswissenschaft veröffentlichten A. FISCHER und G. HEYDEMANN [875 a] 1988.

Aufgearbeitet ist für die DDR die Geschichte anderer Bereiche, erwähnt seien hier Kulturpolitik Kultur, Literatur und Medien. In der DDR hatte J. STREISAND 1981 eine kurze Kulturgeschichte herausgebracht [940]. Außerdem wurden dort sowohl eine zweibändige Kunstgeschichte [896] als auch eine Musikgeschichte [864] publiziert.

In der Bundesrepublik erschienen umfangreiche Dokumentenbände zur Kulturpolitik [106: P. LÜBBE (Hrsg.), 1984; 124: G. RÜSS (Hrsg.), 1976; 129: E. SCHUBBE (Hrsg.), 1972]. 1975 veröffentlichte V. GRANSOW eine Schrift zur Kulturpolitik der DDR, der ein kurzer geschichtlicher Abriß vorangestellt ist. Über das Thema „Kultur und Geschichte" liegt auch ein historischer Abriß von M. JÄGER vor [893]. Er enthält eine umfangreiche Bibliographie, auf die hier verwiesen werden kann.

Gerade die Kulturpolitik der DDR ließ die ständigen Schwankungen zwischen Medien-
„harter" und „liberaler" Haltung von Staat und Partei besonders klar erkennen, geschichte
zeigte aber auch, wie die Kultur von den politischen Organen gegängelt und beherrscht wurde. Dies galt insbesondere für die Literatur. Zu ihrer Geschichte gibt es eine ganze Reihe historischer Abhandlungen. Die Autoren der Literaturgeschichten der DDR aus dem Westen verdeutlichen aus unterschiedlicher Position kritisch das Spannungsverhältnis zwischen Schriftstellern und Staat und die Rolle der Literatur im System der DDR [862: S. BOCK, 1980; 871: W. EMMERICH, 1984; 912: B. MAYER-BURGER, 1983; 932: H.-D. SANDER, 1972; 935: H.-J. SCHMITT (Hrsg.), 1983]. Für die Literatur spielten auch die Medien eine wichtige, aber insgesamt wenig positive Rolle. Eine inzwischen vorliegende „Geschichte des Journalismus in der DDR" [921: G. RAUE, 1986] bringt viele Details über die Entwicklung der Medien. Der faktenreiche Band geht vor allem auf Zeitungen und Zeitschriften ein und enthält eine nützliche Zeittafel. Allerdings werden viele Probleme und Widersprüche durch die „parteiliche" Sicht einfach eingeebnet, oder die Zensur der SMAD verschleiert. Erinnerungsbände z. B. über die Journalistenausbildung [264: B. KLUMP, 1980] zeichneten da ein ganz anderes Bild.

Nach Öffnung der DDR-Archive konnten nun solche Dokumentationen erscheinen, die die Kulturpolitik der DDR erstmals von innen zeigen und die Mechanismen, mit denen die SED die Kultur, Kunst und insbesondere die Literatur dirigierte, deutlich machen.

Für die fünfziger Jahre (1953 bzw. 1957) liegen Wortprotokolle des Kulturbundes vor, die Einblicke in die internen Diskussionen um den 17. Juni 1953 bzw. die Prozesse gegen die sogenannte Harich-Gruppe geben [96a: M. HEIDER, K. THÖNS, 1991].

Das 11. Plenum des ZK der SED von 1965, auf dem wieder eine „harte" Kulturpolitik beschlossen wurde (für das Politbüro kritisierte Honecker „schädliche Tendenzen" in literarischen Arbeiten, im Fernsehen und in Filmen), wurde jetzt in Studien und Dokumenten näher dargelegt [38b: G. AGDE, Kahlschlag, 1991, vgl. auch 891f].

Und schließlich wurde jetzt auch das Protokoll der Mitgliederversammlung des Berliner Schriftstellerverbandes von Juni 1979 gedruckt, das die Säuberungsauseinandersetzungen jener Tage wiedergibt [146a: J. WALTHER u. a., 1991]. Aber auch die Debatten um Hanns Eisler [51a: H. BUNGE, 1991] und Brecht/Dessau [908a: J. LUCCHESI, 1992] sind inzwischen dokumentiert. Gerade diese verschiedene Dokumentationen gestatten wie andere Arbeiten [vgl. 856c, 871a, 922b, 927a, 930a, 941a, 947b] genauere Einsichten in verschiedene Seiten der Kulturpolitik unter der SED-Diktatur.

Insgesamt zeigt sich, daß für viele Bereiche durch die Veröffentlichung von „Geschichten" die Vergangenheit der DDR durchleuchtet werden konnte. Dies gilt auch Außenpolitik für eine maßgebliche politische Ebene: die Außenpolitik der DDR. Im Gegensatz zur Bundesrepublik durfte die DDR sofort bei ihrer Gründung 1949 ein Außenministerium einrichten. Bis es zu einer relativ eigenständigen Außenpolitik kam, verging indes viel Zeit: Die Abhängigkeit von der Sowjetunion einerseits und die Konfrontation mit der Hallstein-Doktrin der Bundesrepublik andererseits verhinderten die rasche internationale Anerkennung. Dennoch legte die DDR selbst schon sehr früh historische Darstellungen ihrer Außenpolitik vor [1078: W. HÄNISCH, 1964/65; 1082: P. KLEIN u. a. (Hrsg.), 1968]. Die darin bilanzierten „Erfolge" waren freilich wenig überzeugend.

Eine fundierte zeitgeschichtliche Analyse der damaligen Außenpolitik der DDR erschien etwas später in der Bundesrepublik [1075: H. END, 1973]. Hier wurden die Schwierigkeiten, auch der innerdeutsche Konflikt, problemorientiert herausgearbeitet. Eine aktive Außenpolitik konnte die DDR erst nach ihrer weltweiten Anerkennung leisten. Nun wurde auch der Frage nachgegangen, wer diese Außenpolitik bestimmt [1088: A. MALLINCKRODT DASBACH, 1972]. Drei Jahrzehnte Außenpolitik der DDR untersuchte ein von H. A. JACOBSEN u. a. 1979 herausgegebener Sammelband [1081]. Und schließlich hatte die DDR selbst 1979 [1074] und 1984 [1079] die Geschichte der Außenpolitik ihres Staates in der üblichen parteilichen Sicht herausgebracht.

Historische Darstellungen zum Verhältnis der DDR zur Sowjetunion erschienen in beiden deutschen Staaten, die Deutschlandpolitik der DDR allerdings wurde – wie ein Blick ins Literaturverzeichnis zeigt – vor allem in der Bundesrepublik thematisiert.

NVA   Auch eine Geschichte der Nationalen Volksarmee legte die DDR selbst vor [990]. Diese ist zwar durch Bilder, Zeichnungen, Tabellen usw. aufgelockert, hat aber nur eine schmale Quellenbasis und eher propagandistischen Charakter. Gleiches gilt auch für eine „Geschichte der Deutschen Volkspolizei" [994 a].

Gerade die Aufrüstung der DDR und ihre Hintergründe sind durch die nun erstmals zugänglichen Quellen nachzuzeichnen. Bei dem „Kampf gegen den Pazifismus", zu dem W. Pieck auf der 2. Parteikonferenz der SED 1952 aufrief, befolgte die Partei beispielsweise eine Weisung Stalins, der in einem Gespräch mit SED-Führern im April 1952 entschieden hatte: die „pazifistische Periode ist vorbei" (Zentrales Parteiarchiv, NL 36/696). Und nachdem Stalin bei gleicher Gelegenheit gefordert hatte „Volksarmee schaffen – ohne Geschrei" (ebd.) bildete die DDR im Oktober 1952 die „Kasernierte Volkspolizei", eine militärisch aufgebaute Kadertruppe mit 7 Divisionen, aus der Anfang 1956 dann ihre „Nationale Volksarmee" hervorging.

Zur Geschichte der einzigen autonomen Organisationen in der DDR, der Kirchen, erschien dort allerdings keine historische Untersuchung. Im Westen hat H. Dähn das Verhältnis von Staat und Kirche von 1945 bis 1980 in seiner Habilitationsschrift einer gründlichen Prüfung unterzogen [1009]. Seine auch durch Archivmaterial abgesicherte Darstellung läßt die Konflikte zwischen Staat und Kirche in der Geschichte der DDR ebenso erkennen wie die Kooperation auf bestimmten Feldern von gemeinsamem Interesse. Dieses Spannungsverhältnis geht auch aus anderen Untersuchungen zum Thema hervor und zeigt die Problematik eines Systems, in dem die Hegemonialpartei einen Absolutheitsanspruch stellte und für Opposition kein Raum war. *Kirchen*

Nach der Wende fand die Rolle der Kirchen, vor allem der Evangelischen Kirche in der DDR großes Interesse. Dabei überschattete zunächst die Frage, wie weit das MfS Einfluß auf die Kirchenpolitik nehmen wollte und konnte sowie die Rolle von „Informellen Mitarbeitern" das Problem „Kirche im Sozialismus". Daß Partei und Staat, die sonst ja alle Organisationen – einschließlich der Blockparteien – direkt befehligten und daher z.B. den FDGB kaum durch IM zu unterwandern brauchte, bei der autonomen Institution Kirche nur über illegale Eingriffe Informationen gewinnen konnten, war aber während der SED-Diktatur übliche Praxis.

Die schwierige Gratwanderung der Kirchen in der DDR untersucht nun ein von H. Dähn herausgegebener Sammelband [1009a, 1993]. In dieser „ersten Bilanz" werden sowohl die Kirchenpolitik der SED als auch die der Ost-CDU angesprochen sowie der Weg der Evangelischen und der Katholischen Kirche skizziert. Damit werden eine Reihe von Werken über die Kirchen ergänzt, die noch vor der Wende [47b, 1011a, 1012a, 1020f, 1020g], vor allem aber in großer Zahl nach der Umwälzung in der DDR erschienen sind. Besonders hingewiesen sei hier auf die Arbeiten von G. Besier [1008c], H. Ester [1009b], D. Funk [1010b], E. Kuhrt [1018a], G. Lange [103] und E. Neubert [1018a]. Insgesamt zeigt sich, daß das Thema Kirche in der DDR weiterhin ein breites Forschungsfeld bleibt.

9. Opposition und Verfolgung in der Geschichte der DDR

Wie in allen kommunistisch regierten Staaten Moskauer Richtung ließen sich in der DDR drei Herrschaftsmethoden nachweisen: Gewinnung von Anhängern durch ideologische Indoktrination, Neutralisierung breiter Schichten durch Verbesserung der Lebenslage sowie Unterdrückung politischer Gegner. In den vierziger und vor allem den fünfziger Jahren waren die Bekämpfung jeder oppositionellen Strömung und politische Repressalien typisch für das System, das spiegelt sich auch in einer umfangreichen Literatur zu diesem Thema wider.

Das Regierungssystem der DDR sah in der Praxis von Anfang an keine Opposition vor. Entsprechend der ideologischen Sicht galt jede politische Opposition als „Agentur" der „Klassengegner" und wurde daher verfolgt. Doch gerade während der fünfziger und sechziger Jahre lehnte die überwiegende Mehrheit der Bevölkerung das politische System ab. Dadurch war die Massenbasis einer Opposition vorhanden, die nur die Machtmittel des Staates an der Organisierung hinderte. Ausbrüche wie der 17. Juni 1953 waren die Folge.

In den Geschichtsdarstellungen der DDR blieb dieser breite Unmut der Massen ebenso ein Tabu wie die Vorstellungen der verschiedenen oppositionellen Gruppierungen. Entsprechend der politischen Praxis wurde selbst in der Geschichtsdarstellung Opposition noch häufig kriminalisiert, als „westliche Agentur" abqualifiziert. Arbeiten über Opposition, Widerstand und Verfolgung sind also fast ausschließlich in der Bundesrepublik erschienen.

Opposition der Arbeiter

Werke wie die von B. Sarel 1975 [1060] oder P. Tigrid 1983 [1062] versuchten die Basis-Opposition der Arbeiterschaft herauszuarbeiten. Da gerade auf diesem Gebiet die Quellenlage ungünstig war, konnte das nur lückenhaft geschehen. Die verschiedenen Formen von Opposition, von grundsätzlicher Ablehnung des Systems bis zu innerkommunistischem Protest, sind bisher in kurzen Überblicken zusammenfassend dargestellt worden [1061: D. Staritz, 1986: 1064: H. Weber/M. Koch, 1983]. Vor allem aber hat K. W. Fricke, der sich von allen Autoren am intensivsten mit Opposition und Verfolgung in der DDR befaßte, 1984 einen historischen Abriß „Opposition und Widerstand" veröffentlicht [1034]. Auch wenn Fricke sein Buch als „Report" versteht und zurückhaltend betont, „eine wissenschaftliche Arbeit wollte der Autor nicht schreiben", kann die Skizzierung der politischen Gegnerschaft in der DDR über dreieinhalb Jahrzehnte hinweg wissenschaftlichen Kriterien standhalten.

Aus der bisher vorliegenden Literatur zur Opposition in der DDR ergibt sich, daß die ursprünglich starke Opposition des Bürgertums (die sich in den vierziger Jahren noch in den Parteien artikulieren konnte) zunehmend ihre soziale Basis verlor. Die Fixierung breiter Teile der Bevölkerung auf die Bundesrepublik beeinflußte dennoch weiterhin die Stimmung in der DDR.

Parteien

Die frühe Opposition in der CDU und LDPD und in den Massenorganisationen wird in Werken thematisiert, die sich mit diesen Parteien und Verbänden befassen, sie wird aber auch aus Erinnerungen [243: F. Friedensburg, 1971; 262: M. Klein,

1968; 268: E. Lemmer, 1968; 306: A. Wolfram, 1977] und Biographien [1207: W. Conze u. a. Jakob Kaiser, 1967/1969] ersichtlich. Doch mit der Transformation der Parteien und Massenorganisationen verlor diese „bürgerliche" Opposition ihre institutionelle Basis. Unter diesen Umständen gewann die innerkommunistische Opposition Bedeutung und später auch das Interesse der Forschung. Bereits vor knapp 30 Jahren hat ein (anonymer) Autor auf die Unterschiede, ja Gegensätze der Opposition in der DDR verwiesen. Er warnte schon damals, die Opposition des „Bürgertums" zu überschätzen: „Die Reste des Bürgertums und die selbständigen Bauern sind zwar Gegner des Regimes, doch besitzen sie weder politische Organisationsformen noch wirtschaftliche Machtmittel". Dagegen sah er „die aktivsten Kräfte der Opposition unter Intellektuellen und Arbeitern", und konstatierte, sie bekämpfe „das System von einer linken Plattform aus" [1055].

Seither ist über das Gewicht dieser Opposition oft diskutiert worden. Sie setzte sich im wesentlichen aus einem zahlenmäßig kleinen Kreis von Intellektuellen, Schriftstellern usw. zusammen. Das hing damit zusammen, daß die Herrschaftssicherung in kommunistisch regierten Staaten in erster Linie das reibungslose Funktionieren ihrer Apparate erforderte. Die Geschlossenheit der Führungselite, das Einordnen der Funktionäre in den hierarchisch organisierten Apparat war für sie unabdingbar. Opposition in Partei und Apparat erschien bedrohlich, so daß die Führung gerade hier „Abweichungen" verhindern mußte. Es zeigte sich, daß sowohl die Partei als auch der Apparat für eine immanente Opposition anfälliger waren als für jede andere Abweichung. Daher bedeutete eine innerkommunistische Opposition tatsächlich eine Gefahr, eben das veranlaßte die SED-Führung zu Repressalien, um sie bereits im Ansatz zu zerschlagen.

Inner-
parteiliche
Opposition
in der SED

Freilich spielten dabei auch Querelen in der Führung eine Rolle. Die von der Sowjetunion vorbereiteten Schauprozesse zeigten ebenfalls Anfang der fünfziger Jahre Auswirkungen auf die DDR. So geriet als erste die Führungsgruppe um das Politbüromitglied Paul Merker 1950 in Konflikt mit Ulbricht und wurde aus der SED entfernt, einige Parteiführer verhaftet. Einer der Beteiligten (und Verhafteten), L. Bauer, hat darüber bereits 1956 exakt berichtet [1023].

Nach der 2. Parteikonferenz der SED 1952 und dem sogenannten Aufbau des Sozialismus verschärften sich die inneren Auseinandersetzungen noch. Ulbrichts Hauptgegner Dahlem wurde schrittweise ausgeschaltet. Nach Stalins Tod und dem Aufstand vom 17. Juni 1953 entfernte Ulbricht seine Widersacher Zaisser, Herrnstadt, Ackermann, Jendretzky und Elli Schmidt aus dem Politbüro. Solche Säuberungen erfolgten indes nicht nur an der Spitze, sondern in der gesamten Partei. Waren bereits 1950/51 bei der Parteiüberprüfung 150.000 Mitglieder ausgeschlossen worden, so mußten auch nach 1953 Tausende Funktionäre und Mitglieder die Partei verlassen. Den ganzen Prozeß der inneren Auseinandersetzung dieser Jahre hat M. Jänicke 1964 bis ins Detail geschildert [1049]. Jänicke nannte sein Buch „Der Dritte Weg", um die Position der innerkommunistischen Opposition herauszustellen. P. C. Ludz kritisierte an diesem Buch heftig, Jänicke bleibe zu sehr an „eigene politische Wertvorstellungen gebunden" [SBZ-Archiv 16, 1966, H. 8, 119 ff.]. Tat-

sächlich ging es bei diesem Disput eher um die Einschätzung der Rolle der innerkommunistischen Häresie. Auf jeden Fall gelang es JÄNICKE, die Fakten der Opposition des „Dritten Weges" über den Zeitraum von 1953 bis 1963 zusammenzutragen.
Dabei hat er „revisionistisch-oppositionelle Tendenzen" nicht nur in der Partei
nachgewiesen, sondern auch in der Wissenschaft, der Literatur, Publizistik usw. Eine ähnlich detaillierte Darstellung der innerkommunistischen Opposition in der
DDR wurde seither nicht mehr vorgelegt.

Allerdings konnte FRICKE in einem Werk von 1971 die Säuberungen und Rehabilitierungen in der SED [1033] für den gesamten Zeitraum nach 1945 zusammenstel-
len. Er hat auch die Säuberungen in den anderen kommunistisch regierten Staaten
miteinbezogen. Da dieser Band auch zahlreiche Dokumente enthält, ist die Geschichte der inneren Opposition durch JÄNICKE und FRICKE bis ins Detail untersucht.

Harich-Gruppe   In allen Darstellungen nahm die Harich-Gruppe von 1956/57 einen zentralen
Platz ein. Über die Entwicklung und den Prozeß gegen diese Gruppe liegen Augen-
zeugenberichte vor [M. HERTWIG, in: R. CRUSIUS/M. WILKE, Entstalinisierung. Der
XX. Parteitag und seine Folgen, Frankfurt 1977, 477 ff., und H. ZÖGER, in: SBZ-Archiv 11, 1960, 198 f.]. Entstehung und Position der Harich-Gruppe sind also bekannt. Ihre Vorstellungen entsprachen den damaligen Wünschen und Forderungen
vieler Intellektueller in der SED, zeigten die Tendenz einer teils offenen, teils latenten Oppositionsströmung, waren aber zugleich Reflexion der Unzufriedenheit breiter Schichten mit dem Herrschaftssystem der DDR. Die Opposition war antistalinistisch, aber nicht antikommunistisch, insofern ist die Bezeichnung „dritter Weg"
angemessen. In einer „Plattform" forderte die Gruppe konkrete Reformen in der
Partei, etwa die Beseitigung der Vorherrschaft des bürokratischen Apparats über die
Mitglieder und im politischen System, so die Abschaffung des Ministeriums für
Staatssicherheit und der Geheimjustiz, die Souveränität des Parlaments und Wahlen
mit mehreren Kandidaten. Die Harich-Gruppe und ihre Plattform werden in der
Literatur gegensätzlich beurteilt. Einerseits gilt sie als „typisch und für die Entwicklung des Reformkommunismus besonders bedeutsam" [W. LEONHARD, Die Dreispal-
tung des Marxismus, Düsseldorf 1970, 372]. Von anderen werden programmatische
Widersprüche hervorgehoben und die philosophische und historische Begründung
der Plattform als „völlig mißglückt" bezeichnet [M. CROAN, in: L. LABEDZ, Der Re-
visionismus, Köln 1965, 366].

Einen engen Zusammenhang der Motive der intellektuellen Opposition, die ja
von Bloch und Harich bis Havemann reichte, zeigte H. GREBING [1039]. Später hat
nicht nur Havemann mit seiner demokratisch-kommunistischen Kritik das Interesse der Öffentlichkeit und der Forschung gefunden, sondern auch Bahro. Seine Fun-
damentalkritik an der DDR, die seinerzeit ebenfalls nur im Westen erscheinen
konnte [1021], brachte dem Autor eine hohe Zuchthausstrafe ein.

Opposition und   Die enge Verbindung zwischen Opposition und Verfolgung in der DDR wird ge-
Verfolgung   rade an den Beispielen Harich oder Bahro überdeutlich, doch im Verlauf der Geschichte der DDR ging die politische Unterdrückung weit über die Verhaftung füh-

render Oppositioneller hinaus. Dazu liegt wiederum von FRICKE eine dokumentarische Untersuchung vor, in der er die politische Verfolgung von 1945 bis 1968 detailliert nachweist [1035]. Den Kern der Arbeit bilden 217 Dokumente, die FRICKE in seinen Text eingebaut hat: Gesetze, Anklageschriften, Urteile und nicht zuletzt Erlebnisberichte ehemaliger Gefangener (er konnte eine Umfrage unter mehr als 4.000 ehemaligen politischen Gefangenen machen).

Die umfassende Dokumentation spiegelt die politische Aufgabe der Justiz in der DDR wider, zeigt die Mechanismen und Funktionen der politischen Unterdrückung und läßt zugleich unterschiedliche Gruppierungen der Verfolgten erkennen. Die sowjetische Besatzungsmacht übte in den ersten Nachkriegsjahren die Gewalt aus, in ihren Internierungslagern kamen auch die meisten Opfer um. Die sowjetischen Eingriffe galten jedoch nicht nur dem Ausbau neuer Machtverhältnisse, sie waren zugleich im Rahmen alliierter Politik eine Abrechnung mit Naziverbrechen. Daß die sowjetische Besatzungsmacht – und später auch DDR-Gerichte – Kriegsverbrechen und NS-Untaten bestraften, bedarf keiner besonderen Begründung, mit Recht wurden diese Verbrechen ebenso in der Bundesrepublik geahndet.

Doch benutzten SMAD und DDR-Behörden die Entnazifizierung auch als Deckmantel, um unterschiedliche Gruppen, auch Demokraten, zu verfolgen. So wie SMAD und SED den Begriff „Antifaschismus" instrumentalisierten, um die kommunistische Vorherrschaft auszubauen, so wurde die „Entnazifizierung" benutzt, um jede tatsächliche und potentielle Opposition zu unterdrücken. Die Verfolgung von Sozialdemokraten, die nach der „Vereinigung" der SED als erste in Opposition gerieten und die – wie FRICKE nachweist – „unter den ehemals politisch organisierten Häftlingen in sowjetischem Gewahrsam den höchsten Anteil" ausmachten, zeigt besonders deutlich, gegen wen sich der Unterdrückungsapparat auch richtete. Selbst oppositionelle Kommunisten wurden ja verhaftet (der ehemalige kommunistische Preußische Landtagsabgeordnete Alfred Schmidt aus Erfurt zum Tode verurteilt und dann zu 25 Jahren „begnadigt").

Wichtigstes Organ der Unterdrückung und Verfolgung wurde dann in der DDR das Ministerium für Staatssicherheit. Auch darüber liegt eine Arbeit von FRICKE vor [1032]. Für die „Staatssicherheit" war jeder Nonkonformismus suspekt, und sie überwachte Verdächtige, auch Schriftsteller und Künstler. Das wurde erneut deutlich nach der Ausweisung Wolf Biermanns 1976. Damals hatten sich etwa 100 Künstler und Intellektuelle, die sowohl zum Sozialismus als auch zur DDR standen, gegen diese Ausbürgerung gewandt. Die Sanktionen der SED gegen sie reichten von Einschüchterungsversuchen bis zu Ausbürgerungen. Doch wurden auch Künstler vom MfS verhaftet [1037: J. FUCHS, 1978; 1038: DERS., 1977; 1024: Biermann und die Folgen, 1977].

Inzwischen hatte sich die Literatur auch mit der Rolle der Kirche als eines eventuellen Oppositionsfaktors beschäftigt [1027: W. BÜSCHER/P. WENSIERSKI, 1982; 1028: K. EHRING/M. DALLWITZ, 1982; 1029: B. EISENFELD, 1978; 1018: B. KUHRT, 1984]. Die Kirchen, insbesondere die Evangelische Kirche, hatte sich als „Kirche im Sozialismus" bei aller Distanz zum SED-Staat mit diesem arrangiert. Da auch die

Politik und Justiz

Ministerium für Staatssicherheit

DDR-Führung zu teilweiser Kooperation bereit war, blieb die unabhängige Friedensbewegung der DDR, die sich im Rahmen der Kirche artikulieren konnte, ohne institutionelle Stütze. Daß sie dennoch Einfluß auf die Jugend nehmen konnte, bewies die Breite der oppositionellen Formen.

Besonders durch den Zugang zum Stasi-Archiv konnten ab 1990 die Tätigkeit des MfS ebenso wie die oppositionellen Bestrebungen anhand der Akten neu untersucht werden. Die erste Dokumentation, die erschien, war eine Sammlung von Befehlen und Lageberichten des MfS von Januar bis November 1989, die A. MITTER und S. WOLLE herausbrachten [108c, 1990]. Diese und die zahlreichen folgenden Dokumentationen ließen erkennen, wie das MfS als „Schild und Schwert" der SED mit ihren „Informellen Mitarbeitern" ein riesiges Spitzelsystem über die DDR ausgebreitet hatte, um die Diktatur abzusichern. Die Richtlinien und Direktiven für das große Heer der IM sind inzwischen veröffentlicht [101], auch Dokumente der Stasi-Kirchenabteilung [102b], ebenso die geheimen Anweisungen zur Diskriminierung von Ausreisewilligen [105a]. Über die Praktiken des MfS in verschiedenen Bezirken liegen Untersuchungen und Dokumentationen vor [108b, 134c, 149b, 1021, 1065a]. Der Bundesbeauftragte für die Stasi-Akten, J. GAUCK, hat inzwischen über die Rolle der Akten berichtet [1038e], auch das MfS und seine Strukturen sind genauer bekannt [1038g]. Die Tätigkeit der hauptamtlichen Mitarbeiter und die Anleitung des MfS durch die SED sind allerdings weniger thematisiert worden als die der spektakulären IM. Vor allem hat K. W. FRICKE, der sich seit langer Zeit mit der Verfolgung und den Verfolgungsbehörden der DDR befaßte, weitere Untersuchungen vorgelegt [1036a, 1036b, 1036c]. Anhand der Akten über den Bürgerrechtler W. Templin ist die Überwachungs- und Verfolgerpraxis des MfS dokumentiert worden [1061a]. Die Unterdrückung der Opposition ist auch in anderen Darstellungen thematisiert, etwa der Prozeß gegen W. Janka [1025c, vgl. auch 1206b], Berichte über die Waldheimer Prozesse und das Zuchthaus Bautzen [1029a, 1038f] liegen vor.

Über die Opposition in der DDR, ihre Programmatik und ihre Aktivitäten erschienen ebenfalls zahlreiche Berichte [101a, 123a, 123b, 129a, 152b, 152e].

MfS als Schild und Schwert der SED

10. ZUSAMMENBRUCH DER DDR UND AUFARBEITUNG IHRER GESCHICHTE

In den Jahren seit der „Wende" 1989 und dem Zusammenbruch der SED-Diktatur in der DDR ist darüber ausführlich berichtet worden und es gibt dazu bereits eine breit gefächerte Literatur. Die friedliche Revolution wurde ebenso beschrieben wie die Wandlungen der gesellschaftlichen und politischen Strukturen, die Veränderung des Parteiensystems oder Probleme der Kultur. Der Prozeß der Vereinigung Deutschlands ist Thema zahlreicher Arbeiten, wie auch Fragen der Nation, des Rechtsradikalismus oder der Zukunft Deutschlands. Einen ersten Überblick: Der Umbruch in der DDR und die deutsche Vereinigung im Spiegel der Literatur gab E. JESSE [in: 1303: JESSE, MITTER, 1992]. Bei den 130 Titeln, die er vorstellt, überwiegen nach seiner Meinung „Schnellschüsse". Sein Fazit: „Vielleicht ist es auch noch zu früh, in wissenschaftlich abgeklärter Weise den Zusammenbruch in der DDR mit der sich anschließenden Vereinigung zu analysieren" (419).

Die in dieser Bibliographie vorgestellten knapp 200 Titeln zum Zusammenbruch der DDR und den Folgen ihrer Geschichte (die nur einen Teil der umfangreichen Literatur erfassen und die hier nicht im einzelnen vorgestellt werden) sind für die Geschichtswissenschaft ebenfalls von sehr unterschiedlichem Wert. Sie zeigen indes, daß die Bearbeitung auch dieses Komplexes begonnen hat.

Schließlich ist die wissenschaftliche Erforschung der DDR-Geschichte eine der Voraussetzungen für die notwendige „Vergangenheitsbewältigung" oder richtiger gesagt, die Aufarbeitung, die Auseinandersetzung mit der Geschichte der DDR. Inzwischen ist zwar viel geschehen, doch der eigentliche Schwung zur Aufarbeitung der DDR-Geschichte fehlt noch immer. Die Abwehrhaltung vieler ehemaliger Funktionsträger im Osten auf der einen, die Sensationshascherei auf der anderen Seite führen dazu, daß zunehmend eine Gleichgültigkeit entsteht und statt einer Bearbeitung dunkler Kapitel eine bedenkliche Verdrängung erfolgt. Durch aktuell belastende Alltagsprobleme in der ehemaligen DDR droht unsere jüngste Vergangenheit ohnehin beim Einzelnen wie in der Öffentlichkeit allzu leicht in den Hintergrund zu geraten. A. MITTER hat schon 1992 auf die Defizite bei der Aufarbeitung der DDR-Geschichte verwiesen [in: 1303: JESSE, MITTER]. Aufarbeitung
der Geschichte

1992 zeigte sich ein bedenklicher Trend. Waren Anfang 1992 noch 41 Prozent der Bevölkerung Ostdeutschlands der Meinung, für die Aufarbeitung der DDR-Vergangenheit müsse mehr getan werden, so sank dieser Anteil bis Mai auf 33 Prozent. Umgekehrt wollten Anfang 1992 28 Prozent einen „Schlußstrich" gezogen wissen, im Mai bereits 40 Prozent [M. JUNG in: Politische Studien 43 (1992), Heft 324]. Verdrängung?

Hier ist aus den Vorgängen nach 1945 einiges zu lernen. Das damalige Verdrängen führte zu Verwerfungen im Denken und Handeln sowohl der Individuen wie auch in der öffentlichen Meinung, obwohl sich die Wissenschaft wenigstens teilweise schon früh mit der Problematik befaßte. Erst eine nachgewachsene Generation nahm sich dann der „braunen Erblast" an und nun erfolgte die überfällige Diskussion um NS-Verbrechen, Widerstand, angepaßtes Verhalten.

Eine rasche Aufarbeitung der DDR-Geschichte ist ja auch gerade deshalb nötig, um die Untertanenmentalität zu überwinden. Jahrzehntelange diktatorische Praktiken des SED-Regimes, unter dem die Menschen in der früheren DDR lebten, beeinflußten zwangsläufig ihr persönliches Verhalten. Erforderlich ist aber vor allem die Analyse des Systems, seiner Strukturen, seiner Auswirkungen und Folgen. Die hierarchischen Strukturen des totalitären Stalinismus resultierten aus dem Machtmonopol der Parteispitze, die sich anmaßte, „immer recht" zu haben.

Doch es genügt für die Aufarbeitung nicht, diese Strukturen offenzulegen, es bedarf auch des Reflektierens der Einstellung der Individuen, die auf der einen Seite das System mittrugen, es tolerierten und sich resignierend anpaßten, auf der anderen Seite sich verweigerten bis hin zu jenen, die in offener Opposition Widerstand leisteten. Daher muß die Wissenschaft nicht nur die Machtstrukturen erforschen, sondern ebenso die Alltagsgeschichte der Bevölkerung. Neben dem „alltäglichen Stalinismus" wurde dieses Leben geprägt von den Freuden und Leiden des Individuums, von der Arbeit, von der Familie, des Freundes- und Kollegenkreises, aber auch von der Fixierung auf die Bundesrepublik. Schon solche Hinweise zeigen, wie umfassend die Forschung zur Geschichte der DDR angelegt sein muß, um bei der Aufarbeitung Hilfe zu leisten. Neben den zahlreichen Forschungsergebnissen, die hier vorgestellt werden konnten, zeichnen sich schon jetzt konkrete Untersuchungsprojekte ab. Damit können geleistete Vorarbeiten durch eine verbesserte Quellenlage und neue oder erweiterte Fragestellungen ergänzt werden. Zu nennen sind hier beispielhaft:

Untersuchungs-
projekte

- die Rolle der SMAD bei den Veränderungen der SBZ,
- die Wandlung des Parteiensystems bis 1990,
- die Rolle der Arbeiter und des FDGB, der „Staatsgewerkschaft",
- die SED-Führung und die Herausforderungen der westlichen Entspannungs und Deutschlandpolitik seit den siebziger Jahren,
- die SED-Perzeption der Politik unter Gorbatschow,
- die Rolle der Blockparteien bei der Umsetzung der SED-Politik,
- die Sozialisationsfunktion ausgewählter Massenorganisationen (insbesondere FDJ, Junge Pioniere, Deutscher Turn- und Sportbund),
- der Kirchenbund zwischen Staat und Gesellschaft (seine Mittlerrolle seit Beginn der siebziger Jahre),
- die Rolle der Frau in Familie, Gesellschaft und im Berufsleben,
- Kontinuität und Wandel der politischen Opposition,
- Struktur und Funktionsweise des MfS (die Entwicklung des Reglementierungs- und Repressionssystems) – hier laufen Forschungen der Wissenschaftsabteilung der „Gauck-Behörde" sowie anderer Forschungsgruppen -,
- Anlässe, Zielgruppen und Methoden der Säuberungen innerhalb der SED seit Ende der vierziger Jahre,
- Funktion und Instrumentalisierung der Ideologie des „Marxismus-Leninismus",
- der Umgang mit Intellektuellen und Künstlern und deren Rolle.
- die friedliche Revolution von 1989

Die Forschungen der nächsten Zeit zur DDR-Geschichte werden – soweit dies gegenwärtig überschaubar ist – von Desiderata ebenso bestimmt wie von der Quellenlage, aber auch getragen von den Programmen der Forschungsförderung, etwa dem Schwerpunkt der Stiftung Volkswagenwerk über „Diktaturen im Europa des 20. Jahrhunderts". Daher sind (wie ein vorläufiger Überblick des Arbeitsbereichs DDR-Geschichte am Mannheimer Zentrum für Europäische Sozialforschung zeigt) Projekte über folgende Bereiche zu erwarten:

Erwartete
Forschungsfelder

1. Die Frage, wie mit der DDR-Vergangenheit umzugehen ist, wird zunehmend mit dem Blick auf die „Vergangenheitsbewältigung" nach 1945 verknüpft. Damit tritt der Vergleich (der ja keine Gleichsetzung ist, sondern gerade auch Unterschiede herausarbeitet) zwischen beiden Diktaturen in den Vordergrund. So ist zu erwarten, daß Vergleiche zwischen NS-Diktatur und der SED-Diktatur unter verschiedenen Aspekten zu Forschungsschwerpunkten werden.

2. Auch der Vergleich der DDR mit den Diktaturen der kommunistischen Partei-
en in Ländern Osteuropas wird ein erweitertes Forschungsfeld werden.

3. Ähnliches gilt für einen bisher weitgehend unterbelichteten Themenbereich,
nämlich die Sozialgeschichte der DDR. Außerdem werden Gründe für systemkon-
formes oder für oppositionelles Verhalten bestimmter sozialer Gruppen zu untersuchen sein. Ins Blickfeld rücken aber auch die Situation der Jugend oder die „Gleichberechtigung der Frauen".

4. Ein weiteres Gebiet ist der Komplex Gesellschaft und politisches System. Hier
sind Analysen der Phänomene Akzeptanz, Arrangement, Verweigerung und Widerstand im Zeitverlauf zu erwarten, ebenso ihre Wahrnehmung durch Partei, Staatssicherheit, Blockparteien und gesellschaftliche Organisationen.

5. Forschungen zur politischen Struktur sind auf verschiedenen Ebenen zu erwarten, insbesondere über die bisher aufgrund fehlender Quellen nur pauschal behandelten Führungsorgane: Die Entscheidungsprozesse in der SED-Spitze – unter besonderer Berücksichtigung des Politbüros, des Sekretariats, der Zentralen Parteikontrollkommission – sowie der Anleitung der Partei- und Staatsorgane durch den
Parteiapparat; ebenso die Verbindungen zur Sowjetunion bzw. die Anleitung der
SED durch die Moskauer Führung.

6. Da Verfolgungen als ein wesentliches Herrschaftsinstrument benutzt wurden,
bildet dieses Thema ein zentrales Forschungsfeld, hier sind Untersuchungen unter
verschiedensten Aspekten bereits angelaufen. Dabei wird auch das Rechtssystem be-
sonderes Interesse finden.

Die bereits erschienenen Publikationen zur Geschichte der DDR, die derzeit in
Arbeit befindlichen Projekte, darunter auch Gesamtdarstellungen, (wie etwa die in
Mannheim begonnene sechsbändige Geschichte der DDR) sowie die zu erwarten-
den Forschungen der nächsten Jahre lassen erkennen, daß die wissenschaftliche Untersuchung – eine Voraussetzung für die notwendige allgemeine Aufarbeitung, die
ernsthafte Auseinandersetzung mit der Geschichte der SED-Diktatur in Deutschland – vorankommt.

III. Quellen und Literatur

Vorbemerkung

Aufgenommen wurden vor allem Titel der Zeit nach 1970, die ältere Literatur ist über die Bibliographien zu ermitteln. Neben den wenigen direkten Geschichtsdarstellungen werden Bücher genannt, die Probleme unter einem historischen Aspekt behandeln. Im allgemeinen wird die neueste Auflage erwähnt, oft zur besseren Einordnung ihrer Entstehung auch noch die Erstauflage. Von den zahlreichen regionalen und lokalen Geschichten konnte nur eine Auswahl aufgenommen werden. In Ausnahmefällen sind auch Aufsätze registriert, die in jüngerer Zeit erschienen und Archivmaterial verwenden oder neue Konzeptionen enthalten. Auf die Parteitagsprotokolle der SED wird verwiesen, nicht aber auf weitere Protokolle von Kongressen der Parteien und Verbände. Ebenso werden Werke und Schriften von DDR-Führern nur ausnahmsweise erwähnt (Honecker, Ulbricht), verzichtet wurde auf Hinweise auf entsprechende Bände von Axen, Dahlem, Grotewohl, Hager, Matern, Mückenberger, Norden, Rau, Sindermann, Stoph usw. Im letzten Teil (Zusammenbruch der DDR und Aufarbeitung ihrer Geschichte) konnte nur eine Auswahl der zahlreichen Veröffentlichungen getroffen werden. Die aktuelle Quellenlage ist im Teil II (Grundprobleme und Tendenzen der Forschung) benannt.

1. BIBLIOGRAPHIEN

1. Auswahlbibliographie westlicher Literatur über die DDR (zum 25. Jahrestag der DDR), in: DA 7 (1974), 1056 ff.

2. Bibliographie selbständiger Publikationen zur Geschichte der örtlichen Arbeiterbewegung und der Betriebsgeschichte 1971-1979, hrsg. v. Institut für Marxismus-Leninismus beim ZK der SED, zsgst. v. W. Dick, Berlin (Ost) 1980, Dass. 1980-1982, Berlin (Ost) 1984.

3. Bibliographie zum öffentlichen Sprachgebrauch in der Bundesrepublik Deutschland und in der DDR, zsgst. u. komm. v. einer Arbeitsgruppe unter Leitung v. M. W. Hellmann, Düsseldorf 1976.

4. Bibliographie zum Thema 17. Juni 1953. Arbeiter- und Volksaufstand in der SBZ/DDR, Stuttgart 1983.

5. Bibiliographie zum wirtschaftlichen Einigungsprozeß Deutschlands. November 1989 bis September 1991, hrsg. vom Forschungsinstitut für Wirtschaftspolitik an der Universität Mainz, 2., erw. Auflage, Mainz 1991.

6.   Bibliographie zur Deutschlandpolitik 1941 bis 1974, bearb. v. M. L. GOLD-
     BACH, u. a., Frankfurt/M. 1975. Dass. 1975-1982, bearb. v. K. SCHRÖDER,
     Frankfurt/M. 1983.

7.   Bibliographie zur Geschichte des Kampfes der deutschen Arbeiterklasse für
     die Befreiung der Frau und zur Rolle der Frau in der deutschen Arbeiterbe-
     wegung. Von den Anfängen bis 1970, im Auftrage der Arbeitsgemeinschaft
     „Geschichte des Kampfes der deutschen Arbeiterklasse für die Befreiung der
     Frau" bearb. v. I. u. H.-J. ARENDT, Leipzig 1974.

8.   Bibliographie zur Politik in Theorie und Praxis, hrsg. v. K. D. BRACHER, H.
     A. JACOBSEN, M. FUNKE, aktualisierte Neuauflage, Düsseldorf 1976. Dass.,
     vollständige Neubearbeitung, Düsseldorf 1983.

9.   H. P. BROGIATO, DDR-Bibliographie 1984 – 1986, München 1991.

10. G. CHABIR, M. HAUPT, Die Teilung Deutschlands 1945-1949, in: Jahresbi-
     bliographie der Bibliothek für Zeitgeschichte, Bd. 49, Stuttgart 1977, 359 ff.

11. Deutschlandforschung in der Bundesrepublik Deutschland und in Berlin
     (West). Projektverzeichnis, hrsg. v. Gesamtdeutschen Institut, Bundesanstalt
     für Gesamtdeutsche Aufgaben, bearb. v. E. LANGE, 2. Aufl., Bonn 1981.

12. Dissertationen und Habilitationen auf dem Gebiet der Deutschlandfor-
     schung 1969-1978. Hochschulschriften aus der Bundesrepublik Deutsch-
     land und Berlin (West), hrsg. v. Gesamtdeutschen Institut, bearb. v. H. HUN-
     DEGGER, Bonn 1980.

13. M. HAUPT, Die Berliner Mauer. Vorgeschichte, Bau, Folgen; Literaturbericht
     und Bibliographie zum 20. Jahrestag des 13. August 1961, München 1981.

14. G. HERSCH, A Bibliography of German studies 1945-1971. Germany under
     allied occupation. Federal Republic of Germany. German Democratic Repu-
     blic, Bloomington 1972.

15. Historische Forschungen in der DDR. Analysen und Berichte. Zum XI. In-
     ternationalen Historikerkongreß in Stockholm August 1960 (Sonderband
     der Zeitschrift für Geschichtswissenschaft), Berlin (Ost) 1960, 426 ff.

16. Historische Forschungen in der DDR 1960-1970. Analysen und Berichte.
     Zum XIII. Internationalen Historikerkongreß in Moskau 1970 (Sonderband
     der Zeitschrift für Geschichtswissenschaft), Berlin (Ost) 1970, 609 ff.

17. Historische Forschungen in der DDR 1970-1980. Analysen und Berichte.
     Zum XV. Internationalen Historikerkongreß in Bukarest 1980 (Sonderband
     der Zeitschrift für Geschichtswissenschaft), Berlin (Ost) 1980, 310 ff.

18. Der Kampf der SED um die Schaffung und Festigung der sozialistischen Ge-
     sellschaft in der DDR. Auswahlbibliographie von Literatur der DDR Okto-
     ber 1979 bis März 1984, in: BzG 26 (1984), 567 ff.

19. H. A. KUKUCK, Bibliographie Geschichte der SED, in: DA 2 (1969), 1171 ff.

20. M. LESZAK, E. SCHNEBEL, Bibliographie SED, Blockparteien, in: DA 2 (1969),
     415 ff.

21. DIES, Bibliographie Staatsapparat der DDR, in: DA 2 (1969), 609 ff.

22. Die Literatur der DDR. Bibliographie ihrer Entwicklung zwischen IX. Parteitag der SED und 30. Jahrestag der Staatsgründung, bearb. v. P. König, P. Weber, Leipzig 1980.

23. Literatur zur deutschen Frage. Bibliographische Hinweise auf neuere Veröffentlichungen aus dem In- und Ausland, bearb. v. G. Fischbach, 4. erw. Aufl., Bonn 1966.

24. H. Menudier, L' Allemagne, Aprés 1945. (Bibliographies francaises de sciences sociales), Paris 1972.

25. A. J. u. R. L. Merritt, Politics, economics and society in the two Germanies. 1945-75. A Bibliography of English-language works (with the assistance of K. K. Rummel), Urbana 1978.

26. A. H. Price, East Germany. A Selected Bibliography, Washington 1967.

27. K. H. Ruffmann, Kommunismus in Geschichte und Gegenwart. Ausgewähltes Bücherverzeichnis, Bonn 1964.

28. Sächsische Bibliographie. Berichtsjahre 1945-1960. Regionalbibliographie für die Bezirke Dresden, Karl-Marx-Stadt und Leipzig, Bd. 1: Systematischer Teil, Ortsteil, Bd. 2: Biographien, Register, Dresden 1990.

29. H. G. Schumann, Die politischen Parteien in Deutschland nach 1945. Ein bibliographisch-systematischer Versuch, Frankfurt/M. 1967.

30. Der sozialistische Realismus in Kunst und Literatur. Eine empfehlende Bibliographie, bearb. v. G. Rost, H. Schulze, Leipzig 1960.

31. W. Sperling, Landeskunde DDR. Eine annotierte Auswahlbibliographie, München-New York 1978.

32. H. Theisen, Bibliographie zu den Ereignissen des 17. Juni 1953, in: APuZG B 23 (1978), 51 ff.

33. H. Thomsen, F. Siefkes, Ostdeutschland im zweiten Jahr der Einheit. Bibliographie zur wirtschaftlichen und sozialen Entwicklung, Oktober 1991 - März 1992, Kiel 1992.

34. W. Völkel (Hrsg.), Systematische Bibliographie von Zeitschriften und Büchern zur politischen und gesellschaftlichen Entwicklung der SBZ/DDR seit 1945, unter Mitwirkung von C. Stuff. Bd. 1: Geschichte und politisches System der SBZ/DDR, nichtkommunistische Länder aus Sicht der DDR, deutsche Frage, Opladen 1986; Bd. 2: Wirtschaft, Opladen 1987; Bd. 3: Gesellschaft, Bildung, Kirchen, Opladen 1991.

35. G. Weber, Bibliographie Frau in Gesellschaft und Familie, in: DA 1 (1968), 386 ff.

36. The Wiener Library, Catalogue Series No. 4, After Hitler Germany. 1945-1963, London 963.

37. Zur Geschichte des FDGB. Auswahlbibliographie 1976-1982, hrsg. v. d. Gewerkschaftshochschule „Fritz Heckert", Bernau 1982.

2. Dokumentensammlungen, gedruckte Quellen

38.   C. Adam, Gedruckte Quellen zur Geschichte der Sozialversicherung in der DDR und in der SBZ 1945 – 1990, Berlin 1992.

38a.   B. Adamczewski, Gedruckte Quellen zur Geschichte des Arbeitsschutzes in der DDR und in der SBZ 1945 – 1990, Berlin 1992.

38b.   G. Agde (Hrsg.), Kahlschlag. Das 11. Plenum des ZK der SED 1965. Studien und Dokumente, Berlin 1991.

38c.   Die aktuelle Programmatik von Parteien und politischen Vereinigungen in der DDR. Dokumentation, hrsg. v. Zentrum für Politikwissenschaftliche Information und Dokumentation, Berlin 1990.

39.   Allen Kindern das gleiche Recht auf Bildung. Dokumente und Materialien zur demokratischen Schulreform, Berlin (Ost) 1981.

39a.   O. Anweiler u. a. (Hrsg.), Bildungspolitik in Deutschland 1945-1990. Ein historisch-vergleichendes Quellenwerk, Leverkusen 1992.

39b.   R. Badstübner, Zum Problem der historischen Alternativen im ersten Nachkriegsjahrzehnt. Neue Quellen zur Deutschlandpolitik von KPdSU und SED, in: BzG 33 (1991), 579 ff.

39c.   V. M. Baehr, Wir denken erst seit Gorbatschow. Protokolle von Jugendlichen aus der DDR, Recklinghausen 1990.

40.   S. Baske, M. Engelbert (Hrsg.), Zwei Jahrzehnte Bildungspolitik in der Sowjetzone Deutschlands. Dokumente, 2 Bde., Heidelberg 1966.

41.   Dies, Dokumente zur Bildungspolitik in der sowjetischen Besatzungszone, Bonn-Berlin (West) 1966.

42.   S. Baske, Bildungspolitik in der DDR 1963-1976. Dokumente, Wiesbaden 1979.

42a.   M. Behrend, H. Meier (Hrsg.), Der schwere Weg der Erneuerung. Von der SED zur PDS. Eine Dokumentation, Berlin 1991.

43.   H. Bednareck, A. Behrendt, D. Lange (Hrsg.), Gewerkschaftlicher Neubeginn. Dokumente zur Gründung des FDGB und zu seiner Entwicklung von Juni 1945 bis Februar 1946, Berlin (Ost) 1975.

44.   Befehle des Obersten Chefs der Sowjetischen Militärverwaltung in Deutschland. Aus dem Stab der Sowjetischen Militärverwaltung in Deutschland, Sammelheft 1945, Berlin 1946.

45.   Befreiung, Neubeginn, Arbeitermacht. Ausgewählte Dokumente zum gemeinsamen Ringen deutscher und sowjetischer Kommunisten um die Lösung der Machtfrage der antifaschistisch-demokratischen Umwälzung in Leipzig, Leipzig o. J. (1985).

46.   Berichte der Landes- und Provinzialverwaltungen zur antifaschistisch-demokratischen Umwälzung. 1945/46, Quellenedition, hrsg. v. d. staatl. Archivverwaltung des Ministeriums des Innern der DDR, Berlin 1989.

46a.   Der Besuch von Generalsekretär Honecker in der Bundesrepublik Deutschland, hrsg. v. Bundesministerium für innerdeutsche Beziehungen, Bonn 1988.

46b. Beziehungen der Deutschen Demokratischen Republik zur Bundesrepublik Deutschland und zu Berlin (West). Dokumente 1971 – 1988 einschließlich des gemeinsamen Kommuniqués DDR – BRD vom 19. Dezember 1989, hrsg. v. Ministerium für Auswärtige Angelegenheiten der Deutschen Demokratischen Republik, Berlin (Ost) 1990.

47. Beziehungen DDR-UdSSR 1949 bis 1955. Dokumentensammlung, 2 Bde., Berlin (Ost) 1975.

47a. Blockpolitik im Land Brandenburg 1945 bis 1950. Ausgewählte Dokumente des Landesblockausschusses, hrsg. v. Brandenburger Verein für politische Bildung, Potsdam 1992.

47b. R. Bodenstein u. a. (Red.), Gemeinsam unterwegs. Dokumente aus der Arbeit des Bundes der Evangelischen Kirchen in der DDR 1980-1987, hrsg. v. Bund der Evangelischen Kirchen, Berlin (Ost) 1989.

48. P. Brandt, H. Ammon (Hrsg.), Die Linke und die nationale Frage. Dokumente zur deutschen Einheit seit 1945, Reinbek bei Hamburg 1981.

49 B. Bronnen, F. Henny, Liebe, Ehe, Sexualität in der DDR. Interviews und Dokumente, München 1975.

50. Bündnis der Arbeiter und Bauern. Dokumente und Materialien zum 30. Jahrestag der Bodenreform, Berlin (Ost) 1975.

51. W. Büscher, P. Wensierski, K. Wolschner unter Mitarbeit v. R. Henkys (Hrsg.), Friedensbewegung in der DDR. Texte 1978-1982, Hattingen 1982.

51a. H. Bunge, Die Debatte um Hanns Eislers „Johann Faustus". Eine Dokumentation, Berlin 1991.

52. B. Cyz, Die DDR und die Sorben: Eine Dokumentation zur Nationalitätenpolitik in der DDR, 2 Bde., Bautzen 1969/1979.

53. DDR. Das Manifest der Opposition. Eine Dokumentation. Fakten, Analysen, Berichte, München 1978.

54. DDR-UdSSR. 30 Jahre Beziehungen 1949 bis 1979. Dokumente und Materialien, Berlin (Ost) 1982.

55. E. Deuerlein (Hrsg.), DDR. Geschichte und Bestandsaufnahme, München 1966, 3. erw. Aufl. 1971.

56. Dokumente der CDU. Zusammengestellt durch ein Kollektiv von Mitarbeitern der Parteileitung, 5. Bde., Berlin (Ost) 1956-1964.

57. Dokumente der revolutionären deutschen Arbeiterbewegung zur Frauenfrage. 1848-1974. Auswahl, Leipzig 1975.

58. Dokumente der Sozialistischen Einheitspartei Deutschlands. Beschlüsse und Erklärungen des Zentralkomitees sowie seines Politbüros und seines Sekretariats, hrsg. v. Zentralkomitee der SED, 20 Bde., Berlin (Ost) 1951-1986.

59. Dokumente zur Außenpolitik der Regierung der DDR, hrsg. v. Deutschen Institut für Zeitgeschichte, Band 1 ff., Berlin (Ost) 1954 ff.

60. Dokumente zur Berlin-Frage. 1944-1966, hrsg. v. Forschungsinstitut der Deutschen Gesellschaft für Auswärtige Politik in Zusammenarbeit mit dem Senat in Berlin, 3. durchges. u. erw. Aufl., München 1967.

61.   Dokumente zur Deutschlandpolitik, wissenschaftl. Leitung: E. DEUERLEIN (seit 1972: K. D. BRACHER, H. A. JACOBSEN); Reihe I. Bd. 1 u. 2; Reihe III, Bd. 1-4; Reihe IV, Bd. 1-12; Reihe V, Bd. 1; Beihefte Bd. 1-7, Frankfurt/M. 1961 ff.

62.   Dokumente zur Deutschlandpolitik der Sowjetunion, hrsg. v. Deutschen Institut für Zeitgeschichte, 3 Bde., Berlin (Ost) 1957, 1963, 1968.

63.   Dokumente zur Geschichte der Freien Deutschen Jugend, 4 Bde., Berlin (Ost) 1960-1963.

64.   Dokumente zur Geschichte der SED. Band 1: 1847 bis 1945, Berlin (Ost) 1981. Band 2: 1945 bis 1971, Berlin (Ost) 1986.

65.   Dokumente zur Staatsordnung der Deutschen Demokratischen Republik, ausgew. v. G. ALBRECHT, 2 Bde., Berlin (Ost) 1959.

66.   Dokumente und Materialien zur Geschichte der deutschen Arbeiterbewegung, hrsg. v. Institut für Marxismus-Leninismus beim ZK der SED, Reihe III, Band 1, Berlin (Ost) 1959.

67.   Dokumente und Materialien zur Geschichte der Arbeiterbewegung in Thüringen 1945-1950, ausgew. u. bearb. v. H. SIEBER, G. MICHEL-TRILLER, F. SCHÄDLICH, Erfurt 1967. Dass. 1949-1952, ausgew. u. bearb. v. H. SIEBER, G. BÖRNERT, G. MICHEL-TRILLER, Erfurt 1978.

68.   Dokumente und Materialien der Zusammenarbeit zwischen der Sozialistischen Einheitspartei Deutschlands und der Polnischen Vereinigten Arbeiterpartei 1971-1975, hrsg. v. Institut für Marxismus-Leninismus beim ZK der SED, Berlin (Ost) 1976.

69.   Dokumente und Materialien der Zusammenarbeit zwischen der Sozialistischen Einheitspartei Deutschlands und der Rumänischen Kommunistischen Partei 1972-1977, hrsg. v. Institut für Marxismus-Leninismus beim ZK der SED, Berlin (Ost) 1979.

70.   Dokumente und Materialien der Zusammenarbeit zwischen der Sozialistischen Einheitspartei Deutschlands und der Kommunistischen Partei der Sowjetunion 1977-1979, hrsg. v. Institut für Marxismus-Leninismus beim ZK der SED, Berlin (Ost) 1981.

71.   Dokumente und Materialien der Zusammenarbeit zwischen der Sozialistischen Einheitspartei Deutschlands und der Kommunistischen Partei der Tschechoslowakei 1971-1976, hrsg. v. Institut für Marxismus-Leninismus beim ZK der SED, Institut für Marxismus-Leninismus beim ZK der KPTsch, Berlin (Ost) 1977. Dass. 1976-1981, Berlin (Ost) 1982.

72.   Dokumente und Materialien der Zusammenarbeit zwischen der Sozialistischen Einheitspartei Deutschlands und der Ungarischen Sozialistischen Arbeiterpartei 1970-1977, hrsg. v. Institut für Marxismus-Leninismus beim ZK der SED, Institut für Parteigeschichte beim ZK der USAP, Berlin (Ost) 1978.

73.   H. DOLLINGER (Hrsg.), Deutschland unter den Besatzungsmächten 1945-1949. Seine Geschichte in Texten, Bildern und Dokumenten, München 1967.

74.   S. DÜBEL, Dokumente zur Jugendpolitik der SED, 2. Aufl., München 1966.

75. R. Ehlers (Hrsg)., Verträge Bundesrepublik Deutschland - DDR, Berlin-New York 1973.

76. Die Entwicklung der Beziehungen zwischen der Bundesrepublik Deutschland und der Deutschen Demokratischen Republik 1969-1970. Bericht und Dokumentation, hrsg. v. Bundesministerium für innerdeutsche Beziehungen, Bonn 1977.

77. H.-J. Fieber, M. Preussler (Hrsg.), Deutsche Orientierungen. Deutschlandpolitische Dokumente und Materialien seit Oktober 1989, Berlin 1990.

78. H. Fiedler, T. Köhler, Dokumente zum Volksentscheid in Sachsen 1946, in: ZfG 34 (1986), 523 ff.

79. H. Fischbeck (Hrsg.), Literaturpolitik und Literaturkritik in der DDR. Eine Dokumentation, 2. durchges. u. erw. Aufl., Frankfurt/M.-Berlin-München 1979.

80. A. Fischer (Hrsg.), Teheran - Jalta - Potsdam. Die sowjetischen Protokolle von den Kriegskonferenzen der „Großen Drei", Köln 1973.

81. E. Fischer, L. Rohland, D. Tutzke, Für das Wohl des Menschen. Bd. 1: 30 Jahre Gesundheitswesen der Deutschen Demokratischen Republik, Bd. 2: Dokumente zur Gesundheitspolitik der Sozialistischen Einheitspartei Deutschlands, Berlin (Ost) 1979.

82. O. K. Flechtheim (Hrsg.), Dokumente zur parteipolitischen Entwicklung in Deutschland seit 1945, 8 Bde., Berlin (West) 1962-1970.

83. P. Förster, G. Roski, DDR zwischen Wende und Ende. Meinungsforscher analysieren den Umbruch, Berlin 1990.

84. Freundschaft DDR - UdSSR. Dokumente und Materialien, Berlin (Ost) 1965.

85. Freundschaft - Werden und Wachsen. Ausgewählte Dokumente und Materialien zur Entwicklung des Freundschafts- und Bruderbundes zwischen der Sowjetunion und der DDR. Dargestellt an Beispielen aus dem Territorium des ehemaligen Landes Brandenburg. Teil I: 1945-1949, eingef. u. ausgew. v. F. Beck, K. Libera u. a., Potsdam 1975. Teil II: 1949-1963, eingef. u. ausgew. v. K. Libera, H. J. Schreckenbach, J. Schulz, Potsdam 1977.

86. K. W. Fricke (Hrsg.), Programm und Statut der SED vom 22. 5. 1976, mit einem einleitenden Kommentar, Köln 1978, 2. aktualis. Aufl. 1982.

87. J.Gabert, L. Priess (Hrsg.), SED und Stalinismus. Dokumente aus dem Jahr 1956, Berlin (Ost) 1990.

88. C. Gansel (Hrsg.), Der gespaltene Dichter. Johannes R. Becher. Gedichte, Briefe, Dokumente 1945 - 1958, Berlin 1991.

89. Geschichte des Staates und des Rechts der DDR. Dokumente 1945-1949, hrsg. v. K. H. Schöneburg, Berlin (Ost) 1984.

90. Geschichte des Staates und des Rechts. Dokumente 1949-1961, hrsg. v. S. Wietstruk, Berlin (Ost) 1984.

91. D. Gräf, Ausreise aus der DDR. Übersiedlung in die Bundesrepublik Deutschland. Hinweise - Dokumente - Anhang, Meerbusch 1987.

91a.   V. GRANSOW, K. H. JARAUSCH (Hrsg.), Die deutsche Vereinigung. Dokumente zur Bürgerbewegung, Annäherung und Beitritt, Köln 1991.

92.   Grunddokumente des RGW, hrsg. v. Institut für ausländisches Recht und Rechtsvergleichung an der Akademie für Staats- und Rechtswissenschaft der DDR, Berlin (Ost) 1978.

93.   Der Grundlagenvertrag. Vertrag über die Grundlagen der Beziehungen der Bundesrepublik Deutschland und der Deutschen Demokratischen Republik, Bonn 1975.

94.   G. GRUNER, M. WILKE (Hrsg.), Sozialdemokraten im Kampf um die Freiheit. Die Auseinandersetzungen zwischen SPD und KPD in Berlin 1945/46. Stenographische Niederschrift der Sechziger-Konferenz am 20./21. Dezember 1945, München 1981, 2. Aufl. 1986.

95.   K. H. GÜNTHER, C. LOST (Hrsg.), Dokumente zur Geschichte des Schulwesens in der DDR. Bd. I: 1945–1955, Bd. II: 1956–1967, Bd. III: 1968–1972, Bd. IV: 1973–1980, Berlin (Ost) 1969/1986.

95a.   M. HAGEN, J. WENDORF, Film-, Foto- und Tonquellen zum 17. Juni 1953 in Berlin, Göttingen 1992.

96.   W. HEIDELMEYER, G. HINRICHS (Hrsg.), Die Berlin-Frage. Politische Dokumentation 1944–1965, Frankfurt/M. 1965.

96a.   M. HEIDER, K. THÖNS (Hrsg.), SED und Intellektuelle in der DDR der fünfziger Jahre. Kulturbund-Protokolle, Köln 1991.

97.   G. HEIDTMANN (Hrsg.), Kirche im Kampf der Zeit. Die Botschaften, Worte und Erklärungen der evangelischen Kirche in Deutschland und ihrer östlichen Gliedkirchen, Berlin (West) 1954.

98.   K. HELF, Wirtschaft und Gesellschaft in der DDR. Dokumentation, Frankfurt/M. 1986.

99.   F. HENRICH (Hrsg.), Wehrdienstgesetz und Grenzgesetz der DDR. Dokumentation und Analyse, Bonn 1983.

99a.   H.-H. HERTLE, Vor dem Bankrott der DDR. Dokumente des Politbüros des ZK der SED aus dem Jahre 1988 zum Scheitern der „Einheit von Wirtschafts- und Sozialpolitik" (Die Schürer/Mittag-Kontroverse), Berlin 1991.

100.   L. HORNBOGEN (Hrsg.), Dokumente zum Volksentscheid in Sachsen, in: BzG 28 61986), 492 ff.

101.   Die inoffiziellen Mitarbeiter. Richtlinien, Befehle, Direktiven, hrsg. v. Bundesbeauftragten für die Unterlagen des Staatssicherheitsdienstes der ehemaligen DDR, Berlin 1992.

101a.   Jetzt oder nie – Demokratie! Leipziger Herbst '89. Zeugnisse, Gespräche, Dokumente, hrsg. vom Neuen Forum Leipzig, mit einem Vorwort von R. HENRICH, Leipzig 1989.

101b.   K. KAISER, Deutschlands Vereinigung. Die internationalen Aspekte mit den wichtigsten Dokumenten, Bergisch Gladbach 1991.

101c.   A. KLEIN, Richtlinien zur Parteiüberprüfung 1950/51, in: BzG 32 (1990), 779 ff.

101d. G. KLEMENS, Geheime Verschlußsache. Aus Akten und Dokumenten der SED, Berlin 1990.

101e. K. KOLASINSKI (Hrsg.), Betriebsräte und Gewerkschaften. Dokumente 1945 - 1950, Berlin 1990.

102. Kommunistische Oppositionelle in der DDR verhaftet. Informationen und Dokumente, hrsg. v. Solidaritätskomitee für die verhafteten kommunistischen Oppositionellen in der DDR, Dortmund o. J.

102a. R.-D. KRÄMER, Musikpädagogik, Musikdidaktik in der ehemaligen DDR. Eine Textdokumentation, Essen 1992.

102b. T. KRONE, Seid untertan der Obrigkeit. Orginaldokumente der Stasi-Kirchenabteilung, Berlin 1992.

102c. H.-P. KRUSCH, A. MALYCHA, Einheitsdrang oder Zwangsvereinigung? Die Sechziger-Konferenzen von KPD und SPD 1945 und 1946, Berlin 1990.

102d. H. J. KÜSTERS, Wiedervereinigung durch Konföderation? Die informellen Unterredungen zwischen Bundesminister Fritz Schäffer, NVA-General Vincenz Müller und Sowjetbotschafter Georgij Maksimowitsch Puschkin 1955/56, in: VfZ 40 (1992), 107ff.

102e. R. KUNZE, Deckname „Lyrik". Eine Dokumentation, Frankfurt/M. 1990.

103. G. LANGE u. a. (Hrsg.), Katholische Kirche – Sozialistischer Staat DDR. Dokumente und öffentliche Äußerungen 1945–1990, Leipzig 1992.

103a. M. LANGE (Hrsg.), Zur sozialistischen Kulturrevolution 1957–1959. Dokumente, 2 Bde., Berlin (Ost) 1960.

104. LDPD in der Übergangsperiode. Dokumente, 2 Bde., Berlin (Ost) 1976.

104a. LDPD im Sozialismus. Dokumente, gesamm. v. M. BOGISCH, Berlin (Ost) 1984.

105. E. LIESER-TRIEBNIGG, Recht in der DDR. Einführung und Dokumentation, Köln 1985.

105a. H.-H. LOCHEN, C. MEYER-SEITZ (Hrsg.), Die geheimen Anweisungen zur Diskriminierung Ausreisewilliger. Dokumente der Stasi und des Ministeriums des Innern, Köln 1992.

106. P. LÜBBE (Hrsg.), Dokumente zur Kunst-, Literatur- und Kulturpolitik der SED 1975–1980, Stuttgart 1984.

107. H.-H. MAHNKE (Hrsg.), Beistands- und Kooperationsverträge der DDR, Köln 1982.

108. H. MATTHIES (Hrsg.), Zwischen Anpassung und Widerstand. Interviews mit Bischöfen und Kommentare zur Situation der evangelischen Kirchen in der DDR, Wiesbaden 1980.

108a. H. MEHLS (Hrsg.), Im Schatten der Mauer. Dokumente 12. August bis 29. September 1961, Berlin 1990.

108b. R. MEINEL, T. WERNICKE, Mit tschekistischem Gruß. Berichte der Bezirksverwaltung für Staatssicherheit Potsdam 1989, Potsdam 1990.

108c. A. MITTER, S. WOLLE (Hrsg.), Ich liebe euch doch alle! Befehle und Lageberichte des Ministeriums für Staatssicherheit Januar-November 1989, Berlin (Ost) 1990.

108d.   K. MÜLLER, Ein historisches Dokument aus dem Jahre 1956. Brief an den DDR-Ministerpräsidenten Otto Grotewohl, in: APuZG B 11 (1990), 16 ff.

109.   I. v. MÜNCH (Hrsg.), Dokumente des geteilten Deutschlands. Quellentexte zur Rechtslage des Deutschen Reichs, der Bundesrepublik Deutschland und der Deutschen Demokratischen Republik, 2 Bde., Stuttgart 1968/1975.

110.   Die Nationale Volksarmee der DDR. Eine Dokumentation, Red. G. SCHWENKE, Berlin (Ost) 1961.

111.   H. NEEF (Hrsg.), Programmatische Dokumente der Nationalen Front des demokratischen Deutschland, Berlin (Ost) 1967.

112.   Die NVA in der sozialistischen Verteidigungskoalition. Auswahl von Dokumenten und Materialien 1955/56 bis 1981, Berlin (Ost) 1982.

113.   Die Organisation des Warschauer Vertrages. Dokumente und Materialien 1955-1975, hrsg. v. Ministerium für Auswärtige Angelegenheiten der DDR, Berlin (Ost) 1975.

113a.   W. OTTO, Sowjetische Deutschlandnote 1952. Stalin und die DDR. Bisher unveröffentlichte Notizen Wilhelm Piecks, in: BzG 33 (1991), 374 ff.

114.   M. OVERESCH, Die Deutschen und die deutsche Frage. 1945-1955, Hannover 1985.

115.   Das Potsdamer Abkommen. Dokumentensammlung, 4. Aufl., Berlin (Ost) 1984.

116.   Die Potsdamer (Berliner) Konferenz 1945, Bd. 3: Teheran, Jalta, Potsdam. Konferenzdokument der Sowjet-Union, Köln 1986.

117.   Protokoll des Vereinigungsparteitages der SPD und KPD am 21. und 22. April 1946. Protokoll der Verhandlungen des II. Parteitages der SED, 20. bis 24. September 1947 ... bis: Protokoll der Verhandlungen des XI. Parteitages der Sozialistischen Einheitspartei Deutschlands, 17. bis 21. April 1986, Berlin (Ost) 1946/1986.

118.   B. RAUSCHNING (Hrsg.), Rechtstellung Deutschlands. Völkerrechtliche Verträge und andere rechtsgestaltende Akte, München o. J. (1985).

118a.   G. REIN (Hrsg.), Die Opposition in der DDR. Entwürfe für einen anderen Sozialismus. Texte, Programme, Statuten von Neues Forum, Demokratischer Aufbruch, Demokratie Jetzt, SDP, Böhlener Plattform und Grüne Partei in der DDR, Berlin 1989.

119.   A. RIKLIN, K. WESTEN, Selbstzeugnisse des SED-Regimes. Nationales Dokument. Erstes Programm. Viertes Statut, Köln 1963.

120.   R. RILLING (Hrsg.), Sozialismus in der DDR. Dokumente und Materialien, 2 Bde., Köln 1979.

121.   H. ROGGEMANN (eingel. u. bearb.), Strafgesetzbuch und Strafprozeßordnung der DDR, 2., überarb. u. erw. Aufl., Berlin (West) 1978.

122.   DERS. (eingel. u. bearb.), Zivilgesetzbuch und Zivilprozeßordnung der DDR mit Nebengesetzen, Berlin (West) 1976.

123.　P. Roos (Hrsg.), Exil. Die Ausbürgerung Wolf Biermanns aus der DDR. Eine Dokumentation, Köln 1977.

123a.　W. Rüddenklau, T. Stello, DDR-Opposition 1986–1989. Mit Texten aus den Umweltblättern, Berlin 1992.

123b.　W. Rüddenklau, T. Sello (Hrsg.), Störenfried. DDR-Opposition 1986–1989. Aus dem Untergrundblatt der Umweltbibliothek, Berlin 1991.

124.　G. Rüss (Hrsg.), Dokumente zur Kunst-, Literatur- und Kulturpolitik der SED 1971–1974, Stuttgart 1976.

125.　K. Scheel (Hrsg.), Die Befreiung Berlins 1945. Eine Dokumentation, Berlin (Ost) 1975, 2., erw. Aufl. 1985.

126.　F. Schenk (Hrsg.), Kommunistische Grundsatzerklärungen. 1957–1971, Köln 1972.

126a.　E. Scherstjanoi, „Wollen wir den Sozialismus?" Dokumente aus der Sitzung des Politbüros des ZK der SED am 6. Juni 1953, in: BzG 33 (1991), 658 ff.

127.　K. H. Schöneburg u. a., Vom Werden unseres Staates. Eine Chronik. Bd. I: 1945 bis 1949, Bd. II: 1949 bis 1955, Berlin (Ost) 1966/1968.

128.　T. Schramm, Das Verhältnis der Bundesrepublik Deutschland zur DDR nach dem Grundvertrag. Eine Einführung in die staats- und völkerrechtlichen Problembereiche mit Dokumentensammlung, 2., erw. Aufl., Köln 1973.

129.　E. Schubbe (Hrsg.), Dokumente zur Kunst-, Literatur- und Kulturpolitik der SED (1946–1969), Stuttgart 1972.

129a.　Ch. Schüddekopf (Hrsg.), „Wir sind das Volk!" Flugschriften, Aufrufe und Texte einer deutschen Revolution, mit einem Nachwort von L. Niethammer, Reinbek bei Hamburg 1990.

130.　SED-Programm und Statut von 1976. Text, Kommentar, Didaktische Hilfen, hrsg. u. komm. v. E. Schneider, Opladen 1977.

131.　G. J. Sieger, Verfassung der DDR. Text, kritischer Kommentar, Vergleich mit dem Grundgesetz, München 1974.

132.　H. V. Siegler, Dokumentation zur Deutschlandfrage, 7 Bde., Bonn 1961 ff.

133.　Staatliche Dokumente zur Förderung der Frau in der Deutschen Demokratischen Republik. Gesetzesdokumentation, 2., erw. Aufl., Berlin (Ost) 1975.

134.　Staatliche Dokumente zur sozialistischen Jugendpolitik der DDR (Auswahl), Berlin (Ost), o. J. (1971).

134a.　D. Staritz, Die SED, Stalin und die Gründung der DDR. Aus den Akten des Zentralen Parteiarchivs des Institut für Geschichte der Arbeiterbewegung, in: APuZG B 5 (1991), 3 ff.

134b.　Ders., Die SED, Stalin und der Aufbau des Sozialismus in der DDR. Aus den Akten des Zentralen Parteiarchivs, in: DA 24 (1991), 686 ff.

134c.　Stasi intern. Macht und Banalität, hrsg. vom Leipziger Bürgerkomitee zur Auflösung des MfS/AfNS, Leipzig 1991.

134d. R. Stöckigt, Ein Dokument von großer historischer Bedeutung, in: BzG 32 (1990), 648 ff.

135. K. H. Stoll, Die DDR – Ihre politische Entwicklung. (Dokumentation), Frankfurt 1986.

135a. M. Stolpe, Den Menschen Hoffnung geben. Reden, Aufsätze, Interviews aus 12 Jahren, Berlin 1991.

136. S. Suckut, Blockpolitik in der SBZ/DDR 1945–1949. Die Sitzungsprotokolle des zentralen Einheitsfront-Ausschusses. Quellenedition, Köln 1986.

136a. Ders., Die Entscheidung zur Gründung der DDR. Die Protokolle der Beratungen des SED-Parteivorstandes am 4. und 9. Oktober 1949, in: VfZ 39 (1991), 125 ff.

136b. Ders., Ende des „Tauwetters" in der DDR – Reformgegner in Siegeslaune. Widerspruchslos akzeptierten die Blockparteien Ulbrichts harten Kurs – Ein bisher unbekanntes Dokument, in: Das Parlament, Nr. 5 vom 24. 1. 1992, 13.

137. Das System der sozialistischen Gesellschaftsordnung in der Deutschen Demokratischen Republik. Dokumente, hrsg. v. d. Deutschen Akademie für Staats- und Rechtswissenschaft „Walter Ulbricht", Berlin (Ost) 1969.

138. Texte zur Deutschlandpolitik, hrsg. v. Ministerium für Gesamtdeutsche Fragen (bzw. Innerdeutsche Beziehungen), Reihe I, Band 1–12, Bonn 1968–1973; Reihe II, Band 1–8, Bonn 1975–1983; Reihe III, Band 1–3, Bonn 1985/1986.

138a. K. Thietz (Hrsg.), Ende der Selbstverständlichkeit. Die Abschaffung des § 218 in der DDR. Dokumente. Zwischen Lebenschutz und Selbstbestimmungsrecht. Das Dilemma der Abtreibungsdebatte, Berlin 1992.

139. E. Thurich (Hrsg.), Die Teilung Deutschlands. Dokumente zur deutschen Frage, Frankfurt-Berlin (West) 1982.

140. Um die Erneuerung der deutschen Kultur. Dokumente zur Kulturpolitik 1945–1949, Berlin (Ost) 1983.

141. Um ein antifaschistisch-demokratisches Deutschland. Dokumente aus den Jahren 1945–1949, Berlin (Ost) 1968.

141a. Und diese verdammte Ohnmacht. Report der unabhängigen Untersuchungskommission zu den Ereignissen vom 7./8. Oktober 1989 in Berlin, Berlin 1991.

142. Unrecht als System. Dokumente über planmäßige Rechtsverletzungen im sowjetischen Besatzungsgebiet, hrsg. v. Bundesministerium für Gesamtdeutsche Fragen, 4 Bde., Bonn-Berlin (West) 1952–1962.

143. A. Uschakow (Hrsg.), Integration im RGW (COMECON). Dokumente, Baden-Baden 1983.

144. Die Verfassung der Deutschen Demokratischen Republik. Synopse der Fassungen vom 6. 4. 1968 und vom 7. 10. 1974, hrsg. v. Gesamtdeutschen Institut, Bonn 1974.

144a. Verfassung der Deutschen Demokratischen Republik. Entwurf, hrsg. v. der Arbeitsgruppe „Neue Verfassung der DDR" des Runden Tisches, Berlin 1990.

145. Verträge, Abkommen und Vereinbarungen zwischen der Bundesrepublik Deutschland und der Deutschen Demokratischen Republik, mit Anhang: Das Viermächte-Abkommen über Berlin vom 3. 9. 1971, Bonn 1973.

145a. Der Vertrag zur deutschen Einheit. Ausgewählte Texte erläutert von G. BANNAS. Mit einer Chronik „Stationen der deutschen Nachkriegsgeschichte von 1949 bis 1990", Frankfurt/M. 1990.

145b. C. VOLLNHALS (Bearb.), Die evangelische Kirche nach dem Zusammenbruch. Berichte ausländischer Beobachter aus dem Jahre 1945, Göttingen 1988.

146. Die Wahlen in der Sowjetzone. Dokumente und Materialien, hrsg. v. Bundesministerium für Gesamtdeutsche Fragen, 6. Aufl., Bonn 1964.

146a. J. WALTHER, W. BIERMANN, G. DE BRUYN u. a. (Hrsg.), Protokoll eines Tribunals. Die Ausschlüsse aus dem DDR-Schriftstellerverband 1979, Reinbek bei Hamburg 1991.

147. H. WEBER (Hrsg.), Der deutsche Kommunismus. Dokumente, Köln 1963.

148. DERS. (Hrsg.), Parteiensystem zwischen Demokratie und Volksdemokratie. Dokumente und Materialien zum Funktionswandel der Parteien und Massenorganisationen in der SBZ/DDR 1949-1950, Köln 1982.

149. DERS. (Hrsg.), Dokumente zur Geschichte der Deutschen Demokratischen Republik 1945-1985, München 1986, 3. Aufl., 1987.

149a. M. WILKE, Das Genossen-Kartell. Die SED und die IG Druck und Papier/IG Medien, Dokumente, Frankfurt/M. 1992.

149b. B. WURSCHI u. a. (Red.), Genossen! Glaubts mich doch! Ich liebe Euch alle! Dokumentation des Aktivs Staatssicherheit und der zeitweiligen Kommission „Amtsmißbrauch und Korruption" des Bezirkstages Suhl, o.O. u. J. (Redaktionsschluß 1. 3. 1990).

150. Zum Wohle des Volkes. Die Verwirklichung des sozialpolitischen Programms der SED 1971-1978. Dokumentation, Berlin (Ost) 1980.

151. Weiter voran zum Wohle des Volkes. Die Verwirklichung des sozialpolitischen Programms der SED 1978-1985. Dokumentation, Berlin (Ost) 1986.

152. Dem Wohle des Volkes verpflichtet. Zeugnisse der Mitarbeit christlicher Demokraten am Werden und Wachsen der DDR, Berlin (Ost) 1979.

153. B. ZÜNDORF, Die Ostverträge: Die Verträge von Moskau, Warschau, Prag, das Berlin-Abkommen und die Verträge mit der DDR, München 1979.

154. Zehn Jahre Deutschlandpolitik. Die Entwicklung der Beziehungen zwischen der Bundesrepublik Deutschland und der Deutschen Demokratischen Republik 1969-1979. Bericht und Dokumentation, hrsg. v. Bundesministerium für Innerdeutsche Beziehungen, Bonn 1980.

154a. Zur Entlassung werden vorgeschlagen... Wirken und Arbeitsergebnisse der Kommission des Zentralkomitees zur Überprüfung von Angelegenheiten von Parteimitgliedern 1956, Dokumente, mit einem Vorwort von J. GABERT, Berlin 1991.

155. Zur Sozialpolitik in der antifaschistisch-demokratischen Umwälzung 1945-1949. Dokumente und Materialien, Berlin (Ost) 1984.

156. Zur ökonomischen Politik der Sozialistischen Einheitspartei Deutschlands und der Regierung der Deutschen Demokratischen Republik. Zusammenstellung von Beschlüssen der Sozialistischen Einheitspartei Deutschlands sowie Gesetzen und Verordnungen der Regierung der Deutschen Demokratischen Republik, 3 Bde., Berlin (Ost) 1955-1960.

157. 30 Jahre Volkseigene Betriebe. Dokumente und Materialien zum 30. Jahrestag des Volksentscheids in Sachsen, Berlin (Ost) 1976.

3. Handbücher, Chroniken

158. A bis Z. Ein Taschen- und Nachschlagebuch über den anderen Teil Deutschlands, hrsg. v. Bundesministerium für Gesamtdeutsche Fragen, Bonn-Bad Godesberg 1969.

158a. H. Bahrmann, Wir sind das Volk. Die DDR im Aufbruch. Eine Chronik, Berlin (Ost) 1990.

158b. H. Bahrmann, C. Links, Wir sind das Volk. Die DDR zwischen 7. Oktober und 17. Dezember 1989. Eine Chronik, Berlin (Ost), Weimar, Wuppertal 1990.

159. F. Bartel, Auszeichnungen der Deutschen Demokratischen Republik (von den Anfängen bis zur Gegenwart), Berlin (Ost) 1979.

160. H. Bartel u. a. Sachwörterbuch der Geschichte Deutschlands und der deutschen Arbeiterbewegung, 2 Bde., Berlin (Ost) 1969/1970.

161. I. Beer (Autorenkollektiv) u. a., Unser Staat. Eine DDR-Zeittafel 1949-1983, 2. Aufl., Berlin (Ost) 1984.

161a. W. Benz, Deutschland seit 1945. Entwicklungen in der Bundesrepublik und in der DDR. Chronik - Dokumente - Bilder, München 1990.

162. Bericht der Bundesregierung und Materialien zur Lage der Nation 1971, 1972, 1974, Bonn 1971, 1972, 1974.

163. J. Bethkenhagen u. a., DDR und Osteuropa. Wirtschaftssystem - Wirtschaftspolitik - Lebensstandard. Ein Handbuch, Opladen 1981.

163a. M. Broszat, H. Weber (Hrsg.), SBZ-Handbuch. Staatliche Verwaltungen, Parteien, gesellschaftliche Organisationen und ihre Führungskräfte in der Sowjetischen Besatzungszone Deutschlands 1945 - 1949, hrsg. im Auftrag des Arbeitsbereiches Geschichte und Politik der DDR an der Universität Mannheim und des Instituts für Zeitgeschichte München, München 1990.

163b. R. Chowanetz, Zeiten und Wege. Zur Geschichte der Pionierorganisation „Ernst Thälmann" von den Anfängen bis 1952, 3. Aufl., Berlin (Ost) 1988.

163c. Chronik zur Geschichte der Gesellschaft für Sport und Technik 1952-1984, hrsg. v. der Gesellschaft für Sport und Technik, Berlin (Ost) 1987.

164. Chronologische Materialien zur Geschichte der SED, hrsg. v. Informationsbüro West, Berlin (West) 1956.

165. DDR. 300 Fragen. 300 Antworten, hrsg. v. Ausschuß für deutsche Einheit, 5. Aufl., Berlin (Ost) 1961.

166. DDR. Gesellschaft – Staat – Bürger, 2. Aufl., Berlin (Ost) 1978.

167. DDR. Handbuch, wissenschaftl. Leitung: H. ZIMMERMANN unter Mitwirkung v. H. ULRICH u. M. FEHL, 2 Bde., 3. überarb. u. erw. Aufl., Köln 1985.

168. DDR – Tatsachen und Zahlen, Berlin (Ost) 1981.

169. DDR 1976–1980. Eine Chronik, Berlin (Ost) 1984.

170. Deutsche Demokratische Republik. Handbuch, Leipzig 1979.

171. Deutsche Geschichte in Daten, hrsg. v. Institut für Geschichte der Deutschen Akademie der Wissenschaften zu Berlin, wissenschaftl. Sekretär K. PÄTZOLD, Berlin (Ost) 1967.

172. Deutschland. Bundesrepublik Deutschland – Deutsche Demokratische Republik. Daten und Fakten zum Nachschlagen, Gütersloh 1975.

172a. G. DIEMER, Kurze Chronik der Deutschen Frage, München 1990.

172b. Dokumentation und Chronik der innerdeutschen Beziehungen. (1.7.1990 – 3.10.1990), hrsg. v. Gesamtdeutschen Institut, Bundesanstalt für Gesamtdeutsche Aufgaben, bearb. v. W. ARENZ, Bonn 1990.

173. Der FDGB von A bis Z, hrsg. v. d. Friedrich-Ebert-Stiftung, 3. Aufl., Bonn 1982.

173a. G. FEIST, Kunstkombinat DDR. Daten und Zitate zur Kunst- und Kulturpolitik der DDR 1945–1990, unter Mitarbeit von E. GILLEN, hrsg. v. Museumspädagogischen Dienst, 2. erw. und aktual. Aufl., Berlin 1990.

173b. H. FISCHBACH (Hrsg.), DDR – Almanach '89 und '90. Daten – Informationen – Zahlen, Stuttgart 1989 und 1990.

173c. A. FISCHER (Hrsg.), Ploetz. Die Deutsche Demokratische Republik. Daten-Fakten-Analysen, Freiburg, Würzburg 1988.

173d. Der Fischer-Weltalmanach. Sonderband DDR, Frankfurt/M. 1990.

174. J. F. GELLERT, H. J. KRAMM, DDR. Land, Volk, Wirtschaft in Stichworten, Wien 1977.

175. Geschichte der deutschen Arbeiterbewegung – Chronik, Teil III (1945–1963), Berlin (Ost) 1967.

176. Geschichte der Freien Deutschen Jugend. Chronik, 2. Aufl., Berlin (Ost) 1978.

177. Geschichte der Pionierorganisation „Ernst Thälmann". Chronik, Berlin (Ost) 1979.

178. Geschichtliche Zeittafel der Deutschen Demokratischen Republik (1949–1959), hrsg. v. Deutschen Institut für Zeitgeschichte, Berlin (Ost) 1959.

179. D. GOHL, Deutsche Demokratische Republik. Eine aktuelle Landeskunde, Frankfurt/M. 1986.

180. Handbuch DDR-Wirtschaft, hrsg. v. Deutschen Institut für Wirtschaftsforschung Berlin, 4. Aufl., Reinbek bei Hamburg 1984.

181. Handbuch der Deutschen Demokratischen Republik, Berlin (Ost) 1964.

182. Handbuch für den Gewerkschaftsfunktionär, hrsg. v. Bundesvorstand des FDGB, 3. Aufl., Berlin (Ost) 1965.

183. Handbuch für den Kulturfunktionär, Berlin (Ost) 1961.

184. Handbuch der Volkskammer der Deutschen Demokratischen Republik. Band 1: 2. Wahlperiode, 2. Aufl., Berlin (Ost) 1957; Band 2: 3. Wahlperiode, 1959.

185. Jahrbuch der Deutschen Demokratischen Republik, 6 Bde., Berlin (Ost) 1956–61.

186. Der Kampf der Völker um Frieden, Demokratie und Sozialismus unter Führung der kommunistischen und Arbeiterparteien (Internationale Zeittafel vom Zweiten Weltkrieg bis zur Gegenwart), hrsg. v. d. Parteihochschule „Karl Marx" beim ZK der SED, Berlin (Ost) 1959.

187. M. KINNE, B. STRUBE-EDELMANN, Kleines Wörterbuch des DDR-Wortschatzes, Düsseldorf 1980.

188. Kleines Politisches Wörterbuch, 6. Aufl., Berlin (Ost) 1986.

189. P. G. KLUSSMANN, H. MOHR (Hrsg.), Literatur im geteilten Deutschland. Jahrbuch zur Literatur in der DDR, Bonn 1980.

189a. D. KÜNZEL, A. AMMAN, K. R. DICHTL: Geburt einer Demokratie. Zahlen, Daten und Fakten zur Geschichte der DDR, eine Dokumentation vom 8. Mai 1945 – 2. Oktober 1990, 2. Auflage, Berlin 1992.

189b. T. KRONE, I. KUKUTZ, H. LEIDE, Wenn wir unsere Akten lesen. Handbuch zum Umgang mit den Stasi-Unterlagen, Berlin 1992.

190. Kulturpolitisches Wörterbuch, 2., erw. u. überarb. Aufl., Berlin (Ost) 1978.

190a. Kurze Chronik der deutschen Frage. Mit den 3 Verträgen zur Einigung Deutschlands, 2. erw. Aufl., München 1991.

190b. W. LANGENBUCHER, R. RYTLEWSKI, B. WEYERGRAF, Handbuch zur deutsch-deutschen Wirklichkeit. Bundesrepublik Deutschland/DDR im Kulturvergleich, Stuttgart 1988.

191. W. LANGENBUCHER, R. RYTLEWSKI, B. WEYERGRAF (Hrsg.), Kulturpolitisches Wörterbuch Bundesrepublik Deutschland/DDR im Vergleich, Stuttgart 1983.

191a. H. G. LEHMANN, Chronik der DDR. 1945/49 bis heute, 2. durchgese. Aufl., München 1988.

192. R. C. LEWANSKI, Eastern Europe and Russia/Soviet Union. A handbook of West European archival and library resources, New York 1980.

192a. B. MUSIOLEK, C. WUTTKE (Hrsg.), Parteien und politische Bewegung im letzten Jahr der DDR (Oktober 1989 bis April 1990), mit einer Einleitung von R. RYTLEWSKI, Berlin 1991.

192b. R. MYRITZ, H.-W. NOLDEN, 18. März 1990. Die Parteien in der DDR und ihre Programme, Köln 1990.

193. Nationale Front des demokratischen Deutschland – Sozialistische Volksbewegung. Handbuch, Berlin (Ost) 1969.

193a. W. OSTWALD, Die DDR im Spiegel ihrer Bezirke, Berlin (Ost) 1989.

194. J. PELIKAN, M. WIIKE (Hrsg.), Menschenrechte. Jahrbuch für Osteuropa, Reinbek bei Hamburg 1977.

194a. Politische Parteien und Bewegungen der DDR über sich selbst. Handbuch, Berlin (Ost) 1990.

195. B. POLLMANN, Daten zur Geschichte der Deutschen Demokratischen Republik, Düsseldorf 1984.

195a. H. RAISCH, DDR im Wandel. Daten und Fakten für Geographie und Wirtschaft, Zeitgeschichte und Politik. In Zusammenarbeit mit dem Statistischen Bundesamt, Stuttgart 1990.

196. P. REICHELT, Deutsche Chronik 1945 bis 1970. Daten und Fakten aus beiden Teilen Deutschlands. Bd. 1: 1945-1957. Bd. 2: 1958-1970, Freudenstadt 1970/71.

197. U. RÜHMLAND, NVA, Nationale Volksarmee der DDR in Stichworten, Bonn 1983.

197a. R. RYTLEWSKI, M. OPP DE HIPT, Die Deutsche Demokratische Republik in Zahlen: 1945/49 - 1980. Ein sozialgeschichtliches Arbeitsbuch, München 1987.

198. SBZ von A bis Z. Ein Taschen- und Nachschlagebuch über die SBZ, 1. Aufl., Bonn 1953, 10.; überarb. u. erw. Aufl., 1966.

199. SBZ von 1945 bis 1954. Die Sowjetische Besatzungszone Deutschlands 1945-1954, hrsg. v. Bundesministerium für Gesamtdeutsche Fragen, bearb. v. F. KOPP u. G. FISCHBACH, Bonn/Berlin 1964; Ergänzungsband: SBZ von 1955 bis 1956, Bonn 1964; II. Ergänzungsband: SBZ von 1957 bis 1958, Bonn 1964; III. Ergänzungsband: SBZ 1959 bis 1960, Bonn 1964; IV. Ergänzungsband: Der andere Teil Deutschlands in den Jahren 1961 bis 1962, Bonn 1969.

199a. M. SCHELL, W. KALINKA, Stasi und kein Ende. Die Personen und Fakten, Bonn 1991.

199b. S. SCHOLZE, H.-J. ARENDT (Hrsg.), Zur Rolle der Frau in der Geschichte der DDR. Vom antifaschistisch-demokratischen Neuaufbau bis zur Gestaltung der entwickelten sozialistischen Gesellschaft (1945 - 1981). Eine Chronik, Leipzig 1987.

199c. F. SCHUMANN (Hrsg.), 100 Tage, die die DDR erschütterten, Berlin 1990.

200. Die SED von A bis Z, hrsg. v. d. Friedrich-Ebert-Stiftung, 2. Aufl., Bonn 1982.

201. Sozialismus. Kleines Handbuch zu Politik, Gesellschaft und Wirtschaft sozialistischer Länder, Frankfurt/M. 1980.

201a. I. SPITTMANN, G. HELWIG (Hrsg.), Chronik der Ereignisse in der DDR (3. August bis 3. Dezember 1989), Köln 1989.

202. Statistisches Jahrbuch der Deutschen Demokratischen Republik, 1. Jg. 1955 - 35. Jg. 1990, Berlin (Ost) 1955-1990.

202a. K. G. TEMPEL, Die Parteien in der Bundesrepublik Deutschland und die Rolle der Parteien in der DDR. Grundlagen, Funktionen, Geschichte, Programmatik, Organisation, Opladen 1987.

203.   Unser Staat. DDR-Zeittafel 1949 – 1988, hrsg. von der Akademie für Staats-
u. Rechtswiss. der DDR. Autorenkollektiv, Berlin (Ost) 1984, 4. erg. u.
überarb. Aufl., 1989.

203a.   Unsere Kultur. DDR-Zeittafel 1945 – 1987, hrsg. von der Akademie für Ge-
sellschaftswiss. beim ZK der SED, Institut für Marxist.-Leninist. Kultur- u.
Kunstwiss, Berlin (Ost) 1989.

204.   Die Volkskammer der Deutschen Demokratischen Republik. 4., 5., 6., 7.,
8. und 9. Wahlperiode, Berlin (Ost) 1964, 1967, 1972, 1977, 1982, 1987.

205.   D. Waterkamp, Handbuch zum Bildungswesen der DDR, Berlin (West)
1986.

206.   H. Weber, F. Oldenburg, 25 Jahre SED – Chronik einer Partei, Köln 1971.

207.   H. Weber, SED, Chronik einer Partei 1971-1976, Köln 1976.

208.   H. bei der Wiedern, Die mecklenburgischen Regierungen und Minister
1918–1952, Köln-Wien 1977.

208a.   Wir sind das Volk. Teil 1, Die Bewegung September/Oktober 1989. Teil 2:
Die Bewegung Oktober/November 1989, hrsg. v. mdv (Mitteldeutscher Verlag)-transparent, Halle, Leipzig 1990.

209.   Wörterbuch der Außenpolitik und des Völkerrechts, Berlin (Ost) 1980.

210.   Wörterbuch der Ökonomie – Sozialismus, 4. Aufl., Berlin (Ost) 1979.

211.   Wörterbuch des wissenschaftlichen Kommunismus, 3. Aufl., Berlin (Ost)
1986.

212.   Wörterbuch zum sozialistischen Staat, Berlin (Ost) 1974.

213.   Wörterbuch zur sozialistischen Jugendpolitik, Berlin (Ost) 1975.

214.   Zahlenspiegel Bundesrepublik Deutschland – Deutsche Demokratische Republik. Ein Vergleich, hrsg. v. Bundesministerium für Innerdeutsche Beziehungen, 3. neugestaltete Ausgabe, 1. erg. Aufl., Bonn Mai 1986.

215.   20 Jahre DDR – 20 Jahre deutsche Politik. Dokumente zur Politik der DDR
im Kampf um Frieden und Sicherheit in Europa, hrsg. v. Deutschen Institut
für Zeitgeschichte, Berlin (Ost) 1969.

216.   25 Jahre Deutsche Demokratische Republik. Eine Bilanz in Tatsachen und
Zahlen, hrsg. v. d. Abt. Propaganda u. Abt. Agitation des ZK der SED, Berlin (Ost) 1974.

4. Memoiren und andere Selbstzeugnisse

217.   W. Adam (Oberst a. D.), Der schwere Entschluß. Autobiographie, unter wissenschaftl. u. literarischer Mitarbeit v. Prof. Dr. habil. O. Rühle, Berlin
(Ost) 1965, 22. Aufl. 1984.

218.   J.Agee, Zwölf Jahre. Eine Jugend in Ostdeutschland, München-Wien 1982.

218a.   A. Alvarez de Toledo, Nachrichten aus einem Land, das niemals existierte.
Tagebuch des letzten spanischen Botschafters in der DDR, Berlin 1992.

218b.   M. v. Ardenne, Die Erinnerungen, München 1990.

219. Aufbruch in unsere Zeit. Erinnerungen an die Tätigkeit der Gewerkschaften von 1945 bis zur Gründung der DDR, Berlin (Ost) 1976.

219a. M. BACKERRA (Hrsg.), NVA. Ein Rückblick für die Zukunft, Zeitzeugen berichten über ein Stück deutscher Militärgeschichte, Köln 1992.

220. W. BARM, Totale Abgrenzung. Zehn Jahre unter Ulbricht, Honecker und Stoph an der innerdeutschen Grenze, Stuttgart 1971.

220a. M. BECHLER, Warten auf Antwort. Ein deutsches Schicksal, Frankfurt/M. 1990.

221. F. BECKER, Vom Berliner Hinterhof zur Storkower Komandatura, Berlin (Ost) 1985.

222. M. BENKWITZ, Bevor unsere Republik entstand. Erinnerungen, Halle 1972.

223. V. M. BERESHKOW, Zeuge dramatischer Augenblicke. Teheran – Jalta – Potsdam, Frankfurt/M. 1985.

223a. K. BERNER, Spezialisten hinter Stacheldraht. Ein ostdeutscher Physiker enthüllt die Wahrheit, Berlin 1990.

224. K. BLOCH, Aus meinem Leben, Pfullingen 1981.

225. P. BLOCH, Zwischen Hoffnung und Resignation. Als CDU-Politiker in Brandenburg 1945-1950, hrsg. v. S. SUCKUT, mit einem Geleitwort v. J. B. GRADL, Köln 1986.

226. K. BÖLLING, Die fernen Nachbarn. Erfahrungen in der DDR, 2. Aufl., Hamburg 1984.

226a. B. BOHLEY u.a., 40 Jahre DDR ... und die Bürger melden sich zu Wort, Frankfurt/M. 1989.

227. F. J. BOKOW, Frühjahr des Sieges und der Befreiung, Berlin (Ost) 1979.

227a. P. BORDIHN, Bittere Jahre am Polarkreis. Als Sozialdemokrat in Stalins Lagern, Berlin 1990.

228. D. BORKOWSKI, Für jeden kommt der Tag...Stationen einer Jugend in der DDR, Frankfurt/M. 1983.

228a. B. W. BOUVIER, H. P. SCHULZ (Hrsg.), „... die SPD aber aufgehört hat zu existieren". Sozialdemokraten unter sowjetischer Besatzung, Bonn 1991.

229. H. BRANDT, Ein Traum, der nicht entführbar ist. Mein Weg zwischen Ost und West, München 1967, Neuaufl. Berlin (West) 1977.

229a. E. BRÜNING, Lästige Zeugen? Tonbandgespräche mit Opfern der Stalinzeit, Halle o.J. (1990).

229b. U. BÜRGER, Das sagen wir natürlich so nicht! Donnerstag-Argus bei Herrn Geggel, Berlin 1990.

230. W. BRUNDERT, Es begann im Theater. „Volksjustiz" hinter dem Eisernen Vorhang, Hannover 1958.

231. DERS., Von Weimar bis heute, Hannover 1965.

232. O. BUCHWITZ, Brüder, in eins nun die Hände, Berlin (Ost) 1956.

233. H. BUSSIEK, Notizen aus der DDR: Erlebnisse, Erfahrungen, Erkenntnisse in der unbekannten deutschen Republik, Frankfurt/M. 1979.

233a. H. CRÜGER, Verschwiegene Zeiten. Vom geheimen Apparat der KPD ins Gefängnis der Staatssicherheit, Berlin 1990.

234. F. DAHLEM, Bildungspolitik erlebt und mitgestaltet, Berlin (Ost) 1980.

234a. H. DAMERIUS, Unter falscher Anschuldigung, Berlin, Weimar 1990.

234b. G. DENGLER, Zwei Leben in einem, Berlin (Ost) 1989.

234c. I. DÖLLING, A. KUHLMEY-OEHLERT, G. SEIBT (Hrsg.), Unsere Haut. Tagebücher von Frauen aus dem Herbst 1990, Berlin 1992.

235. S. DOERNBERG, Befreiung 1945. Ein Augenzeugenbericht, Berlin (Ost) 1975.

236. G. ECKART, So sehe ick die Sache. Protokolle aus der DDR, Köln 1984.

237. W. EGGERATH, Die fröhliche Beichte. Ein Jahr meines Lebens, Berlin (Ost) 1975.

237a. A. EICHHORN, A. REINHARDT, Nach langem Schweigen endlich sprechen. Briefe an Walter Janka, Berlin, Weimar 1990.

237b. W. EICHLER, Ein Wort ging um in Buchenwald. Erlebnisbericht aus den Jahren 1945–1950, Jena 1992.

238. …einer neuen Zeit Beginn. Erinnerungen an die Anfänge unserer Kulturrevolution 1945–1949, Berlin (Ost)-Weimar 1981.

239. H. GRAF V. EINSIEDEL, Tagebuch der Versuchung, Berlin-Stuttgart 1950.

239a. R. EPPELMANN, Wendewege. Briefe an die Familie, Bonn 1992.

240. Die ersten Jahre. Erinnerungen an den Beginn der revolutionären Umgestaltungen, eingel. v. I. SCHIEL, Berlin (Ost) 1979.

240a. H. ESCHWEGE, Fremd unter meinesgleichen. Erinnerungen eines Dresdner Juden, Berlin 1991.

240b. U. FISCHER, Zum Schweigen verurteilt. Denunziert, verhaftet, interniert (1945–1948), Berlin 1992.

241. H. FLADE, Deutsche gegen Deutsche. Erlebnisbericht aus dem sowjetzonalen Zuchthaus, Freiburg 1963.

242. K. W. FRICKE, Menschenraub in Berlin. Karl Wilhelm Fricke über seine Erlebnisse, Koblenz 1959.

243. F. FRIEDENSBURG, Es ging um Deutschlands Einheit. Rückschau eines Berliners auf die Jahre nach 1945, Berlin (West) 1971.

243a. H. FRITSCH, Flucht aus Leipzig, München 1990.

243b. M. FRUCHT, Briefe aus Bautzen II. Maria und Adolf-Henning Frucht, Berlin 1992.

243c. R. FUCHS, „Gott schütze unser deutsches Vaterland!" Erlebnisse einer Volkskammerabgeordneten, Berlin 1990.

243d. V. GALL, Mein Weg nach Halle, Berlin 1988.

243e. G. GAUS, Deutsche Zwischentöne. Gespräch-Portraits aus der DDR, Hamburg 1990.

243f. DERS. (Hrsg.), Zur Person: Friedrich Schorlemmer, Lothar de Maizière, Gregor Gysi, Ingrid Köppe, Christoph Hein, Hans Modrow. Sechs Porträts in Frage und Antwort, Berlin 1990.

243g. DERS., Porträts 4. Günter Gaus im Gespräch mit U. Fink, B. Vogel, G. Just, T. Langhoff, G. Oechelhaeuser, F. Wolf, A. Hetterle, E. Brombacher, Berlin 1993.

244. E. GESCHONNECK, Meine unruhigen Jahre, hrsg. u. mit einem Nachwort versehen v. G. AGDE, Berlin (Ost) 1984, erg. Neuaufl., Berlin 1993.

244a. L. GEISSEL, Unterhändler der Menschlichkeit. Erinnerungen, Stuttgart 1991.

244b. Das gelbe Elend. Bautzen Häftlinge berichten 1945–1956, mit einem Dokumentenanhang, hrsg. v. Bautzen-Komitee, Halle 1992.

244c. M. GERLACH, Mitverantwortlich. Als Liberaler im SED-Staat, Berlin 1991.

245. R. GIORDANO, Die Partei hat immer recht, Köln-Berlin (West) 1961.

246. E. W. GNIFFKE, Jahre mit Ulbricht, mit einem Vorwort v. H. WEHNER, Köln 1966.

247. H. GODAU, Ich war Politoffizier der NVA, Köln 1965.

247a. H. GOTSCHLICH, Ausstieg aus der DDR. Junge Leute im Konflikt, Berlin 1990.

248. H. GRÜBER, Erinnerungen aus sieben Jahrzehnten, Köln-Berlin 1968.

249. B. GRUNERT-BRONNEN (Hrsg.), Ich bin Bürger der DDR und lebe in der Bundesrepublik. 12 Interviews, München 1970.

250. D. GÜSTROW, In jenen Jahren. Aufzeichnungen eines „befreiten" Deutschen, Berlin (West) 1983.

250a. G. GYSI, Einspruch! Gespräche, Briefe, Reden, Berlin 1992.

250b. R. O. HAHN, Ausgedient. Ein Stasi-Major erzählt, Halle, Leipzig 1990.

250c. A. HAUMANN, „Gott mit uns"? Zwischen Weltkrieg und Wende. Widerspruch eines politisch engagierten Theologen, Bonn 1992.

251. R. HAVEMANN, Fragen, Antworten, Fragen. Aus der Biographie eines deutschen Marxisten, München 1970, 2. Aufl., Reinbek bei Hamburg 1977.

252. DERS., Ein deutscher Kommunist. Rückblicke und Perspektiven aus der Isolation, hrsg. v. M. WILKE, mit einem Nachwort v. L. RADICE, Reinbek bei Hamburg 1978.

252a. R. HAVEMANN, Dokumente eines Lebens, zusammengestellt und eingeleitet von Dirk Draheim u. a., Berlin 1991.

253. J. HEARTFIELD, Der Schnitt entlang der Zeit. Selbstzeugnisse, Erinnerungen, Interpretationen. Eine Dokumentation, hrsg. u. komm. v. R. MÄRZ unter Mitarbeit v. G. HEARTFIELD, Dresden 1981.

253a. W. HEIDUCZEK, Im gewöhnlichen Stalinismus, Leipzig, Weimar 1991.

254. R. HELM, Anwalt des Volkes. Erinnerungen, Berlin (Ost) 1978.

254a. R. HERRNSTADT, Das Herrnstadt-Dokument, hrsg. von Nadja Stulz-Herrnstadt, Reinbek bei Hamburg 1990.

254b. G. HERZBERG, K. MEIER, Karrieremuster. Wisssenschaftlerporträts, Berlin 1992.

255. W. HERZBERG, So war es. Lebensgeschichten zwischen 1900 und 1980. Nach Tonbandprotokollen, Halle-Leipzig 1985.

255a.   T. Heyme, „Ich kam mir vor wie'n Tier" - Knast in der DDR, Berlin 1991.

255b.   G. Hildebrandt, Wieso lebst du noch? Ein Deutscher im GULAG, Stuttgart 1990.

255c.   H. Hoffmann, Moskau - Berlin. Erinnerungen an Freunde, Kampfgenossen und Zeitumstände, Berlin (Ost) 1989.

256.   E. Honecker, Aus meinem Leben, Frankfurt/M.-Oxford 1980.

256a.   Ders., Erich Honecker zu dramatischen Ereignissen, Hamburg 1992.

257.   Im Dienst am Menschen. Erinnerungen an den Aufbau des neuen Gesundheitswesens 1945-1949, Berlin (Ost) 1985.

258.   Im Zeichen des roten Sterns. Erinnerungen an die Tradition der deutsch-sowjetischen Freundschaft, Berlin (Ost) 1974.

259.   Die ersten Jahre. Erinnerungen an den Beginn der revolutionären Umgestaltungen, Berlin (Ost) 1979, 2. Aufl. 1985.

259a.   W. Janka, Schwierigkeiten mit der Wahrheit, Reinbek bei Hamburg 1989.

259b.   G. Just, Zeuge in eigener Sache. Die fünfziger Jahre in der DDR. Mit einem Vorwort von Christoph Hein, Frankfurt/M. 1990.

259c.   H. Kallabis, Ade, DDR! Tagebuchblätter 7. Oktober 1989 - 8.Mai 1990, Berlin 1990.

260.   Kampfgefährten - Weggenossen. Erinnerungen deutscher und sowjetischer Genossen an die ersten Jahre der antifaschistisch-demokratischen Umwälzung in Dresden, Berlin (Ost) 1975.

260a.   H. Kant, Abspann, Erinnerung an meine Gegenwart, Berlin, Weimar 1991.

261.   A. Kantorowicz, Deutsches Tagebuch, 2 Bde., München 1959/1961.

261a.   D. Keller, Minister auf Abruf, Berlin 1990.

262.   M. Klein, Jugend zwischen den Diktaturen 1945-1956, Mainz 1968.

262a.   F. Klier, Abreiß-Kalender. Versuch eines Tagebuchs, München 1988.

263.   G. Klimow, Berliner Kreml, Köln-Berlin 1953.

264.   B.Klump, Das rote Kloster. Eine deutsche Erziehung, erw. Ausgabe, München 1980.

264a.   R. Knechtel, J. Fiedler, Stalins DDR. Berichte politisch Verfolgter, Leipzig 1991.

264b.   E. Krenz, Wenn Mauern fallen. Die friedliche Revolution. Vorgeschichte, Ablauf, Auswirkungen, unter Mitarbeit v. H. König und G. Rettner, Wien 1990.

264c.   D. Krüger (Hrsg.), Fünfeichen. 1945-1948. Briefe Betroffener und Hinterbliebener, Neubrandenburg 1990.

265.   H. Krüger (Hrsg.), Das Ende einer Utopie. Hingabe und Selbstbefreiung früherer Kommunisten, Olten-Freiburg 1963.

265a.   W. Krüger, Ausreiseantrag. Sie nannten mich Nervensäge, Köln 1989.

266.   J. Kuczynski, Dialog mit meinem Urenkel. Neunzehn Briefe und ein Tagebuch, Berlin (Ost) 1983, 2. Aufl., Berlin-Weimar 1984.

266a. J. Kuczynski, Schwierige Jahre – mit einem besseren Ende? Tagebuchblätter 1987 bis 1989, Berlin 1990.

266b. Ders., Kurze Bilanz eines langen Lebens. Große Fehler und kleine Nützlichkeiten, Berlin 1991.

266c. Ders., „Ein linientreuer Dissident". Memoiren 1945-1989, Berlin 1992.

266d. H. Kuhn, Bruch mit dem Kommunismus. Autobiographische Schriften von Ex-Kommunisten im geteilten Deutschland, Münster 1990.

266e. X.-H. Kuo, Ein Chinese in Bautzen II. 2675 Nächte im Würgegriff der Stasi, Böblingen 1990.

266f. J. Kwizinskij, Vor dem Sturm. Erinnerungen eines Diplomaten, Berlin 1993.

267. Landarbeiter im Kampf für Freiheit und Sozialismus. Berichte von verdienten Veteranen der Gewerkschaft Land und Forst, ergänzt durch Dokumente aus den staatlichen Archiven, Berlin (Ost) o. J. (1961).

267a. W. Leich, Wechselnde Horizonte. Mein Leben in vier politischen Systemen, Wuppertal u. a. 1992.

268. E. Lemmer, Manches war doch anders. Erinnerungen eines deutschen Demokraten, Frankfurt/M. 1968.

269. A. Lemnitz, Beginn und Bilanz. Erinnerungen, Berlin (Ost) 1985.

270. W. Leonhard, Die Revolution entläßt ihre Kinder, Köln-Berlin (West) 1955, Neuaufl. 1987.

270a. W. Leonhard, Spurensuche. Vierzig Jahre nach „Die Revolution entläßt ihre Kinder", Köln 1992.

270b. H. Liebsch, Dresdner Stundenbuch. Protokoll einer Beteiligten im Herbst 1989, Wuppertal 1991.

271. P. Löbe, Der Weg war lang, Berlin (West) 1954.

272. E. Loest, Durch die Erde ein Riß. Ein Lebenslauf, Hamburg 1981.

273. Ders., Der vierte Zensor. Vom Entstehen und Sterben eines Romans in der DDR, Köln 1984.

274. K. Löw, P. Eisenmann, A. Stoll (Hrsg.), Betrogene Hoffnung. Aus Selbstzeugnissen ehemaliger Kommunisten, Krefeld 1978.

274a. C. Luft, Zwischen Wende und Ende. Eindrücke, Erlebnisse, Erfahrungen eines Mitglieds der Modrow-Regierung, Berlin 1991.

275. H. Mayer, Ein Deutscher auf Widerruf. Erinnerungen, 2 Bde., Frankfurt/M. 1982/1984.

275a. Ders., Der Turm von Babel. Erinnerung an eine Deutsche Demokratische Republik, Frankfurt/M. 1991.

275b. H. Menzel, Zerrissene Heimkehr. Eine Autobiografie, Leipzig 1991.

275c. P. Merseburger, Grenzgänger. Innenansichten der anderen deutschen Republik, München 1988.

275d. E. Mesch, Nicht mitzuhassen sind wir da, Bremen 1990.

275e. W. Mischnick, Von Dresden nach Bonn. Erlebnisse – jetzt aufgeschrieben, Stuttgart 1991.

275f. G. Mittag, Um jeden Preis. Im Spannungsfeld zweier Systeme, Berlin, Weimar 1991.

275g. H. Modrow, Aufbruch und Ende, Hamburg 1991.

275h. S. Moser (Hrsg.), Bald nach Hause – Skoro domoi. Das Leben der Eva-Maria Stege nach Tonbändern, Notizen, Gesprächen, Berlin 1991.

275i. H. Müller (Hrsg.), Recht oder Rache? Buchenwald 1945 – 1950. Betroffene erinnern sich, Frankfurt/M. 1991.

276.   L. Nebenzahl, Mein Leben begann von Neuem. Erinnerungen an eine ungewöhnliche Zeit, Berlin (Ost) 1985.

277.   E. Niekisch, Erinnerungen eines deutschen Revolutionärs, Bd. 2: Gegen den Strom 1945-1967, Köln 1974.

277a. L. Niethammer, A. v. Plato, D. Wierling, Die volkseigene Erfahrung. Eine Archäologie des Lebens in der Industrieprovinz der DDR. 30 biographische Eröffnungen, Berlin 1991.

278.   H. Noll, Der Abschied. Journal meiner Ausreise aus der DDR, Hamburg 1985.

279.   A. Norden, Ereignisse und Erlebtes, Berlin (Ost) 1981.

279a. K. Nowak, Jenseits des mehrheitlichen Schweigens. Texte vom Juni bis Dezember des Jahres 1989, Berlin 1990.

280.   K. Pförtner, W. Natonek, Ihr aber steht im Licht. Eine Dokumentation aus sowjetischem und sowjetzonalem Gewahrsam, Tübingen 1962.

281.   H. Prauss, Doch es war nicht die Wahrheit. Tatsachenbericht zur geistigen Auseinandersetzung unserer Zeit, 2. Aufl., Berlin (West) 1960.

281a. B. Priess, Unschuldig in den Todeslagern des NKWD 1946-1954. Torgau, Bautzen, Sachsenhausen, Waldheim, Calw 1991.

282.   J. v. Puttkamer, Von Stalingrad zur Volkspolizei, Wiesbaden 1951.

282a. R. Reinhard, Zeitungen und Zeiten. Journalist im Berlin der Nachkriegszeit, Köln 1988.

282b. A. Richter, Das Lindenhotel oder sechs Jahre Z. für ein unveröffentlichtes Buch, Böblingen 1992.

282c. A. Riecker, A. Schwarz, D. Schneider, Stasi intim. Gespräche mit ehemaligen MfS-Angehörigen, Leipzig 1990.

282d. T. Rosenlöcher, Die verkauften Pflastersteine. Dresdner Tagebuch, Frankfurt/M. 1990.

282e. R. Rosenthal, Robert Havemann. Die Stimme des Gewissens. Texte eines deutschen Antistalinisten, Reinbek bei Hamburg 1990.

282f. I. Runge, U. Stellbrink, „Ich bin kein Spion". Gespräche mit Markus Wolf, Berlin 1990.

282g. G. Schabowski, Der Absturz, Berlin 1991.

282h. W. Schäuble, Der Vertrag. Wie ich über die deutsche Einheit verhandelte, hrsg. v. D. Koch und Kl. Wirtgen, Stuttgart 1991.

283. F. Schenk, Mein doppeltes Vaterland. Erfahrungen und Erkenntnisse eines geborenen Sozialdemokraten, Würzburg 1981, erw. Neuaufl. 1989.

284. Ders., Im Vorzimmer der Diktatur. 12 Jahre Pankow, Köln-Berlin (West) 1962.

284a. L. Scherzer, Der Erste. Protokoll einer Begegnung, Rudolfstadt 1988.

285. W. Schirmer-Pröscher, Die Welt vor meinen Augen. Erinnerungen aus 80 Jahren, aufgezeichnet v. A. u. J. Flatau, Berlin (Ost) 1969.

285a. A. Schlotterbeck, Die verbotene Hoffnung. Aus dem Leben einer Kommunistin, mit einem Vorwort von H. Noll, Hamburg 1990.

286. K. Schmellentin, Arbeiter, Schutzhäftling, Staatsfunktionär. Erinnerungen, Berlin (Ost) 1986.

286a. G.-S. Schmutzler, Gegen den Strom. Erlebtes aus Leipzig unter Hitler und der Stasi. „... es war tatsächlich möglich ...", Göttingen 1992.

286b. C. Schneider, Glück in der Nische. Leben in Thüringen 1945-1957, unter Mitarbeit v. A. Pokrandt, Jena 1991.

286c. W. Schollwer, Potsdamer Tagebuch 1948-1950. Liberale Politik unter sowjetischer Besatzung, hrsg. v. Monika Fassbender, München 1988.

286d. F. Schorlemmer, Bis alle Mauern fallen. Texte aus einem verschwundenen Land, Berlin 1991.

286e. Ders., Worte öffnen Fäuste. Die Rückkehr in ein schwieriges Vaterland, München 1992.

287. K. P. Schulz, Auftakt zum Kalten Krieg. Der Freiheitskampf der SPD in Berlin 1945/46, Berlin (West) 1965.

287a. R. Schubert, Ohne größeren Schaden? Gespräche mit Journalistinnen und Journalisten der DDR, München 1992.

287b. P. Schütt, Mein letztes Gefecht. Abschied und Bericht eines Genossen, Böblingen 1992.

287c. V. Senger, Kurzer Frühling. Erinnerungen, Hamburg 1992.

288. M. Seydewitz, Es hat sich gelohnt zu leben. Lebenserinnerungen eines alten Arbeiterfunktionärs, Bd. 2, Berlin (Ost) 1978.

289. R. u. M. Seydewitz, Unvergessene Jahre. Begegnungen, Berlin (Ost) 1984.

290. G. K. Shukow, Marschall der Sowjetunion, Erinnerungen und Gedanken, Bd. 2, Berlin (Ost) 1976.

290a. G. Simon, Tisch-Zeiten. Aus den Notizen eines Chefredakteurs 1981 bis 1989, Berlin 1990.

290b. G. Skribanowitz, „Feindlich eingestellt". Vom Prager Frühling ins deutsche Zuchthaus, Böblingen 1991.

290c. H. Steffens (Hrsg.), Lebensjahre im Schatten der deutschen Grenze. Selbstzeugnisse vom Leben an der innerdeutschen Grenze seit 1945, Opladen 1990.

290d. E. Strittmatter, Die Lage in den Lüften. Aus Tagebüchern, Berlin, Weimar 1990.

290e.   H. Teltschik, 329 Tage. Innenansichten der Einigung, Berlin 1991.

290f.   R. Tetzner, Leipziger Ring. Aufzeichnungen eines Montagsdemonstranten Oktober 1989 bis 1. Mai 1990, Frankfurt/M. 1990.

291.   E. Thape, Von Rot zu Schwarz-Rot-Gold. Lebensweg eines Sozialdemokraten, Hannover 1969.

291a.   W. Thierse, Mit eigener Stimme sprechen, München 1992.

291b.   H. B. Ulrich, Schmerzgrenze. 11 Porträts im Gespräch; Bärbel Bohley, Sabine Hager, Heidrun Hegewald..., Berlin 1991.

292.   S. Tjulpanow, Deutschland nach dem Kriege (1945-1949). Erinnerungen eines Offiziers der Sowjetarmee, hrsg. u. mit einem Nachwort v. S. Doernberg, Berlin (Ost) 1986.

293.   Ders., Erinnerungen an deutsche Freunde und Genossen, Berlin-Weimar 1984.

294.   M. Torhorst, Pfarrerstochter, Pädagogin, Kommunistin. Aus dem Leben der Schwestern Adelheid und Marie Torhorst, hrsg. v. K. H. Günter, Berlin (Ost) 1986.

295.   Unbeugsame Kraft. Erinnerungen und Episoden an den Kampf der Arbeiterbewegung im Bezirk Rostock, Rostock 1976.

296.   Unser Wilhelm. Erinnerungen an Wilhelm Pieck, Berlin (Ost) 1979.

297.   Vereint sind wir alles. Erinnerungen an die Gründung der SED, Berlin (Ost) 1966.

297a.   G. Vogel, Als Pfarrer in der DDR, Erlebnisse von 1948 und 1990, Berlin 1992.

297b.   J. Vogler, Von der Rüstungsfirma zum volkseigenen Betrieb. Aufzeichnungen eines Unternehmers der Sowjetischen Besatzungszone Deutschlands von 1945 - 1948, München 1992.

297c.   C. Weber, Alltag einer friedlichen Revolution. Notizen aus der DDR, Stuttgart 1990.

298.   Wenn wir brüderlich uns einen... Der Kampf um die Schaffung der SED in Dresden 1945-1946, Dresden 1961.

299.   G. Weiss, Am Morgen nach dem Kriege. Erinnerungen eines sowjetischen Kulturoffiziers, Berlin (Ost) 1981.

300.   Wie die Arbeiter- und Bauern-Macht entstand. Erlebnisbericht aus Sachsen-Anhalt, 2. erg. Aufl., Halle (Saale) 1960.

300a.   H. Wiener, Anklage: Werwolf. Die Gewalt der frühen Jahre oder: Wie ich Stalins Lager überlebte. Reinbek bei Hamburg 1991.

301.   E. Wiesner, Man nannte mich Ernst. Erlebnisse und Episoden aus der Geschichte der Arbeiterbewegung, 5. Aufl., Berlin (Ost) 1982.

302.   Wie wir angefangen haben. Von der demokratischen Bodenreform zum Sieg der sozialistischen Produktionsverhältnisse in der Landwirtschaft. Erinnerungen, Berlin (Ost) 1985.

302a.   C. Wilkening, Staat im Staate. Auskünfte ehemaliger Stasi-Mitarbeiter, Berlin, Weimar 1990.

302b. Ders., Ich wollte Klarheit. Tagebuch einer Recherche, Berlin 1992.

303. H. Willmann, Steine klopft man mit dem Kopf. Lebenserinnerungen, Berlin (Ost) 1977.

304. Wir schmiedeten die Einheit. Erlebnisberichte von Parteiveteranen, Gera 1961.

305. Wir sind die Kraft. Der Weg zur Deutschen Demokratischen Republik. Erinnerungen, Berlin (Ost) 1959.

305a. M. Wolf, In eigenem Auftrag. Bekenntnisse und Einsichten, München 1991.

306. A. Wolfram, Es hat sich gelohnt. Der Lebensweg eines Gewerkschafters, Koblenz 1977.

306a. M. Wolter, „Aktion Ungeziefer". Die Zwangsumsiedlungen an der Elbe, Erlebnisberichte und Dokumente, Berlin 1992.

306b. D. Zimmer, „Auferstanden aus Ruinen..." Von der SBZ zur DDR, Stuttgart 1989.

306c. B. Zimmermann, H. B. Schütt (Hrsg.), ohnMacht. DDR-Funktionäre sagen aus, Berlin 1992.

307. Zweimal geboren. Buch der Freundschaft (Erinnerungen), mit einem Vorwort v. F. Fühmann, Berlin (Ost) 1961.

307a. G. Zwerenz, Der Widerspruch. Autobiographischer Bericht, Berlin 1991.

5. Gesamtdarstellungen und Überblicke der DDR-Geschichte

308. R. Badstübner u. a. (Autorenkollektiv), Geschichte der Deutschen Demokratischen Republik, Berlin (Ost) 1981, 3. Aufl., 1987.

308a. G. Benser, Die DDR – eine deutsche Möglichkeit? Zur Legitimation des zweiten deutschen Weges, Potsdam 1992.

308b. S. Bollinger, U.-J. Heuer, H. H. Holz, G. Benser, DDR Geschichte. Nostalgie oder Totalkritik? Berlin o.J. (1992).

309. Deutsche Geschichte in drei Bänden, Autorenkollektiv, wiss. Sekretär J. Streisand, Bd. 3: 1917 bis zur Gegenwart, Berlin (Ost) 1968.

310. DDR. Werden und Wachsen. Zur Geschichte der Deutschen Demokratischen Republik, hrsg. v. d. Akademie der Wissenschaft der DDR, Berlin (Ost) 1974.

311. S. Doernberg, Kurze Geschichte der DDR, Berlin (Ost) 1964, 4., durchges. u. erg. Aufl. 1969.

312. H. Duhnke, Stalinismus in Deutschland. Die Geschichte der sowjetischen Besatzungszone, Köln-Berlin (West) o. J. (1955).

313. H. Frank, 20 Jahre Zone. Kleine Geschichte der „DDR", München 1965.

314. Geschichte der deutschen Arbeiterbewegung, hrsg. v. Institut für Marxismus-Leninismus beim ZK der SED, Band 6–8 (Mai 1945 bis Anfang 1963), Berlin (Ost) 1966.

315. Grundriß der deutschen Geschichte. Von den Anfängen der Geschichte des

deutschen Volkes bis zur Gestaltung der entwickelten Gesellschaft in der Deutschen Demokratischen Republik. Klassenkampf, Tradition, Sozialismus, hrsg. v. Zentralinstitut für Geschichte der Akademie der Wissenschaften der DDR, 2. Aufl., Berlin (Ost) 1979.

316.   A. M. HANHARDT, Jr., The German Democratic Republik, Baltimore 1968.

317.   H. HEITZER, DDR – Geschichtlicher Überblick, Berlin (Ost) 1979, 5. durchges. Aufl. 1989.

318.   H. HEITZER, G. SCHMERBACH, Illustrierte Geschichte der DDR, Berlin (Ost) 1984, 3. durchges. Aufl. 1988.

318a.   H. JOAS, M. KOHLI, Zusammenbruch der DDR. Frankfurt/M. 1993.

319.   Klassenkampf, Tradition, Sozialismus. Von den Anfängen der Geschichte des deutschen Volkes bis zur Gestaltung der entwickelten Gesellschaft in der Deutschen Demokratischen Republik, hrsg. v. Zentralinstitut für Geschichte der Akademie der Wissenschaften der DDR, Berlin (Ost) 1974.

319a.   B. LÖHR, G. MEYER, D. STARITZ u. a., Geschichte der DDR. Deutsche Geschichte nach 1945, Teil 2, 6 Studienbriefe, hrsg. v. Deutschen Institut für Fernstudien an der Universität Tübingen, Tübingen 1990.

320.   R. LUKAS, 10 Jahre sowjetische Besatzungszone Deutschlands, Mainz-Düsseldorf 1955.

321.   P. J. NETTL, Die deutsche Sowjetzone bis heute. Politik, Wirtschaft, Gesellschaft, Frankfurt/M. 1953.

322.   E. RICHERT, Das zweite Deutschland. Ein Staat, der nicht sein darf, Gütersloh 1964, Frankfurt 1966.

323.   U. RÜHMLAND, Mitteldeutschland – „Moskaus westliche Provinz". Zehn Jahre Sowjetzonenstaat, Stuttgart 1959.

324.   H. SCHÜTZE, ''Volksdemokratie" in Mitteldeutschland, 2. Aufl., Hannover 1964.

325.   D. STARITZ, Geschichte der DDR 1949-1985, Frankfurt/M. 1985, 3. Aufl. 1990.

326.   K. C. THALHEIM, Die sowjetische Besatzungszone Deutschlands, in: E. BIRKE, R. NEUMANN (Hrsg.), Die Sowjetisierung Ost-Mitteleuropas. Untersuchungen zu ihrem Ablauf in den einzelnen Ländern, Frankfurt/M. 1959, 333 ff.

326a.   W. VENOHR, Die roten Preussen. Aufstieg und Fall der DDR, aktual. und bearb. Ausgabe, Frankfurt/M. 1992.

327.   H. WEBER, Von der SBZ zur DDR. 1945-1968, Hannover 1968.

328.   DERS., Kleine Geschichte der DDR, Köln 1980, 2. erw. Aufl. 1988.

329.   DERS., DDR. Grundriß der Geschichte 1945-1990, Neuaufl. Hannover 1991.

330.   DERS., Geschichte der DDR, München 1985, 3. Aufl. 1988.

330a.   DERS., Die Geschichte der DDR. Versuch einer vorläufigen Bilanz, in: ZfG 41 (1993), 196 ff.

330b.   W. WEBER, DDR – 40 Jahre Stalinismus. Ein Beitrag zur Geschichte der DDR, Essen 1993.

6. Historische Darstellungen einzelner Perioden, Ereignisse und Probleme der DDR

330c. A. J. McAdams, East Germany and Detente. Building Authority after the Wall, Cambridge 1985.

331. H. Apel, DDR 1962, 1964, 1966, Berlin (West) 1967.

331a. K.-H. Arnold, Die ersten hundert Tage des Hans Modrow, Berlin 1990.

331b. H. Bahrmann, P.-M. Fritsch, Sumpf. Privilegien, Amtsmißbrauch, Schiebergeschäfte, Berlin 1990.

332. A. Baring, Der 17. Juni, mit einem Vorwort v. R. Löwenthal, Köln-Berlin (West) 1965, Neuaufl. 1983.

333. D. L. Bark, Die Berlin-Frage 1949–1955. Verhandlungsgrundlagen und Eindämmungspolitik, Berlin-New York 1972.

333a. P. Behnen, Revolution in der DDR. Informationen – Materialien – Fragen, Hannover 1990.

334. Beiträge zur Geschichte Thüringens, Band IV, Erfurt 1984.

334a. H. v. Berg, F. Loeser, W. Seiffert (Hrsg.), Die DDR auf dem Weg in das Jahr 2000. Politik, Ökonomie, Ideologie. Plädoyer für eine demokratische Erneuerung, Köln 1987.

335. H. Beyer u. a. (Autorenkollektiv), Wissenschaftliche Entscheidungen – historische Veränderungen – Fundamente der Zukunft. Studien zur Geschichte der DDR in den sechziger Jahren, hrsg. v. Institut für Gesellschaftswissenschaften beim ZK der SED, Berlin (Ost) 1971.

336. S. R. Bowers, The West Berlin Issue in the era of superpower detente. East Germany and the politics of West Berlin, 1968–1974, Ann Arbor 1978.

336a. J. Cerny (Hrsg.), Brüche, Krisen, Wendepunkte. Neubefragung von DDR-Geschichte, Leipzig, Jena, Berlin 1990.

337. C. Curtis, Riß durch Berlin. Der 13. August 1961, Hamburg 1980.

338. H. M. Catudai, Kennedy in der Mauer-Krise, Berlin (West) 1981.

338a. Die DDR auf dem Weg zur deutschen Einheit. Probleme, Perspektiven, offene Fragen. 23. Tagung zum Stand der DDR-Forschung in der Bundesrepublik Deutschland, 5. bis 8. Juni 1990, Köln 1990.

338b. Die DDR im vierzigsten Jahr. Geschichte, Situation, Perspektiven. 22. Tagung zum Stand der DDR-Forschung in der Bundesrepublik Deutschland, 16. bis 19. Mai 1989, Köln 1989.

339. H. J. Degen, „Wir wollen keine Sklaven sein…" Der Aufstand des 17. Juni 1953, Berlin (West) 1979.

340. E. Deuerlein, Potsdam 1945. Ende und Anfang, Köln 1970.

341. Ders., Deklamation oder Ersatzfrieden? Die Konferenz von Potsdam 1945, Stuttgart-Berlin-Köln- Mainz 1970.

341a. T. Diedrich, Der 17. Juni 1953 in der DDR. Bewaffnete Gewalt gegen das Volk, Berlin 1991.

342. R. Dubs (Hrsg.), Freiheitliche Demokratie und totalitäre Diktatur. Eine Ge-

genüberstellung am Beispiel der Schweiz und der Sowjetzone Deutschlands (DDR), Frauenfeld 1966.

343.   J. EGEN, Un mur entre deux mondes. Paris 1978.

344.   K. EWERS. Zu einigen langfristigen Auswirkungen des Arbeiteraufstandes am 17. Juni 1953 für die DDR, in: Die DDR vor den Herausforderungen der achtziger Jahre. 16. Tagung zum Stand der DDR-Forschung in der Bundesrepublik, Köln 1983, 5 ff.

345.   F. FAUST, Das Potsdamer Abkommen und seine völkerrechtliche Bedeutung, 4. neubearb. Auflage, Frankfurt/M.-Berlin 1969.

346.   W. FRANZ, Zur Geschichte der Kampftruppen der Arbeiterklasse des Bezirks Potsdam von 1953 bis zur Gegenwart, Potsdam 1978.

346a. G.-J. GLAESSNER (Hrsg.), Die DDR in der Ära Honecker. Politik - Kultur - Gesellschaft, Opladen 1988.

347.   B. GLEITZE, P. C. LUDZ, K. MERKEL, K. PLEYER, K. C. THALHEIM, Die DDR nach 25 Jahren, Berlin (West) 1975.

347a. H. GRAML, Die Märznote von 1952. Legende und Wirklichkeit, Melle 1988.

347b. A. GRUNENBERG, Aufbruch der inneren Mauer. Politik und Kultur in der DDR 1971-1989, Bremen 1990.

348.   J. HACKER, Sowjetunion und DDR zum Potsdamer Abkommen, Köln 1978.

348a. M. HAGEN, DDR - Juni '53. Die erste Volkserhebung im Stalinismus, Stuttgart 1992.

349.   M. HAMMER u. a. (Hrsg.), Das Mauerbuch. Texte und Bilder aus Deutschland von 1945 bis heute, Berlin (West) 1981.

350.   E. J. HARRELL, Berlin: Rebirth, reconstruction and divisision 1945-1948. A study of allied cooperation and conflict, Ann Arbor-Michigan 1981.

350a. W. HEDELER, H. HELAS, D. WULFF, Stalins Erbe. Der Stalinismus und die deutsche Arbeiterbewegung, Berlin (Ost) 1990.

350b. U. HERBERT, U. GROEHLER, Zweierlei Bewältigung. Vier Beiträge über den Umgang mit der NS-Vergangenheit in den beiden deutschen Staaten, Hamburg 1992.

350c. E. M. HOERING, Zwischen den Fronten. Berliner Grenzgänger und Grenzhändler 1948 - 1961, Köln 1992.

351.   S. P. HOFFMANN, National Tradition and the development of the German Democratic Republik 1945-1971, Bucks 1976.

352.   H. HURWITZ, Demokratie und Antikommunismus in Berlin nach 1945, 4 Bde., Köln 1983/1984/1991.

353.   Der Kampf der SED um den Sieg der sozialistischen Produktionsverhältnisse in der DDR. Die Entwicklung in Schwerin in den Jahren 1958 bis 1961, bearb. v. F. W. BORCHERT, Schwerin 1982.

354.   G. KEGEL, Ein Vierteljahrhundert danach. Das Potsdamer Abkommen und was aus ihm geworden ist, Berlin (Ost) 1970.

354a. M. KITSCHE, Die Geschichte eines Staatsfeiertages. Der 7. Oktober in der DDR. 1950 - 1989, Diss., Köln 1990.

354b. C. KLESSMANN, Zwei Staaten, eine Nation. Deutsche Geschichte 1955–1970, Göttingen 1988.

355. G. LABROISSE, 25 Jahre geteiltes Deutschland. Ein dokumentarischer Überblick, Berlin (West) 1970.

356. L. H. LEGTERS (Ed.), The German Democratic Republik. A Developed Socialist Society, Boulder, Col. 1978.

357. Leipzig. Aus Vergangenheit und Gegenwart. Beiträge zur Stadtgeschichte, 4. Bd., 1986.

357a. W. LEONHARD, Das kurze Leben der DDR. Berichte und Kommentare aus vier Jahrzehnten, Stuttgart 1990.

357b. K. LÜDERSSEN, Der Staat geht unter – das Unrecht bleibt? Regierungskriminalität in der ehemaligen DDR, Frankfurt/M. 1992.

358. P. C. LUDZ, Die DDR zwischen Ost und West. Politische Analysen 1961 bis 1976, München 1977.

359. DERS., The German Democratic Republic from the sixties to the seventies. A socio-political analysis, Cambridge Mass. 1970.

360. D. MAHNKE, Berlin im geteilten Deutschland, München-Wien 1973.

361. H. u. E. MEHLS, 13. August, Berlin (Ost) 1979.

361a. N. MEYER-LANDRUT, Frankreich und die deutsche Einheit. Die Haltung der französischen Regierung und Öffentlichkeit zu den Stalin-Noten 1952, München 1988.

361b. A. MITTER, S. WOLLE, Untergang auf Raten. Unbekannte Kapitel der DDR-Geschichte, München 1993.

362. G. MÖSCHNER, J. GABERT, H. MENSEL, Das Volk nutzt die Macht. DDR 1958–1961, Berlin (Ost) 1979.

363. E. F. Mueller, P. Greiner, Mauerbau und „Neues Deutschland", Bielefeld 1969.

363a. H. MÜLLER-ENBERGS, Der Fall Rudolf Herrnstadt. Tauwetterpolitik vor dem 17. Juni, Berlin 1991.

364. W. MÜLLER, Die DDR und der Bau der Berliner Mauer im August 1961, in: APuZG B 33/34 (1986), 3 ff.

364a. G. NAUMANN, E. TRÜMPLER, Von Ulbricht zu Honecker. 1970 – ein Krisenjahr der DDR, Berlin (Ost) 1990.

364b. G. NAUMANN, E. TRÜMPLER, Der Flop mit der DDR-Nation 1971. Zwischen Abschied von der Idee der Konföderation und Illusion von der Herausbildung einer sozialistischen deutschen Nation, Berlin 1991.

365. T. NOBBE, Kommunale Kooperation zwischen der Bundesrepublik und der DDR, Münster 1990.

366. J. PETSCHULL, Die Mauer: August 1961. 12 Tage zwischen Krieg und Frieden, Hamburg 1981.

366a. A. v. PLATO, W. MEINICKE, Alte Heimat – neue Zeit. Flüchtlinge, Umgesiedelte, Vertriebene in der Sowjetischen Besatzungszone und in der DDR, Berlin 1991.

367.   S. Prokop, Entwicklungslinien und Probleme der Geschichte der DDR in der Endphase der Übergangsperiode und beim beginnenden Aufbau des Sozialismus (1957–1963), Diss., Berlin (Ost) 1978, gekürzt erschienen: Übergang zum Sozialismus in der DDR 1958–1963, Berlin (Ost) 1986.

367a.   Ders., Deutsche Zeitgeschichte neu befragt. Thesen und Scripte für die Hand des Geschichtslehrers. Teil 1. Sowjetische Besatzungszone Deutschlands – Deutsche Demokratische Republik. 1945 bis Anfang der 60er Jahre, Berlin 1990.

367b.   F. Reinert, Blockpolitik im Land Brandenburg 1945 bis 1950. Möglichkeiten und Grenzen, Potsdam 1992.

368.   O. Reinhold u. a. (Autorenkollektiv), Mit dem Sozialismus gewachsen – 25 Jahre DDR, Berlin (Ost) 1974.

369.   J. Rühle, G. Holzweissig, 13. August 1961. Die Mauer von Berlin, hrsg. v. I. Spittmann, Köln 1981, 3. Aufl. 1988.

369a.   A. Schützsack, Exodus in die Einheit. Die Massenflucht aus der DDR 1989, Melle 1991.

369b.   K. Schwabe, Entnazifizierung in Mecklenburg-Vorpommern 1947–49, hrsg. v. d. Friedrich-Ebert-Stiftung Mecklenburg-Vorpommern, Schwerin 1992.

369c.   Ders., Die Zwangsvereinigung von KPD und SPD in Mecklenburg-Vorpommern, hrsg. v. d. Friedrich-Ebert-Stiftung, Schwerin 1992.

370.   H. P. Schwarz (Hrsg.), Die Legende von der verpaßten Gelegenheit. Die Stalin-Note vom 10. März 1952, Stuttgart-Zürich 1982.

370a.   W. Seiffert, Abschied von der Weltrevolution, Erlangen 1989.

371.   R. M. Slusser, The Berlin crisis of 1961. Soviet-American relations and the Struggle for Power in the Kremlin, June-November 1961, Baltimore-London 1973.

372.   M. J. Sodaro, East Germany and the dilemmas of detente: the linkage of foreign policy, economocs and ideology in the German Democratic Republic: 1966–1971, 2 Vol., Ann Arbor 1981.

373.   I. Spittmann, K. W. Fricke (Hrsg.), 17. Juni 1953. Arbeiteraufstand in der DDR, Köln 1982, 2. Aufl. 1988.

373a.   I. Spittmann, G. Helwig (Hrsg.), DDR-Lesebuch 2. Stalinisierung 1949–1955, Köln 1991.

373b.   I. Spittmann, Die DDR unter Honecker, Köln 1990.

373c.   Stalinismus – Analyse und persönliche Betroffenheit. Dokumentation des 1. Bautzen Forums der Friedrich-Ebert-Stiftung vom 8. bis 11. November 1990, hrsg. v. d. Friedrich-Ebert-Stiftung, o. O. u. J.

373d.   H. Timmermann (Hrsg.), Deutschland nach dem 2. Weltkrieg. Entwicklungen, Verflechtungen, Konflikte, Saarbrücken 1990.

374.   W. Ulbricht, Die Entwicklung des deutschen volksdemokratischen Staates 1945–1958, Berlin (Ost) 1961.

374a.   Veränderungen in Gesellschaft und politischem System der DDR. Ursachen, Inhalte, Grenzen. 21. Tagung zum Stand der DDR-Forschung in der Bundesrepublik Deutschland, 4. - 27. Mai 1988, Köln 1988.

375. Der Volksaufstand vom 17. Juni 1953. Denkschrift über den Juniaufstand in der SBZ und Ostberlin, Bonn 1953, Nachdruck: Bonn 1983.

375a. H. WEBER, Kommunistische Bewegung und realsozialistischer Staat. Beiträge zum deutschen und internationalen Kommunismus. Ausgewählt, hrsg. und eingeleitet von W. MÜLLER, Köln 1988.

375b. DERS., Aufbau und Fall einer Diktatur. Kritische Beiträge zur Geschichte der DDR, Köln 1991.

376. G. WETTIG, Die Statusprobleme Ost-Berlins 1949-1980, Köln 1980.

377. DERS., Die sowjetische Note vom 10. März 1952 - Wiedervereinigungsangebot oder Propagandawerkzeug, Köln 1981.

378. DERS., Das Vier-Mächte-Abkommen in der Bewährungsprobe. Berlin im Spannungsfeld von Ost und West, Berlin (West) 1981.

378a. S. WIETSTRUK u. a. (Autorenkollektiv), Entwicklung des Arbeiter- und Bauern-Staates der DDR. 1949 - 1961, Berlin (Ost) 1987.

379. V. N. WYSSOSZKI, Unternehmen Terminal: Zum 30. Jahrestag des Potsdamer Abkommens, Berlin (Ost) 1975.

379a. U. ZIEGLER, Abschied vom internationalen Klassenkampf? Wandel in der Haltung der DDR zur „Systemauseinandersetzung", Bonn 1989.

379b. Z. ZIMMERLING, Das Jahr 1. Einblick in das erste Jahr der DDR, Berlin (Ost) 1989.

380. H. ZOLLING, U. BAHNSEN, Kalter Winter im August. Die Berlin-Krise 1961/63. Ihre Hintergründe und Folgen, Oldenburg-Hamburg 1967.

381. Der 17. Juni 1953. Ursachen, Ablauf und Folgen des Aufstandes in Ost-Berlin und der DDR, hrsg. v. Regionalen Pädagogischen Zentrum des Landes Rheinland-Pfalz, Bad Kreuznach 1983.

382. 30 Jahre DDR, DA-Sonderheft, 12. Tagung zum Stand der DDR-Forschung in der Bundesrepublik, Köln 1979.

a) Vorgeschichte der DDR

383. R. BADSTÜBNER, Die Potsdamer (Berliner) Konferenz und Deutschland, in: ZfG 33 (1985), 5 ff.

384. R. BADSTÜBNER, E. PETERS, Wie unsere Republik entstand, Berlin (Ost) 1977.

385. R. BADSTÜBNER, H. HEITZER (Hrsg.), Die DDR in der Übergangsperiode. Studien zur Vorgeschichte und Geschichte der DDR. 1945-1961, Berlin (Ost) 1979.

385a. R. BADSTÜBNER u. a. (Autorenkollektiv), Deutsche Geschichte. Bd. 9. Die antifaschistisch-demokratische Umwälzung, der Kampf gegen die Spaltung Deutschlands und die Entstehung der DDR von 1945 bis 1949, Berlin (Ost) 1989.

385b. W. BENZ, Potsdam 1945. Besatzungsherrschaft und Neuaufbau im Vier-Zo-
       nen-Deutschland, 2. Auflage, München 1986.

386.   Bodenreform. Junkerland in Bauernhand, Berlin 1945.

387.   Die demokratische Bodenreform und der Beginn der sozialistischen Umge-
       staltung der Landwirtschaft auf dem Territorium des heutigen Bezirks Dres-
       den, hrsg. v. d. Bezirksleitung Dresden der SED, Dresen 1976.

388.   W. DIEPENTHAL, Drei Volksdemokratien. Ein Konzept kommunistischer
       Machtstabilisierung und seine Verwirklichung in Polen, der Tschechoslowa-
       kei und der sowjetischen Besatzungszone Deutschlands 1944-1948, Köln
       1974.

389.   S. DOERNBERG, Die Geburt des neuen Deutschland. Die antifaschistisch-de-
       mokratische Umwälzung und die Entstehung der DDR, 2. Aufl., Berlin
       (Ost) 1959.

390.   Einheit im Kampfe geboren. Beiträge zum 30. Jahrestag der Befreiung vom
       Faschismus, hrsg. v. E. KALBE, S. I. TJULPANOW, Leipzig 1975.

390a. H. U. FEIGE, Aspekte der Hochschulpolitik der Sowjetischen Militäradmini-
       stration in Deutschland (1945-1948), in: DA 25 (1992), 1169 ff.

390b. J. FOITZIK, Die Sowjetische Militäradministration in Deutschland. Organisa-
       tion und Wirkungsfelder in der SBZ 1945-1949, in: APuZG B 11 (1990),
       43 ff.

391.   W. GROSS, Die ersten Schritte. Der Kampf der Antifaschisten in Schwarzen-
       berg während der unbesetzten Zeit. Mai/Juni 1945, Berlin (Ost) 1961.

392.   H. HEITER, Vom friedlichen Weg zum Sozialismus zur Diktatur des Proleta-
       riats. Wandlungen der sowjetischen Konzeption der Volksdemokratie
       1945-49, Frankfurt/M. 1977.

393.   Die Hilfe der Sowjetunion bei der Errichtung und Festigung der antifaschi-
       stisch-demokratischen Ordnung in der sowjetischen Besatzungszone
       Deutschlands (1945-1949), hrsg v. d. Parteihochschule „Karl Marx" beim
       ZK der SED, Berlin (Ost) 1958.

394.   G. KARBE, Maßnahmen der SMAD bei der Entwicklung der antifaschi-
       stisch-demokratischen Verhältnisse in Sachsen-Anhalt 1945/46, in: ZfG 18
       (1970), 1489 ff.

394a. G. KEIDERLING (Hrsg.), „Gruppe Ulbricht" in Berlin April bis Juni 1945.
       Von den Vorbereitungen im Sommer 1944 bis zur Wiedergründung der
       KPD im Juni 1945. Eine Dokumentation. Mit einem Geleitwort v. W.
       LEONHARD, Berlin 1993.

395.   C. KLESSMANN, Die doppelte Staatsgründung. Deutsche Geschichte
       1945-1955, 3. Aufl., Bonn 1984.

396.   L. KÖLM, Die Befehle des Obersten Chefs der Sowjetischen Militäradmini-
       stration in Deutschland 1945-1949, Diss., Berlin (Ost) 1977.

397.   F. KOLENDE, Zur Entwicklung des antifaschistisch-demokratischen Volksver-
       tretungssystems als Bestandteil der politischen Organisation der Gesell-
       schaft antifaschistisch demokratischen Charakters 1945-1949 auf dem Bo-
       den der ehemaligen sowjetischen Besatzungszone, Diss., Potsdam 1979.

397a. E. Kraus, Ministerien für das ganze Deutschland? Der Alliierte Kontrollrat und die Frage gesamtdeutscher Zentralverwaltungen, München 1990.

398. H. Krisch, German politics under Soviet occupation, New York-London 1974.

398a. J. von Kruse (Hrsg.), Weißbuch über die „demokratische Bodenreform" in der Sowjetischen Besatzungszone Deutschlands. Dokumente u. Berichte, erw. Neuaufl. München/Stamsried 1988.

399. H. Laschitza, Kämpferische Demokratie gegen Faschismus. Die programmatische Vorbereitung auf die antifaschistisch-demokratische Umwälzung in Deutschland durch die Parteiführung der KPD, Berlin (Ost) 1969.

399a. J. Laufer, Das Ministerium für Staatssicherheit und die Wahlfälschungen bei den ersten Wahlen in der DDR, in: APuZG B 5 (1991), 17 ff.

400. H. Lipski, Deutschland und die deutsche Arbeiterbewegung 1945–1949, Berlin (Ost) 1963.

400a. K. H. Mai, F. R. Fries, Portrait einer Zeit. 1945–1950 in Leipzig, Halle-Leipzig o.J.

401. L. M. Malinowski, Aus den Erfahrungen eines Referenten der SMAD 1947, in: BzG 22 (1980), 394 ff.

401a. A. Mitter, Die Ereignisse im Juni und Juli 1953 in der DDR. Aus den Akten des Ministeriums für Staatssicherheit, in: APuZG B 5 (1991), 30 ff.

402. W. Meinicke, Zur Entnazifizierung in der Sowjetischen Besatzungszone unter Berücksichtigung von Aspekten politischer und sozialer Veränderungen 1945–1948, Diss., Berlin (Ost) 1983.

403. W. Müller, Ein „besonderer deutscher Weg" zur Volksdemokratie? Determinanten und Besonderheiten kommunistischer Machterringung in der SBZ/DDR 1945–1950, in: PVS 23 (1982), 278 ff.

404. H. Neef, Entscheidende Tage im Oktober 1949. Die Gründung der DDR, 2. Aufl., Berlin (Ost) 1984.

405. L. Niethammer, U. Borsdorf, P. Brandt, Arbeiterinitiative 1945. Antifaschistische Ausschüsse und Reorganisation der Arbeiterbewegung in Deutschland, Wuppertal 1976.

406. A. Norden, Ein freies Deutschland entsteht. Die ersten Schritte der neuen deutschen Demokratie, Berlin (Ost) 1963.

407. M. Overesch, Hermann Brill und die Neuanfänge deutscher Politik in Thüringen 1945, in: VfZ 27 (1979), 524 ff.

408. S. Pfeifer, Gewerkschaften und kalter Krieg 1945 bis 1949. Die Interzonenkonferenzen der deutschen Gewerkschaftsbünde, die Entwicklung des Weltgewerkschaftsbundes und der Ost-West-Konflikt, Köln 1980.

409. J. Piskol, C. Nehrig, P. Trixa, Antifaschistisch-demokratische Umwälzung auf dem Lande (1945–1949), Berlin (Ost) 1984.

410. A. v. Plato (Hrsg.), Auferstanden aus Ruinen. Von der SBZ zur DDR (1945–1949) – Ein Weg zu Einheit und Sozialismus? Köln 1979.

411.   G. SANDFORD, From Hitler to Ulbricht. The Communist Reconstruction of East Germany, 1945–1946, Princeton 1983.

412.   H. SCHEIBNER, Wir wollen die Zukunft uns geben! Der Kampf der Werktätigen unter Führung der Sozialistischen Einheitspartei Deutschlands um die Fortsetzung der antifaschistisch-demokratischen Umwälzung und gegen die imperialistische Spaltung (1946–1949), hrsg. v. d. Kreisleitung Stollberg der SED, 2 Bde., Stollberg 1979/1980.

413.   G. SCHMIDT, Der Kulturbund zu Frieden und Demokratie 1948/49, Berlin (Ost) 1984.

414.   K. H. SCHÖNEBURG, Von den Anfängen unseres Staates, Berlin (Ost) 1975.

415.   DERS., (Autorenkollektiv), Errichtung des Arbeiter- und Bauernstaates der DDR. 1945–1949, Berlin (Ost) 1983.

416.   O. SCHRÖDER, Der Kampf der SED in der Vorbereitung und Durchführung des Volksentscheides in Sachsen, Februar bis 30. Juni 1946, Berlin (Ost) 1961.

417.   H. SPEIER, From the Ashes of disgrace. A journal from Germany 1945–1955, Amherst 1981.

417a.   I. SPITTMANN, G. HELWIG (Hrsg.), DDR-Lesebuch. Von der SBZ zur DDR 1945–1949, Köln 1989.

418.   D. STARITZ, Die Gründung der DDR. Von der sowjetischen Besatzungsherrschaft zum sozialistischen Staat, München 1984, 2. Aufl. 1987.

419.   DERS., Sozialismus in einem halben Lande. Zur Programmatik und Politik der KPD/SED in der Phase der antifaschistisch-demokratischen Umwälzung in der DDR, Berlin (West) 1976.

419a.   D. STARITZ, H. WEBER unter Mitwirkung von M. Koch (Hrsg.), Einheitsfront – Einheitspartei. Kommunisten und Sozialdemokraten in Ost- und Westeuropa 1944–1948, Köln 1989.

420.   S. SUCKUT, Die Betriebsrätebewegung in der sowjetischen Besatzungszone Deutschlands (1945–1948). Zur Entwicklung und Bedeutung von Arbeiterinitiative, betrieblicher Mitbestimmung und Selbstbestimmung bis zur Revision des programmatischen Konzeptes der KPD/SED vom „besonderen deutschen Weg zum Sozialismus", Frankfurt/M. 1982.

420a.   DERS., Innenpolitische Aspekte der DDR-Gründung, in: DA 25 (1992), 370 ff.

421.   S. I. TJULPANOW, Die Rolle der SMAD bei der Demokratisierung Deutschlands, in: ZfG 15 (1973), 240 ff.

421a.   Der Weg nach Pankow. Zur Gründungsgeschichte der DDR, München 1980.

421b.   H. WELSH, Revolutionärer Wandel auf Befehl? Entnazifizierungs- und Personalpolitik in Thüringen und Sachsen (1945–1948), München 1989.

421c.   J. WEHNER, Kulturpolitik und Volksfront. Ein Beitrag zur Geschichte der Sowjetischen Besatzungszone Deutschlands 1945 – 1949, Frankfurt/M. 1992.

422.   M. WILLE, Die Zusammenarbeit der deutschen Staatsorgane mit der SMAD bei der Sicherung der Ernährung der Bevölkerung und der Bergung der ersten Friedensernte in der Provinz Sachsen, in: Jahrbuch für Regionalgeschichte, 7. Band, Weimar 1979, 186 ff.

422a.   H. WROBEL, Verurteilt zur Demokratie. Justiz und Justizpolitik in Deutschland 1945 – 1949, Heidelberg 1989.

423.   R. WILHELM, Die Rolle von Partei und Staat bei der Durchführung der Enteignung der Nazi- und Kriegsverbrecher, Potsdam-Babelsberg 1980.

7. HISTORISCHE DARSTELLUNGEN DER DEUTSCHEN GESCHICHTE NACH 1945 UND
    DER SPALTUNG DEUTSCHLANDS IM KALTEN KRIEG

424.   J. H. BACKER, Die Entscheidung zur Teilung Deutschlands. Amerikas Deutschlandpolitik 1943-1948, München 1981.

425.   R. BADSTÜBNER, S. THOMAS, Die Spaltung Deutschlands 1945-1949, Berlin (Ost) 1966.

425a.   R. BADSTÜBNER, Friedenssicherung und Deutsche Frage. Vom Untergang des „Reiches" bis zur deutschen Zweistaatlichkeit (1943 bis 1949), Berlin 1990.

425b.   K. BENDER, Deutschland einig Vaterland? Die Volkskongreßbewegung für deutsche Einheit und einen gerechten Frieden in der Deutschlandpolitik der Sozialistischen Einheitspartei Deutschlands, Frankfurt/M. 1992.

425c.   G. BENSER, Das Jahr 1945 und das Heute. Brüche – Rückgriffe – Übergänge, in: BzG 32 (1990), 472 ff.

426.   W. BERGSDORF, Von Jalta bis zur Spaltung. Besatzung und politischer Wiederaufbau Deutschlands 1945-1949, Melle 1979.

427.   P. BOROWSKY, Deutschland 1970-1976, Hannover 1980.

428.   E. DEUERLEIN, Die Einheit Deutschlands. Ihre Erörterung und Behandlung auf den Kriegs- und Nachkriegskonferenzen 1941-1949. Darstellung und Dokumentation, Frankfurt/M. 1957.

429.   DERS., Deutschland 1963-1970, Hannover 1972, 7. Aufl. 1979.

430.   I. DEUTSCHER, Reportagen aus Nachkriegsdeutschland, Hamburg 1980.

430a.   Deutschland – Deutschland. 40 Jahre. Eine Geschichte der Bundesrepublik Deutschland und der DDR in Bild und Text, Gütersloh 1988.

431.   Die Deutschlandfrage und die Anfänge des Ost-West-Konflikts 1945-1949, Beiträge v. A. FISCHER, J. FOSCHEPOTH, R. FRITSCH-BOURNAZEL, D. JUNKER, W. LINK, M. OVERESCH, Berlin (West) 1984.

432.   K. D. ERDMANN, Das Ende des Reiches und die Neubildung zweier deutscher Staaten (Gebhardt Handbuch der deutschen Geschichte, Bd. 22), München 1980.

433.   J. FOSCHEPOTH (Hrsg.), Kalter Krieg und Deutsche Frage. Deutschland im Widerstreit der Mächte 1945-1952, Göttingen 1985.

434.   H. GRAML, Die Alliierten und die Teilung Deutschlands. Konflikte und Entscheidungen 1941-1948, Frankfurt/M. 1985.

435.   A. Grosser, Deutschlandbilanz. Geschichte Deutschlands seit 1945, München 1970, 4. Aufl. 1972.

436.   W. Grünwald, Die Münchner Ministerpräsidentenkonferenz 1947: Anlaß und Scheitern eines gesamtdeutschen Unternehmens, Meisenheim a. Glan 1971.

436a.   U. Harbecke, Abenteuer Deutschland. Von der Teilung zur Einheit, 1990.

437.   A. Hillgruber, Deutsche Geschichte 1945-1972. Die „deutsche Frage" in der Weltpolitik, Frankfurt/M.-Berlin (West)-Wien 1974.

438.   Ders., Europa in der Weltpolitik der Nachkriegszeit 1945 bis 1963, 2. erg. Aufl., München-Wien 1981.

439.   H. Jaenecke, Die deutsche Teilung. Von der Potsdamer Konferenz bis zum Grundvertrag, Frankfurt-Berlin-Wien 1979.

440.   H. W. Kahn, Der Kalte Krieg. Bd. 1: Spaltung und Wahn der Stärke 1945-1955, Köln 1986.

441.   B. Kuklick, American Policy and the division of Germany, Ithaca-London 1972.

442.   H. Lilge (Hrsg.), Deutschland 1945-1963, Hannover 1967, 11. Aufl. 1979.

443.   W. Link, Das Konzept der friedlichen Kooperation und der Beginn des Kalten Krieges, Düsseldorf 1971.

444.   Ders., Der Ost-West-Konflikt, Stuttgart 1980.

445.   W. Loth, Die Teilung der Welt. Geschichte des Kalten Krieges 1941-1955, 2. Aufl., München 1982.

446.   E. Nolte, Deutschland und der Kalte Krieg, 2. Aufl., Stuttgart 1985.

447.   M. Overesch, Deutschland 1945-1949. Vorgeschichte und Gründung der Bundesrepublik, Königstein/Ts.-Düsseldorf 1979.

448.   H. P. Schwarz, Vom Reich zur Bundesrepublik. Deutschland im Widerstreit der außenpolitischen Konzeptionen in den Jahren der Besatzungsherrschaft 1945-1949, Neuwied-Berlin (West) 1966.

449.   R. Steininger, Deutsche Geschichte 1945-1961. Darstellung und Dokumente in zwei Bänden, Frankfurt/M. 1983.

450.   Ders., Eine Chance zur Wiedervereinigung? Die Stalin-Note vom 10. März 1952. Darstellung und Dokumentation auf der Grundlage unveröffentlichter britischer und amerikanischer Akten, Bonn 1985.

451.   R. Thilenius, Die Teilung Deutschlands. Eine zeitgeschichtliche Analyse, Hamburg 1957, 6. Aufl. 1964.

451a.   H. A. Turner, Geschichte der beiden deutschen Staaten seit 1945, aus dem Amerikanischen von I. Leipold, München 1989.

452.   T. Vogelsang, Das geteilte Deutschland, München 1966, 10. Aufl. 1980.

452a.   D. Vorsteher (Hrsg.), Deutschland im Kalten Krieg 1945 - 1963. Eine Ausstellung des Deutschen Historischen Museums. 28. August bis 24. November 1992 im Zeughaus Berlin, Berlin 1992.

453.   A. u. G. Weiss, Geschichte der deutschen Spaltung. 1945-1955, Köln 1975.

454. G. Wettig, Entmilitarisierung und Wiederbewaffung in Deutschland 1943-1955. Internationale Auseinandersetzungen um die Rolle der Deutschen in Europa, München 1967.

455. H. A. Winkler (Hrsg.), Politische Weichenstellungen im Nachkriegsdeutschland 1945-1953, Göttingen 1979.

456. H. L. Wuermeling, Die Stunde Adenauers und Ulbrichts. Tagebuch der Teilung Deutschlands, Bergisch-Gladbach 1983.

457. D. Yergin, Der zerbrochene Frieden. Der Ursprung des Kalten Krieges und die Teilung Europas, Frankfurt/M. 1979.

8. Gesamtdarstellungen des DDR-Systems mit historischen Hinweisen

458. G. Binder, Der zweite deutsche Staat. Die Deutsche Demokratische Republik, Paderborn 1977.

459. W. Bröll, W. Heisenberg, W. Sühlo, Der andere Teil Deutschlands, 3. Aufl., München-Wien 1971.

460. D. Childs, The GDR: Moscow's German Ally, London 1983.

461. Ders. (Hrsg.), Honecker's Germany, London 1985.

462. H. Dähn, Das politische System der DDR, Berlin (West) 1985.

463. G. Erbe u. a., Politik, Wirtschaft und Gesellschaft in der DDR, Opladen 1979, 2. Aufl. 1980.

463a. G.-J. Glaessner (Hrsg.), Die andere deutsche Republik. Gesellschaft und Politik in der DDR, Opladen 1989.

463b. H. H. Götz, Honecker – und was dann. 40 Jahre DDR, Herford 1989.

463c. P. Haungs (Hrsg.), Bundesrepublik Deutschland – Deutsche Demokratische Republik. Die politischen Systeme im Vergleich, Stuttgart 1989.

463d. A. Malycha, H. Nicolaus u. a., DDR-Geschichte. Zwischen Hoffnung und Untergang, hrsg. von der Kommission Politische Bildung des Parteivorstandes der PDS, Berlin 1991.

464. G. Minnerup, DDR – Vor und hinter der Mauer, Frankfurt/M. 1982.

465. H. Rausch, T. Stammen (Hrsg.), DDR – Das politische wirtschaftliche und soziale System, München 1978, 5. Aufl. 1981.

466. E. Schneider, Die DDR. Geschichte. Politik. Wirtschaft. Gesellschaft, Stuttgart 1975, 5. Aufl. 1980.

467. K. Sontheimer, W. Bleek, Die DDR. Politik. Gesellschaft. Wirtschaft, Hamburg 1972, 5., erw. Aufl. 1979.

468. R. Thomas, Modell DDR. Die kalkulierte Emanzipation, München 1972, 8. Aufl. 1982.

468a. M. Thürmer, Deutsche Demokratische Republik, Wien 1989.

469. H. G. Wehling (Hrsg.), DDR, Stuttgart 1984.

9. Geschichte des Regierungs- und Verfassungssystems

470.   R. Arlt, G. Stiller, Entwicklung der sozialistischen Rechtsordnung in der DDR, Berlin (Ost) 1973.

471.   W. Assmann, G. Liebe, Kaderarbeit als Voraussetzung qualifizierter staatlicher Leitung, Berlin (Ost) 1972.

472.   H. Benjamin (Autorenkollektiv), Zur Geschichte der Rechtspflege der DDR. Bd. 1: 1945–1949, Bd. 2: 1949–1961, Berlin (Ost) 1976, 1980.

473.   M. Benjamin, H. Möblis, L. Penig, Funktion, Aufgaben und Arbeitsweise der Ministerien, Berlin (Ost) 1973.

474.   G. Braas, Die Entstehung der Länderverfassungen in der sowjetischen Besatzungszone Deutschlands 1946/47, Köln 1987.

475.   G. Braun, Determinanten der Wahlentscheidungen in der Sowjetischen Besatzunszone 1946, in: Deutsche Studien 24 (1986), 341 ff.

476.   G. Brunner, Kontrolle in Deutschland. Eine Untersuchung zur Verfassungsordnung in beiden Teilen Deutschlands, Köln 1972.

477.   Ders., Einführung in das Recht der DDR, 2. Aufl., München 1979.

477a. C. Dowidat, Zur Entwicklung der politischen und sozialen Strukturen der Mitglieder von Landtagen, Volksrat und Volkskammern in der SBZ/DDR zwischen 1946 und 1950/54, Diss., Mannheim 1986

478.   M. Draht, Verfassungsrecht und Verfassungswirklichkeit in der sowjetischen Besatzungszone, 4. Aufl., Bonn 1956.

478a. M. Fulbrook, The Divided Nation. A History of Germany 1918–1990, Oxford 1992.

479.   R. Furtak, Die politischen Systeme der sozialistischen Staaten, München 1979.

480.   G.-J. Glaessner, Herrschaft durch Kader. Leitung der Gesellschaft und Kaderpolitik in der DDR am Beispiel des Staatsapparates, Opladen 1977.

480a. D. Gräf, Im Namen der SED. Rückblick auf Rechtssystem und Rechtsalltag in der DDR, Melle 1990.

481.   O. Grotewohl, Deutsche Verfassungspläne, Berlin 1947.

482.   J. Hacker, Der Rechtsstatus Deutschlands aus der Sicht der DDR, Köln 1974.

483.   R. Herber, H. Jung, Kaderarbeit im System sozialistischer Führungstätigkeit, Berlin (Ost) 1968.

484.   U. Hoffmann, Die Veränderungen in der Sozialstruktur des Ministerrates der DDR 1949–1969, Düsseldorf 1971.

484a. G. Holzweissig, Das Presseamt des DDR-Ministerrats. Agitationsinstrument der SED, in: DA 25 (1992), 503 ff.

485.   E. Jesse (Hrsg.), Bundesrepublik Deutschland und Deutsche Demokratische Republik. Die beiden deutschen Staaten im Vergleich, Berlin (West) 1980, 4. erw. Aufl. 1985.

486. H. KASCHKAT, Die sozialistischen Grundrechte in der DDR. Ihre Funktion und Entwicklung, Diss., Würzburg 1976.

486a. V. KLEMM, Korruption und Amtsmißbrauch in der DDR, Stuttgart 1991.

486b. K. KÖNIG (Hrsg.), Verwaltungsstrukturen der DDR, Baden-Baden 1991.

487. J. KUPPE (Bearb.), Die Statuten von 29 Ministerien des DDR-Ministerrats, Bonn 1981 (nicht im Buchhandel).

488. S. LAMMICH, Grundzüge des sozialistischen Parlamentarismus, Baden-Baden 1977.

489. R. LANGE, B. MEISSNER, K. PLEYER (Hrsg.), Probleme des DDR-Rechts, Köln 1973.

490. P. J. LAPP, Der Ministerrat der DDR, Opladen 1982.

491. DERS., Der Staatsrat im politischen System der DDR (1960–1971), Hamburg 1971.

492. DERS., Die Volkskammer der DDR, Opladen 1975.

493. R. R. LEINWEBER, Das Recht auf Arbeit im Sozialismus. Die Herausbildung einer Politik des Rechts auf Arbeit in der SBZ/DDR 1945 bis 1961, Marburg 1983.

494. G. LEISSNER, Verwaltung und öffentlicher Dienst in der sowjetischen Besatzungszone Deutschlands, Stuttgart 1961.

495. G. LIEBE, Entwicklung von Nachwuchskadern für die örtlichen Staatsorgane, Berlin (Ost) 1973.

496. S. MAMPEL, Arbeitsverfassung und Arbeitsrecht in Mitteldeutschland, Köln 1966.

497. DERS., Die volksdemokratische Ordnung in Mitteldeutschland, 2. neubearb. Aufl., Frankfurt/M. 1966.

498. DERS., Herrschaftssystem und Verfassungsstruktur in Mitteldeutschland. Die formale und materielle Rechtsverfassung der „DDR", Köln 1968.

499. DERS., Die Entwicklung der Verfassungsordnung in der sowjetisch besetzten Zone Deutschlands 1945–1963, Tübingen 1964.

500. DERS., Die sozialistische Verfassung der Deutschen Demokratischen Republik. Text und Kommentar, 2. Aufl., Berlin (West) 1982.

500a. B. MEISSNER, Das Verhältnis von Staat und Partei in der UdSSR und DDR, Köln 1991.

501. D. MÜLLER-RÖMER, Die neue Verfassung der DDR, Köln 1974.

502. DERS., Die Grundrechte in Mitteldeutschland, Köln 1966.

503. DERS., (Hrsg.), Ulbrichts Grundgesetz. Die sozialistische Verfassung der DDR, 4. Aufl., Köln 1968.

504. G. NEUGEBAUER, Partei und Staatsapparat in der DDR. Aspekte der Instrumentalisierung des Staatsapparates durch die SED, Opladen 1978.

505. Recht im Dienst des Volkes, hrsg. v. d. Vereinigung der Juristen der DDR, Berlin (Ost) 1979.

506. E. Richert, Macht ohne Mandat. Der Staatsapparat in der Sowjetischen Besatzungszone Deutschlands, 2. erw. u. überarb. Aufl., Köln-Opladen 1963.

507. H. Roggemann, Die DDR-Verfassungen. Einführung in das Verfassungsrecht der DDR. Grundlagen und neuere Entwicklung, 4. neubearb. und erw. Auflage, Berlin 1989.

508. Ders. (Hrsg.), Die Staatsordnung der DDR, Berlin (West) 1973.

509. Ders., Die Verfassung der DDR. Entstehung, Analyse, Vergleich, Text, Opladen 1970.

510. W. Rosenthal u. a., Die Justiz in der Sowjetzone. Aufgaben, Methoden und Aufbau, Bonn-Berlin (West) 1962.

511. Ders., Das neue politische Strafrecht der „DDR", Frankfurt/M. 1968.

512. R. Rost, Der demokratische Zentralismus unseres Staates, Berlin (Ost) 1959.

513. H. Schmitz, Notstandsverfassung und Notstandsrecht in der DDR, Köln 1971.

514. K. H. Schöneburg, Staat und Recht in der Geschichte der DDR, Berlin (Ost) 1973.

515. F. C. Schroeder, Das Strafrecht des realen Sozialismus. Eine Einführung am Beispiel der DDR, Opladen 1983.

516. G. Schüssler (Autorenkollektiv), Staat, Recht und Politik im Sozialismus, Berlin (Ost) 1984.

517. Ders., Marxistisch-leninistische Partei und sozialistischer Staat, Berlin (Ost) 1978.

518. Ders., Der demokratische Zentralismus. Theorie und Praxis, Berlin (Ost) 1981.

519. W. Schuller, Geschichte und Struktur des politischen Strafrechts der DDR bis 1968, Ebelsbach 1980.

520. K. Schultes, Der Aufbau der Länderverfassungen in der sowjetischen Besatzungszone, Berlin 1948.

521. R. Schwindt, Demokratie und Zentralismus bei der Mitwirkung der DDR-Bevölkerung in der Strafjustiz, Meisenheim am Glan 1979.

522. W. Seiffert, Das Rechtssystem des RGW. Eine Einführung in das Integrationsrecht des COMECON, Baden-Baden 1982.

523. K. Sieveking, Die Entwicklung des sozialistischen Rechtsbegriffs in der DDR: Eine Studie zur Auseinandersetzung mit dem Rechtsstaat in der SBZ/DDR zwischen 1945 und 1968, Baden-Baden 1975.

524. K. Sorgenicht u. a., Verfassung der Deutschen Demokratischen Republik. Dokumente – Kommentar, 2 Bde., Berlin (Ost) 1969.

525. Ders., Unser Staat in den achtziger Jahren, Berlin (Ost) 1982.

526. R. F. Staar, Die kommunistischen Regierungssysteme in Osteuropa, Stuttgart 1977.

527. Staats- und Rechtsgeschichte der DDR. Grundriß, hrsg. v. d. Humboldt-Universität zu Berlin, verantwortl. I. Melzer, Berlin (Ost) 1983.

528. J. TÜRKE, Demokratischer Zentralismus und kommunale Selbstverwaltung in der sowjetischen Besatzungszone Deutschlands, Göttingen 1960.

529. W. ULBRICHT, Lehrbuch für den demokratischen Staats- und Wirtschaftsaufbau, Berlin (Ost) 1949.

530. Verfassungen und Verfassungswirklichkeit in der deutschen Geschichte, hrsg. v. Institut f. Geschichte, Leiter W. RUGE, Berlin (Ost) 1968.

531. D. VOIGT, Kaderarbeit in der DDR, in: DA 5 (1972), 174 ff.

532. J. WECK, Wehrverfassung und Wehrrecht in der DDR, Köln 1970.

533. W. WEICHELT, Der sozialistische Staat – Hauptinstrument der Arbeiterklasse zur Gestaltung der sozialistischen Gesellschaft, Berlin (Ost) 1972.

534. 30 Jahre DDR. Aktuelle Fragen der Entwicklung von Staat, Recht und Demokratie, 2 Bde., Red. Bd. 1: W. KRÜGER, G. SCHULZE; Bd. 2: W. KRÜGER, H. FRITZSCHE, Potsdam-Babelsberg 1979.

10. GESCHICHTE DES PARTEIENSYSTEMS

535. Bündnispolitik im Sozialismus, hrsg. v. d. Akademie für Gesellschaftswissenschaften beim ZK der SED, Red. H. HÜMMLER, Berlin (Ost) 1981.

536. Im Bündnis fest vereint. Die schöpferische marxistisch-leninistische Bündnispolitik der SED 1945–1965, Berlin (Ost) 1966.

537. Gemeinsam zum Sozialismus. Zur Geschichte der Bündnispolitik der SED, hrsg. v. Institut für Gesellschaftswissenschaften beim ZK der SED, Berlin (Ost) 1969.

538. H. J. GRASEMANN, Das Blocksystem und die Nationale Front im Verfassungsrecht der DDR, Diss., Göttingen 1973.

539. H. HOFMANN, Mehrparteiensystem ohne Opposition. Die nichtkommunistischen Parteien in der DDR, Polen, der Tschechoslowakei und Bulgarien, Bern-Frankfurt/M. 1976.

540. M. KAISER, C. KLOSE, U. HÜNCH, Zur Blockpolitik der SED von 1955 bis 1961, in: ZfG 30 (1982), 1059 ff.

541. M. KOCH, Blockpolitik und Parteisystem in der SBZ/DDR 1945–1950, in: APuZG B 37 (1984).

542. M. KOCH, W. MÜLLER, Transformationsprozeß des Parteiensystems der SBZ/DDR zum „sozialistischen Mehrparteiensystem" 1945–1950, in: 30 Jahre DDR, DA-Sonderheft, 12. Tagung zum Stand der DDR-Forschung in der Bundesrepublik Köln 1979, 27 ff.

543. M. KOCH, W. MÜLLER, D. STARITZ, S. SUCKUT, Versuch und Scheitern gesamtdeutscher Parteibildungen 1945–1948, in: Die beiden deutschen Staaten im Ost-West-Verhältnis. 15. Tagung zum Stand der DDR-Forschung in der Bundesrepublik, Köln 1982, 90 ff.

544. M. KRAUSE, Zur Geschichte der Blockpolitik der Sozialistischen Einheitspartei Deutschlands in den Jahren 1945 bis 1955, Diss., Berlin (Ost) 1978.

545. Marxistisch-leninistische Partei und sozialistischer Staat, K. Dyzkonski (Autorenkollektiv), Berlin (Ost) 1978.

546. N. Mattedi, Gründung und Entwicklung der Parteien in der Sowjetischen Besatzungszone Deutschland, Bonn-Berlin (West) 1966.

547. Die Nationale Front der DDR. Geschichtlicher Überblick, hrsg. v. d. Parteihochschule „Karl Marx" beim ZK der SED, H. Neef (Autorenkollektiv), Berlin (Ost) 1984.

548. E. Richert (in Zusammenarbeit mit C. Stern u. P. Dietrich), Agitation und Propaganda. Das System der publizistischen Massenführung in der Sowjetzone, Berlin (West) 1958.

549. D. Staritz, Zur Entwicklung des Parteiensystems in der SBZ/DDR 1945-1949, in: Ders. (Hrsg.), Das Parteiensystem der Bundesrepublik, Opladen 1976, 90 ff.

550. Ders., Parteien für ganz Deutschland? Zu den Kontroversen über ein Parteiengesetz im Alliierten Kontrollrat 1946/47, in: VfZ (1982), 240 ff.

550a. C. Tessmer, Innerdeutsche Parteienbeziehungen vor und nach dem Umbruch in der DDR, Erlangen 1991.

551. I. van Thiel, Entstehung und Entwicklung des Parteiensystem der DDR 1945-1949 im Spiegel der „Pravda". (Mit einem Vergleich zu „Bol'sevik"), Frankfurt/M. 1981.

552. U. Wagner, Vom Kollektiv zur Konkurrenz. Partei und Massenbewegung in der DDR, Berlin (West) 1974.

553. K. Westen, Die führende Rolle der Kommunistischen Partei im sozialistischen Staat, Köln 1970.

a) SED

554. H. Alt, Die Stellung des Zentralkomitees der SED im politischen System der DDR, Köln 1987.

555. H. Anger, H. Rieger, Hell aus dem dunklen Vergangenen. Beiträge zur Vereinigung der Arbeiterparteien des Kreises Pirna, Pirna 1961.

556. U. Arens, Die andere Freiheit. Die Freiheit in Theorie und Praxis der Sozialistischen Einheitspartei Deutschlands, 2. Aufl., München 1982.

557. Aus der Geschichte der Bezirksorganisation der SED Schwerin. Berichte, Fakten und Erinnerungen, hrsg. v. d. Kommission zur Erforschung der Geschichte der örtlichen Arbeiterbewegung der Bezirksleitung Schwerin der SED, 2 Bde., Schwerin 1980/1981.

557a. 1945-1946 KPD und SPD in Ostberlin. Marginalien zur politischen Geschichte Berlin - Brandenburgs, hrsg. v. Luisenstädtischen Bildungsverein, Berlin 1992.

558. H. Bednareck, Die KPdSU und die Gründung der SED, in: ZfG 29 (1981), 304 ff.

559. Beiträge zur Geschichte der Sozialistischen Einheitspartei Deutschlands,

hrsg. v. Institut für Gesellschaftswissenschaft beim ZK der SED, Berlin (Ost) 1961.

560. G. Benser, Vereint sind wir unbesiegbar. Wie die Sozialistische Einheitspartei Deutschlands entstand, Berlin (Ost) 1961.

561. Ders., Aufruf der KPD vom 11. Juni 1945, Berlin (Ost) 1980.

562. Ders., Die KPD im Jahre der Befreiung. Vorbereitung und Aufbau der legalen kommunistischen Massenpartei (Jahreswende 1944/45 bis Herbst 1945), Berlin (Ost) 1985.

563. M. Bensing, Führende Kraft des demokratischen Neuaufbaus. Über die Formierung und beschleunigte Entwicklung der SED als marxistisch-leninistische Partei im Ringen um die antifaschistisch-demokratische Umwälzung und die Macht der Arbeiterklasse im Bezirk Leipzig 1946–1949, Leipzig 1985.

564. E. Beyer, H. Klemczak, Geschichte der Kreisparteiorganisation Zeitz der SED, Zeitz 1982.

565. E. A. Bischof, Für eine bessere Zukunft. Beiträge zur Geschichte der örtlichen Arbeiterbewegung in Neuenhagen aus der Zeit der antifaschistisch-demokratischen Umwälzung (1945–1949), O. O. u. J. (1984).

566. W. Bleek, Einheitspartei und nationale Frage 1945–1955, in: Der X. Parteitag der SED. 35 Jahre SED-Politik – Versuch einer Bilanz. 14. Tagung zum Stand der DDR-Forschung in der Bundesrepublik Deutschland Köln 1981, 87 ff.

567. B. Bouvier, Antifaschistische Zusammenarbeit. Selbständigkeitsanspruch und Vereinigungstendenz. Die Rolle der Sozialdemokratie beim administrativen und parteipolitischen Aufbau in der sowjetischen Besatzungszone 1945 auf regionaler und lokaler Ebene, in: AfS, XVI. Band 1976, S. 417 ff.

568. A. Bräuer, Kaderpolitik der SED – fester Bestandteil der Leitungstätigkeit, 2. Aufl., Berlin (Ost) 1981.

569. L. Caracciolo, Der Untergang der Sozialdemokratie in der Sowjetischen Besatzungszone. Otto Grotewohl und die „Einheit der Arbeiterklasse" 1945/46, in: VfZ 36 (1988), 281 ff.

570. W. Dissmann, Parteiarmee der SED. Die Kampfgruppen der Arbeiterklasse, Erftstadt 1978.

571. S. Doernberg (Autorenkollektiv), Beiträge zur Geschichte der Sozialistischen Einheitspartei Deutschlands, hrsg. v. Institut für Gesellschaftswissenschaften beim ZK der SED, Berlin (Ost) 1961.

572. H. Dohlus, Der demokratische Zentralismus – Grundprinzip der Führungstätigkeit der SED bei der Verwirklichung der Beschlüsse des Zentralkomitees, Berlin (Ost) 1965.

573. Einheit oder Freiheit. Zum 40. Jahrestag der Gründung der SED, hrsg. v. d. Friedrich-Ebert-Stiftung, Bonn o. J. (1986).

574. Einheit war das Gebot der Stunde. Beiträge zur Geschichte der Berliner Arbeiterbewegung, Berlin (Ost) 1986.

574a. Entstehung und Entwicklung der DDR unter Führung der SED. Studien und Seminarhinweise, Parteilehrjahr der SED 1989/90, Berlin (Ost) 1989.

575. Erfolgreiche Jahre. Der Beitrag der SED zu Theorie und Politik der entwickelten sozialistischen Gesellschaft, Berlin (Ost) 1982.

576. H. FIEDLER, SED und Staatsmacht. Zur staatspolitischen Konzeption und Tätigkeit der SED 1946–1948, Berlin (Ost) 1974.

577. E. FÖRTSCH (in Zusammenarbeit mit R. MANN), Die SED, Stuttgart 1969.

578. J. FOITZIK, Kadertransfer. Der organisierte Einsatz sudetendeutscher Kommunisten in der SBZ 1945/46, in: VfZ 31 (1983), 308 ff.

579. K. W. FRICKE, Opposition in der SED-Führung. Ein Rückblick, in: DA 4 (1971), 598 ff.

579a. T. FRIEDRICH, „Welch eine Kraft es gab, als Stalin sprach". Personenkult und SED, Mainz 1992.

580. Die führende Rolle der Bezirksparteienorganisation der SED bei der sozialistischen Umgestaltung der Landwirtschaft im Bezirk Potsdam 1952 bis 1961/62, M. UHLEMANN (Autorenkollektiv), Potsdam 1977.

581. Geschichte der Sozialistischen Einheitspartei Deutschlands. Abriß, Berlin (Ost) 1978.,

581a. Geschichte der Landesparteiorganisation der SED Mecklenburg, S. UNVERRICHT (Ltg. des Redaktionskollektivs), Rostock 1986.

582. Geschichte der Kreisparteiorganisation Wismar. Chronik, hrsg. v. d. Kreisleitung Wismar der SED – Kommission zur Erforschung der Geschichte der örtlichen Arbeiterbewegung, Wismar 1978.

583. W. GLEDITZSCH, M. UHLEMANN, Die SED-Bezirksorganisation als Organisator des Aufbaus der Grundlagen des Sozialismus im Havelbezirk (1952–1955), Potsdam 1985.

584. B. GYSI, Die Politik der SED zur Aneignung des kulturellen Erbes am Beginn der Gestaltung der entwickelten sozialistischen Gesellschaft (1960–1964), Diss., Berlin (Ost) 1981.

585. G. GRAEHN, Zur Geschichte der Berliner Parteiorganisation der SED 1946–1949. Grundlinien ihres Kampfes und ihrer Entwicklung. Diss., Berlin (Ost) 1982.

586. U. HAUTH, Die Politik von KPD und SED gegenüber der westdeutschen Sozialdemokratie (1945–1948), Frankfurt 1978.

587. H. HEITZER, Probleme der Bündnispolitik der SED von 1949–1955, in: BzG 6 (1964), 39 ff.

588. DERS., Die Strategie und Taktik der SED 1949–1955, in: ZfG 14 (1966), 1472 ff.

589. Die Herstellung der Aktionseinheit der Arbeiterklasse und die Gründung der SED am heutigen Kreis Straßfurt; Straßfurt o. J. (1976).

590. E. HONECKER, Reden und Aufsätze, 10 Bde., Berlin (Ost) 1975–1986.

591. W. HORN (Autorenkollektiv), 20 Jahre Sozialistische Einheitspartei Deutschlands, Beiträge, Berlin (Ost) 1966.

592. Ders., Der Kampf der SED um die Festigung der DDR und den Übergang zur zweiten Etappe der Revolution (1949-1952), Berlin (Ost) 1960.

593. Ders., Der Kampf der SED um den Aufbau der Grundlagen des Sozialismus in der DDR und um die Herstellung der Einheit Deutschlands als friedliebender, demokratischer Staat (1952-1955), Berlin (Ost) 1960.

594. H. Hümmler, Die Partei, 2. Aufl., Berlin (Ost) 1967.

595. A. Kaden, Einheit oder Freiheit. Die Wiedergründung der SPD 1945/46, Hannover 1964, 2. Aufl., Bonn 1980.

596. Kampfgemeinschaft SED-KPdSU. Grundlagen, Traditionen, Wirkungen. (Referate und Diskussionsbeiträge, 24. u. 25. Tagung der Kommission der Historiker der DDR und der UdSSR), Berlin (Ost) 1978.

597. E. Könnemann (Autorenkollektiv), Vereint auf dem Weg zum Sozialismus. Geschichte der Landesparteiorganisation Sachsen-Anhalt der SED 1945 bis 1952, Halle-Magdeburg 1986.

598. L. Krügel (Autorenkollektiv), Zur Geschichte der SED-Kreisparteiorganisation Rochlitz 1945-1949, Rochlitz 1984.

599. H. J. Krusch, Für eine neue Offensive. Zur Septemberberatung 1945 der KPD, in: BzG 22 (1980, 349 ff.

600. Ders., Zur Gründung der SED im April 1946. Die Vereinigung von KPD und SPD in den Bezirken, in: ZfG 34 (1986), 195 ff.

601. B. Küster, R. Zilkenat, Hitlerfaschismus geschlagen – Die KPD lebt und kämpft! Aus dem Kampf der Berliner Kommunisten 1945, Berlin (West) 1985.

602. W. Leonhard, Die Parteischulung der SED (1945-1956), in: APuZG B 44 (1956), 689 ff.

603. P. C. Ludz, Parteielite im Wandel. Funktionsaufbau, Sozialstruktur und Ideologie der SED-Führung, 3. Aufl., Köln-Opladen 1970.

604. Ders., Funktionsaufbau und Wandel der SED-Führung, in: PVS 7 (1966), 498 ff.

605. Ders., Politische Ziele der SED und gesellschaftlicher Wandel in der DDR. Ein Rückblick, in: DA 7 (1974), 1262 ff.

605a. A. Malycha, W. Hedeler, Die Stalinisierung der SED, Mainz 1991.

606. H. Matthias, Untersuchungen zur Geschichte der Stadtparteiorganisation Magdeburg der SED von der Befreiung des deutschen Volkes bis zur Konstituierung eines antifaschistisch-demokratischen Stadtparlaments (April 1945 bis Dezember 1946), Diss. B., Magdeburg 1985.

607. M. McCauley, Marxism-Leninism in the German Democratic Republic. The Socialist Unity Party (SED), London 1979.

608. Materialien W. Piecks zum Entwurf der „Grundsätze und Ziele" der SED, in: BzG 23 (1981), 240 ff.

609. G. Meyer, "Parteielite im Wandel?" Tendenzen der Kooptationspolitik im politischen Führungskern der DDR, in: Lebensbedingungen in der DDR.

17. Tagung zum Stand der DDR-Forschung in der Bundesrepublik, Köln 1984, 13 ff.

610.   F. Moraw, Die Parole der „Einheit" und die Sozialdemokratie. Zur parteiorganisatorischen und gesellschaftspolitischen Orientierung der SPD in der Periode der Illegalität und in der 1. Phase der Nachkriegszeit 1933–1948, Bonn 1973.

611.   H. Müller, Die Entwicklung der SED und ihr Kampf für ein neues Deutschland (1945–1949), Berlin (Ost) 1961.

612.   W. Müller, Die Gründung der SED. Das unfreiwillige Ende der SPD in der SBZ 1946, hrsg. v. Vorstand der SPD, Bonn o. J. (1986).

613.   Ders., Die Gründung der SED 1945–46 – Zum gegenwärtigen Forschungsstand, in: Einheit oder Freiheit. Zum 40. Jahrestag der Gründung der SED. Bonn o. J. (1986), S. 91 ff.

613a.   Ders., SED-Gründung unter Zwang – Ein Streit ohne Ende? Plädoyer für den Begriff „Zwangsvereinigung", in: DA 24 (1991), 52 ff.

614.   G. Neugebauer, Veränderungen in der Organisationspolitik der SED, in: Der X. Parteitag der SED. 35 Jahre SED-Politik – Versuch einer Bilanz. 14. Tagung zum Stand der DDR-Forschung in der Bundesrepublik, Köln 1981, 112. ff.

615.   U. Neuhäusser-Wespy, "Geschichte der SED". Anmerkungen zur Parteigeschichtsschreibung in der DDR, Erlangen 1978.

615a.   T. Neumann, Die Maßnahme. Eine Herrschaftsgeschichte der SED, Reinbek bei Hamburg 1991.

616.   N. N., Der 17. Juni im Zentralkomitee der SED. Vorgeschichte, Ablauf, Folgen, in: APuZG B 24 (1956), 369 ff.

617.   F. Oldenburg, Konflikt und Konfliktregelung in der Parteiführung der SED 1945/46–1972, Köln 1972.

618.   Ders., Die SED. Geschichte, Selbstverständnis, Organisationsaufbau und Sozialstruktur. Teil 1, Köln 1975.

618a.   Organisator des Aufbaus der Grundlagen des Sozialismus. Zur Geschichte der Bezirksorganisation Leipzig der SED 1949–1955, J. Pommert (Ltg. des Redaktionskollektivs), Leipzig 1986.

618b.   D. Qing, Reformgeschichte der SED. Die evolutionäre Umwandlung der Führungsrolle der SED in der DDR (1945–1971), München 1990.

619.   O. Reinhold (Autorenkollektiv), Erfolgreiche Jahre. Der Beitrag der SED zu Theorie und Politik der entwickelten sozialistischen Gesellschaft, hrsg. v. d. Akademie für Gesellschaftswissenschaften beim ZK der SED, Berlin (Ost) 1982.

620.   Ders., Die Gestaltung unserer Gesellschaft. Die theoretische Konzeption der entwickelten sozialistischen Gesellschaft und die gesellschaftspolitische Strategie der SED, Berlin (Ost) 1986.

620a.   R. Richter u. a., Bewährte Strategie – erfolgreiche Praxis. Beitrag zur Geschichte der SED und der DDR in den siebziger und achtziger Jahren, Berlin (Ost) 1989.

621. E. Rosenow, Bewußtheit und Spontaneität in der Ideologie der SED, Diss., Frankfurt 1967.

621a. G. Schabowski, Das Politbüro. Eine Befragung, hrsg. v. F. Sieren und L. Koehne, Reinbek bei Hamburg 1990.

622. A. Schache, Auf dem Weg zur Einheit. Die Vereinigung der Arbeiterparteien zur SED 1945–1946 in Eilenburg, Eilenburg o. J. (1981).

623. E. Schneider, Die SED der 80er Jahre. Das neue Programm und Statut der Partei, Köln 1977.

624. O. Schön, Die höchsten Organe der Sozialistischen Einheitspartei, 2. überarb. u. erw. Aufl., Berlin (Ost) 1965.

625. J. Schultz, Der Funktionär in der Einheitspartei, Kaderpolitik und Bürokratisierung in der SED, Stuttgart-Düsseldorf 1956.

626. R. Schwarzenbach, Die Kaderpolitik der SED in der Staatsverwaltung. Ein Beitrag zur Entwicklung des Verhältnisses von Partei und Staat in der DDR (1945–1975), Köln 1976.

627. Die SED-führende Kraft der antifaschistisch-demokratischen Umwälzung (1945–1949), hrsg. v. d. Parteihochschule „Karl Marx" beim ZK der SED, Berlin (Ost) 1984.

628. Die SED. Historische Entwicklung, ideologische Grundlagen, Programm und Organisation, hgsg. v. Bundesministerium für Gesamtdeutsche Fragen, Bonn 1967.

629. Seht, welche Kraft! Die SED-Tradition, Gegenwart, Zukunft, Berlin (Ost) 1971.

630. A. Seyfert, Der Beitrag des Zentralorgans der SED „Neues Deutschland" im Kampf um die Herausbildung einer neuen Einstellung der Werktätigen zur Arbeit in der antifaschistisch-demokratischen Etappe des einheitlichen revolutionären Prozesses in der DDR, Diss., Leipzig 1980.

630a. I. Spittmann (Hrsg.), Die SED in Geschichte und Gegenwart, Köln 1989.

631. D. Staritz, Ein „besonderer deutscher Weg" zum Sozialismus, in: APuZG B 51/52 (1982).

632. C. Stern, Porträt einer bolschewistischen Partei. Entwicklung, Funktion und Situation der SED, Köln-Berlin (West) 1957.

633. Dies., SED, in: C. D. Kernig (Hrsg.), Die Kommunistischen Parteien der Welt, Freiburg 1969.

634. F. T. Stössel, Positionen und Strömungen in der KPD/SED 1945–1954, Teil 1 u. 2, Köln 1985.

635. R. Strauss, Die Gründung der SED in Chemnitz, Karl-Marx-Stadt 1966.

636. A. Sywottek, Die „fünfte" Zone. Zur gesellschafts- und außenpolitischen Orientierung und Funktion sozialdemokratischer Politik in Berlin 1945–1948, in: AfS, XIII. Band 1973, S. 53 ff.

637. Ders., Deutsche Volksdemokratie. Studien zur politischen Konzeption der KPD 1935–1946, Düsseldorf 1971.

638.   S. Thomas, Entscheidung in Berlin. Zur Entstehungsgeschichte der SED in der deutschen Hauptstadt 1945/46, Berlin (Ost) 1964.

639.   G. Uebel, E. Woitinas, Zur Entwicklung des Parteiaufbaus und der Organisationsstruktur der SED bis zu ihrem III. Parteitag 1950, in: BzG 12 (1970), 606 ff.

640.   W. Ulbricht, Zur Geschichte der deutschen Arbeiterbewegung. Aus Reden und Aufsätzen, 10 Bde., Berlin (Ost) 1953–1966.

640a. M. Uschner, Die zweite Etage, Funktionsweise eines Machtapparates, Berlin 1993.

641.   W. Urban, J. Schulz, Die Vereinigung von KPD und SPD zur Sozialistischen Einheitspartei Deutschlands in der Provinz Brandenburg. Der Beginn der antifaschistisch-demokratischen Umwälzung 1945–1946, Potsdam 1986.

642.   K. Urban, Die Geschichte der Vereinigung der KPD und SPD in der Provinz Brandenburg, Potsdam 1963.

643.   Die Vereinigung von KPD und SPD zur Sozialistischen Einheitspartei Deutschlands in Bildern und Dokumenten, hrsg. v. Institut für Marxismus-Leninismus beim ZK der SED, Berlin (Ost) 1976.

644.   G. Volkmann, K. H. Petzke (Autorenkollektiv), Zur Geschichte der Bezirksparteiorganisation Gera der SED. Bd. 1: Von den Anfängen bis zum August 1961, Gera 1986.

645.   H. P. Waldrich, Der Demokratiebegriff der SED. Ein Vergleich zwischen der älteren Sozialdemokratie und der Sozialistischen Einheitspartei Deutschlands, Stuttgart 1980.

646.   H. Weber, Die SED nach Ulbricht, Hannover 1974.

647.   Ders., Die Sozialistische Einheitspartei Deutschlands 1946–1971, Hannover 1971.

648.   Ders., Die deutschen Kommunisten 1945 in der SBZ. Probleme der kommunistischen Kaderbildung vor der SED-Gründung, in: APuZG B 31 (1978), 24 ff.

648a. Ders., Aufstieg und Niedergang des deutschen Kommunismus, in: APuZG B 40 (1991), 25 ff.

649.   Der Weg zur Einheitspartei. Geschichte der SED-Kreisparteiorganisation Marienberg, Karl-Marx-Stadt o. J. (1982).

650.   Der Weg zur Vereinigung von KPD und SPD. Bezirk Neubrandenburg. Dokumente und Materialien zum 30. Jahrestag der SED, ausgew. u. bearb. v. G. A. Strasen, Neubrandenburg 1976.

651.   W. Weichelt, H. Kintzel, Der X. Parteitag der SED und das schöpferische Wirken des Staates, Berlin (Ost) 1981.

651a. M. Weien u. a. (Redaktionskommission), Unter Führung der Partei für das Wohl des Volkes. Geschichte der Bezirksorganisation Magdeburg der SED 1952 bis 1981, Magdeburg 1989.

651b. C. Welzel, Von der SED zur PDS. Eine doktringebundene Staatspartei auf dem Weg zu einer politischen Partei im Konkurrenzsystem? Mai 1989 bis April 1990, Frankfurt/M. 1992.

652. S. WIETSTRUK, Die Vereinigung der KPD und SPD im Kreis Teltow (Mai 1945– April 1946), Zossen 1964.

653. E. WÖRFEL, Brüder, in eins nun die Hände! Zur Geschichte der Vereinigung von KPD und SPD in Ostthüringen auf dem Territorium des heutigen Bezirks Gera 1945-1946, Gera 1976.

654. DERS., Vereinte revolutionäre Kraft der Arbeiterklasse und historischer Fortschritt in Thüringen (1944/45 bis Sommer 1947). Ein regionalgeschichtlicher Beitrag zur Geschichte der SED insbesondere zur Dialektik der Entwicklung der objektiven Bedingungen und des subjektiven Faktors, Diss. B., Jena 1983.

654a. W. ZANK, Die Gesellschaftspolitik der KPD/SED 1945 - 1949, in: APuZG B 11 (1990), 52 ff.

655. H. ZIMMER (wissenschaftl. Leitung) u. a., Zur Geschichte der Bezirksparteiorganisation Karl-Marx-Stadt der SED (1945-1961), 6 Hefte, Karl-Marx-Stadt o. J. (1984).

656. Zur Geschichte der SED im Bezirk Cottbus, hrsg. v. d. SED-Bezirksleitung Cottbus – Kommission zur Erforschung der Geschichte der örtlichen Arbeiterbewegung, Cottbus 1978.

657. Zur Geschichte des Vereinigungsprozesses von KPD und SPD zur SED im heutigen Bezirk Dresden. (1945-1946), hrsg. v. d. SED-Bezirksleitung Dresden – Kommission zur Erforschung der Geschichte der örtlichen Arbeiterbewegung, Dresden 1976.

658. Der X. Parteitag der SED. 35 Jahre SED-Politik – Versuch einer Bilanz. 14. Tagung zum Stand der DDR-Forschung in der Bundesrepublik, Köln 1981.

659. 25 Jahre SED. Berliner Arbeiterbewegung, Berlin (Ost) 1971.

b) Nichtkommunistische Parteien

660. R. AGSTEN, M. BOGISCH, LDPD auf dem Wege in die DDR. Zur Geschichte der LDPD in den Jahren 1946-1949, Berlin (Ost) 1974.

661. DIES., Zur Geschichte der LDPD 1949-1952, 2 Bde., Berlin (Ost) 1982.

662. DIES., W. ORTH, LDP 1945 bis 1961, in festem Bündnis mit der Arbeiterbewegung und ihrer Partei, Berlin (Ost) 1985.

663. A. BAUERNFEIND, Der Befehl Nr. 2 über die Zulassung antifaschistisch-demokratischer Parteien, in: Jahrbuch für die Geschichte der sozialistischen Länder Europas, Band 20, 1976, 185.

664. K. BELWE, Statuten und Satzungen der Blockparteien in der DDR, Bonn 1984 (nicht im Buchhandel).

665. R. BÖRNER, Für die Souveränität des werktätigen Volkes. Die Mitwirkung der CDU bei der Ausarbeitung der Länderverfassungen und der Verfassung der DDR (1946-1949), Berlin (Ost) 1975.

665a. M. BOGISCH, LDPD in den 70er Jahren. Dokumente, Berlin (Ost) 1988.

666.   H. J. Brandt, M. Dinges, Kaderpolitik und Kaderarbeit in den „bürgerlichen" Parteien und den Massenorganisationen in der DDR, Berlin (West) 1984.

667.   Im Bündnis vereint. Beiträge zur Theorie und Praxis der Bündnispolitik, hrsg. v. Sekretariat des Zentralvorstandes der LDPD, Berlin (Ost) o. J. (1971).

668.   S. Dallmann, Die National-Demokratische Partei Deutschlands und die Entwicklung eines neuen sozialistischen Staatsbewußtseins der Angehörigen des ehemaligen Mittelstandes, in: BzG 11 (1969), Sonderheft, 50 ff.

669.   U. Dirksen, Liberaldemokraten zwischen Fortschritt und Reaktion: Die LDPD im Kampf um die Entstehung und Festigung des Volkseigentums 1946–1949, Berlin (Ost) 1977.

669a.   C. v. Ditfurth, Blockflöten. Wie die CDU ihre realsozialistische Vergangenheit verdrängt, Köln 1991.

670.   K. W. Fricke, Das Schicksal der bürgerlichen Parteien in der Sowjetzone, in: SBZ-Archiv 5 (1954), 133 ff.

670a.   G. Götting, Christliche Demokraten auf dem Weg in die neunziger Jahre, Berlin (Ost) 1988.

671.   J. B. Gradl, Anfang unter dem Sowjetstern. Die CDU 1945–1948 in der sowjetischen Besatzungszone Deutschlands, Köln 1981.

671a.   H. Grebing, C. Klessmann, K. Schönhoven, H. Weber, Zur Situation der Sozialdemokratie in der SBZ/DDR 1945–1950. Marburg, Berlin 1992.

671b.   G. Hartmann, G. Walter (Hrsg.), Auskünfte zur Zeit. Aus Anlaß des 40. Jahrestages der Gründung der National-Demokratischen Partei. Von Mitgliedern der NDPD aus 4 Jahrzehnten, Berlin (Ost) 1988.

671c.   L. Haupts, Die Blockparteien in der DDR und der Juni 1953, in: VfZ 40 (1992), 383 ff.

672.   P. Hermes, Die Christlich-Demokratische Union und die Bodenreform in der Sowjetischen Besatzungszone Deutschlands im Jahre 1945, Saarbrücken 1963.

673.   L. Hoyer, Revolution – Kleinbürgertum – Ideologie. Zur Ideologiegeschichte der LDPD in den Jahren 1945 bis 1952, Berlin (Ost) 1978.

673a.   M. Kaiser, 1972 – Knockout für den Mittelstand. Zum Wirken von SED, CDU, LDP und NDPD für die Verstaatlichung der Klein- und Mittelbetriebe, Berlin 1991.

674.   F. Kind, Christliche Demokraten im Ringen um eine neue Demokratie. Zur Entwicklung und zum Beitrag des Landesverbandes Brandenburg der CDU innerhalb der politischen Organisationen während der antifaschistisch-demokratischen Umwälzung (1945–1949/50), Berlin (Ost) 1984.

675.   H. Koch, Dem Fortschritt zugewandt. Eine Untersuchung über die Mitarbeit des CDU-Landesverbandes Mecklenburg in der antifaschistisch-demokratischen Revolution und bei der Gründung der Deutschen Demokratischen Republik (1945–1949), Berlin (Ost) 1974.

676. H. KRIEG, LDP und NPD in der „DDR" 1949–1958. Ein Beitrag zur Geschichte der „nichtsozialistischen" Parteien und ihrer Gleichschaltung mit der SED, Köln-Opladen 1965.

677. E. KRIPPENDORFF, Die Liberal-Demokratische Partei Deutschlands in der sowjetischen Besatzungszone 1945–1948. Entstehung, Struktur, Politik, Düsseldorf 1961.

678. DERS., Die Gründung der Liberal-Demokratischen Partei in der Sowjetischen Besatzungszone 1945, in: VfZ 8 (1960), 290 ff.

679. R. KUHLBACH, H. WEBER, Parteien im Blocksystem der DDR. Funktion und Aufbau der LDPD und NDPD, Köln 1969.

680. P. J. LAPP, Die Blockparteien in der DDR. Zwischen totaler Anpassung und latenter Konfliktbereitschaft, in: „Beiträge zur Konfliktforschung" 10 (1980), 103 ff.

680a. P. J. LAPP, Die „befreundeten Parteien" der SED. DDR-Blockparteien heute, Köln 1988.

680b. DERS., Die Blockparteien im politischen System der DDR, Melle 1988.

681. Die LDPD und die Bündnispolitik der Arbeiterklasse und ihrer Partei, hrsg. v. Zentralvorstand der LDPD, Berlin (Ost) 1970.

682. LDPD und Oktoberrevolution. Protokoll des wissenschaftlichen Kolloquiums des Politischen Ausschusses des Zentralvorstandes der LDPD am 30. September 1977 in Vorbereitung des 60. Jahrestages der Großen Sozialistischen Oktoberrevolution, hrsg. v. Zentralvorstand der LDPD, Berlin (Ost) 1978.

683. LDPD und Partei der Arbeiterklasse. Ein Beitrag zum 75. Geburtstag Walter Ulbrichts, Berlin (Ost) 1968.

683a. M. RICHTER, Die Ost-CDU 1948–1952. Zwischen Widerstand und Gleichschaltung, Düsseldorf 1990.

684. D. STARITZ, Die Nationaldemokratische Partei Deutschlands 1948–1953, Diss., Berlin (West) 1968.

685. R. STRÖBINGER, Kreuz und roter Stern. Hinter den Kulissen der christlichen Parteien des Ostblocks, Düsseldorf 1977.

686. S. SUCKUT, Der Konflikt um die Bodenreformpolitik in der Ost-CDU 1945, in: DA 15 (1982), 1080 ff.

687. B. WERNET-TIETZ, Bauernverband und Bauernpartei in der DDR. Die VdgB und die DBD 1945–1952. Ein Beitrag zum Wandlungsprozeß des Parteiensystems der SBZ/DDR, Köln 1984.

688. W. WÜNSCHMANN, Zur Deutschland-Konzeption der Führung der CDU in der sowjetischen Besatzungszone 1945–1947, o. O. (Berlin (Ost)) 1966.

689. 25 Jahre DDR – 25 Jahre Mitarbeit der CDU, hrsg. v. Sekretariat des Hauptvorstandes der CDU, Berlin (Ost) 1974.

c) Massenorganisationen

690.   M. BERGER (Autorenkollektiv), Zur Kultur- und Bildungsarbeit der Gewerk-
       schaften, 2. überarb. Aufl., Berlin (Ost) 1979.

691.   P. BROKMEIER, Jugendverband und Gesellschaft in der DDR, in: DA 4 (1971),
       250 ff.

692.   J. A. BROWN, The Free German Youth: A functional analysis, Ann Arbor
       1975.

693.   H. DEUTSCHLAND, A. FÖRSTER, Der FDGB und die Gründung der DDR, in:
       BzG 21 (1979), 703 ff.

693a. W. ECKELMANN, H.-H. HERTLE, R. WEINERT, FDGB-Intern. Innenansichten
       einer Massenorganisation der SED, Berlin 1990.

694.   H. J. FINK, 30 Jahre FDGB, in: DA 8 (1975), 684 ff.

695.   A. FREIBURG, C. MAHRAD, FDJ. Der sozialistische Jugendverband der DDR,
       mit einem Vorwort v. W. JAIDE, B. HILLE, Opladen 1982.

696.   Der Freie Deutsche Gewerkschaftsbund (FDGB). Geschichte und Organisa-
       tion, hrsg. v. d. Friedrich-Ebert-Stiftung, 2. überarb. u. erg. Aufl., Bonn
       1978, 3. Aufl. 1983.

697.   G. FRIEDRICH, Der Kulturbund zur demokratischen Erneuerung Deutsch-
       lands: Geschichte und Funktion, Köln 1952.

698.   DERS., Die Freie Deutsche Jugend. Auftrag und Entwicklung, Köln 1953.

698a. D. GATZMAGA (Hrsg.), Auferstehen aus Ruinen. Arbeitswelt und Gewerk-
       schaften in der früheren DDR, Marburg 1991.

698b. Geschichte des Demokratischen Frauenbundes Deutschlands, M. EHLEN-
       BECK (Ltg. des Autorenkollektivs), Leipzig 1989.

699.   Geschichte des Freien Deutschen Gewerkschaftsbundes, hrsg. v. Bundesvor-
       stand des FDGB, Berlin (Ost) 1982.

700.   Geschichte der Freien Deutschen Jugend, hrsg. v. K. H. JAHNKE (Autoren-
       kollektiv), Berlin (Ost) 1982.

701.   Die gesellschaftlichen Organisationen der DDR, Berlin (Ost) 1980.

701a. U. GILL, FDGB. Die DDR-Gewerkschaft von 1945 bis zu ihrer Auflösung
       1990, Köln 1991.

702.   H. GRIEP, Zur Rolle der Gewerkschaften bei der Herausbildung der zentra-
       len Staatsmacht der DDR, in: BzG 16 (1974), 769 ff.

703.   G. HAAS, Der Gewerkschaftsapparat der SED, Bonn 1963

704.   H. P. HERZ, Freie Deutsche Jugend, München 1965.

705.   E. HONECKER, Zur Jugendpolitik der SED. Reden und Aufsätze von 1945 bis
       zur Gegenwart, 2. durchges. u. erw. Aufl., Berlin (Ost) 1980.

706.   K. H. JAHNKE, Die Gründung der Feien Deutschen Jugend, in: ZfG 19
       (1971), 733 ff.

707.   J. KLEIN, Bürgerliche Demokraten oder christliche, sozialdemokratische und
       kommunistische Gewerkschafter Hand in Hand gegen die Arbeiter, Ham-
       burg 1974.

708. T. LOWIT, Le Syndicalisme de type soviétique. L'U.R.S.S. et les pays de L'Est europeén, Paris 1971.

709. W. MÜLLER, Zur Entwicklung des FDGB in der sowjetischen Besatzungszone nach 1945, in: E. MATTHIAS, K. SCHÖNHOVEN (Hrsg.), Solidarität und Menschenwürde. Etappen der deutschen Gewerkschaftsgeschichte von den Anfängen bis zur Gegenwart, Bonn 1984, 325 ff.

709a. T. PIRKER, H.-H. HERTLE u. a., FDGB - Wende zum Ende, Köln 1990.

710. C. B. SCHARF, Labor Organizations in East German Society, Ann Arbor 1974/79.

711. K. H. SCHULMEISTER, Die Entstehung und Gründung des Kulturbundes zur demokratischen Erneuerung Deutschlands, Berlin (Ost) 1965.

712. DERS., Auf dem Weg zu einer neuen Kultur: Der Kulturbund in den Jahren 1945-1949, Berlin (Ost) 1977.

713. G. SCHWADE, Die Kulturarbeit der FDJ und ihre Rolle bei der ideologischen Erziehung der Jugend in der Zeit der antifaschistisch-demokratischen Umwälzung von 1945/46 bis 1949, Diss., Rostock 1979.

714. G. WEBER, Um eine ganze Epoche voraus? 25 Jahre DFD, in: DA 5 (1972), 410 ff.

714a. M. WILKE, H.-P. MÜLLER, M. BRABANT, SED-Politik gegen Realitäten. Verlauf und Funktion der Diskussion über die westdeutschen Gewerkschaften in SED und KPD/DKP 1961 bis 1972, Köln 1991.

715. H. ZIMMERMANN, Der FDGB als Massenorganisation und seine Aufgaben bei der Erfüllung der betrieblichen Wirtschaftspläne, in: P. LUDZ (Hrsg.), Studien und Materialien zur Soziologie der DDR, Köln-Opladen 1964, 115 ff.

11. GESELLSCHAFT (EINSCHLIESSLICH FRAUEN, JUGEND, SPORT)

715a. P. ALHEIT, D. MÜHLBERG, Arbeiterleben in den 1950er Jahren. Konzeption einer „mentalitätsgeschichtlichen" Vergleichsstudie biographischer Verläufe in Arbeitermilieus der Bundesrepublik Deutschland und der DDR, Bremen 1990.

715b. A. ANSGAR, H.-J. LEGRAND, T. LEIF (Hrsg.), Von der DDR zu den FNL. Soziale Bewegungen vor und nach der Wende, Marburg 1992.

716. Arbeiterklasse und Persönlichkeit im Sozialismus, v. F. ADLER, H. KRETZSCHMAR, hrsg. v. Wissenschaftlichen Rat für Soziologische Forschung in der DDR, Berlin (Ost) 1977.

717. H. AUE, Die Jugendkriminalität in der DDR, Berlin (West) 1976.

717a. H. BELITZ-DEMIRIZ, D. VOIGT, Die Sozialstruktur der promovierten Intelligenz in der DDR und in der Bundesrepublik Deutschland 1950-1982. Der Einfluß der politischen Systeme auf die unterschiedliche Entwicklung in den beiden deutschen Staaten, Bochum 1990.

717b. S. BERGHAHN, Frauenrecht in Ost- und Westdeutschland. Bilanz, Ausblicke, Berlin 1991.

718. W. BIERMANN, Demokratisierung in der DDR? Ökonomische Notwendigkeiten, Herrschaftsstrukturen, Rolle der Gewerkschaften. 1961–1977, Köln 1978.

719. I. BÖHME, Die da drüben. Sieben Kapitel DDR, Berlin (West) 1982.

720. W. BOSCH, Die Sozialstruktur in West- und Mitteldeutschland, Bonn 1958.

720a. P. BRENSKE, Bauarbeiter aus der DDR. Eine empirische Untersuchung über gruppenspezifische Merkmale bei Flüchtlingen und Übersiedlern der Jahre 1989 und 1990, Berlin 1992.

720b. E. BRÜNING, Kinder im Kreidekreis. Ein Report über Zwangsadoptionen und Heimerziehung, Berlin 1992.

720c. P. BÜCHNER (Hrsg.), Aufwachsen hüben und drüben. Deutsch-deutsche Kindheit und Jugend vor und nach der Vereinigung, Opladen 1991.

721. H. BUSSIEK, Die real existierende DDR, Frankfurt/M. 1984.

722. M. CROAN, Regime, Gesellschaft und Nation. Die DDR nach dreißig Jahren, in: DA 12 (1979), 1032 ff.

723. R. DAHRENDORF, Gesellschaft und Demokratie in Deutschland, München 1965.

723a. DDR am Wendepunkt. Wirtschaft, Medien und Gesellschaft vor neuen Herausforderungen, Hamburg 1989.

724. Die DDR im Entspannungsprozeß. Lebensweise im realen Sozialismus. 13. Tagung zum Stand der DDR-Forschung in der Bundesrepublik, Köln 1980.

725. Die DDR vor den Herausforderungen der 80er Jahre. 16. Tagung zum Stand der DDR-Forschung in der Bundesrepublik, Köln 1983.

726. DDR-konkret. Geschichten und Berichte aus einem real existierenden Land, Berlin (West) 1978.

726a. B. DEJA-LÖLHÖFFEL, Freizeit in der DDR, Berlin 1986.

727. A. DIESENER, Zu Problemen der quantitativen und Strukturentwicklung der Arbeiterklasse der sowjetischen Besatzungszone/DDR in Westsachsen in den Jahren 1945/46 bis 1950, Diss., Leipzig 1983.

728. H. DÖRRER, G. HOPPE (Autorenkollektiv), Die entwickelte sozialistische Gesellschaft – Ergebnis und Aufgabe des Kampfes der Arbeiterklasse, hrsg. im Auftrag des Rates für Wissenschaftlichen Kommunismus, Berlin (Ost) 1980.

729. E. DÖRSCHEL, u. a., Produktionsverhältnisse in der DDR, Berlin (Ost) 1979.

730. K. ECKART, DDR, Stuttgart 1981.

731. D. EHRLICH, R. HEINRICH-VOGEL, G. WINKLER, Die DDR. Breiten- und Spitzensport, München 1981.

731a. J. ENGERT, Das Ende der Nachkriegszeit. Beobachtungen in beiden deutschen Gesellschaften, Köln 1990.

732.   G. ERBE, Arbeiterklasse und Intelligenz in der DDR. Soziale Annäherung von Produktionsarbeiterschaft und wissenschaftlich-technischer Intelligenz im Industriebetrieb? Opladen 1982.

733.   C. ERNST, Zur Geschichte des Internationalen Frauentages in der Übergangsperiode vom Kapitalismus zum Sozialismus auf dem Gebiet der DDR (1945/46-1961), Diss., Leipzig 1983.

733a. Familie im Umbruch. Zur Lage der Familie in der ehemaligen DDR, Studie im Auftrag des Bundesministers für Familien und Senioren, Stuttgart 1992.

734.   W. FILMER, H. SCHWAN, Alltag im anderen Deutschland, Düsseldorf 1985.

735.   G.FINN, L. JULIUS (Hrsg.), Von Deutschland nach Deutschland. Zur Erfahrung der inneren Übersiedlung, Bonn 1983.

736.   Die Frau in der Gesellschaft: Aus der Geschichte des Kampfes um die Gleichberechtigung der Frau, Leipzig 1974.

737.   A. FREIBURG, Kriminalität in der DDR. Zur Phänomenologie des abweichenden Verhaltens im sozialistischen deutschen Staat, Opladen 1981.

737a. H. FRIEDEMANN, Sparwasser und Mauerblümchen. Die Geschichte des Fußballs in der DDR 1949-1991, Essen 1991.

738.   G. FRIEDRICH, Grundtendenzen der Veränderungen im Kern der Arbeiterklasse bei der weiteren Gestaltung der entwickelten sozialistischen Gesellschaft und der Schaffung grundlegender Voraussetzungen für den allmählichen Übergang zum Kommunismus, Diss., Leipzig 1977.

738a. W. FRIEDRICH, H. GRIESE (Hrsg.), Jugend und Jugendforschung in der DDR. Gesellschaftspolitische Situationen, Sozialisation und Mentalitätsentwicklung in den achtziger Jahren, Opladen 1991.

738b. R. FUCHS, Lorbeerkranz und Trauerflor. Aufstieg und „Untergang" des Sportwunders DDR, Berlin 1990.

738c. D. FUNKE, Die sozialökonomische Rechtsstellung des Bürgers in der DDR, Köln 1991.

739.   G. GAST, Die politische Rolle der Frau in der DDR, Düsseldorf 1973.

739a. B. GEILING-MAUL (Hrsg.), Frauenalltag. Weibliche Lebenskultur in beiden Teilen Deutschlands, Köln 1992.

739b. T. GENSICKE, Mentalitätsentwicklungen im Osten Deutschlands seit den 70er Jahren. Vorstellung und Erläuterung von Ergebnissen einiger emprischer Untersuchungen in der DDR und in den neuen Bundesländern von 1977 bis 1991, Speyer 1992.

740.   N. GÖLLNER, Die Entwicklung des allgemeinen und beruflichen Bildungsniveaus der Arbeiterklasse in der sozialistischen Industrie der DDR von 1965 bis 1970, Diss., Leipzig 1983.

741.   S. GRUNDMAN, M. LÖTSCH, R. WEIDIG, Zur Entwicklung der Arbeiterklasse und ihrer Struktur in der DDR, Berlin (Ost) 1976.

742.   H. HANKE, Freizeit in der DDR, Berlin (Ost) 1979.

742a. E. HARTENSTEIN,... und nachts Kartoffeln schälen. Frauen berichten aus

Nachkriegslagern. Annäherung an ein Kapitel DDR-Vergangenheit, Berg am Starnberger See 1992.

743.   G. HELWIG, Zwischen Familie und Beruf. Die Stellung der Frau in beiden deutschen Staaten, Köln 1974.

744.   DIES., Frau und Familie in beiden deutschen Staaten, Köln 1982, 2. völlig überarb. Aufl. 1987.

745.   DIES., Am Rande der Gesellschaft. Alte und Behinderte in beiden deutschen Staaten, Köln 1980.

745a.   DIES., Die letzten Jahre der DDR. Texte zum Alltagsleben, Köln 1990.

746.   H. HEIDTMANN (Hrsg.), Bitterfisch. Jugend in der DDR, Baden-Baden 1982.

747.   H. HEIDT, Arbeit und Herrschaft im „realen Sozialismus", Frankfurt/M.-New York 1979.

747a.   W. HENNIG, Jugend in der DDR. Daten und Ergebnisse der Jugendforschung vor der Wende, Weinheim 1991.

747b.   R. HENRICH, Der vormundschaftliche Staat. Mit einem Gespräch zwischen Kurt Masur und Rolf Henrich, 2. Auflage, Leipzig 1990 (1. Auflage Reinbek bei Hamburg 1989).

748.   B. HILLE, Familie und Sozialisation in der DDR, Leverkusen 1985.

748a.   DIES. (Hrsg.), Jugendprobleme in der DDR mit Vergleichen zur Bundesrepublik Deutschland, Opladen 1990.

748b.   E. HÖLDER, Im Trabi durch die Zeit – 40 Jahre Leben in der DDR, Stuttgart 1992.

749.   J. HOFFMANN, Jugendhilfe in der DDR: Grundlagen, Funktionen und Strukturen, München 1981.

750.   G. HOLZWEISSIG, Diplomatie im Trainingsanzug. Sport als politisches Instrument der DDR in den innerdeutschen und internationalen Beziehungen, München-Wien 1981.

751.   Jahrbuch für Soziologie und Sozialpolitik, hrsg. v. d. Akademie der Wissenschaften der DDR/Institut für Soziologie und Sozialpolitik, Bd. 1 ff., Berlin (Ost) 1980 ff.

752.   W. JAIDE, B. HILLE (Hrsg.), Jugend im doppelten Deutschland, Opladen 1977.

753.   U. JEREMIAS, Die Jugendweihe in der Sowjetzone, 2. Aufl., Bonn 1958.

754.   H. KABERMANN, Die Bevölkerung des sowjetischen Besatzungsgebietes. Bestand und Strukturveränderungen 1950–1957, Bonn-Berlin (West) 1961.

755.   O. KAPELT, Braunbuch DDR. Nazis in der DDR, Berlin (West) 1981.

755a.   C. KAHLAU (Hrsg.), Aufbruch! Frauenbewegung in der DDR. Dokumentation, München 1990.

755b.   F. KLIER, Zwischen Kombi und Kreißsaal. Zur Geschichte der DDR-Frauen, in: DA 24 (1991), 512 ff.

756.   F. KLIX u. a. (Hrsg.), Psychologie in der DDR. Entwicklung – Aufgaben – Perspektiven, 2., erw. u. erg. Aufl., Berlin (Ost) 1980.

757. W. KNECHT, Die ungleichen Brüder. Fakten, Thesen und Kommentare zu den Beziehungen zwischen den beiden deutschen Sportorganisationen DSB und DTSB, Mainz 1971.

758. DERS., Das Medaillenkollektiv. Fakten, Dokumente, Kommentare zum Sport in der DDR, Berlin (West) 1978.

759. P. KÜHNST, Der mißbrauchte Sport. Die politische Instrumentalisierung des Sports in der SBZ und DDR 1945–1957, Köln 1982.

759a. M. KRÜGER-POTRATZ, Anderssein gab es nicht. Ausländer und Minderheiten in der DDR, Münster 1991.

760. H. KUHRIG, W. SPEIGNER (Hrsg.), Zur gesellschaftlichen Stellung der Frau in der DDR. Sammelband, Leipzig 1979.

761. Lebensbedingungen in der DDR. 17. Tagung zum Stand der DDR-Forschung in der Bundesrepublik, Köln 1984.

762. C. LEMKE, Persönlichkeit und Gesellschaft. Zur Theorie der Persönlichkeit in der DDR, Opladen 1980.

762a. DIES., Die Ursachen des Umbruchs 1989. Politische Sozialisation in der ehemaligen DDR, Opladen 1991.

763. P. LÜBBE, Der staatlich etablierte Sozialismus, Hamburg 1975.

764. P. C. LUDZ (Hrsg.), Soziologie und Marxismus in der Deutschen Demokratischen Republik, 2 Bde., Berlin (West)-Neuwied 1972.

764a. M. MATUSSEK, Das Selbstmord-Tabu. Von der Seelenlosigkeit des SED-Staates, Reinbek bei Hamburg 1992.

764b. I. MERKEL, ... und Du, Frau an der Werkbank. Die DDR in den 50er Jahren, Berlin 1990.

764c. S. MEUSCHEL, Legitimation und Parteiherrschaft. Zum Paradox von Stabilität und Revolution in der DDR 1945 -1989, Frankfurt/M. 1992.

765. G. MEYER, Frauen und Parteielite nach dem XI. Parteitag der SED. Gründe und Hypothesen zur Kontinuität der Unterrepräsentation, in: DA 19 (1986), 1296 ff.

765a. DERS., Die DDR-Machtelite in der Ära Honecker, Tübingen 1991.

765b. G. MEYER, G. RIEGE, D. STRÜTZEL, Lebensweise und gesellschaftlicher Umbruch in Ostdeutschland, Erlangen 1992.

766. P. MITZSCHERLING, Zweimal deutsche Sozialpolitik, Berlin (West) 1978.

767. S. MROCHEN, Alter in der DDR: Arbeit, Freizeit, materielle Sicherung und Betreuung, Weinheim-Basel 1980.

767a. R. NEMSON (Hrsg.), Zur weltanschaulichen Erziehung der Schuljugend in der DDR, Halle 1985.

767b. G. OBERTREIS, Familienpolitik in der DDR 1945 - 1980, Opladen 1986.

768. U. PAPST, Sport - Medium der Politik? Der Neuaufbau des Sports in Deutschland nach dem zweiten Weltkrieg und die innerdeutschen Sportbeziehungen bis 1961, Berlin (West) 1980.

769.   K. PRITZEL, Gesundheitswesen und Gesundheitspolitik der Deutschen De-
        mokratischen Republik. Berichte des Osteuropa-Instituts an der Freien Uni-
        versität Berlin, Berlin (West) 1978.

769a.   J. REICH, Abschied von Lebenslügen. Die Intelligenz und die Macht, Berlin
        1992.

770.   E. RICHERT, Die DDR-Elite oder Unsere Partner von morgen? Reinbek bei
        Hamburg, 1968.

770a.   W. ROSSADE, Sport und Kultur in der DDR. Sportpolitische Konzepte und
        weiter Kulturbegriff in Ideologie und Praxis der SED, München 1987.

771.   M. E. RUBAN, Gesundheitswesen in der DDR. System und Basis, Gesund-
        heitserziehung, Gesundheitserhaltung, Leistungen, Ökonomie des Gesund-
        heitswesens, Berlin (West) 1981.

772.   H. RUDOLPH, Die Gesellschaft der DDR, eine deutsche Möglichkeit? An-
        merkungen zum Leben im anderen Deutschland, München 1972.

773.   G. SANDER, Abweichendes Verhalten in der DDR. Kriminalitätstheorien in
        einer sozialistischen Gesellschaft, Frankfurt/M.-New York 1979.

774.   H. P. SCHÄFER, Jugendforschung in der DDR. Entwicklungen, Ergebnisse,
        Kritik, München 1974.

775.   D. SCHEEL, Zwischen Wertung und Wirkung. DDR-Zeitschriftenprofile
        1950–1980 am Beispiel von Geschlechtsrollenproblematik und Frauenleit-
        bild, Köln 1985.

776.   A. SCHNEIDER, Das Landproletariat der sowjetischen Besatzungszone
        1945/46. Die Veränderung in seinem Bestand, seiner Struktur und gesell-
        schaftlichen Rolle zu Beginn der antifaschistisch-demokratischen Umwäl-
        zung, Diss., Leipzig 1983.

776a.   H. D. SCHLOSSER, Die deutsche Sprache in der DDR zwischen Stalinismus
        und Demokratie. Historische, politische und kommunikative Bindungen,
        Köln 1992.

777.   F. SCHUBERT, Die Frau in der DDR. Ideologie und konzeptionelle Ausgestal-
        tung ihrer Stellung in Beruf und Familie, Opladen 1980.

778.   H. W. SCHWARZE, Die DDR ist keine Zone mehr, Köln-Berlin 1969.

778a.   E. SENGHAAS-KNOBLOCH, H. LANGE, DDR-Gesellschaft von innen. Arbeit
        und Technik im Transformationsprozeß, 1992

779.   H. G. SHAFFER, Women in the two Germanies. A comparative study of a so-
        cialist and a non-socialist society, New York 1981.

779a.   Zur Situation von Kindern und Jugendlichen in der DDR, hrsg. v. Institut
        für Soziologie und Sozialpolitik, Berlin 1990.

779b.   B. SIEGLER, Auferstanden aus Ruinen. Rechtsextremismus in der DDR, Ber-
        lin 1991.

779c.   U. SILLGE, Un-Sichtbare Frauen. Lesben und ihre Emanzipation in der
        DDR, Berlin 1991.

780.   Die sozialistische Gesellschaft. Wesen, Entwicklung, Perspektiven, Berlin
        (Ost) 1977.

781. J. P. Stössel, Staatseigentum Gesundheit. Medizinische Versorgung in der DDR, München 1978.

782. D. Storbeck, Soziale Strukturen in Mitteldeutschland. Eine sozialstatistische Bevölkerungsanalyse im gesamtdeutschen Vergleich, Berlin (West) 1964.

783. H. Stündl, Freizeit- und Erholungssport in der DDR. Marxistische Grundlage, Ziele und Organisation 1946–1976, Schorndorf 1977.

784. Theorie und Praxis der Sozialpolitik in der DDR, Berlin (Ost) 1979.

784a. H. Timmermann (Hrsg.), Sozialstruktur und sozialer Wandel in der DDR, Saarbrücken 1988, 2. Auflage 1989.

785. L. Ulsamer (Hrsg.), Die DDR – das andere Deutschland, Stuttgart 1981.

786. Um eine ganze Epoche voraus. 125 Jahre Kampf um die Befreiung der Frau. Sammelband, Leipzig 1970.

787. D. Voigt, Soziale Schichten im Sport. Theorie und empirische Untersuchungen in Deutschland, Berlin (West)-München-Frankfurt 1978.

788. Ders., Die Gesellschaft der DDR. Untersuchungen zu ausgewählten Berichten, Berlin (West) 1984.

788a. D. Voigt, W. Voss, S. Meck, Sozialstruktur der DDR. Eine Einführung, Darmstadt 1987.

788b. D. Voigt, L. Mertens, Minderheiten in und Übersiedler aus der DDR, 1992.

789. R. Waterkamp, Herrschaftssysteme und Industriegesellschaft. BRD und DDR, Stuttgart-Berlin (West)-Köln-Mainz 1972.

789a. H.-G. Wehling (Red.), Politische Kultur in der DDR, Stuttgart u. a. 1989.

789b. R. Weidig u. a. (Autorenkollektiv), Sozialstruktur der DDR, Berlin (Ost) 1988.

790. G. Weisspfennig, Die sportwissenschaftliche Elite in beiden Teilen Deutschlands, Berlin (West) 1983.

790a. H. Wendt, Die deutsch-deutschen Wanderungen – Bilanz einer 40jährigen Geschichte von Flucht und Ausreise, in: DA 24 (1991), 386 ff.

791. R. Wiggershaus, Geschichte der Frauen und Frauenbewegung in der Bundesrepublik Deutschland und der Deutschen Demokratischen Republik nach 1945, Wuppertal 1979.

792. J. Wilhelmi, Jugend in der DDR. Der Weg zur „sozialistischen Persönlichkeit", Berlin (West) 1983.

792a. G. Winkler (Hrsg.), Geschichte der Sozialpolitik der DDR. 1945 – 1985, Berlin (Ost) 1989.

793. K. Winkler, Made in GDR. Jugendszenen aus Ost-Berlin, Berlin (West) 1983.

794. K. Winter, Das Gesundheitswesen in der Deutschen Demokratischen Republik. Bilanz nach 30 Jahren, 2. überarb. Aufl., Berlin (Ost) 1980.

795. Zur Entwicklung der Klassen und Schichten in der DDR, Berlin (Ost) 1977.

796. Zur Sozialstruktur der sozialistischen Gesellschaft, Berlin (Ost) 1974.

12. WIRTSCHAFT

797.   Auf dem Wege zur Wirtschaft des entwickelten Sozialismus, hrsg. v. d. Arbeitsgruppe des Wissenschaftlichen Rates für politische Ökonomie des Sozialismus bei der Akademie für Gesellschaftswissenschaften beim ZK der SED, Berlin (Ost) 1978.

798.   H. BARTHEL, Die wirtschaftlichen Ausgangsbedingungen der DDR. Zur Wirtschaftsentwicklung auf dem Gebiet der DDR 1945–1949, Berlin (Ost) 1979.

799.   K. BECHER u. a., Die ökonomische Rolle des sozialistischen Staates bei der Gestaltung der entwickelten sozialistischen Gesellschaft in der DDR, Potsdam-Babelsberg 1981.

800.   K. BELWE, Mitwirkung im Industriebetrieb der DDR. Planung – Einzelleitung – Beteiligung der Werktätigen an Entscheidungsprozessen des VEB, Opladen 1979.

801.   H. BICHLER, Landwirtschaft in der DDR. Agrarpolitik, Betriebe, Produktionsgrundlagen und Leistungen, 2. Aufl., Berlin (West) 1981.

802.   W. BRÖLL, Die Wirtschaft der DDR. Lage und Aussichten, München-Wien 1970.

802a.   H. F. BUCK, U. REUTER, Das Scheitern des SED-Wohnungsbauprogramms und die infrastrukturellen und ökologischen Erblasten für die Wohnwelt in den neuen Bundesländern. Vom Mißbrauch der Statistik unter dem SED-Regime, Bonn 1991.

803.   A. BUST-BARTELS, Herrschaft und Widerstand in den DDR-Betrieben. Leistungsentlohnung, Arbeitsbedingungen, innerbetriebliche Konflikte und technologische Entwicklung, Frankfurt/M.-New York 1980.

803a.   E. U. CICHY, Wirtschaftsreform und Ausweichwirtschaft im Sozialismus. Zur Rolle der Ausweichwirtschaft im Reformprozeß sozialistischer Planwirtschaften, Hamburg 1990.

804.   D. CORNELSEN, Die Industriepolitik der DDR. Veränderungen von 1945 bis 1980, in: Der X. Parteitag der SED. 35 Jahre SED-Politik – Versuch einer Bilanz. 14. Tagung zum Stand der DDR-Forschung in der Bundesrepublik, Köln 1981, 46 ff.

805.   R. DAMUS, Entscheidungsstrukturen und Funktionsprobleme in der DDR-Wirtschaft, Frankfurt/M. 1973.

806.   DIES., RGW – Wirtschaftliche Zusammenarbeit in Osteuropa, Opladen 1979.

807.   R. DEPPE, D. HOSS, Sozialistische Rationalisierung. Leistungspolitik und Arbeitsgestaltung in der DDR, Frankfurt/M.-New York 1980.

808.   R. DIETZ, Die Wirtschaft der DDR 1950–1974, Wien 1976.

808a.   H. EBEL, Abrechnung. Das Scheitern der ökonomischen Theorie und Politik des „realen Sozialismus", Berlin 1990.

809.   K.-H. ECKHARDT, Demokratie im Industriebetrieb der DDR. Theorie und Praxis, Opladen 1981.

810. Einheit von Wirtschafts- und Sozialpolitik. Anspruch und Realität. DA-Sonderheft, 11. Tagung zum Stand der DDR-Forschung in der Bundesrepublik, Köln 1978.

810a. P. Frenzel, Die rote Mark. Perestroika für die DDR, hrsg. v. F. Schenk, Herford 1989.

811. G. Friedrich (Autorenkollektiv), Die Volkswirtschaft der DDR. hrsg. v. d. Akademie für Gesellschaftswissenschaften beim ZK der SED, Berlin (Ost) 1979.

812. Früchte des Bündnisses. Werden und Wachsen der sozialistischen Landwirtschaft der DDR, Berlin (Ost) 1980.

813. B. Gleitze, K. C. Thalheim, H. Buck, W. Förster, Das ökonomische System der DDR nach dem Anfang der siebziger Jahre, Berlin (West) 1971.

814. K. Groschoff (Autorenkollektiv), Die Landwirtschaft der DDR, Berlin (Ost) 1980.

815. G. Gutmann, Intensiviertes Wachstum – Strategie der DDR für die 80er Jahre, Köln 1982.

816. Ders. (Hrsg.), Das Wirtschaftssystem der DDR: Wirtschaftspolitische Gestaltungsprobleme, Stuttgart-New York 1983.

817. H. E. Haase, Entwicklungstendenzen der DDR-Wirtschaft für die 80er Jahre. Eine Prognose der Probleme, Berlin (West) 1980.

818. Ders., Das Wirtschaftssystem der DDR. Eine Einführung, Berlin 1983.

819. H. Hamel (Hrsg.), Bundesrepublik Deutschland – DDR. Die Wirtschaftssysteme. Soziale Marktwirtschaft und sozialistische Planwirtschaft im Vergleich, 4., überarb. u. erw. Aufl., München 1983.

820. M. Hegemann, Kurze Geschichte des RGW, Berlin (Ost) 1980.

820a. M. Heidenreich (Hrsg.), Krisen, Kader, Kombinate. Kontinuität und Wandel in ostdeutschen Betrieben, Berlin 1992.

820b. H. O. Hemmer, S. Hegger (Hrsg.), Auf dem Weg zur Einheit. Wirtschaft, Politik, Gewerkschaften im deutsch-deutschen Einigungsprozeß, Aktualisierte Beiträge aus „Gewerkschaftliche Monatshefte", Köln 1990.

821. K.-M. Hendrichs, Die Wirtschaftsbeziehungen der Deutschen Demokratischen Republik mit den Entwicklungsländern, Saarbrücken-Fort Lauderdale 1981.

821a. H. H. Hertle, Staatsbankrott. Der ökonomische Untergang des SED-Staates, in: DA 25 (1992), 1019 ff.

821b. H. H. Hertle, Der Weg in den Bankrott der DDR-Wirtschaft. Das Scheitern der „Einheit von Wirtschafts- und Sozialpolitik" am Beispiel der Schürer/Mittag-Kontroverse im Politbüro 1988, in: DA 25 (1992), 127 ff.

822. H.-J. Herzog, Genossenschaftliche Organisationsformen in der DDR, Tübingen 1982.

823. F. V. v. Hoff, Mitbestimmung in der DDR und in der UdSSR, Diss., Göttingen 1973.

824. K. Hohmann, Akzentverschiebung in der Agrarpolitik der SED, in: Die

DDR vor den Herausforderungen der achtziger Jahre. 16. Tagung zum Stand der DDR-Forschung in der Bundesrepublik, Köln 1983, 79 ff.

825.   W. Horn, Die Errichtung der Grundlagen des Sozialismus in der Industrie der DDR (1951–1955), Berlin (Ost) 1963.

825a.   T. Hoscislawski, Bauen zwischen Macht und Ohnmacht. Architektur und Städtebau in der DDR, Berlin 1991.

826.   H. Immler, Agrarpolitik der DDR, Köln 1971.

826a.   C.-H. Janson, Totengräber der DDR. Wie Günter Mittag den SED-Staat ruinierte, Düsseldorf 1991.

827.   H.-G. Kiera, Partei und Staat im Planungssystem der DDR. Die Planung in der Ära Ulbricht, Düsseldorf 1975.

828.   V. Klemm, R. Berthold, H. Scholz, Von den bürgerlichen Agrarreformen zur sozialistischen Landwirtschaft in der DDR, Berlin (Ost) 1978.

829.   F. Klinger, Die Krise des Fortschritts in der DDR. Innovationsprobleme und Mikroelektronik, in: APuZG B 3 (1987), 3 ff.

829a.   P.-F. Koch, Das Schalck-Imperium lebt, München 1992.

830.   K. Krambach (Autorenkollektiv), Die Genossenschaftsbauern in den achtziger Jahren, Berlin (Ost) 1984.

831.   W. Krause, Die Entstehung des Volkseigentums in der Industrie der DDR, Berlin (Ost) 1958.

831a.   G. Kusch, Schlußbilanz -DDR. Fazit einer verfehlten Wirtschafts- und Sozialpolitik, Berlin 1991.

832.   H. Lambrecht, Der Handel der Deutschen Demokratischen Republik mit der Bundesrepublik Deutschland und den übrigen OECD-Ländern. Eine vergleichende Betrachtung des Westhandels der DDR in den Jahren 1965 bis 1975, Berlin (West) 1977.

833.   Ders., Die Landwirtschaft der DDR vor und nach ihrer Umgestaltung im Jahr 1960, Berlin (West) 1977.

834.   G. Lauterbach, Wirtschaftspolitik und Ökonomie. Wandel der Konzeptionen im Rahmen der Wirtschaftsreformen (1963–1971), Erlangen-Nürnberg 1980.

835.   M. Lentz, Die Wirtschaftsbeziehungen DDR – Sowjetunion 1945–1961. Eine politologische Analyse, Opladen 1979.

836.   G. Leptin, Die deutsche Wirtschaft nach 1945. Ein Ost-West-Vergleich, 3. überarb. u. erw. Aufl., Opladen 1980.

837.   W. Lindner, Aufbau des Sozialismus oder kapitalistische Restauration? Zur Analyse der Wirtschaftsreformen in der DDR und der CSSR, Erlangen 1971.

837a.   W. Matschke, Die industrielle Entwicklung in der Sowjetischen Besatzungszone Deutschlands (SBZ) von 1945 bis 1948, Berlin (West) 1988.

838.   M. Melzer, Anlagevermögen, Produktion und Beschäftigung der Industrie im Gebiet der DDR von 1936 bis 1978 sowie Schätzung des künftigen Angebotspotentials, Berlin 1980.

839. K. Merkel, H. Immler (Hrsg.), DDR-Landwirtschaft in der Diskussion, Köln 1972.

839a. W. Merkel, S. Wahl, Das geplünderte Deutschland. Die wirtschaftliche Entwicklung im östlichen Teil Deutschlands von 1949 bis 1989, 2. Auflage, Bonn 1991 (Schriften des Instituts für Wirtschaft und Gesellschaft).

840. H. Metz, Betriebliche Mitwirkung in der DDR, hrsg. v. Institut der deutschen Wirtschaft, Köln 1978.

840a. W. Mühlfriedel, K. Wiessner, Die Geschichte der Industrie der DDR bis 1965, Berlin (Ost) 1989.

841. H. Müller, K. Reissig, Wirtschaftswunder DDR. Ein Beitrag zur ökonomischen Politik der SED, Berlin (Ost) 1968.

842. J. Nawrocki, Das geplante Wunder. Leben und Wirtschaften im anderen Deutschland, Hamburg 1967.

843. B. Niedbalski, Deutsche Zentralverwaltungen und Deutsche Wirtschaftskommission. Ansätze zur zentralen Wirtschaftsplanung in der SBZ 1945–1948, in: VfZ 33 (1985), 456 ff.

844. F. Oelssner, 20 Jahre Wirtschaftspolitik der SED, Berlin (Ost) 1966.

844a. R. Paul, Das Wismut-Erbe. Geschichte und Folgen des Uranbergbaus in Thüringen und Sachsen, Göttingen 1991.

844b. U. Petschow, J. Meyerhoff, C. Thomasberger, Umweltreport DDR. Bilanz der Zerstörung, Kosten der Sanierung, Strategien für den ökologischen Umbau, eine Studie des Instituts für Ökologische Wirtschaftsforschung, Frankfurt/M. 1990.

844c. P. Plötz, Der Handel der DDR mit der Bundesrepublik Deutschland und den übrigen OECD-Ländern. Eine vergleichende Betrachtung des Westhandels der DDR, Hamburg 1986.

845. K. Pritzel, Die Wirtschaftsintegration Mitteldeutschlands, Köln 1969.

846. J. Roesler, Die Herausbildung der sozialistischen Planwirtschaft in der DDR. Aufgaben, Methoden und Ergebnisse der Wirtschaftsplanung in der zentralgeleiteten volkseigenen Industrie während der Übergangsperiode vom Kapitalismus zum Sozialismus, Berlin (Ost) 1978.

846a. Ders., Zwischen Plan und Markt. Die Wirtschaftsreform 1963–1970 in der DDR, Berlin 1990.

847. J. Roesler, R. Schwärzel, V. Siedt, Produktionswachstum und Effektivität in Industriezweigen der DDR 1950–1970, Berlin (Ost) 1983.

848. F. Schenk, Das rote Wirtschaftswunder. Die zentrale Planwirtschaft als Machtmittel der SED-Politik, Stuttgart 1969.

848a. G. Schneider, Wirtschaftswunder DDR. Anspruch und Realität, 2. durch einen Epilog erweiterte Auflage Köln 1990, 1. Auflage Köln 1988.

849. W. Seiffert (Hrsg.), Wirtschaftsrecht der DDR, Berlin (West) 1982.

849a. W. Seiffert, N. Treutwein, Die Schalck-Papiere. DDR-Mafia zwischen Ost und West. Die Beweise, München 1992.

850.   M. SPAKLER, Einige ökonomische Bestimmungsfaktoren der DDR. Außenpolitik unter Ulbricht und Honecker 1961-1973, Diss., Mannheim 1977.

851.   B. SPINDLER, Zum Stand des Umweltschutzes in der DDR, Bonn 1979.

851a. W. STINGLWAGNER, Die zentralgeleiteten Kombinate in der Industrie der DDR. Überblick und detailliertes Branchenprofil des Industriezweiges Elektrotechnik/Elektronik, 2. Auflage, Bonn 1990.

852.   K. C. THALHEIM, Die Wirtschaft des Sowjetzone in Krise und Umbau, Berlin (West) 1964.

853.   DERS., Die wirtschaftliche Entwicklung der beiden Staaten in Deutschland. Tatsachen und Zahlen, Opladen 1978, 2. überarb. Aufl. 1981, 3. Aufl. 1988.

854.   DERS., Die Wirtschaftspolitik der DDR im Schatten Moskaus, Hannover 1979.

854a. K. C. THALHEIM, M. HAENDCKE-HOPPE, Das Handwerk in der ehemaligen DDR und in Berlin (Ost), in: DA 24 (1991), 1186 ff.

855.   U. THIEDE, Unsere Saat trägt reiche Früchte. Von der Bodenreform zur industriemäßig organisierten sozialistischen Landwirtschaft in der DDR, Berlin (Ost) 1980.

855a. S. WENZEL, Wirtschaftsplanung in der DDR. Struktur, Funktion, Defizite, Berlin 1992.

855b. H. WIENERT, Die Stahlindustrie in der DDR, Berlin 1992.

855c. W. ZANK, Wirtschaft und Arbeit in Ostdeutschland 1945 - 1949. Probleme des Wiederaufbaus in der Sowjetischen Besatzungszone Deutschlands, München 1987.

13. KULTUR, MEDIEN, WISSENSCHAFT, IDEOLOGIE

856.   Alltäglicher Stalinismus? Geschichte von unten, hrsg. von der ostberliner Geschichtswerkstatt, Hamburg 1992.

856a. M. ALTNER (Hrsg.), Das proletarische Kinderbuch. Dokumente zur Geschichte der sozialistischen deutschen Kinder- und Jugendliteratur, Dresden 1988.

856b. Die Akademie der Wissenschaften der DDR. Geschichte und Auftrag, Berlin (Ost) 1987.

856c. L. ARNOLD (Hrsg.), Die andere Sprache. Neue DDR-Literatur der 80er Jahre. München 1990.

857.   P. BACHMANN u. a. (Hrsg.), Geschichte, Ideologie, Politik: Auseinandersetzungen mit bürgerlichen Geschichtsauffassungen in der BRD, Berlin (Ost) 1983.

857a. R. BADSTÜBNER, Die Geschichtsschreibung über die DDR zwischen Krise und Erneuerung, in: BzG 32 (1990), 481 ff.

857b. M. BECK, „Rhetorische Kommunikation" oder „Agitation und Propaganda". Zu Funktion der Rhetorik in der DDR. Eine sprachwissenschaftliche Untersuchung, St. Ingberg 1991.

858. H. v. BERG, Marxismus-Leninismus. Das Elend der halb deutschen, halb russischen Ideologie, Köln 1986, 2. Aufl. 1987.

858a. C. BERGER, Gewissensfrage Antifaschismus. Traditionen der DDR-Literatur. Analysen – Interpretationen – Interviews, Berlin 1990.

859. J. B. BILKE, Die verdrängte Wirklichkeit. DDR-Literatur unter Erich Honecker 1971–1978, in: APuZG B 23 (1978), S. 15 ff.

860. V. BLAUM, Marxismus-Leninismus, Massenkommunikation und Journalismus. Zum Gegenstand der Journalistikwissenschaft in der DDR, München 1980.

861. DIES., Ideologie und Fachkompetenz. Das journalistische Berufsbild in der DDR, Köln 1985.

861a. DIES., Kunst und Politik im SONNTAG. Eine historische Inhaltsanalyse zum deutschen Journalismus der Nachkriegsjahre, Köln 1992.

861b. W. BLEEK, L. MERTENS, Verborgene Quellen in der Humboldt-Universität. Geheimgehaltene DDR-Dissertationen, in: DA 25 (1992), 1181 ff.

861c. H. BLUNK, D. JUNGNICKEL (Hrsg.), Filmland DDR. Ein Reader zu Geschichte, Funktion und Wirkung der DEFA, Köln 1990.

862. S. BOCK, Literaten, Gesellschaft, Nation: Materielle und ideelle Rahmenbedingungen der frühen DDR-Literatur (1949–1956), Stuttgart 1980.

862a. E. BOS, Leserbriefe in Tageszeitungen der DDR. Zur „Massenverbundenheit" der Presse 1949–1989, Opladen 1993.

863. W. BRETTSCHNEIDER, Zwischen literarischer Autonomie und Staatsdienst. Die Literatur in der DDR, 2. verb. u. erg. Aufl., Berlin (West) 1974.

863a. J. H. BRINKS, Die DDR-Geschichtswissenschaft auf dem Weg zur deutschen Einheit. Luther, Friedrich II. und Bismarck als Paradigmen politischen Wandels, Frankfurt/M. 1992.

864. H.-A. BROCKHAUS (Autorenkollektiv), Musikgeschichte der Deutschen Demokratischen Republik 1945–1976, Berlin (Ost) 1979.

865. H. C. BUCH, M. KRÜGER, K. WAGENBACH (Hrsg.), Vaterland, Muttersprache. Deutsche Schriftsteller und ihr Staat seit 1945, Berlin (West) 1979.

866. C. BURRICHTER, Das Verhältnis von Wissenschaft und Politik in der DDR, in: APuZG B 6 (1971), 13 ff.

867. C. v. BUXHOEVEDEN, Geschichtswissenschaft und Politik in der DDR. Das Problem der Periodisierung, Köln 1980.

867a. V. CAYSA, „Hoffnung kann enttäuscht werden". Ernst Bloch in Leipzig, Frankfurt/M. 1992.

867b. C. CHOTZEN, Kulturrevolutionäre Veränderungen in Mecklenburg zwischen 1949 bis 1952. Eine Untersuchung über die Entwicklung der Theater, des Lichtspielwesens und des künstlerischen Laienschaffens, unter besonderer Berücksichtigung von Arbeitsbedingungen, Arbeitsweise und kulturpolitischer Führung, Rostock 1987.

867c. M. DAMUS, Malerei in der DDR. Funktionen der Bildenden Kunst im Realen Sozialismus, Hamburg 1991.

868.   P. Dietrich, Geheimbund oder totalitäre Partei: Zur „Geheimbund-Verfassung" kommunistischer Parteien bei P. C. Ludz, in: Ideologie und gesellschaftliche Entwicklung in der DDR. 18. Tagung zum Stand der DDR-Forschung in der Bundesrepublik, Köln 1985, 133 ff.

869.   A. Dorpalen, Die Geschichtswissenschaft in der DDR, in: B. Faulenbach, Geschichtswissenschaft in Deutschland, München 1974.

870.   V. Dudeck, Lehren der Geschichte der Arbeiterbewegung – ihr Platz in der Theorie des wissenschaftlichen Kommunismus und im dritten Kurs des marxistisch-leninistischen Grundlagenstudiums, Diss., Berlin (Ost) 1976.

870a.   R. Eckert, W. Küttler, G. Seeber (Hrsg.), Krise – Umbruch – Neubeginn. Eine kritische und selbstkritische Dokumentation der DDR-Geschichtswissenschaft 1989/90, Stuttgart 1992.

871.   W. Emmerich, Kleine Literaturgeschichte der DDR, Darmstadt 1981, 2. Aufl. 1984.

871a.   G. Erbe, Die verfemte Moderne. Die Auseinandersetzung mit dem „Modernismus" in Kulturpolitik, Literaturwissenschaft und Literatur in der DDR, Opladen 1993.

871b.   E. Faber, C. Wurm (Hrsg.), Allein mit Lebensmittelkarten ist es nicht auszuhalten. Autoren- und Verlegerbriefe 1945–1949, Berlin 1991.

872.   G. Fabiunske, Geschichte der politischen Ökonomie des Marxismus-Leninismus, 2 Bde., Berlin (Ost) 1978/1979.

873.   Film- und Fernsehkunst der DDR, Traditionen – Beispiele – Tendenzen, hrsg. v. d. Hochschule für Film und Fernsehen der DDR, Berlin (Ost) 1979.

874.   A. Fischer, Der Weg zur Gleichschaltung der sowjetzonalen Geschichtswissenschaft, in: VfZ 10 (1962), 149 ff.

875.   Ders., H. Weber, Periodisierungsprobleme der Geschichte der DDR, in: 30 Jahre DDR, DA-Sonderheft, 12. Tagung zum Stand der DDR-Forschung in der Bundesrepublik, Köln 1979, 17 ff.

875a.   Ders., G. Heydemann, Geschichtswissenschaft in der DDR. Bd. 1. Historische Entwicklung. Theoriediskussion und Geschichtsdidaktik, Berlin 1988.

876.   E. Förtsch, Forschungspolitik in der DDR, Erlangen-Nürnberg 1976.

876a.   K. W. Fricke, Das MfS und die Schriftsteller, in: DA 25 (1992), 1130 ff.

877.   H. Gärtner (Autorenkollektiv), Die Künste in der DDR. Aus ihrer Geschichte in drei Jahrzehnten, Berlin (Ost) 1979.

877a.   M. Gerber (Hrsg.), Studies in GDR Culture and Society. Selected Papers from the Fifteenth New Hampshire Symposium on the German Democratic Republic, Lanham Maryland 1991.

878.   I. Gerlach, Bitterfeld. Arbeiterliteratur und Literatur der Arbeitswelt in der DDR, Kronberg/Ts. 1974.

878a.   R. Geserick, A. Kutsch (Hrsg.), Publizistik und Journalismus in der DDR. 8 Beiträge zum Gedenken an Elisabeth Löckenhoff, München 1988.

878b.   R. Geserick, 40 Jahre Presse, Rundfunk und Kommunikationspolitik in der DDR, München 1989.

879. G.-J. GLAESSNER, Sozialistische Systeme. Einführung in die Kommunismus- und DDR-Forschung, Opladen 1982.

880. DERS., Schwierigkeiten beim Schreiben der Geschichte der DDR. Anmer- kungen zum Problem der Periodisierung, in: DA 17 (1984), 638 ff.

881. J. W. GÖRLICH, Geist und Macht in der DDR. Die Integration der kommu- nistischen Ideologie, Olten-Freiburg 1968.

881a. J. GRAMBOW, Literaturbriefe aus Rostock. Über Thomas Bernhard, Günter Grass, Uwe Johnson, Peter Rühmkorf, Arno Schmidt, Martin Walser und Christa Wolf, Frankfurt/M. 1990.

882. V. GRANSOW, Kulturpolitik in der DDR, Berlin (West) 1975.

883. DERS., Konzeptionelle Wandlungen der Kommunismusforschung. Vom To- talitarismus zur Immanenz, Frankfurt-New York 1980.

884. H. GÜTTLER, "Imperialismusforschung" in der DDR, Diss., Erlangen-Nürn- berg 1975.

884a. G. GUTMANN, S. MAMPEL (Hrsg.), Wissenschaft und Forschung im geteilten Deutschland, Berlin 1988.

885. K. HAGER, Wissenschaft und Technologie im Sozialismus, Berlin (Ost) 1974.

885a. H.-P. HAMACHER, DDR-Forschung und Politikberatung 1949-1990. Ein Wis- senschaftszweig zwischen Selbstbehauptung und Anpassungszwang, Köln 1991.

886. J. HANNEMANN, L. ZSCHUCKELT, Schriftsteller in der Diskussion. Zur Litera- turentwicklung der fünfziger Jahre, Berlin (Ost) 1979.

886a. J. HAUPT, Der 17. Juni 1953 in der Prosaliteratur der DDR bis 1989. Über den Zusammenhang von Politik und Literatur und die Frage nach einem „Leseland DDR", Diss., Mannheim 1991.

886b. W. HEDELER, H. HELAS, D. WULFF, Stalins Erbe. Der Stalinismus und die deutsche Arbeiterbewegung, Berlin 1990.

886c. T. HEIMANN, DEFA, Künstler und SED. Zum Verhältnis von Kulturpolitik und Film in der SBZ/DDR 1945 bis 1958, Diss., Mannheim 1993.

886d. H. HEITZER (Hrsg.), Wegbereiter der DDR-Geschichtswissenschaft, Biogra- phien, Berlin (Ost) 1989.

886e. I. HENKER, Die Hilfe der Sowjetischen Militäradministration in Deutsch- land für die Herausbildung einer demokratischen und sozialistischen Litera- tur bis 1949, Leipzig 1975.

887. G. HEYDEMANN, Geschichtswissenschaft im geteilten Deutschland. Ent- wicklungsgeschichte, Organisationsstruktur, Funktionen, Theorie- und Methodenprobleme in der Bundesrepublik Deutschland und in der DDR, Frankfurt/M. 1980.

888. DERS., Marxistisch-leninistische Zeitgeschichte in der DDR, in: APuZG B 36 (1982), 17 ff.

889. I. HILDEBRANDT, L. MÜLLER, W. PILLUKAT, Die Ausarbeitung der Konzeption der entwickelten sozialistischen Gesellschaft. Analysen zum theoretischen Beitrag der SED, Berlin (Ost) 1984.

890.   P. U. Hohendahl, P. Herminghouse (Hrsg.), Literatur der DDR in den siebziger Jahren, Frankfurt/M. 1983.

890a.   J. S. Hohmann (Hrsg.), Sexuologie in der DDR, Berlin 1991.

891.   G. Holzweissig, Massenmedien in der DDR, Berlin (West) 1983, 2. überarb. Aufl. 1989.

891a.   Ders., DDR-Presse unter Parteikontrolle. Kommentierte Dokumentation, Bonn 1991.

891b.   Ders., Das MfS und die Medien, in: DA 25 (1992), 32 ff.

891c.   G. Iggers (Hrsg.), Ein anderer historischer Rückblick. Beispiele ostdeutscher Sozialgeschichte, Frankfurt/ M 1991.

891d.   Informationszentrum Sozialwissenschaft (Hrsg.), Sozialforschung in der DDR. Dokumentation unveröffentlichter Forschungsarbeiten, Bd. 1-3, Bonn 1992.

891e.   Inquisition der Neuzeit: Das 11. Plenum von 1965, hrsg. v. d. Kommission Politische Bildung des Parteivorstandes der PDS, Berlin 1991.

892.   M. Jäger, Sozialliteraten. Funktion und Selbstverständnis der Schriftsteller in der DDR, Düsseldorf 1973, 2. Aufl. 1975.

893.   Ders., Kultur und Politik in der DDR. Ein historischer Abriß, Köln 1981.

893a.   Ders., Das Tribunal vom 7. Juni. DDR-Schriftstellerverband schließt unbotmäßige Schriftsteller aus, in: DA 24 (1991), 143 ff.

893b.   K. H. Jarausch, Zwischen Parteilichkeit und Professionalität. Bilanz der Geschichtswissenschaft in der DDR, Berlin 1991.

893c.   K. Jarmatz (Hrsg.), Ravensbrücker Ballade oder Faschismusbewältigung in der DDR, Berlin 1992.

893d.   J. John, W. Küttler, W. Schmidt, Für eine Erneuerung des Geschichtsverständnisses der DDR, in: Einheit 44 (1989), 1146 ff.

893e.   G. Jordan, DEFA-Wochenschau und Dokumentarfilm 1946-1949, Diss. Humboldt-Universität, Berlin 1990.

894.   F. P. Kahlenberg, Deutsche Archive in West und Ost. Zur Entwicklung des staatlichen Archivwesens seit 1945, Düsseldorf 1972.

894a.   H. Kallabis, „Realer Sozialismus" - Anspruch und Wirklichkeit. Analyse, Alternativen, Illusionen, Berlin 1990.

894b.   N. Kapferer, Das Feindbild der marxistisch-leninistischen Philosophie in der DDR 1945-1988, Darmstadt 1990.

895.   H. Kersten, Das Filmwesen in der sowjetischen Besatzungszone Deutschlands, 2. Aufl., Bonn-Berlin (West) 1963.

895a.   K. M. Kober, 1945 - 1949. Die Kunst der frühen Jahre. Malerei, Zeichnungen, Grafiken aus der sowjetischen Besatzungszone, Leipzig 1989.

895b.   H. Kühnrich, Stalinismus. Der Autor im Gespräch mit Jürgen Weidlich, Berlin 1990.

896.   U. Kuhirt (Hrsg.), Kunst in der DDR 1945-1980. 2 Bde., Leipzig 1982/83.

897. Kultur und Gesellschaft in der DDR, DA-Sonderheft, 10. Tagung zum Stand der DDR-Forschung in der Bundesrepublik, Köln 1977.

898. H. LADES, Zum Verhältnis der Geschichtswissenschaften in beiden deutschen Staaten, in: Geschichte in Wissenschaft und Unterricht 31 (1980), Heft 3, 33 ff.

899. H. LADES, C. BURRICHTER, Produktivkraft Wissenschaft. Sozialistische Sozialwissenschaften in der DDR, Hamburg 1970.

900. M. G. LANGE, Wissenschaft im totalitären Staat. Die Wissenschaft der sowjetischen Besatzungszone auf dem Weg zum „Stalinismus", Stuttgart-Düsseldorf 1955.

901. H. LINDEMANN, K. MÜLLER, Auswärtige Kulturpolitik der DDR. Die kulturelle Abgrenzung der DDR von der Bundesrepublik Deutschland, Bonn-Bad Godesberg 1974.

902. F. Loeser, Die unglaubwürdige Gesellschaft. Quo vadis, DDR? Köln 1984.

903. G. LOZEK, Illusionen und Tatsachen. Anachronistische BRD-Geschichtsschreibung über die DDR, Berlin (Ost) 1980.

904. DERS., (Autorenkollektiv), Unbewältigte Vergangenheit. Kritik der bürgerlichen Geschichtsschreibung in der BRD, 3. erw. Aufl., Berlin (Ost) 1977.

905. DERS., Grundfragen der aktuellen Auseinandersetzung mit der bürgerlichen Historiographie, in: BzG 22 (1980), 20 ff.

906. P. C. LUDZ (Hrsg.), Studien und Materialien zur Soziologie der DDR, Köln-Opladen 1964.

907. DERS., Ideologiebegriff und marxistische Theorie. Ansätze zu einer immanenten Kritik, Opladen 1976.

908. DERS., Mechanismen der Herrschaftssicherung. Eine sprachpolitische Analyse gesellschaftlichen Wandels in der DDR, München 1980.

908a. J. LUCCHESI, Das „Verhör" in der Oper. Die Debatte um Brecht/Dessaus „Lukullus", Berlin 1992.

909. P. LÜBBE, Kulturelle Auslandsbeziehungen der DDR: das Beispiel Finnland, Bonn 1981.

909a. M. LUKAS, H.-J. MAAZ, Die Einheit beginnt zu zweit. Ein deutsch-deutsches Zwiegespräch, Berlin 1991, 2. Auflage 1992.

910. A. M. MALLINCKRODT, Das kleine Massenmedium. Soziale Funktion und politische Rolle der Heftreihenliteratur in der DDR, Köln 1984.

911. B. MARQUARDT, E. SCHMICKL, Wissenschaft, Macht und Modernisierung in der DDR, in: APuZG B 3 (1987), 20 ff.

912. B. MAYER-BURGER, Entwicklung und Funktion der Literaturpolitik der DDR (1945-1978), München 1983.

912a. H. MEIER, W. SCHMIDT (Hrsg.), Erbe und Tradition in der DDR. Die Diskussion der Historiker, Berlin 1988.

912b. H. MEYER (Hrsg.), Intelligenz, Wissenschaft und Forschung in der DDR, Berlin, New York 1990.

913.   I. Münz-Koenen (Autorenkollektiv), Literarisches Leben in der DDR 1945 bis 1960. Literaturkonzepte und Lernprogramme, Berlin (Ost) 1979, 2. Aufl. 1980.

913a.   Muschter, T. Rüdiger (Hrsg.), Jenseits der Staatskultur. Traditionen autonomer Kunst in der DDR, München 1992.

913b.   S. Neef, Deutsche Oper im 20. Jahrhundert. DDR 1949-1989, Berlin 1992.

914.   U. Neuhäusser-Wespy, Die SED und die Historie, in: APuZG B 41 (1976), 30 ff.

914a.   H. Niemann, Vorlesungen zur Geschichte des Stalinismus, Berlin 1991.

914b.   W. Oschlies, Würgende und wirkende Wörter – Deutschsprechen in der DDR, Berlin 1989.

915.   J. Osers, Forschung und Entwicklung in sozialistischen Staaten Osteuropas, Berlin (West) 1974.

916.   E. D. Otto, Nachrichten in der DDR. Eine empirische Untersuchung über „Neues Deutschland", Köln 1979.

916a.   S. Pannen, Die Weiterleiter. Funktion und Selbstverständnis ostdeutscher Journalisten, Köln 1992.

916b.   W. H. Pehle, P. Sillem (Hrsg.), Wissenschaft im geteilten Deutschland. Restauration oder Neubeginn nach 1945?, Frankfurt/M. 1992.

916c.   L. Peter, Dogma oder Wissenschaft? Marxistisch-leninistische Soziologie und staatssozialistisches System in der DDR, Frankfurt/M. 1991.

917.   J.-P. Picaper, Kommunikation und Propaganda in der DDR, Stuttgart 1976.

918.   S. u. E. Pohl, Die ungehorsamen Maler der DDR. Anspruch und Wirklichkeit der SED-Kulturpolitik 1965-1979, Berlin (West) 1979.

919.   Politisches Grundwissen, ausgearb. v. einem Autorenkollektiv der Parteihochschule „Karl Marx" beim ZK der SED, Berlin (Ost) 1970, 2. überarb. Aufl. 1972.

919a.   Das Problem der Freiheit im Lichte des wissenschaftlichen Sozialismus. Konferenz der Sektion Philosophie der Deutschen Akademie der Wissenschaften zu Berlin. 8. – 10. März 1956. Auszüge aus dem Protokoll, hrsg. v. podium progressiv, Berlin 1990.

920.   F. J. Raddatz, Traditionen und Tendenzen. Materialien zur Literatur der DDR, Frankfurt/M. 1972.

921.   G. Raue, Geschichte des Journalismus in der DDR (1945-1961), Leipzig 1986.

922.   Ders., Journalismus in der Übergangsperiode. Zur Entstehung, Funktion und Profilierung des späteren DDR-Journalismus in der antifaschistisch-demokratischen Umwälzung 1945-49, Diss. B, Leipzig 1983.

922a.   R. Rehmann, Unterwegs in fremden Träumen. Begegnungen mit dem anderen Deutschland, München 1993.

922b.   M. Reich-Ranicki, Ohne Rabatt. Über Literatur aus der DDR, Stuttgart 1991.

923.   O. Reinhold, Die Gestaltung unserer Gesellschaft. Die theoretische Kon-

zeption der entwickelten sozialistischen Gesellschaft und die gesellschaftspolitische Strategie der SED, Berlin (Ost) 1986.

924. F. REUTER, Geschichtsbewußtsein in der DDR. Programm und Aktion, Köln 1973.

925. H. RIEDEL, Hörfunk und Fernsehen in der DDR, Köln 1977.

925a. U. RIEGE, Intelligenz und Kultur in der DDR. Eine Nachbereitung, in: DA 25 (1992), 966 ff.

926. D. RIESENBERGER, Geschichte und Geschichtsunterricht in der DDR, Göttingen 1973.

927. R. RICHTER, Kultur und Bündnis. Die Bedeutung der Sowjetunion für die Kulturpolitik der DDR, Berlin (Ost) 1979.

927a. U. ROSENSTÄDT, F. WILHELM, C. GANSEL, Der Deutsche Schriftstellerverband in der Mitte der fünfziger Jahre – Befehlsempfänger der SED?, in: DA 25 (1992), 1144 ff.

928. G. ROSSMANN, Zur Verfälschung der Geschichte der SED durch die bürgerliche und rechtssozialdemokratische Geschichtsschreibung, in: BzG 17 (1975), 40 ff.

928a. K.-H. ROTHER, Parteiverfahren für Marx. Hier irrten Kurt Hager und andere, Berlin (Ost) 1990.

929. J. RÜHLE, Literatur und Revolution. Die Schriftsteller und der Kommunismus in Deutschland, Köln-Berlin (West) 1960, Neuaufl. Köln 1988.

930. J. RÜSEN, Z. VASICEK, Geschichtswissenschaft zwischen ideologischer Funktionalisierung und fachlicher Eigenständigkeit, in: Ideologie und gesellschaftliche Entwicklung in der DDR. 18. Tagung zum Stand der DDR-Forschung in der Bundesrepublik, Köln 1985, 143 ff.

930a. G. RÜTHER, „Greif zur Feder Kumpel". Schriftsteller, Literatur und Politik in der DDR 1949-1990, Düsseldorf 1991.

930b. W. RUGE, Stalinismus – eine Sackgasse im Labyrinth der Geschichte, Berlin 1991.

931. R. RYTLEWSKI, D. KRAA, Politische Rituale in der UdSSR und der DDR, in: APuZG B 3 (1987), 33 ff.

932. H.-D. SANDER, Geschichte der schönen Literatur in der DDR. Ein Grundriß, Freiburg 1972.

932a. A. SCHÄTZKE, Zwischen Bauhaus und Stalinallee. Architekturdiskussion im östlichen Deutschland 1945 - 1955, Braunschweig 1991.

933. W. SCHLENKER, Das „Kulturelle Erbe" in der DDR. Gesellschaftliche Entwicklung und Kulturpolitik 1945-1965, Stuttgart 1977.

933a. K. R. SCHERPE, L. WINCKLER (Hrsg.), Frühe DDR-Literatur. Traditionen, Institutionen, Tendenzen, Hamburg 1988.

933b. H. D. SCHLOSSER (Hrsg.), Kommunikationsbedingungen und Alltagssprache in der ehemaligen DDR. Ergebnisse einer interdisziplinären Tagung, Frankfurt/M. 1991.

934. E. SCHMICKL, Soziologie und Sozialismustheorie in der DDR, Köln 1973.

935.   H.-J. Schmitt (Hrsg.), Die Literatur der DDR, München-Wien 1983.

935a.   W. Schneider (Hrsg.), Kinder- und Jugendtheater in der DDR, Frankfurt/M. 1990.

935b.   K. E. v. Schnitzler, Der Rote Kanal. Armes Deutschland, Hamburg 1992.

935c.   F. H. Schregel, Die Romanliteratur der DDR. Erzähltechniken, Leserlenkung, Kulturpolitik, Opladen 1991.

936.   H.-D. Schütte, Zeitgeschichte und Politik. Deutschland- und blockpolitische Perspektiven der SED in den Konzeptionen marxistisch-leninistischer Zeitgeschichte, Bonn 1985.

937.   Die SED und das kulturelle Erbe. Orientierungen, Errungenschaften, Probleme, H. Haase (Autorenkollektiv), Berlin (Ost) 1986.

938.   H.-J. Spanger, Die SED und der Sozialdemokratismus. Ideologische Abgrenzung in der DDR, Köln 1982.

939.   J. Staadt, Konfliktbewußtsein und sozialistischer Anspruch in der DDR-Literatur. Zur Darstellung gesellschaftlicher Widersprüche in Romanen nach dem VIII. Parteitag der SED 1971, Berlin (West) 1977.

940.   J. Streisand, Kulturgeschichte der DDR. Studien zu ihren historischen Grundlagen und ihren Entwicklungsetappen, Berlin (Ost) 1981.

941.   H. Teller, Der kalte Krieg gegen die DDR. Von seinen Anfängen bis 1961, Berlin (Ost) 1979.

941a.   P. F. Teupe, Christa Wolfs Kein Ort, nirgends als Paradigma der DDR-Literatur der siebziger Jahre, Frankfurt/M. 1992.

942.   K. Thomas, Die Malerei in der DDR 1949–1979, Köln 1980.

942a.   M. Thomas (Hrsg.), Abbruch und Aufbruch. Sozialwissenschaften im Transformationsprozeß. Erfahrungen, Ansätze, Analysen, Berlin 1992.

943.   R. Thomas (Hrsg.), Wissenschaft und Gesellschaft in der DDR, eingel. v. P. C. Ludz, München 1971.

944.   A. Timm, Das Fach Geschichte in Forschung und Lehre in der Sowjetischen Besatzungszone Deutschlands seit 1945, 4. Aufl., Bonn-Berlin (West) 1966.

944a.   A. Ulrich, J. Wagner (Hrsg.), DT64. Das Buch zum Jugendradio 1964–1993, Leipzig 1993.

944b.   G. Verbeek, Kontinuität und Wandel im DDR-Geschichtsbild, in: APuZG B 11 (1990), 30 ff.

945.   D. Voigt, Soziologie in der DDR. Eine exemplarische Untersuchung, Köln 1975.

945a.   K. Wagner, Zwischen Ideologie und Alltag. Eine Studie zur Wissenssoziologie der DDR vor dem gesellschaftlichen Umbruch des Jahres 1989, Regensburg 1991.

945b.   M. Wagner, Der Forschungsrat der DDR. Im Spannungsfeld von Sachkompetenz und Ideologieanspruch; 1954–April 1962, Berlin 1992.

945c.   D. Waterkamp, Handbuch zum Bildungswesen der DDR, mit einem Vorw. von O. Anweiler, Berlin 1987.

946. H. WEBER, Ulbricht fälscht Geschichte. Ein Kommentar mit Dokumenten zum „Grundriß der Geschichte der deutschen Arbeiterbewegung", Köln 1964.

947. DERS., Ansätze einer Politikwissenschaft in der DDR, Düsseldorf 1971.

947a. DERS., „Weiße Flecken" in der DDR-Geschichtsschreibung, in: APuZG B 11 (1990), 3 ff.

947b. E. WICHNER, H. WIESNER (Hrsg.), Zensur in der DDR. Geschichte, Praxis und 'Ästhetik' der Behinderung von Literatur, Berlin 1991.

947c. H. WILHARM, Denken über eine geschlossene Welt. Philosophie in der DDR, Hamburg 1990.

947d. Zur nichtmarxistischen Geschichtsschreibung und -ideologie in der BRD. Quellen zur Auseinandersetzung, hrsg. vom Ministerium für Hoch- und Fachschulwesen (Nur für den Dienstgebrauch). Eine Chrestomathie von G. KATSCH u. a., Leipzig 1985.

948. Wissenschaft in der DDR. Beiträge zur Wissenschaftspolitik und Wissenschaftsentwicklung nach dem VIII. Parteitag, hrsg. v. Institut für Gesellschaft und Wissenschaft Erlangen, Köln 1973.

949. Wissenschaftlicher Kommunismus. Lehrbuch für das marxistisch-leninistische Grundlagenstudium, Berlin (Ost) 1974.

950. M. ZAGATTA, Informationspolitik und Öffentlichkeit. Zur Theorie der politischen Kommunikation in der DDR, Köln 1984.

951. M. ZUBER, Wissenschaftswissenschaft in der DDR. Ein Experiment, Köln 1973.

952. Zur Geschichte der marxistisch-leninistischen Philosophie in der DDR. Von 1945 bis Anfang der sechziger Jahre, hrsg. v. d. Akademie für Gesellschaftswissenschaften beim ZK der SED, Berlin (Ost) 1979.

14. ERZIEHUNG UND BILDUNG

952a. H. ADAM, W. EICHLER, Versäumnisse und Chancen. Alte und neue Versuche zur Strukturierung der Bildungsinhalte der DDR-Schule, Braunschweig 1990.

953. O. ANWEILER, F. KUEBART (Hrsg.), Bildungssystem in Osteuropa – Reform oder Krise? Berlin (West) 1983.

953a. O. ANWEILER, Schulpolitik und Schulsystem in der DDR, Opladen 1988.

954. L. AUERBACH, H. P. SCHÄFER, H. SIEBERT, die DDR. Bildung, Wissenschaft und Forschung, München 1970.

955. M. BALZEREIT, E. SCHWERTNER, Hochschule im Sozialismus, Berlin (Ost) 1977.

956. S. BASKE (Hrsg.), Bildungsreform in der Bundesrepublik Deutschland und in der Deutschen Demokratischen Republik, Heidelberg 1981.

957. W. BERGSDORF, U. GÖBEL, Bildungs- und Wissenschaftspolitik im geteilten Deutschland, München-Wien 1980.

958.   Das Bildungswesen der Deutschen Demokratischen Republik, 2. Aufl., Berlin (Ost) 1983.

959.   G. Bümmer, Die Entwicklung des elterlichen Sorge- und Erziehungsrechts in der DDR, Köln-Berlin-Bonn-München 1980.

959a.   A. Burckhardt, DDR-Report. Wissenschaft und Bildung im Zeichen der Wende, Bonn 1990.

960.   F. W. Busch, Familienerziehung in der sozialistischen Pädagogik der DDR, Düsseldorf 1972.

960a.   A. Fischer, Das Bildungssystem der DDR. Entwicklung, Umbruch und Neugestaltung seit 1989, Darmstadt 1992.

961.   L. Froese, Sowjetisierung der deutschen Schule, Freiburg 1962.

961a.   H. O. Gericke, Die Anfänge des Gegenwartskunde-Unterrichts in der Sowjetischen Besatzungszone Deutschlands, Hamburg 1992.

962.   L. Gläser, C. Lost, Zur Entwicklung des Volksbildungswesens in der DDR in den Jahren 1956-1958, Berlin (Ost) 1981.

963.   G.-J. Glaessner, I. Rudolph, Macht durch Wissen, Zum Zusammenhang von Bildungspolitik, Bildungssystem und Kaderqualifizierung in der DDR, Opladen 1978.

964.   K. H. Günther, G. Uhlig, Geschichte der Schule in der Deutschen Demokratischen Republik 1945 bis 1971, Berlin (Ost) 1974.

965.   A. Hearnden, Bildungspolitik in der BRD und DDR, Düsseldorf 1973.

966.   W. Henrich, Das unverzichtbare Feindbild. Haßerziehung in der DDR, Bonn 1981.

967.   A. Hegelheimer, Berufsausbildung in Deutschland. Ein Struktur-, System- und Reformvergleich der Berufsausbildung in der Bundesrepublik und der DDR, 2. Aufl., Frankfurt/M. 1973.

967a.   G. Helwig (Hrsg.), Schule in der DDR, Köln 1988.

968.   H. Hettwer, Das Bildungswesen in der DDR. Strukturelle und inhaltliche Entwicklung seit 1945, Köln 1976.

968a.   G. Hohendorf (Hrsg.), Wegbereiter der neuen Schule, Berlin (Ost) 1989.

968b.   B. Hohlfeld: Die Neulehrer in der SBZ, DDR 1945-1953. Ihre Rolle bei der Umgestaltung von Gesellschaft und Staat, Weinheim 1992.

969.   R. Juszig, K. Wilhelm, Berufsausbildung in der DDR, Mainz o. J. (1975).

970.   H. H. Kasper, Der Kampf der SED um die Heranbildung einer Intelligenz aus der Arbeiterklasse und der werktätigen Bauernschaft über die Vorstudienanstalten an den Universitäten und Hochschulen der sowjetischen Besatzungszone, Deutschlands (1945/46 bis 1949), Diss., Freiburg 1979.

971.   H. Klein, Bildung in der DDR. Grundlagen, Entwicklungen, Probleme, Reinbek bei Hamburg 1974.

972.   M. S. Klein, The challenge of communist education: A look at the German Democratic Republic, New York 1980.

972a.   F. Klier, Lüg Vaterland. Erziehung in der DDR, München 1990.

973.   R. Köhler, Die Zusammenarbeit der SED und der SMAD bei der antifa-schistisch-demokratischen Erneuerung des Hochschulwesens (1945-1949), Diss., Berlin (Ost) 1983.

974.   M. G. Lange, Totalitäre Erziehung. Das Erziehungssystem der Sowjetzone Deuschlands, Frankfurt/M. 1954.

975.   W. Mohrmann, Die Humboldt-Universität zu Berlin während der Jahre der Herausbildung und Gestaltung der entwickelten sozialistischen Gesellschaft in der DDR (1961-1981), Diss., Berlin (Ost) 1982.

976.   M. u. E. E. Müller, „... stürmt die Festung Wissenschaft". Die Sowjetisie-rung der mitteldeutschen Universitäten seit 1945, Berlin (West) 1953.

976a.   R. Oberliesen, J. Bastian u. a. (Hrsg.), Schule Ost – Schule West. Ein deutsch-deutscher Reformdialog, Hamburg 1992.

977.   G. Opitz, Arbeiterklasse und Bildung in der entwickelten sozialistischen Gesellschaft. Zu einigen Grundfragen der Bildungspolitik der SED, Berlin (Ost) 1976.

977a.   W. Oschlies, „Russischkenntnisse? In der DDR eine Seltenheit!". Ausmaß und Ursachen einer Fremdsprachenmisere, Köln 1988.

978.   E. Peschel, Theoretische Grundlagen der Erziehungstätigkeit der marxi-stisch-leninistischen Parteipresse, Diss., Leipzig 1977.

979.   E. Richert, „Sozialistische Universität". Die Hochschulpolitik der SED, Berlin (West) 1967.

980.   E. Schiele, Hochschulreform und Lehrerausbildung in der DDR seit 1965, Berlin (West) 1984.

981.   K. Schmitt, Politische Erziehung in der DDR. Ziele, Methoden und Ergeb-nisse des politischen Unterrichts an den allgemeinbildenden Schulen der DDR, Paderborn-München-Wien-Zürich 1980.

982.   E. Schwertner, A. Kempke, Zur Wissenschafts- und Hochschulpolitik der SED 1945/46-1966, Berlin (Ost) 1967.

983.   H. Stallmann, Hochschulzugang in der SBZ/DDR von 1945-1959, St. Au-gustin 1980.

984.   T. Tupetz, Das Bildungswesen in der DDR. Eine Übersicht über Schul- und Hochschulreform, Bildungsplan und das System der lebenslangen Fortbil-dung in der DDR mit Hinweisen auf entsprechende Entwicklungen und Tendenzen in der Bundesrepublik Deutschland, Bonn 1970.

985.   M. Usko, Hochschulen in der DDR, Berlin (West) 1974.

986.   H. Vogt (u. a.), Schule und Betrieb in der DDR. Das Zusammenwirken von allgemeinbildender Schule und volkseigenem Betrieb bei der staatsbürgerli-chen Erziehung und polytechnischen Bildung, Köln 1970.

987.   P. Wandel, Die demokratische Einheitsschule. Rückblick und Ausblicke, Berlin (Ost)-Leipzig 1949.

988.   D. Waterkamp, Das Einheitsprinzip im Bildungswesen der DDR. Eine histo-risch-systematische Untersuchung, Köln 1985.

989.   H. A. Welsh, Entnazifizierung und Wiedereröffnung der Universität Leipzig 1945-1946. Ein Bericht des damaligen Rektors Professor Bernhard Schweitzer, in: VfZ 33 (1985), 339 ff.

15. Militär

990.   Armee für Frieden und Sozialismus. Geschichte der Nationalen Volksarmee der DDR, R. Brühl (Autorenkollektiv), Berlin (Ost) 1985.

991.   T. Beck, Liebe zum Sozialismus – Haß auf den Klassenfeind. Wehrmotiv und Wehrerziehung in der DDR, Lüneburg 1983.

991a.   Ders., Politschulung der DDR-Grenztruppen, Sindelfingen 1989.

992.   H. Bohn, Die Aufrüstung in der sowjetischen Besatzungszone, 2. Aufl., Bonn-Berlin (West) 1960.

993.   E. Doehler, R. Falkenberg, Militärische Tradition der DDR und der NVA, Berlin (Ost) 1979.

994.   T. M. Forster, Die NVA. Kernstück der Landesverteidigung der DDR, 5. Aufl., Köln 1975.

994a.   Geschichte der Deutschen Volkspolizei, 1945-1985, 2 Bde., 2. Auflage Berlin (Ost) 1987.

995.   G. Glaser (Autorenkollektiv), Militärpolitik für Sozialismus und Frieden. Grundfragen der Politik der SED zum militärischen Schutz der revolutionären Errungenschaften und des Friedens von der Gründung der DDR bis zur Gestaltung der entwickelten sozialistischen Gesellschaft, Berlin (Ost) 1976.

996.   J. Hacker u. a. (Hrsg.), Die Nationale Volksarmee der DDR im Rahmen des Warschauer Paktes, München 1982.

997.   M. D. Hancock, The Bundeswehr and the national people's army. A comparative study of German civil-military policy, Denver 1973.

998.   J. Hartwig, A. Wimmel, Wehrerziehung und vormilitärische Ausbildung der Kinder und Jugendlichen in der DDR, Stuttgart 1979.

999.   D. R. Herspring, East German civil-military relations. The impact of technology. 1949-72, New York 1973.

1000.   H. Hoffmann, Sozialistische Landesverteidigung. Aus Reden und Aufsätzen 1974 bis 1978, Berlin (Ost) 1979.

1001.   G. Holzweissig, Militärwesen in der DDR, Berlin (West) 1985.

1001a. W. Jahn, R. Jäntsch, S. Heinze, Militärakademie „Friedrich Engels". Historischer Abriß, Berlin (Ost) 1988.

1002.   A. R. Johnson, R. W. Dean, A. Alexiev, Die Streitkräfte des Warschauer Paktes in Mitteleuropa: DDR, Polen und CSSR, Stuttgart-Degerloch 1982.

1003.   P. Jungermann, Die Wehrideologie der SED und das Leitbild der Nationalen Volksarmee vom sozialistischen deutschen Soldaten, Stuttgart 1973.

1003a. G. Karau, Grenzerprotokolle. Gespräche mit ehemaligen DDR-Offizieren, Frankfurt/M. 1992.

1003b. V. Koop, D. Schössler, Erbe NVA. Eindrücke aus ihrer Geschichte und den Tagen der Wende, Waldbröl 1992.

1003c. W. Kopenhagen, Die andere deutsche Luftwaffe. Die DDR-Luftstreitkräfte 1952-1990, Berlin 1992.

1003d. P. A. Koszuszeck, Militärische Traditionspflege in der Nationalen Volksarmee der DDR, Frankfurt/M. 1991.

1004. P. J. Lapp, Frontdienst im Frieden. Die Grenztruppen der DDR. Entwicklung - Struktur - Aufgaben, Koblenz 1986.

1005. H. Marks, GST - vormilitärische Ausbildung in der DDR, Köln 1970.

1006. Die Nationale Volksarmee. Ein Anti-Weißbuch zum Militär in der DDR, hrsg. v. d. Studiengruppe Militärpolitik, Reinbek bei Hamburg 1976.

1007. J. Nawrocki, Bewaffnete Organe in der DDR. Nationale Volksarmee und andere militärische sowie paramilitärische Verbände; Aufbau, Bewaffnung, Aufgaben, Berichte aus dem Alltag, Berlin (West) 1979.

1007a. P. Opitz, Rüstungsproduktion und Rüstungsexport der DDR, Berlin 1992 (Arbeitspapiere der Berghof-Stiftung für Konfliktforschung, Nr. 45).

1007b. H. Richter, Güllenbuch. Ein Buch über Bausoldaten, Leipzig 1991.

1008. H. Schmitter (Autorenkollektiv), Vom Bauernheer zur Volksarmee. Fortschrittliche militärische Traditionen des deutschen Volkes, Berlin (Ost) 1979.

1008a. J. Schönbohm, Zwei Armeen und ein Vaterland. Das Ende der Nationalen Volksarmee, Berlin 1992.

16. Kirche

1008b. H. Aldebert, Christenlehre in der DDR. Evangelische Arbeit mit Kindern in einer säkularen Gesellschaft, Hamburg 1990.

1008c. G. Besier (Hrsg.), „Pfarrer, Christen und Katholiken". Das Ministerium für Staatssicherheit der ehemaligen DDR und die Kirchen, 2., durchges. und um weitere Dokumente vermehrte Aufl., Neukirchen-Vluyn 1992.

1009. H. Dähn, Konfrontation oder Kooperation? Das Verhältnis von Staat und Kirche in der SBZ/DDR 1945-1980, Opladen 1982.

1009a. H. Dähn (Hrsg.), Die Rolle der Kirchen in der DDR. Eine erste Bilanz, München 1993.

1009b. H. Ester u. a. (Hrsg.), Dies ist nicht unser Haus. Die Rolle der katholischen Kirche in den politischen Entwicklungen der DDR, Amsterdam 1992.

1010. P. Fischer, Kirche und Christen in der DDR, Berlin (West) 1978.

1010a. T. Friebel, Kirche und politische Verantwortung in der sowjetischen Zone und der DDR 1945-1969. Eine Untersuchung zum Öffentlichkeitsauftrag der evangelischen Kirchen in Deutschland, Gütersloh 1992.

1010b. D. Funk, DDR-Kirchenpolitik zwischen ideologischem Anspruch und politischer Wirklichkeit, Heidelberg 1992.

1011. K. Gust, East German Protestanism and communist rule. 1945-1961, Ann Arbor 1966.

1011a. R. Hackel, Katholische Publizistik in der DDR 1945 - 1984, Mainz 1987.

1011b. M. Hartmann, „Falsche Sichten und persönliche Schuld". Zur Geschichte der Christlichen Friedenskonferenz, in: DA 25 (1992), 520 ff.

1012. J. Heise, R. Leonhardt, Das Ringen der SED um die Einbeziehung von Gläubigen in den Aufbau des Sozialismus und den Friedenskampf 1949/50, in: ZfG 31 (1983), 483 ff.

1012a. G. Helwig, D. Urban (Hrsg.), Kirchen und Gesellschaft in beiden deutschen Staaten, Köln 1987.

1013. R. Henkys (Hrsg.), Die evangelischen Kirchen in der DDR. Beiträge zu einer Bestandsaufnahme, München 1982.

1014. Ders., Staat und Kirchen in der DDR, in: APuZG B 2 (1985), 25 ff.

1015. F.-G. Hermann, Der Kampf gegen Religion und Kirche in der sowjetischen Besatzungszone Deutschlands, Stuttgart 1966.

1015a. J. Hildebrandt (Hrsg.), Unser Glaube mischt sich ein. Evangelische Kirche in der DDR 1989, Berichte, Fragen, Verdeutlichungen, Berlin 1990.

1015b. J. Israel (Hrsg.), Zur Freiheit berufen. Die Kirche in der DDR als Schutzraum der Opposition, Berlin 1991.

1015c. K. H. Kandler, Die Kirchen und das Ende des Sozialismus. Betrachtungen eines Betroffenen, Asendorf 1991.

1015d. H. Kirchner (Hrsg.), Kirchen, Freikirchen und Religionsgemeinschaften in der DDR: eine ökumenische Bilanz aus evangelischer Sicht, Berlin 1989.

1016. W. Knauft, Katholische Kirche in der DDR. Gemeinden in der Bewährung 1945-1980, 2. Aufl., Mainz 1980.

1017. H.-G. Koch, Staat und Kirche in der DDR. Zur Entwicklung ihrer Beziehungen 1945-1974. Darstellung, Quellen, Übersichten, Stuttgart 1975.

1017a. T. Krone (Hrsg.), Seid untertan der Obrigkeit. Originaldokumente der Stasi-Kirchenabteilung, Berlin 1992.

1018. E. Kuhrt, Wider die Militarisierung der Gesellschaft: Friedensbewegung und Kirche in der DDR, Melle 1984.

1018a. Ders., Kirchen in der DDR. Geschichte - politische Rolle - Perspektiven, 1992.

1018b. J. Langer, Evangelium und Kultur in der DDR. Zur Bedeutung ihrer Beziehungen für Zeugnis und Gestalt der evangelischen Kirchen. Praktisch-theologische Aspekte einer ökumenischen Debatte, Berlin 1990.

1018c. O. Lingner, Friedensarbeit in der Evangelischen Kirche der DDR. 1978-1987, Gütersloh 1989.

1018d. D. Linke, „Streicheln, bis der Maulkorb fertig ist". Die DDR-Kirche zwischen Kanzel und Konspiration, Berlin 1992.

1018e. P. Maser: Kirchen und Religionsgemeinschaften in der DDR. 1949-1989. Ein Rückblick auf vierzig Jahre in Daten, Fakten und Meinungen, Konstanz 1992.

1019.   W. Meinecke, Die Kirche in der volksdemokratischen Ordnung der DDR, Berlin (Ost) 1962.

1019a. E. Neubert, Das MfS und die Kirchenpolitik der SED. Schäden, Gefahren und Bewährung, in: DA 25 (1992), 346 ff.

1020.   H. Nitsche, Zwischen Kreuz und Sowjetstern. Zeugnisse des Kirchenkampfes in der DDR (1945-1981), Aschaffenburg 1983.

1020a. G. Opp, Hoffnung für uns. Verkündigung unter Ulbricht und Honecker, Köln 1991.

1020b. R. Ostow, Robin, Jüdisches Leben in der DDR, Frankfurt/M. 1988.

1020c. H. Prolingheuer, Kirchenwende oder Wendekirche? Die EKD nach dem 9. November 1989 und ihre Vergangenheit, Bonn 1991.

1020d. H. Reitinger, Die Rolle der Kirche im politischen Prozeß der DDR 1970-1990, München 1991.

1020e. M. Richter (Hrsg.), Mit Pflugscharen gegen Schwerter. Erfahrungen in der Evangelischen Kirche in der DDR 1949-1990. Protokolle, Bremen 1991.

1020f. J. J. Seidel, „Neubeginn" in der Kirche? Die evangelischen Landes- und Provinzialkirchen in der SBZ/DDR im gesellschaftspolitischen Kontext der Nachkriegszeit (1945-1953), Göttingen 1989.

1020g. L. Siegele-Wenschkewitz, Die evangelischen Kirchen und der SED-Staat – ein Thema kirchlicher Zeitgeschichte. Frankfurt/M. 1993.

1020h. H. Zander, Die Christen und die Friedensbewegungen in beiden deutschen Staaten. Beiträge zu einem Vergleich für die Jahre 1978-1987, Berlin 1989.

17. Opposition und Verfolgung

1021.   T. Ammer, H.-J. Memmler, Staatssicherheit in Rostock. Zielgruppen, Methoden, Auflösung, Köln 1991.

1021a. H. Bärwald, Das Ostbüro der SPD 1946-1971. Kampf und Niedergang, Krefeld 1991.

1021b. H. Bahrmann, Das Spitzelsystem der Stasi, Hamburg 1991.

1021c. R. Bahro, Die Alternative, Zur Kritik des real existierenden Sozialismus, Köln-Frankfurt/M. 1977.

1022.   Ders., Plädoyer für eine schöpferische Initiative. Zur Kritik von Arbeitsbedingungen im real existierenden Sozialismus, Köln 1980.

1023.   L. Bauer, Die Partei hat immer recht, in: APuZG B 27 (1956), 405 ff.

1023a. M. Beleites, Untergrund. Ein Konflikt mit der Stasi in der Uran-Provinz, 2. erw. Auflage, Berlin 1992.

1023b. W. Berg, Zur Aktenlage. MfS-Papiere und Öffentlichkeit, Halle 1992.

1023c. Bevor wir unsere Akten lesen..., Beiträge von M. Beleites, hrsg. v. Mitgliedern der Redaktion Das Andere Blatt, Halle 1992.

1024. Biermann und die Folgen, mit Beiträgen v. G. KERTZSCHER u. a., Berlin (West) 1977.

1025. W. BIERMANN u. a., DDR: Diktatur der Bürokratie oder „die Alternative"? Frankfurt/M. 1978.

1025a. Ernst Blochs Vertreibung 1956/57. Dokumentation, in: Einspruch. Leipziger Hefte, Heft 5, 2. Jg., Leipzig 1992.

1025b. G. BOHNSACK, Auftrag: Irreführung. Wie die Stasi Politik im Westen machte, Hamburg 1992.

1025c. I. BRODERSEN (Hrsg.), Der Prozeß gegen Walter Janka und andere. Eine Dokumentation, Reinbek bei Hamburg 1990.

1025d. G. BRUNNER (Hrsg.), Menschenrechte in der DDR, Baden-Baden 1989.

1026. W. BÜSCHER, P. WENSIERSKI, Null Bock auf DDR – Aussteigerjugend im anderen Deutschland, Reinbek bei Hamburg 1984.

1027. DIES. (Hrsg.), Friedensbewegung in der DDR, Hattingen 1982.

1027a. W. BUSCHFORT, Das Ostbüro der SPD. Von der Gründung bis zur Berlin-Krise, München 1991.

1028. K. EHRING, M. DALLWITZ, Schwerter zu Pflugscharen. Friedensbewegung in der DDR, Reinbek bei Hamburg 1982.

1029. B. EISENFELD, Kriegsdienstverweigerung in der DDR – ein Friedensdienst? Genesis, Befragung, Analyse, Dokumente, Frankfurt/M. 1978.

1029a. W. EISERT, Die Waldheimer Prozesse. Der stalinistische Terror 1950, Ein dunkles Kapitel der DDR-Justiz, München 1993.

1029b. P. ERLER, W. OTTO, L. PRIESS, Sowjetische Internierungslager in der SBZ/DDR 1945 bis 1950, in: BzG 32 (1990), 723 ff.

1029c. P. ERLER, L. PRIESS, Provisorische Ordnung der Internierungslager in der SBZ/DDR, in: BzG 33 (1991), 530 ff.

1029d. Der Fall Berija. Protokoll einer Abrechnung. Das Plenum des ZK der KPdSU Juli 1953. Stenographischer Bericht. hrsg. v. V. KNOLL und L. KÖLM, Berlin 1993.

1029e. W. FILMER, H. SCHWAN, Opfer der Mauer. Die geheimen Protokolle des Todes, München 1991.

1030. G. FINN, Die politischen Häftlinge der Sowjetzone 1945-1959, 2. Aufl., Pfaffenhofen 1960, Reprint.

1031. DERS. unter Mitarbeit v. K. W. FRICKE, Politischer Strafvollzug in der DDR, Köln 1981.

1031a. R. FRANKE, Ein Stasi-Offizier packt aus, Kiel 1991.

1032. K. W. FRICKE, Die DDR-Staatssicherheit. Entwicklung, Strukturen, Aktionsfelder, 3. aktualis. Aufl. 1989.

1033. DERS., Warten auf Gerechtigkeit. Kommunistische Säuberungen und Rehabilitierungen. Bericht und Dokumentation, Köln 1971.

1034. DERS., Opposition und Widerstand in der DDR. Ein politischer Report, Köln 1984.

1035. DERS., Politik und Justiz in der DDR. Zur Geschichte der politischen Verfolgung 1945–1968. Bericht und Dokumentation, Köln 1979, 2. Aufl. 1990.

1035d. DERS., Zur Menschen- und Grundrechtssituation politischer Gefangener in der DDR, Köln 1986, 2. erg. Auflage 1988.

1036. DERS., Selbstbehauptung und Widerstand in der Sowjetischen Besatzungszone Deutschlands, 2. Aufl., 1966.

1036a. DERS., Ein Federzug von Ulbrichts Hand: Todesstrafe, in: DA 24 (1991), 840 ff.

1036b. DERS., MfS Intern. Macht, Strukturen, Auflösung der DDR-Staatssicherheit. Analyse und Dokumentation, Köln 1991.

1036c. DERS., Politische Strafjustiz im SED-Staat, in: APuZG B 4 (1993), 13 ff.

1036d. K. W. FRICKE, H. LECHNER, U. THAYSEN, Errungenschaften und Legenden. Runder Tisch, Willkürherrschaft und Kommandowirtschaft im DDR-Sozialismus, Melle 1990.

1037. J. FUCHS, Vernehmungsprotokolle. November '76 bis September '77, Reinbek bei Hamburg 1978, Neuaufl. 1990.

1038. DERS., Gedächtnisprotokolle, Reinbek bei Hamburg 1977.

1038a. DERS., „...und wann kommt der Hammer?" Psychologie, Opposition und Staatssicherheit, Berlin 1990.

1038b. G. FURIAN, Mehl aus Mielkes Mühlen. Berichte, Briefe, Dokumente, Berlin 1991.

1038c. DERS., Der Richter und sein Lenker. Politische Justiz in der DDR. Berichte und Dokumente, Berlin 1992.

1038d. H.-H. GATOW, Vertuschte SED-Verbrechen. Eine Spur von Blut und Tränen, 6. erw. Auflage, Berg am See 1991.

1038e. J. GAUCK, Die Stasi-Akten. Das unheimliche Erbe der DDR, bearb. von. M. STEINHAUSEN und H. KNABE, Reinbek bei Hamburg 1992.

1038f. Gerechtigkeit den Opfern der kommunistischen Diktatur. 2. Bautzen Forum der Friedrich-Ebert-Stiftung 25. bis 28. April 1991, Dokumentation, hrsg. v. der Friedrich-Ebert-Stiftung, Büro Leipzig, o. O. u. J.

1038g. D. GILL, U. SCHRÖTER, Das Ministerium für Staatssicherheit. Anatomie des Mielke-Imperiums, Berlin 1991.

1038h. H. GOTSCHLICH, Ausstieg aus der DDR. Junge Leute im Konflikt, Berlin 1990.

1039. H. GREBING, Die intellektuelle Opposition in der DDR seit 1956. Ernst Bloch – Wolfgang Harich – Robert Havemann, in: APuZG, B 45 (1977), 3 ff.

1039a. U. GREVE, Lager des Grauens. Sowjetische KZ's in der DDR nach 1945, Kiel 1990.

1040. H. GUNDERMANN, Entlassung aus der Staatsbürgerschaft. Eine Dokumentation, Frankfurt/M.-Wien 1978.

1040a. A. HAHN (Hrsg.), 4. 11. 89. Protestdemonstration Berlin, DDR, Berlin 1990.

1041. W. HARICH, Zur Kritik der revolutionären Ungeduld. Eine Abrechnung mit dem alten und dem neuen Anarchismus, Basel 1971.

1042. R. Havemann, Rückantworten an die Hauptverwaltung „Ewige Wahrheiten", München 1971.

1043. Ders., Morgen. Die Industriegesellschaft am Scheideweg. Kritik und reale Utopie, München 1980.

1044. Ders., Berliner Schriften, München 1977.

1044a. G. Henschel, Menschlich viel Fieses. Stasis, Donalds, Dichter und Pastoren, Berlin 1992.

1045. S. Heym, Wege und Umwege. Streitbare Schriften aus fünf Jahrzehnten, Frankfurt/M. 1983.

1046. G. Hillmann, Selbstkritik des Kommunismus. Texte der Opposition, Reinbek bei Hamburg 1967.

1046a. G. H. Hodos, Schauprozesse. Stalinistische Säuberungen in Osteuropa 1948-54, 1. Aufl., Frankfurt/M., New York 1988, 2. Aufl. Berlin 1990.

1046b. C. Hoffmann, Aufklärung und Ahndung totalitären Unrechts: Die Zentralen Stellen in Ludwigsburg und Salzgitter, in: APuZG B 4 (1993), 35 ff.

1047. E. v. Hornstein, Staatsfeinde. Sieben Prozesse in der „DDR", Köln-Berlin (West) 1964.

1048. H. Hurwitz, Der heimliche Leser. Beiträge zur Soziologie des geistigen Widerstands, Köln-Berlin 1966.

1048a. In den Fängen des NKWD. Deutsche Opfer des stalinistischen Terrors in der UdSSR, hrsg. vom Institut für Geschichte der Arbeiterbewegung, Berlin 1991.

1049. M. Jänicke, Der dritte Weg. Die antistalinistische Opposition gegen Ulbricht seit 1953, Köln 1964.

1049a. J. Kalkbrenner, Urteil ohne Prozeß. Margot Honecker gegen Ossietzky-Schüler, Berlin 1990.

1050. A. Kantorowicz, Der geistige Widerstand in der DDR, Troisdorf 1968.

1050a. G. Karau, Stasiprotokolle. Gespräche mit ehemaligen Mitarbeitern des „Ministeriums für Staatssicherheit" der DDR, Frankfurt/M. 1992.

1051. H. Kersten, Der Aufstand der Intellektuellen, Stuttgart 1957.

1052. H.-G. Kessler, J. Miermeister, Vom „Großen Knast" ins „Paradies"? DDR-Bürger in der Bundesrepublik, Reinbek bei Hamburg 1983.

1052a. A. Kilian, Einzuweisen zur völligen Isolierung. NKWD-Speziallager Mühlberg/Elbe 1945-1948, Leipzig 1992. 2. erweit. Aufl., Leipzig 1993.

1052b. C. Klessmann, Opposition und Dissidenz in der Geschichte der DDR, in: APuZG B 5 (1991), 52 ff.

1052c. M. Klonovsky, J. von Flocken, Stalins Lager in Deutschland 1945-1950. Dokumentation, Zeugenberichte, Berlin u. a. 1991.

1052d. E.-E. Klotz, So nah der Heimat. Gefangen in Buchenwald 1945-1948, Bonn 1992.

1052e. H. Knabe (Hrsg.), Aufbruch in eine andere DDR. Reformer und Oppositionelle zur Zukunft ihres Landes, Reinbek bei Hamburg 1989.

1052f. Ders., Die geheimen Lager der Stasi, in: APuZG B 4 (1993), 23 ff.

1052g. G. Knauer, Innere Opposition im Ministerium für Staatssicherheit?, in: DA 25 (1992), 718 ff.

1052h. H. Köpke, F.-F. Wiese, Mein Vaterland ist die Freiheit. Das Schicksal des Studenten Arno Esch, Rostock 1990.

1053. D. Knötzsch, Innerkommunistische Opposition. Das Beispiel Robert Havemann. Modellanalyse, Opladen 1968.

1053a. E. Kravczyk, Erfassungsstelle Salzgitter – Registratur für Polit-Delikte in der ehemaligen DDR, Hamburg 1991.

1053b. F. Kroh (Hrsg.), „Freiheit ist immer Freiheit ...". Die Andersdenkenden in der DDR, Frankfurt/M. 1988.

1053c. T. Krone, Wenn wir unsere Akten lesen. Handbuch, Berlin 1992.

1053d. D. Krüger, G. Finn, Mecklenburg-Vorpommern 1945 bis 1948 und das Lager Fünfeichen, Berlin 1991.

1053e. H.-P. Krüger, Demission der Helden. Kritiken von innen 1983–1992, Berlin 1992.

1053f. I. Kukutz, K. Havemann, Geschützte Quelle. Gespräch mit Monika H. alias Karin Lenz. Mit Faksimiles, Dokumenten und Fotos, Berlin 1990.

1053g. B. Kühle, W. Titz, Speziallager Nr. 7. Sachsenhausen 1945–1950, Berlin 1990.

1053h. H. Laitko, Robert Havemann – Stalinismuskritik und Sozialismusbild, hrsg. von der Kommission Politische Bildung des Parteivorstandes der PDS, Berlin 1991.

1053i. H.-H. Lochen, C. Meyer-Seitz (Hrsg.), Die geheimen Anweisungen zur Diskriminierung Ausreisewilliger. Dokumente der Stasi und des Ministeriums des Innern, Köln 1992.

1053k. E. Loest, Die Stasi war mein Eckermann oder: mein Leben mit der Wanze, Göttingen 1991.

1954. J. Lolland, F. S. Rödiger, Gesicht zur Wand! Berichte und Protokolle politischer Häftlinge der DDR, Stuttgart-Degerloch 1977.

1054a. R. Meier, Geheimdienst ohne Maske. Der ehemalige Präsident des Bundesverfassungsschutzes über Agenten, Spione und einen gewissen Herrn Wolf, Bergisch Gladbach 1992.

1054b. K. U. Merz, Kalter Krieg als antikommunistischer Widerstand. Die Kampfgruppe gegen Unmenschlichkeit 1948–1959, München 1987.

1054c. C. u. B. Müller, Über die Ostsee in die Freiheit. Dramatische Fluchtgeschichten, Bielefeld 1992.

1054d. H. Müller-Enbergs (Hrsg.), Von der Illegalität ins Parlament. Werdegang und Konzept der neuen Bürgerbewegung, Berlin 1991.

1054e. M. Müller, Die RAF-Stasi-Connection, 2. Auflage, Berlin 1992.

1955. N. N., Die Opposition gegen den Stalinismus in Mitteldeutschland, in: APuZG B 22 (1958), 293 ff.

1056.   H. Noll, Der Abschied. Journal meiner Ausreise aus der DDR, Hamburg 1985.

1056a.   Poetik des Widerstandes. Versuch einer Annäherung, hrsg. v. d. Friedrich-Ebert-Stiftung, Leipzig 1991.

1057.   Politische Unterdrückung in der DDR. „Freiheit heißt die heiße Ware", hrsg. v. Komitee gegen die politische Unterdrückung in beiden Teilen Deutschlands, Köln 1978.

1057a.   L. Probst, Bürgerbewegungen und Politische Kultur. Zwischenbilanz einer Regionalstudie über das Neue Forum Rostock, Bremen 1991.

1057b.   H.-C. Rauh (Hrsg.), Gefesselter Widerspruch. Die Affäre um Peter Ruben, Berlin 1991.

1057c.   L. A. Rehlinger, Freikauf. Die Geschäfte der DDR mit politisch Verfolgten 1963-1989, Berlin 1991.

1057d.   P. Richter, Wolfs West-Spione. Ein Insider-Report, Berlin 1992.

1057e.   H. Roth, Der 17. Juni 1953 im damaligen Bezirk Leipzig. Aus den Akten des PDS-Archivs Leipzig, in: DA 24 (1991), 573 ff.

1058.   T. Rothschild (Hrsg.), Wolf Biermann, Liedermacher und Sozialist, Reinbek bei Hamburg 1976.

1059.   J. Sandford, The Sword and the ploughshare. Autonomous peace initiatives in East Germany, London 1983.

1060.   B. Sarel, Arbeiter gegen den „Kommunismus". Zur Geschichte des proletarischen Widerstandes in der DDR (1945-1958), München 1975.

1060a.   U. von Sass, H. von Suchodoletz, „feindlich-negativ". Zur politisch-operativen Arbeit einer Stasi-Zentrale, 2. Auflage, Berlin 1990.

1060b.   H. Sauer, H.-O. Plumeyer, Der Salzgitter-Report. Die Zentrale Erfassungsstelle berichtet über Verbrechen im SED-Staat, Esslingen 1991.

1060c.   H.-J. Schädlich (Hrsg.), Aktenkundig, Berlin 1992.

1060d.   G. Scholz, Verfolgt – verhaftet – verurteilt. Demokraten im Widerstand gegen die rote Diktatur – Fakten und Beispiele, Berlin, Bonn 1990.

1060e.   R. Sélitrenny, T. Weichert, Das unheimliche Erbe. Die Spionageabteilung der Stasi, Leipzig 1991.

1061.   D. Staritz, Die SED und die Opposition, in: Mannheimer Berichte, Aus Forschung und Lehre an der Universität Mannheim, Nr. 30, 1986, 29 ff.

1061a.   Stasi-Akte „Verräter". Bürgerrechtler Templin: Dokumente einer Verfolgung. Spiegel-Spezial, Nr. 1/1993.

1062.   P. Tigrid, Arbeiter gegen den Arbeiterstaat. Widerstand in Osteuropa, Köln 1983.

1062a.   „Keine Überraschung zulassen". Berichte und Praktiken der Staatssicherheit in Halle bis Ende November 1989, hrsg. v. Das Andere Blatt (Halle), Halle 1991.

1062b.   W. Ullmann, Demokratie – jetzt oder nie! Perspektiven der Gerechtigkeit, hrsg. v. W. Bürger u. a., München 1990.

1063. Die unbekannte Opposition in der DDR. Kommunistische Arbeiter gegen das Honecker-Regime, Dortmund 1980.

1063a. I. VEITH, Gebt mir meine Kinder zurück. Zwangsadoption in der ehemaligen DDR, München 1991.

1063b. A. WAKSBERG, Gnadenlos. A. Wyschinski – der Handlanger Stalins, Bergisch-Gladbach 1991.

1063c. M. WALTER, „Aktion Ungeziefer". Die Zwangsaussiedlungen an der Elbe. Erlebnisberichte und Dokumente, Berlin 1992.

1063d. Wann bricht schon mal ein Staat zusammen! Die Debatte über die Stasi-Akten und die DDR-Geschichte auf dem 33. Historikertag 1992, hrsg. v. K.-D. HENKE, München 1993.

1063e. L. WAWRZYN, Der Blaue. Das Spitzelsystem der DDR, Berlin 1990.

1064. H. WEBER, M. KOCH, Opposition in der DDR. Bedingungen, Formen, Geschichte, in: DDR, Redakt. H. G. WEHLING, Stuttgart 1983.

1064a. H. WEBER, „Weiße Flecken" in der Geschichte der DDR. Die KPD-Opfer der Stalinschen Säuberungen und ihre Rehabilitierung. 2. überarb. und erw. Aufl., Frankfurt/M. 1990, Neuauflage Berlin 1990.

1064b. H. WEBER, D. STARITZ, in Verbindung mit S. Bahne und R. Lorenz (Hrsg.), Kommunisten verfolgen Kommunisten. Stalinistischer Terror und Säuberungen seit den 30er Jahren, Berlin 1993.

1065. P. WENSIERSKI, W. BÜSCHER (Hrsg.), Beton ist Beton. Zivilisationskritik aus der DDR, Hattingen 1981.

1065a. J. WERDIN (Hrsg.), Unter uns: Die Stasi. Berichte der Bürgerkomitees zur Auflösung der Staatssicherheit im Bezirk Frankfurt (Oder), Berlin 1990.

1065b. S. WOLLE, Das MfS und die Arbeiterproteste im Herbst 1956 in der DDR, in: APuZG B 5 (1991), 42 ff.

1065c. V. WOLLENBERGER, Virus der Heuchler. Innenansicht aus Stasi-Akten, Berlin 1992.

1066. U. WOLTER (Hrsg.), Antworten auf Bahros „Herausforderungen des Sozialismus", Berlin (West) 1978.

1066a. A. WORST, Das Ende eines Geheimdienstes. Oder: Wie lebendig ist die Stasi?, Berlin 1991.

1067. G. K. ZSCHORSCH, Glaubt bloß nicht, daß ich traurig bin. Mit einem Vorwort von R. DUTSCHKE, 2. Aufl., Berlin (West) 1978.

18. Aussenpolitik

1067a. U. Albrecht, Die Abwicklung der DDR. Die „2+4 Verhandlungen", ein Insider-Bericht, Opladen 1992.

1067b. B. Becker, Die DDR und Großbritannien 1945, 1949 bis 1973. Politische, wirtschaftliche und kulturelle Kontakte im Zeichen der Nichtanerkennungspolitik, Bochum 1991.

1068.   W. Bruns, Die UNO-Politik der DDR, Stuttgart 1978.

1069.   Ders., Die Uneinigen in den Vereinten Nationen. Bundesrepublik Deutschland und DDR in der UNO, Köln 1980.

1070.   Ders., Zehn Jahre Gegeneinander und Nebeneinander in der UNO, in: DA 16 (1983), 720 ff.

1070a. M. Bulla, Zur Außenpolitik der DDR. Bestimmungsfaktoren- Schlüsselbegriffe – Institutionen und Entwicklungstendenzen, Melle 1988.

1071.   P. C. Burens, Die DDR und der „Prager Frühling". Bedeutung und Auswirkungen der tschechoslowakischen Erneuerungsbewegung für die Innenpolitik der DDR im Jahr 1968, Berlin (West) 1981.

1072.   T. C. Chon, Die Beziehungen zwischen der DDR und der Koreanischen Demokratischen Volksrepublik (1949-1978) unter besonderer Berücksichtigung der Teilungsproblematik in Deutschland und Korea sowie die Beziehungsstruktur zwischen einem sozialistischen Mitgliedsstaat des Rates für Gegenseitige Wirtschaftshilfe sowie des Warschauer Paktes und eines sozialistischen Staates im Einflußbereich der Volksrepublik China, München 1982.

1073.   G. Doeker, J. A. Brückner (Hrsg.), The Federal Republic of Germany and the German Democratic Republic in international relations, 3 Vol., Alphen 1979.

1074.   S. Doernberg (Autorenkollektiv), Außenpolitik der DDR. Drei Jahrzehnte sozialistische deutsche Friedenspolitik, hrsg. v. Institut für Internationale Beziehungen, Berlin (Ost) 1979.

1075.   H. End, Zweimal deutsche Außenpolitik. Internationale Dimensionen des innerdeutschen Konflikts 1949-1972, Köln 1973.

1075a. B. C. Gaida, „USA – DDR". Politische, kulturelle und wirtschaftliche Beziehungen seit 1974, Bochum 1989.

1076.   C. Gasteyger, Die beiden deutschen Staaten in der Weltpolitik, München 1976.

1077.   G. Gutmann, M. Haendcke-Hoppe (Hrsg.), Die Außenbeziehungen der DDR, Heidelberg 1981.

1078.   W. Hänisch, Die Geschichte der Außenpolitik der Deutschen Demokratischen Republik. Grundlagen, Aufgaben, Etappen und Ergebnisse. Teil 1: 1945-1955, Teil 2: 1955-1961, Potsdam-Babelsberg 1964/1965.

1079.   W. Hänisch (Autorenkollektiv), Geschichte der Außenpolitik der DDR. Abriß, Berlin (Ost) 1984.

1080. G. Hahn (Autorenkollektiv), Außenpolitik der DDR: Für Sozialismus und Frieden, Berlin (Ost) 1974.

1080a. Ideologischer Wandel und Veränderung der außenpolitischen Doktrin der DDR, bearb. v. Ch. Rix, Frankfurt/M. 1990.

1081. H.-A. Jacobsen, C. Leptin, U. Scheuner, E. Schulz (Hrsg.), Drei Jahrzehnte Außenpolitik der DDR. Bestimmungsfaktoren, Instrumente, Aktionsfelder, München 1979.

1082. P. Klein u. a. (Hrsg.), Geschichte der Außenpolitik der Deutschen Demokratischen Republik. Abriß, Berlin (Ost) 1968.

1083. G. Kohrt, Auf stabilem Kurs: Stationen der Außenpolitik der DDR, Berlin (Ost) 1980.

1084. B. Kregel, Außenpolitik und Systemstabilisierung in der DDR, Opladen 1979.

1085. J. Kuppe, Vergleich der sowjetischen und DDR-Außenpolitik unter besonderer Berücksichtigung der Frage nach dem Spielraum der DDR-Deutschlandpolitik 1964–1969, Diss., München 1977.

1086. J. Kuppe, T. Ammer, Die Haltung der SED zur Lage in Polen 1980/1981 im Spiegel der DDR-Presse, Bonn 1982.

1087. H. S. Lamm, S. Kupper, DDR und Dritte Welt, München-Wien 1976.

1088. A. Mallinckrodt Dasbach, Wer macht die Außenpolitik der DDR? Apparat, Methoden, Ziele, Düsseldorf 1972.

1089. A. Mallinckrodt, Die Selbstdarstellung der beiden deutschen Staaten im Ausland. „Imagebildung" als Instrument der Außenpolitik, Köln 1980.

1090. W. Osten, Die Außenpolitik der DDR. Opladen 1969.

1091. U. Post, F. Sandvoss, Die Afrikapolitik der DDR, Hamburg 1982.

1092. J. Radde, Die außenpolitische Führungselite der DDR. Veränderungen der sozialen Struktur außenpolitischer Führungsgruppen, Köln 1976.

1093. E. Schneider, Die Außenpolitik der DDR gegenüber Südasien, Köln 1978.

1093a. A. Timm, DDR-Israel: Anatomie eines gestörten Verhältnisses, in: APuZG B 4 (1993), 46 ff.

1093b. Die Westpolitik der DDR: Beziehungen der DDR zu ausgewählten westlichen Industriestaaten in den 70er und 80er Jahren. Mit Beitr. v. P. R. Weilemann u. a., Melle 1989.

a) Deutschlandfrage, Nation

1093c. M. Anic de Osona, Die erste Anerkennung der DDR. Der Bruch der deutsch-jugoslawischen Beziehungen 1957, Baden-Baden 1990.

1094. H. Beckmann, The paradoxesa of freedom. Measuring freedom in East and West Germany, Ann Harbor 1978.

1095. W. Benz, G. Plum, W. Röder, Einheit der Nation. Diskussion und Konzeptionen zur Deutschlandpolitik der großen Parteien seit 1945, Stuttgart-Bad Cannstatt 1978.

1096.   D. BLUMENWITZ, B. MEISSNER (Hrsg.), Das Selbstbestimmungsrecht der Völker und die deutsche Frage, Köln 1984.

1096a. D. BLUMENWITZ, G. ZIEGER (Hrsg.), Die deutsche Frage im Spiegel der Parteien, Köln 1989.

1097.   W. BRUNS, Deutsch-deutsche Beziehungen. Prämissen, Probleme, Perspektiven, 3. Aufl., Opladen 1982.

1097a. DERS., Von der Deutschlandpolitik zur DDR-Politik. Prämissen – Probleme – Perspektiven, Opladen 1989.

1097b. DERS., Die äußeren Aspekte der deutschen Einigung, Bonn 1990.

1098.   H. BUCHHEIM, Deutschlandpolitik 1949-1972. Der politisch-diplomatische Prozeß, Stuttgart 1985.

1098a. C. BURRICHTER, Rahmenbedingungen einer Deutschlandpolitik für die 90er Jahre, München 1990.

1099.   D. CRAMER, Deutschland nach dem Grundvertrag, Stuttgart 1973.

1100.   E. CZERWICK, Oppositionstheorien und Außenpolitik. Eine Analyse sozialdemokratischer Deutschlandpolitik 1955 bis 1966, Königstein/Ts. 1981.

1100a. O. DANN, Nation und Nationalismus in Deutschland. 1770-1990, München 1993.

1101.   K. DITTMANN, Adenauer und die deutsche Wiedervereinigung. Die politische Diskussion des Jahres 1952, Düsseldorf 1981.

1102.   E. L. DULLES, One Germany or two. The struggle at the heart of Europe. Stanford, California 1970.

1102a. G. EIFLER, O. SAAME (HG.), Gegenwart und Vergangenheit deutscher Einheit, Wien 1992.

1102b. P. EISENMANN, G. HIRSCHER (Hrsg.), Dem Zeitgeist geopfert. Die DDR in Wissenschaft, Publizistik und politischer Bildung, München 1992.

1102c. A. FISCHER (Hrsg.), Vierzig Jahre Deutschlandpolitik im internationalen Kräftefeld. Berliner Kolloquium der Gesellschaft für Deutschlandforschung in Verbindung mit dem Bundesministerium für innerdeutsche Beziehungen vom 8. bis 10. November 1989, Köln 1989.

1102d. R. FRITSCH-BOURNAZEL, Europa und die deutsche Einheit, Bonn 1990.

1103.   S. J. GATZEDER, Die Deutschlandpolitik der FDP in der Ära Adenauer, Konzeptionen in Entstehung und Praxis, Baden-Baden 1980.

1104.   H. GEHLE, Ringen um Deutschland. Eine Analyse der Deutschlandpolitik, Düsseldorf 1979.

1105.   W. GLÄSKER, Die Konföderationspläne der SED von 1957-1967, ihr politischer Hintergrund und ihre Funktion im Rahmen der kommunistischen Deutschlandpolitik, Diss., Erlangen-Nürnberg 1976.

1105a. M. GORHOLT, N. W. KUNZ (Hrsg.), Deutsche Einheit – Deutsche Linke. Reflexionen der politischen und gesellschaftlichen Entwicklung, Köln 1991.

1106.   W. E. GRIFFITH, Die Ostpolitik der Bundesrepublik Deutschland, Stuttgart 1981.

1107.   W. D. GRUNER, Die deutsche Frage. Ein Problem der europäischen Geschichte seit 1800, München 1985.

1108.   C. HACKE, Die Ost- und Deutschlandpolitik der CDU/CSU. Wege und Irrwege der Opposition seit 1969, Köln 1975.

1108a. J. HACKER, Deutsche Irrtümer. Schönfärber und Helfershelfer der SED-Diktatur im Westen, Berlin 1992.

1108b. M. HAENDCKE-HOPPE, E. LIESER-TRIEBNIGG (Hrsg.), 40 Jahre innerdeutsche Beziehungen, Berlin 1990.

1108c. H.-H. HERTLE, R. WEINERT, M. WILKE: Der Staatsbesuch. Honecker in Bonn, Berlin 1991.

1109.   G. HEYDEN, A PIETSCHMANN, Die deutsche Frage, Berlin (Ost) 1965.

1109a. J. HOFMANN, Ein neues Deutschland soll es sein. Zur Frage nach der Nation in der Geschichte der DDR und der Politik der SED, Berlin 1989.

1109b. J. HOFMANN in Zusammenarbeit mit S. HERRMANN (Hrsg.), Es ging um Deutschland. Vorschläge der DDR zur Konföderation zwischen beiden deutschen Staaten 1956 bis 1967, Berlin 1990.

1110.   H. JAENECKE, 30 Jahre und ein Tag. Die Geschichte der deutschen Teilung, Düsseldorf-Wien 1974.

1111.   T. JANSEN, Abrüstung und Deutschlandfrage. Die Abrüstung als Problem der deutschen Außenpolitik, Mainz 1968.

1111a. J. KAISER, Wir haben Brücke zu sein. Reden, Äusserungen und Aufsätze zur Deutschlandpolitik, hrsg. v. C. HACKE, Köln 1988.

1112.   H. KLINKE-MIBER (hrsg.), Deutsche heute. Auf der Suche nach Identität, Stuttgart 1986.

1113.   F. KLEIN, B. MEISSNER (Hrsg.), Das Potsdamer Abkommen und die Deutschlandfrage, Wien-Stuttgart 1977.

1114.   G. KNOPP, Die deutsche Einheit. Hoffnung, Alptraum, Illusion? Aschaffenburg 1981.

1115.   R. KOENEN, Nation und Nationalbewußtsein aus der Sicht der Sozialistischen Einheitspartei Deutschlands, Bochum 1975.

1116.   F. KOPP, Kurs auf ganz Deutschland? Die Deutschlandpolitik der SED, Stuttgart 1965.

1117.   E. KOSTHORST, K. GOTTO, H. SOELL, Deutschlandpolitik der Nachkriegsjahre. Zeitgeschichte und didaktische Ortsbestimmung, Paderborn 1976.

1118.   D. KREUSEL, Nation und Vaterland in der Militärpresse der DDR, Stuttgart 1971.

1118a. E. KUHN, Die nationalen Symbole der Deutschen, Berlin 1991.

1118b. Kultur des Streits. Die gemeinsame Erklärung von SPD und SED. Stellungnahme und Dokumente, Köln 1988.

1118c. A.-M. LE GLOANNEC, Die deutsch-deutsche Nation. Anmerkungen zu einer revolutionären Entwicklung, München 1991.

1119.   R. LÖWENTHAL, Vom Kalten Krieg zur Ostpolitik, Stuttgart 1974.

1119a.   W. LOTH, Ost-West-Konflikt und deutsche Frage. Historische Ortsbestimmungen, München 1989.

1119b.   H. J. MARKMANN, Die Deutsche Frage – Systemvergleich. Literatur zur fachwissenschaftlichen und fachdidaktischen Rezeption, Berlin o. J.

1120.   E. MARTIN, Zwischenbilanz: Deutschlandpolitik der 80er Jahre, Bonn 1986.

1121.   B. MARZAHN, Der Deutschland-Begriff der DDR: dargestellt vornehmlich an der Sprache des „Neuen Deutschland", Düsseldorf 1979.

1121a.   J. MEINERS, Die doppelte Deutschlandpolitik. Zur nationalen Politik der SED im Spiegel ihres Zentralorgans „Neues Deutschland" 1946 bis 1952, Frankfurt/M. u. a. 1987.

1122.   B. MEISSNER, J. HACKER, Die Nation in östlicher Sicht, Berlin (West) 1977.

1122a.   W. MOMMSEN, Nation und Geschichte. Über die Deutschen und die deutsche Frage, München 1990.

1123.   K. MOTSCHMANN, Sozialismus und Nation. Wie deutsch ist die DDR, München 1979.

1124.   J. NAWROCKI, Die Beziehungen zwischen den beiden Staaten in Deutschland. Entwicklungen, Möglichkeiten und Grenzen, Berlin (West) 1986.

1125.   K. NOERSCH, Kurs-Revision. Deutsche Politik nach Adenauer, Frankfurt/M. 1978.

1126.   E. NOLTE, Der Weltkonflikt in Deutschland. Die Bundesrepublik und die DDR im Brennpunkt des Kalten Krieges 1949–1961, München 1981.

1127.   M. OVERESCH, Gesamtdeutsche Illusionen und westdeutsche Realität. Von den Vorbereitungen für einen deutschen Friedensvertrag zur Gründung des Auswärtigen Amtes der Bundesrepublik Deutschland 1946–1949/51, Düsseldorf 1978.

1128.   H. PAUL-CALM, Ostpolitik und Wirtschaftsinteressen in der Ära Adenauer. 1955–1963, Frankfurt-New York 1981.

1129.   P. PAWELKA, Die UNO und das Deutschlandproblem. Das Deutschlandproblem im Spannungsfeld zwischen der Bundesrepublik Deutschland und den Vereinten Nationen – unter besonderer Berücksichtigung der Außenpolitik der Bundesrepublik Deutschland – 1949 bis 1967, Tübingen 1971.

1129a.   R. REISSIG, G.-J. GLAESSNER (Hrsg.), Das Ende eines Experiments. Umbruch in der DDR und deutsche Einheit, Berlin 1991.

1130.   P. RENTSCH, Die Nation und das National-Spezifische in der Programmatik und Strategie der Sozialistischen Einheitspartei Deutschlands. Diss. Leipzig 1982.

1131.   M. ROTH, Zwei Staaten in Deutschland. Die sozialliberale Deutschlandpolitik und ihre Auswirkungen 1969–1978, Opladen 1981.

1132.   H. RUMPF, Vom Niemandsland zum deutschen Kernstaat. Beiträge zur Entwicklung der Deutschlandfrage seit 1945, Hamburg 1979.

1132a.   A. SCHIRMER, Die Deutschlandpolitik der SPD in der Phase des Übergangs vom Kalten Krieg zur Entspannungspolitik 1955 – 1970, Münster 1988.

1133. G. Schmid, Politik des Ausverkaufs? Die Deutschlandpolitik der Regierung Brandt/Scheel, München 1975.

1134. Ders., Entscheidung in Bonn. Die Entstehung der Ost- und Deutschlandpolitik 1969/70, Köln 1979.

1134a. B. Schoch (Red.), Deutschlands Einheit und Europas Zukunft, Frankfurt/M. 1992.

1135. K. T. Schmitz, Deutsche Einheit und Europäische Integration. Der sozialdemokratische Beitrag zur Außenpolitik der Bundesrepublik Deutschland unter besonderer Berücksichtigung des programmatischen Wandels einer Oppositionspartei, Bonn 1978.

1136. H. W. Schmollinger, P. Müller, Zwischenbilanz: 10 Jahre sozialliberale Politik 1969–79. Anspruch und Wirklichkeit, Hannover 1980.

1137. E. Schneider, Der Nationsbegriff der DDR und seine deutschlandpolitische Bedeutung, Köln 1981.

1138. E. Schulz, An Ulbricht führt kein Weg mehr vorbei. Provozierende Thesen zur deutschen Frage, Hamburg 1967.

1139. Ders., Die deutsche Nation in Europa. Internationale und historische Dimensionen, Bonn 1982.

1140. H.-P. Schwarz (Hrsg.), Entspannung und Wiedervereinigung. Deutschlandpolitische Vorstellungen Konrad Adenauers 1955–1958, Stuttgart-Zürich 1979.

1141. G. Schweigler, Nationalbewußtsein in der BRD und in der DDR, Düsseldorf 1973.

1142. C. C. Schweitzer (Hrsg.), Die deutsche Nation. Aussagen von Bismarck bis Honecker, Köln 1976.

1143. R. W. Schweizer, Die DDR und die nationale Frage. Zum Wandel der Positionen von der Staatsgründung bis zur Gegenwart, in: APuZG B 51/52 (1985), 37 ff.

1144. W. Seiffert, Das ganze Deutschland, München 1986.

1144a. T. Sempf, Die deutsche Frage unter besonderer Berücksichtigung der Konföderationsmodelle, Köln u.a. 1987.

1145. J. K. Sowden, The German Question 1945–1973. Continuity in change, London 1975.

1145a. J. Wandler, Die Deutschlandpolitik der SED in den Jahren 1952 bis 1958. Publizistisches Erscheinungsbild und Hintergründe der Wiedervereinigungsrhetorik, Köln u.a. 1991.

1146. W. Weber, W. Jahn, Synopse zur Deutschlandpolitik 1941 bis 1973, Göttingen 1973.

1147. W. Weidenfeld (Hrsg.), Nachdenken über Deutschland. Materialien zur politischen Kultur der deutschen Frage, Köln 1985.

1148. Ders., Die Frage nach der Einheit der deutschen Nation, München-Wien 1981.

1149. Ders., Die Identität der Deutschen, Bonn 1983.

1149a. DERS.(Hrsg.), Eine Nation – doppelte Geschichte. Materialien zum deutschen Selbstverständnis, Köln 1992.

1149b. DERS., Welches Deutschland soll es sein? Frankreich und deutsche Einheit seit 1945, München 1986.

1150.   K. WEIGELT (Hrsg.), Heimat und Nation. Zur Geschichte und Identität der Deutschen, Mainz 1984.

1150a. U. WENGST (Hrsg.), Historiker betrachten Deutschland. Beiträge zum Vereinigungsprozeß und zur Hauptstadtdiskussion, Bonn, Berlin 1992.

1151.   G. WETTIG, Die Sowjetunion, die DDR und die Deutschland-Frage 1954–1976. Einvernehmen und Konflikte im sozialistischen Lager, Stuttgart 1976.

1152.   K.-M. WILKE, Bundesrepublik Deutschland und Deutsche Demokratische Republik. Grundlagen und ausgewählte Probleme des gegenseitigen Verhältnisses der beiden deutschen Staaten, Berlin (West) 1976.

1152a. G. ZIEGER, Die Haltung von SED und DDR zur Einheit Deutschlands 1949 – 1987, Köln 1988.

1152b. M. ZIMMER, Nationales Interesse und Staatsräson. Zur Deutschlandpolitik der Bundesrepublik 1949–1990, Paderborn 1992.

b) Beziehungen zur UdSSR, „Sozialistisches Lager“, Sowjetische Deutschlandpolitik

1153.   R. ARONS, J. TIEDTKE, Die Entspannungspolitik der UdSSR und der DDR am Beispiel der KSZE-Initiative, Frankfurt/M. 1977.

1154.   J. BANERJEE, GDR and Détente. Divided Germany and East-West Relations. An outsider's Perspective, Bonn 1981.

1155.   V. N. BELEZKI, Die Politik der Sowjetunion in den deutschen Angelegenheiten in der Nachkriegszeit 1945–1976, Berlin (Ost) 1977.

1156.   Z. BRZEZINSKI, Der Sowjetblock – Einheit und Konflikt, Köln-Berlin 1962.

1157.   W. v. BUTLAR, Ziele und Zielkonflikte der sowjetischen Deutschlandpolitik 1945–1947, Stuttgart 1980.

1158.   W. CORNIDES, Die Weltmächte und Deutschland. Geschichte der jüngsten Vergangenheit 1945–1955, Tübingen-Stuttgart 1961.

1159.   M CROAN, East Germany: The Soviet connection, Beverly Hills-London 1976.

1159a. R. DEPPE (Hrsg.), Demokratischer Umbruch in Osteuropa, Frankfurt/M. 1991.

1160.   W. ERFURT (Pseud.), Die sowjetrussische Deutschland-Politik. Eine Studie zur Zeitgeschichte, 4. Aufl., Eßlingen 1959.

1161.   F. FEJTÖ, Die Geschichte der Volksdemokratien, 2 Bde., Graz-Wien 1972.

1162.   A. FISCHER u. a., Die Deutschlandfrage und die Anfänge des Ost-West-Konflikts 1945–1949, Berlin (West) 1984.

1163.   R. FRITSCH-BOURNAZEL, Die Sowjetunion und das doppelte Deutschland. Die sowjetische Deutschlandpolitik nach 1945, Opladen 1979.

1163a. C. Gasteyger, Europa zwischen Spaltung und Einigung 1945–1990. Eine Darstellung und Dokumentation über das Europa der Nachkriegszeit, Köln 1990.

1164. Geschichte der sowjetischen Außenpolitik 1945–1976, hrsg. v. d. Akademie der Wissenschaften der UdSSR, 2. Aufl., Berlin (Ost) 1978.

1165. D. Geyer (Hrsg.), Osteuropa-Handbuch: Sowjetunion-Außenpolitik 1917–1955, Köln-Wien 1972.

1165a. D. Goldschmidt (Hrsg.), Frieden mit der Sowjetunion – eine unerledigte Aufgabe, Gütersloh 1989.

1166. G. Gorski (Autorenkollektiv), Deutsch-sowjetische Freundschaft. Ein historischer Abriß von 1917 bis zur Gegenwart, Berlin (Ost) 1975.

1167. J. Hacker, Der Ostblock – Entstehung, Entwicklung und Struktur 1939–1980, Baden-Baden 1983.

1168. I. Heller, H. T. Krause, Kulturelle Zusammenarbeit DDR – UdSSR in den 70er Jahren, Berlin (Ost) 1979.

1169. J. K. Hoensch, Sowjetische Osteuropapolitik 1945–1975, Kronberg/Ts. 1977.

1169a. J. Kaiser, Zwischen angestrebter Eigenständigkeit und traditioneller Unterordnung. Zur Ambivalenz des Verhältnisses von sowjetischer und DDR-Außenpolitik in den achtziger Jahren, in: DA 24 (1991), 478 ff.

1170. E. Kalbe (Autorenkollektiv), Geschichte der sozialistischen Gemeinschaft. Herausbildung und Entwicklung des realen Sozialismus von 1917 bis zur Gegenwart, Berlin (Ost) 1981.

1170a. D. Küchenmeister, Wann begann das Zerwürfnis zwischen Honecker und Gorbatschow? Erste Bemerkungen zu den Protokollen ihrer Vier-Augen-Gespräche, in: DA 26 (1993), 30 ff.

1171. G. Leptin, Die Rolle der DDR in Osteuropa, hrsg. im Auftrag der Deutschen Gesellschaft für Osteuropakunde, Berlin (West) 1974.

1171a. K. Löw (Hrsg.), Beharrung und Wandel. Die DDR und die Reformen des Michail Gorbatschow, Berlin 1990.

1172. P. C. Ludz, Die DDR zwischen Ost und West. Politische Analysen 1961 bis 1976, 3. Aufl., München 1977.

1173. S. Mampel, K. C. Thalheim (Hrsg.), Die DDR – Partner oder Satellit der Sowjetunion? München 1980.

1174. B. Meissner, Rußland, die Westmächte und Deutschland. Die sowjetische Deutschlandpolitik 1943–1953, Hamburg 1953.

1175. N. E. Moreton, East Germany and the Warsaw alliance. The politics of détente, Boulder (Col) 1978.

1176. F. Oldenburg, G. Wettig, Der Sonderstatus der DDR in den europäischen Ost-West-Beziehungen, Köln 1979.

1176a. W. Pfeiler, Die Viermächte-Option als Instrument sowjetischer Deutschlandpolitik, Sankt Augustin 1991.

1177.   S. Quilitzsch, J. Krüger (Autorenkollektiv), Sozialistische Staatengemein-schaft. Die Entwicklung der Zusammenarbeit und der Friedenspolitik der sozialistischen Staaten, Berlin (Ost) 1972.

1177a.   W. Rehm, Neue Erkenntnisse über die Rolle der NVA bei der Besetzung der CSSR im August 1968, in: DA 24 (1991), 173 ff.

1177b.   R. Wenzke, Zur Beteiligung der NVA an der militärischen Operation von Warschauer-Pakt-Streitkräften gegen die CSSR 1968. Einige Ergänzungen zu einem Beitrag von Walter Rehm, in: DA 24 (1991), 1186 ff.

1178.   R. Reissig (Autorenkollektiv), Die sozialistische Gemeinschaft. Interessen, Zusammenarbeit, Wirtschaftswachstum, Berlin (Ost) 1985.

1179.   K. H. Ruffmann, Sowjetrußland. Struktur und Entfaltung einer Welt-macht, München 1967, 7. Aufl. 1977.

1180.   W. Seiffert, Kann der Ostblock überleben? Der Comecon und die Krise des sozialistischen Weltsystems, Bergisch-Gladbach 1983.

1181.   G. Wettig, Zu den Beziehungen zwischen der Sowjetunion und der DDR in den Jahren 1969–75. Eine zusammenfassende Analyse, Köln 1975.

1181a.   Ders., Sowjetischen Wiedervereinigungsbemühungen im ausgehenden Frühjahr 1953? Neue Aufschlüsse über ein altes Problem, in: DA 25 (1992), 943 ff.

1181b.   Ders., Die Stalin-Note vom 10. März 1952 als geschichtswissenschaftliches Problem. Ein gewandeltes Problemverständnis, in: DA 25 (1992), 157 ff.

19. Biographien

1182.   Antifaschisten in führenden Positionen der DDR, Dresden 1969.

1183.   Biographische Notizen zu Dresdner Straßen und Plätzen, die an Persönlich-keiten aus der Arbeiterbewegung, dem antifaschistischen Widerstands-kampf und dem sozialistischen Neuaufbau erinnern, Dresden 1976.

1183a.   P. Boris, Die sich lossagten. Stichworte zu Leben und Werk von 461 Exkom-munisten und Dissidenten, Köln 1983.

1183b.   Deutschland, E. Lange, E. E., Wegbereiter. 32 Portraitskizzen, Berlin (Ost) 1987.

1184.   G. Buch, Namen und Daten. Biographien wichtiger Personen in der DDR. Bonn-Bad Godesberg 1973, 4. Aufl. 1987.

1184a.   E. Elitz, Sie waren dabei. Ost-deutsche Profile von Bärbel Bohley zu Lothar de Mazière, Stuttgart 1991.

1184b.   M. Engelhardt, Deutsche Lebensläufe. Gespräche, Berlin 1991.

1185.   Geschichte der deutschen Arbeiterbewegung. Biographisches Lexikon, Ber-lin (Ost) 1970.

1186.   P. Heider (Autorenkollektiv), Für ein sozialistisches Vaterland. Lebensbil-der deutscher Kommunisten und Aktivisten der ersten Stunde, Berlin (Ost) 1981.

1187. E. v. HORNSTEIN, Die deutsche Not. Flüchtlinge berichten, Berlin (West) 1965.

1188. J. RADDE, Der diplomatische Dienst der DDR. Namen und Daten, Köln 1977.

1189. Revolutionäre Kämpfer. Biographische Skizzen, 2 Bde., Karl-Marx-Stadt o. J. (1971)/1973.

1189a. K. H. ROEHRICHT, Lebensverläufe. Innenansichten aus der DDR, Berlin 1991.

1189b. M. ROHRWASSER, Der Stalinismus und die Renegaten. Die Literatur der Ex-Kommunisten, Stuttgart 1991.

1190. SBZ-Biographie. Ein biographisches Nachschlagebuch über die Sowjetische Besatzungszone Deutschlands, hrsg. v. Bundesministerium für Gesamtdeutsche Fragen, 3. Aufl., Bonn-Berlin (West) 1964.

1191. F. SELBMANN (Hrsg.), Die erste Stunde. Porträts, Berlin (Ost) 1969.

1191a. M. STARK (Hrsg.), „Wenn Du willst Deine Ruhe haben, schweige". Deutsche Frauenbiographien des Stalinismus, Essen 1991.

1191b. Die Volkskammer der Deutschen Demokratischen Republik. 10. Wahlperiode. Die Abgeordneten der der Volkskammer nach der Wahl vom 18. März 1990. Hrsg. Verwaltung der Volkskammer der DDR im Auftrag des Präsidiums der Volkskammer der DDR, Berlin (Ost) – Rheinbreitbach 1990.

1192. Wer ist wer in der SBZ? Ein biographisches Handbuch, Berlin (West) 1958.

1193. Wer ist wer? Das deutsche Who's who. XIV. Ausgabe von Degeners, „Wer ist's?", hrsg. v. W. HABEL, Bd. II (DDR), Berlin (West) 1965.

1193a. Wer war wer – DDR, Ein biographisches Lexikon, Hrsg. J. CERNY u. a. Berlin 1992, 2. durchges. Aufl. Berlin 1992.

ABUSCH

1194. A. ABUSCH – Bildnis eines Revolutionärs. Berlin (Ost)-Weimar 1972.

BAENDER

1194a. W. KIESSLING, Der Fall Baender. Ein Politkrimi aus den 50er Jahren der DDR, Berlin 1991.

BÖHME

1194b. B. LAHANN, Genosse Judas. Die zwei Leben des Ibrahim Böhme, Berlin 1992.

BRAUTZSCH

1195. O. GOTSCHE, Martha Brautzsch, Halle 1972.

BRILL

1195a. M. OVERESCH, Hermann Brill. Ein Kämpfer gegen Hitler und Ulbricht, Bonn 1992.

BUCHWITZ

1196. F. ZIMMERMANN, Otto Buchwitz. Ein Lebensbild, Berlin (Ost) 1984.

DUNCKER

1197. R. KIRSCH, Käthe Duncker: Aus ihrem Leben, Berlin (Ost) 1982.

EBERT

1198. H. VOSSKE, Friedrich Ebert. Ein Lebensbild, Berlin (Ost) 1987.

FINK

1198a. G. KARAU, Die „Affäre" Heinrich Fink, Berlin 1992.

1198b. B. MALECK, Heinrich Fink: „Sich der Verantwortung stellen", Berlin 1992.

GROTEWOHL

1199. H. VOSSKE, Otto Grotewohl. Ein Leben für die Sache der Arbeiterklasse und des Volkes, Berlin (Ost) 1978.

1200. DERS., Otto Grotewohl, Leipzig 1979.

1201. DERS., Otto Grotewohl. Biographischer Abriß, Berlin (Ost) 1979.

GRÜNERT

1202. K. SCHLEHUFER, Bernhard Grünert. Ein Pionier der sozialistischen Landwirtschaft der DDR, Berlin (Ost) 1983.

HAVEMANN

1203. H. JÄCKEL (Hrsg.), Ein Marxist in der DDR. Für Robert Havemann, München-Zürich 1980.

HENNECKE

1204. H. BARTHEL, Adolf Hennecke. Beispiel und Vorbild, Berlin (Ost) 1979.

HONECKER

1204a. R. ANDERT, W. HERZBERG, der Sturz. Erich Honecker im Kreuzverhör, Berlin u. a. 1990.

1204b. D. BORKOWSKI, Erich Honecker: Statthalter Moskaus oder deutscher Patriot? Eine Biographie, München 1987.

1205. ERICH HONECKER: Skizze seine politischen Lebens, hrsg. v. Institut für Marxismus-Leninismus beim ZK der SED, Berlin (Ost) 1977.

1205a. In Sachen Erich Honecker. Kursbuch 11, Berlin, Februar 1993.

1206. H. LIPPMANN, Honecker. Porträt eines Nachfolgers, Köln 1971.

1206a. P. PRZYBYLSKI, Tatort Politbüro. Bd.1: Die Akte Honecker; Bd.2: Honecker, Mittag und Schalck-Golodkowski, Berlin 1991.

JANKA

1206b. W. JANKA, Spuren eines Lebens, Berlin 1991.

KAISER

1207. W. CONZE, E. KOSTHORST, E. NEBGEN, Jakob Kaiser, Stuttgart-Berlin-Köln-Mainz. Der Arbeiterführer (1967); Politiker zwischen Ost und West (1969); Der Widerstandskämpfer (1967).

1208. E. KOSTHORST, K. GOTTO, H. SOELL, Jakob Kaiser. Bundesminister für gesamtdeutsche Fragen 1949-1957, Stuttgart-Berlin-Köln-Mainz 1972.

KOENEN

1209. H. NAUMANN, Wilhelm Koenen, Halle 1973.

1210. DERS., Wilhelm Koenen, Leipzig 1977.

KÜLZ

1211. A. BEHRENDT, Wilhelm Külz. Aus dem Leben eines Suchenden, Berlin (Ost) 1968.

MATERN

1212. L. ROTHE, E. WOITINAS, Hermann Matern. Aus seinem Leben und Wirken, Berlin (Ost) 1981.

MIELKE

1212a. J. VON LANG, Erich Mielke. Eine deutsche Karriere, Berlin 1991.

MÜLLER

1212b. D. DOWE (Hrsg.), Kurt Müller (1903-1990) zum Gedenken, Bonn 1991.

NUSCHKE

1213. G. FISCHER, Otto Nuschke, Berlin (Ost) 1983.

PIECK

1214. F. ERPENBECK, Wilhelm Pieck. Ein Lebensbild, Berlin (Ost) 1951.

1215. H. VOSSKE, Wilhelm Pieck, Leipzig 1975.

1216. DERS., Wilhelm Pieck 1976-1960. Bilder und Dokumente aus seinem Leben, Berlin (Ost) 1975.

1217. DERS., G. NITZSCHE, Wilhelm Pieck. Biographischer Abriß, Berlin (Ost) 1975.

1218. Z. ZIMMERLING, Wilhelm Pieck, Geschichte und Geschichten eines großen Lebens, Berlin (Ost) 1976.

RAU

1219. E. WOITINAS, Heinrich Rau. Kommunist, Internationalist und sozialistischer Staatsmann, Berlin (Ost) 1977.

ULBRICHT

1220. J. R. BECHER, Walter Ulbricht. Ein deutscher Arbeitersohn, Berlin (Ost) 1958.

1221. C. Stern, Ulbricht. Eine politische Biographie, Köln-Berlin (West) 1963.

1222. L. Thomas, H. Vieillard, Ein guter Deutscher. Walter Ulbricht – eine biographische Skizze aus seinem Leben, Berlin (Ost) 1963.

1223. Dies., W. Berger, Walter Ulbricht. Arbeiter, Revolutionär, Staatsmann, Berlin (Ost) 1968.

1224. H. Vosske, Walter Ulbricht. Biographischer Abriß, Berlin (Ost) 1983.

1225. G. Zwerenz, Walter Ulbricht, München-Bern-Wien 1966.

Warnke, Hans

1226. H. Mühlstädt, Hans Warnke. Ein Kommunist, Rostock 1972.

Warnke, Herbert

1227. H. Deutschland, A. Förster, E. E. Lange, Vertrauensmann seiner Klasse – Herbert Warnke, Berlin (Ost) 1982.

Wolf

1227a. A. Reichenbach, Chef der Spione. Die Markus-Wolf-Story, Stuttgart 1992.

20. Zusammenbruch der DDR und Aufarbeitung ihrer Geschichte

1228. H. Arnold, F. Moyer-Gossau (Hrsg.), Die Abwicklung der DDR, Göttingen 1992.

1229. K.-H. Arnold, Die ersten hundert Tage des Hans Modrow, Berlin 1990.

1230. H. Bahrmann, Die Treuhandanstalt. Mammutbehörde mit gewaltigen Aufgaben, Hamburg 1991.

1231. W. Bajohr, Das Erbe der Diktatur, Bonn 1992.

1232. Begreifen, wie es gewesen ist. Zur Diskussion mit dem Umgang mit der DDR-Vergangenheit, hrsg. v. d. Katholischen Akademie Berlin, Leipzig 1992.

1233. M. Beleites, Altlast Wismut. Ausnahmezustand, Umweltkatastrophe und das Sanierungsproblem im deutschen Uranbergbau, Frankfurt/M. 1992.

1234. P. Bender, Unsere Erbschaft. Was war die DDR – was bleibt von ihr?, Hamburg 1992.

1235. W. Berg, Zur Aktenlage. MfS-Papiere und Öffentlichkeit, Halle 1992.

1236. S. Bergmann-Pohl, Abschied ohne Tränen. Rückblick auf das Jahr der Einheit, Berlin 1991.

1237. W. Biermann, Der Sturz des Dädalus oder Eizes für die Eingeborenen der Fidschi-Inseln über den IM Judas Ischariot und den Kuddelmuddel in Deutschland seit dem Golfkrieg, Köln 1992.

1238. T. Blanke, R. Erd (Hrsg.), DDR – ein Staat vergeht, Frankfurt/M. 1990.

1239. M. Blum, T. Nesseler (Hrsg.), Deutschland einig Vaterland? Geschichte(n), Probleme und Perspektiven, Bonn 1992.

1240. A. BORCHERS, Neue Nazis im Osten. Hintergründe und Fakten, Weinheim 1992.

1241. D. BORIS (Hrsg.), Keiner redet vom Sozialismus, aber wir. Die Zukunft marxistisch denken, in memoriam Kurt Steinhaus, Bonn 1992.

1242. H. BORTFELDT, Von der SED zur PDS – Aufbruch zu neuen Ufern? Sommer/Herbst 1989 – 18. März 1990, Berlin 1990.

1243. H. BORTFELDT, Von der SED zur PDS. Wandlung zur Demokratie?, Bonn 1992.

1244. R. BOHSE (Hrsg.), Jetzt oder nie – Demokratie. Leipziger Herbst '89. Neues Forum Leipzig, mit einem Vorwort v. R. HENRICH, München 1990.

1245. P. BRENSKE, Bauarbeiter aus der DDR. Eine empirische Untersuchung über gruppenspezifische Merkmale bei Flüchtlingen und Übersiedlern der Jahre 1989 und 1990, Berlin 1992.

1246. U. BRESCH (Hrsg.), Oktober 1989. Wider den Schlaf der Vernunft, Berlin o. J. (1990).

1247. M. BRIE, D. KLEIN, Zwischen den Zeiten. Ein Jahrhundert verabschiedet sich, Hamburg 1992.

1248. J. H. BRINKS, Die DDR-Geschichtswissenschaft auf dem Weg zur deutschen Einheit. Luther, Friedrich II. und Bismarck als Paradigmen politischen Wandels, Frankfurt/M. 1992.

1249. H. F. BUCK, Von der staatlichen Kommandowirtschaft der DDR zur Sozialen Marktwirtschaft des vereinten Deutschland. Sozialistische Hypotheken, Transformationsprobleme, Aufschwungchancen, Düsseldorf 1991.

1250. K. H. BÜCHLER, Ökologische Grundpositionen politischer Parteien und Gruppierungen in der DDR, Berlin 1990.

1251. C. BUTTERWEGE, H. ISOLA (Hrsg.), Rechtsextremismus im vereinten Deutschland. Randerscheinung oder Gefahr für die Demokratie?, 3. vollst. überarb. und erw. Aufl., Berlin 1991.

1252. R. DARNTON, Der letzte Tanz auf der Mauer. Berliner Journal 1989 – 1990, München 1991.

1253. F. DIECKMANN, Vom Einbringen. Vaterländische Beiträge, Frankfurt/M. 1992.

1254. K. DÖGE, H. M. GRIESE (Hrsg.), Erwachsenenbildung in der DDR – im Umbruch, Hohengehren 1991.

1255. D. DOWE in Zusammenarbeit mit R. ECKERT (Hrsg.), Von der Bürgerbewegung zur Partei. Die Gründung der Sozialdemokratie in der DDR, Bonn 1993.

1256. R. DUDEK, W. GRANDKE, Ländereinführung und Landtagswahlen in der DDR 1990, Köln 1990.

1257. A. EBERT (Hrsg.), Räumt die Steine hinweg. DDR Herbst 1989. Geistliche Reden im politischen Aufbruch. Mit einem Geleitwort v. Heinrich Albertz, München 1989.

1258. V. Eichner u. a. (Hrsg.), Organisierte Interessen in Ostdeutschland, 2 Bde., Marburg 1992.

1259. L. Elm, Nach Hitler. Nach Honecker. Zum Streit der Deutschen um die eigene Vergangenheit, Berlin 1991.

1260. Das Ende der DDR. Eine politische Autopsie, hrsg. v. Bund Sozialistischer Arbeiter, Essen 1992.

1261. Entwurf. Verfassung der Deutschen Demokratischen Republik, hrsg. von der Arbeitsgruppe „Neue Verfassung der DDR" des Runden Tisches, Berlin, April 1990.

1262. C. Faber, T. Meyer (Hrsg.), Unterm neuen Kleid der Freiheit das Korsett der Einheit. Auswirkungen der deutschen Vereinigung für Frauen in Ost und West, Berlin 1992.

1263. T. Falkner, Sturm aufs Große Haus. Der Untergang der SED, Berlin 1990.

1264. R. Faupel, Der Neuaufbau der Justiz in Brandenburg. 500 kurze Tage auf dem langen Weg zur Einheitlichkeit der Lebensverhältnisse, Baden-Baden 1992.

1265. M. Flug, Treuhand-Poker. Die Mechanismen des Ausverkaufs, Berlin 1992.

1266. P. Förster, P. G. Roski, DDR zwischen Wende und Wahl, Berlin 1990.

1267. Frauen im Umbruch – Feminismus im Aufbruch? in: Einspruch. Leipziger Hefte, Heft 4, 2. Jg., hrsg. v. d. Leipziger Gesellschaft für Politik und Zeitgeschichte, Leipzig 1992.

1268. W. Fricke, K. Märker, Enteignetes Vermögen in der Ex-DDR, Bollschweil 1992.

1269. G. Frieberg (Hrsg.), Enteignung und offene Vermögensfragen in der ehemaligen DDR, Köln 1991.

1270. R. Geissler (Hrsg.), Sozialer Umbruch in Ostdeutschland. Sozialstrukturanalyse, 2 Bde., Leverkusen 1992.

1271. Ders., Die Sozialstruktur Deutschlands. Ein Studienbuch zur Entwicklung im geteilten und vereinten Deutschland, Opladen 1992.

1272. G.-J. Glaessner, Der schwierige Weg zur Demokratie. Vom Ende der DDR zur deutschen Einheit, 2. durchges. Aufl., Opladen 1992.

1273. Ders. (Hrsg.), Eine deutsche Revolution. Der Umbruch in der DDR, seine Ursachen und Folgen, Frankfurt/M. 1992.

1274. W. Glatzer, H.-H. Noll (Hrsg.), Lebensverhältnisse in Deutschland. Ungleichheit und Angleichung, Frankfurt/M. 1992.

1275. B. Giesen (Hrsg.), Experiment Vereinigung. Ein sozialer Großversuch, Berlin 1991.

1276. H.-J. Giessmann (Hrsg.), Konversion im vereinten Deutschland? Ein Land – zwei Perspektiven?, Baden-Baden 1992.

1277. D. Golombek, D. Ratzke, Dagewesen und aufgeschrieben. Reportagen über eine deutsche Revolution, Bd. 1, Frankfurt/M. 1990.

1278. D. Golombek, D. Ratzke, Facetten der Wende. Reportagen über eine deutsche Revolution, Bd. 2, Frankfurt/M. 1991.

1279. W.-J. GRABNER (Hrsg.), Leipzig im Oktober. Kirchen und alternative Gruppen im Umbruch der DDR. Analysen zur Wende, Berlin 1990.

1280. D. GROSSER u. a., Die sieben Mythen der Wiedervereinigung. Fakten und Analysen zu einem Prozeß ohne Alternative, München 1991.

1281. A. GRUNENBERG (Hrsg.), Welche Geschichte wählen wir? Hamburg 1992.

1282. B. GUGGENBERGER (Hrsg.), Die Verfassungsdiskussion im Jahr der deutschen Einheit. Analysen, Hintergründe, Materialien, München 1991.

1283. DERS., (Hrsg.), Eine Verfassung für Deutschland. Manifest, Text, Plädoyers, München 1991.

1284. G. GYSI, Sturm aufs Große Haus. Der Untergang der SED, Berlin 1990.

1285. G. GYSI u. a. (Hrsg.), Zweigeteilt. Über den Umgang mit der SED-Vergangenheit, Hamburg 1992.

1286. M. HÄDER (Hrsg.), Denken und Handeln in der Krise. Die DDR nach der „Wende". Ergebnisse einer empirisch-soziologischen Studie, Berlin 1991.

1287. K. HARTUNG, Neunzehnhundertneunundachtzig. Ortsbesichtigungen nach einer Epochenwende, Hamburg 1992.

1288. K. H. HEINEMANN, Der antifaschistische Staat entläßt seine Kinder. Jugend und Rechtsextremismus in Ostdeutschland, Köln 1992.

1289. D. HENRICH, Eine Republik Deutschland. Reflexionen auf dem Weg aus der deutschen Teilung, Frankfurt/M. 1990.

1290. H. HERLES, E. ROSE (Hrsg.), Vom Runden Tisch zum Parlament, Bonn 1990.

1291. W. HERLES, Geteilte Freude. Das erste Jahr der dritten Republik. Eine Streitschrift, München 1992.

1292. H. H. HERTLE, Transmissionsriemen ohne Mission. Der FDGB im Umwälzungsprozeß der DDR. Chronologie und Dokumentation (Oktober 1989 bis Anfang Februar 1990), Berlin 1990 (Berliner Arbeitshefte und Berichte zur sozialwissenschaftlichen Forschung, Nr. 21).

1293. M. HETTLING (Hrsg.), Revolution in Deutschland? 1789 – 1989. Sieben Beiträge, Göttingen 1991.

1294. S. HEYM, Filz. Gedanken über das neueste Deutschland. Und fünf Zeichnungen von Horst Hussel, München 1992.

1295. K. HIRSCH, P. B. HEIM, Von links nach rechts. Rechtsradikale Aktivitäten in den neuen Bundesländern, München 1991.

1296. A. HOFFMANN, Die neuen deutschen Bundesländer. Eine kleine politische Landeskunde, 4. Auflage, München 1992.

1297. C. HOFFMANN, Stunde Null? Vergangenheitsbewältigung in Deutschland 1945 und 1989, Bonn 1992.

1298. H. HOFFMANN, D. KRAMER (Hrsg.), Der Umbau Europas. Deutsche Einheit und europäische Integration. Die Frankfurter Römerberg-Gespräche, Frankfurt/M. 1991.

1299. N. HORN, Markt und Recht. Der Übergang der DDR in die Marktwirtschaft, Bergisch Gladbach 1991.

1300. K. Humann (Hrsg.), Wir sind das Geld. Wie die Westdeutschen die DDR aufkaufen, Reinbek bei Hamburg 1990.

1301. W. Jaide, B. Hille (Hrsg.), Jugend und Sport in den neuen Bundesländern, Opladen 1992.

1302. K. H. Jarausch, Die eilige Einheit. Ein historischer Versuch, Frankfurt/M. 1993.

1303. E. Jesse, A. Mitter (Hrsg.), Die Gestaltung der deutschen Einheit. Geschichte – Politik – Gesellschaft, Bonn, Berlin 1992.

1304. U. Jelpke (Hrsg.), Die Eroberung der Akten. Das Stasi-Unterlagen-Gesetz, Entstehung, Folgen, Analysen, Dokumente, Mainz 1992.

1305. H. Joas, M. Kohli (Hrsg.), Der Zusammenbruch der DDR, Frankfurt/M. 1992.

1306. N. Katzer (Hrsg.), Geschichtsunterricht im vereinten Deutschland. Auf der Suche nach Neuorientierung. Teil I und II, Baden-Baden 1991.

1307. D. Keller (Hrsg.), Nachdenken über Deutschland. Mit Vorträgen von W. Jens, R. Süssmuth, A. Vollmer, H. Modrow, H. Königsdorf, Berlin 1991.

1308. D. Keller, J. Scholz (Hrsg.), Volkskammerspiele. Eine Dokumentation aus der Arbeit des letzten Parlaments der DDR, Berlin 1991.

1309. T. Kieselbach, P. Voigt (Hrsg.), Systemumbruch, Arbeitslosigkeit und individuelle Bewältigung in der Ex-DDR, Weinheim 1992.

1310. E. Klein, S. Lörler, Überlegungen zur Verfassungsreform in der DDR, Königswinter 1990.

1311. J. Kocka, Die Auswirkungen der deutschen Einigung auf die Geschichts- und Sozialwissenschaften, Bonn 1992.

1312. B. Kohler-Koch, Die Osterweiterung der EG. Die Einbeziehung der ehemaligen DDR in die Gemeinschaft, Baden-Baden 1991.

1313. E. Kuby, Der Preis der Einheit. Ein deutsches Europa formt sein Gesicht, Hamburg 1990.

1314. E. Kuhn, Der Tag der Entscheidung. Leipzig, 9. Oktober 1989, Berlin 1992.

1315. A. Kutsch (Hrsg.), Publizistischer und journalistischer Wandel in der DDR. Vom Ende der Ära Honecker bis zu den Volkskammerwahlen im März 1990, Bochum 1990.

1316. E. Lang (Hrsg.), Wendehals und Stasi-raus. Demo-Sprüche aus der DDR, München 1990.

1317. W. Lange, Die Deutschen in der DDR setzen auf die soziale Marktwirtschaft. Die wirtschaftspolitische Entwicklung vom 9. November 1989 bis 20. April 1990, Bonn 1990.

1318. P. J. Lapp, Die fünf neuen Länder, (Forum deutsche Einheit, Perspektiven und Argumente, Nr. 6), Bonn 1991.

1319. Ders., Ein Staat – eine Armee. Von der NVA zur Bundeswehr, Bonn u. a. 1992.

1320. M. J. Lasky, Wortmeldung zu einer Revolution. Der Zusammenbruch der kommunistischen Herrschaft in Ostdeutschland, Frankfurt/M. 1991.

1321. W. Lepenies, Folgen einer unerhörten Begebenheit. Die Deutschen nach der Vereinigung, Berlin 1992.

1322. U. Liebert (Hrsg.), Die Politik zur deutschen Einheit. Probleme, Strategien, Kontroversen, Opladen 1991.

1323. A. Lochner (Hrsg.), Linke Politik in Deutschland. Beiträge aus DDR und BRD, Hamburg 1990.

1324. K. Löw (Hrsg.), Ursachen und Verlauf der deutschen Revolution 1989, 2. Auflage, Berlin 1991.

1325. C. Luft, Treuhandreport. Werden, Wachsen und Vergehen einer deutschen Behörde, Berlin 1992.

1326. H. J. Maaz, Das gestürzte Volk oder die verunglückte Einheit, Berlin 1991.

1327. Ders., Die Entrüstung. Deutschland, Deutschland, Stasi, Schuld und Sündenbock, Berlin 1992.

1328. G. Maier, Die Wende in der DDR, hrsg. v. d. Bundeszentrale für politische Bildung, Bonn 1990.

1329. S. Mampel (Hrsg.), Die Reformen in Polen und die revolutionären Erneuerungen in der DDR, Berlin 1991.

1330. G. Manz, Armut in der „DDR"-Bevölkerung. Lebensstandard und Konsumtionsniveau vor und nach der Wende, Augsburg 1992.

1331. P. Marcuse, A German way of Revolution: DDR-Tagebuch eines Amerikaners, Berlin 1990.

1332. H. von der Meer, Vom Industriestandort zum Entwicklungsland? Frankfurt/M. 1991.

1333. C. Meier, Deutsche Einheit als Herausforderung. Welche Fundamente für welche Republik?, München 1990.

1334. Die Meinung der DDR-Bürger im deutschen Vereinigungsprozeß von Mai bis August 1990. Kontinuierliche Beobachtung der politischen Lage in der DDR, Bericht der Infratest-Kommuniktationsforschung-GmbH, München 1990.

1335. M. Menge, „Ohne uns läuft nichts mehr". Die Revolution in der DDR. Mit einem Vorwort von Ch. Wolf, Stuttgart 1990.

1336. S. Meyer, E. Schulze u. a., Familie im Umbruch. Zur Lage der Familien in der ehemaligen DDR. Studie im Auftrag des Bundesministeriums für Familie und Senioren, Stuttgart 1992.

1337. H. Mögenburg, Die Revolution in der DDR: Freiheit, Einheit und soziale Gerechtigkeit?, Frankfurt/M. 1990.

1338. H. Mohnhaupt (Hrsg.), Rechtsgeschichte in den beiden deutschen Staaten (1988–1990). Beispiele, Parallelen, Positionen, Frankfurt/M. 1991.

1339. B. Molitor, Der Übergang von einer zentralistischen Planwirtschaft zur Sozialen Marktwirtschaft. Erfahrungen mit der Integration der neuen Länder, Tübingen 1991.

1340. W. Momper, Grenzfall Berlin. Brennpunkt deutscher Geschichte, München 1991.

1341. P. Moreau, PDS. Anatomie einer postkommunistischen Partei, Bonn 1992.

1342. H. Müller-Enbergs (Hrsg.), Von der Illegalität ins Parlament. Werdegang und Konzept der neuen Bürgerbewegungen, 2. erw. Auflage, Berlin 1992.

1343. M. Müller, M. Thierse, C. Hein u. a.(Hrsg.), Deutsche Ansichten. Die Republik im Übergang, Bonn 1992.

1344. I. von Münch (Hrsg.), Die Verträge zur Einheit Deutschlands, München 1990.

1345. D. Murswiek, Die Vereinigung Deutschlands. Aspekte innen-, außen- und wirtschaftspolitischer Beziehungen und Bindungen, Berlin 1992.

1346. B. Muszynski (Hrsg.), Wissenschaftstransfer in Deutschland. Erfahrungen und Perspektiven, Opladen 1993.

1347. F. Naujoks, Ökologische Erneuerung in der ehemaligen DDR. Begrenzungsfaktor oder Impulsgeber für eine gesamtdeutsche Entwicklung?, Bonn 1991.

1348. E. Neubert, Eine protestantische Revolution, o.O. 1991.

1349. G. Neugebauer, Die SDP/SPD in der DDR 1989–1990. Aus der Bürgerbewegung in die gesamtdeutsche Sozialdemokratie, Text, Chronik, Dokumentation, Berlin 1992.

1350. E. Noelle-Neumann, Demoskopische Geschichtsstunde. Vom Wartesaal der Geschichte zur Deutschen Einheit, Zürich 1991.

1351. C. Noll, Nachtgedanken über Deutschland, Reinbek bei Hamburg 1992.

1352. W. Oschlies, „Wir sind das Volk". Zur Rolle der Sprache bei den Revolutionen in der DDR, Tschechoslowakei, Rumänien und Bulgarien, Köln 1990.

1353. A. Osang, Aufsteiger - Absteiger. Karrieren in Deutschland, Berlin 1992.

1354. F. Oldenburg, Die Implosion des SED-Regimes. Ursachen und Entwicklungsprozesse, Köln 1991 (Berichte des Bundesinstituts für Ostwissenschaftliche und Internationale Studien, 1991, Nr. 10).

1355. A. L. Phillips, Transformation of the SED? The PDS one year later, Köln 1991 (Berichte des Bundesinstituts für Ostwissenschaftliche und Internationale Studien, 1991, Nr. 42).

1356. R. Piechowiak, G. Knopp (Hrsg.), Die lebendige Nation. Der Weg zur deutschen Einheit, Recklinghausen 1991.

1357. F. Pilz, Das vereinte Deutschland. Wirtschaftliche, soziale und finanzielle Folgeprobleme und die Konsequenzen für die Politik, Stuttgart 1992.

1358. S. Raubold (Hrsg.), Go East! DDR - Der nahe Osten, Berlin 1990.

1359. B. Rauschenbach (Hrsg.), Erinnern, Wiederholen, Durcharbeiten. Zur Psycho-Analyse deutscher Wenden, Berlin 1992.

1360. J. Reich, Rückkehr nach Europa. Bericht zur neuen Lage der deutschen Nation, München 1991.

1361. G. Rein, Die protestantische Revolution 1987 - 1990. Ein deutsches Lesebuch, Berlin 1990.

1362. R. REISSIG, G.-J. GLAESSNER, Das Ende eines Experiments. Aufbruch in der DDR und deutsche Einheit, Berlin 1991.

1363. R. G. REUTH, IM „Sekretär". Die „Gauck-Recherche" und die Dokumentation zum „Fall Stolpe", 2. aktual. und erw. Aufl., Frankfurt/M. 1992.

1364. E. RICHTER, Erlangte Einheit – verfehlte Identität. Auf der Suche nach den Grundlagen für eine neue deutsche Politik, Berlin 1991.

1365. K.-O. RICHTER, Regionale Disproportionen, die Alten – und das liebe Geld. Soziologische Anmerkungen zu den Volkskammer- und Kommunalwahlen 1990 in der DDR, Hamburg 1990.

1366. W. RICHTER (Hrsg.), Weißbuch. Unfrieden in Deutschland. Diskriminierung in den neuen Bundesländern, Berlin 1992.

1367. A. D. ROTFELD, W. STÜTZLE (Hrsg.), Germany and Europe in Transition, Oxford 1991.

1368. C. RÜHL (Hrsg.), Institutionelle Reorganisation in den neuen Ländern, Selbstverwaltung zwischen Markt und Zentralstaat, Marburg 1992.

1369. C. RÜHL (Hrsg.), Konsolidierung des Binnenmarktes in den neuen Ländern. Strukturpolitik und westeuropäische Integration, Marburg 1992.

1370. T. SCHINDLER, S. ZERRAHN, Herausforderung Ostdeutschland. Westdeutsche in den neuen Bundesländern, Berlin 1991.

1371. W. SCHMÄHL (Hrsg.), Sozialpolitik im Prozeß der deutschen Vereinigung, Frankfurt/M. 1992.

1372. B. SCHMIDTBAUER (Hrsg.), Tage, die Bürger bewegten (Dokumente des Rostocker Umbruchs), o.O. 1991.

1373. Schnauze! Gedächtnisprotokolle 7. und 8. Oktober Berlin, Leipzig, Dresden, Berlin 1990.

1374. E. SCHNEIDER, Die politische Elite der ehemaligen DDR. Eine empirische Untersuchung, Köln 1991 (Berichte des Bundesinstituts für Ostwissenschaftliche und Internationale Studien, 1991, Nr. 31).

1375. M. SCHNEIDER, Die abgetriebene Revolution. Von der Staatsfirma in die DM-Kolonie, Berlin 1990.

1376. R. SCHNEIDER, Volk ohne Trauer. Notizen vom Untergang der DDR, Göttingen 1992.

1377. W. SCHNEIDER, Tanz der Derwische. Vom Umgang mit der Vergangenheit im wiedervereinigten Deutschland, Lüneburg 1992.

1378. A. SCHÖNHERR (Hrsg.), Ein Volk am Pranger? Die Deutschen auf der Suche nach einer neuen politischen Kultur, Berlin 1992.

1379. F. SCHORLEMMER, Worte öffnen Fäuste. Die Rückkehr in ein schwieriges Vaterland, München 1992.

1380. R. SCHUBERT, Ohne größeren Schaden? Gespräche mit Journalistinnen und Journalisten der DDR, München 1992.

1381. W. SCHULZ, L. VOLMER (Hrsg.), Entwickeln statt abwickeln. Wirtschaftspolitische und ökologische Umbau-Konzepte für die fünf neuen Länder, Berlin 1992.

1382. F. Schumann, Glatzen am Alex. Rechtsextremismus in der DDR, Berlin 1990.

1383. G. Schwarz, C. Zenner (Hrsg.), Wir wollen mehr als ein „Vaterland". DDR-Frauen im Aufbruch, Reinbek bei Hamburg 1990.

1384. A. Schützsack, Exodus in die Einheit. Die Massenflucht aus der DDR 1989, Melle 1990.

1385. B. Seebacher-Brandt, Die Linke und die Einheit, Berlin 1991.

1386. K. Semtner, Der Runde Tisch in der DDR, München 1992.

1387. P. Siebenmorgen, „Staatssicherheit" der DDR. Altlast oder Bedrohung?, Bonn, Berlin 1992.

1388. H. Siebert, Das Wagnis der Einheit. Eine wirtschaftspolitische Therapie, Stuttgart 1992.

1389. G. Sinn, H. W. Sinn, Kaltstart. Volkswirtschaftliche Aspekte der Deutschen Vereinigung, 2. neubearb. Aufl., Tübingen 1992.

1390. N. Sommer (Hrsg.), Der Traum aber bleibt. Sozialismus und christliche Hoffnung. Eine Zwischenbilanz, Berlin 1992.

1391. H. Spatzenberger (Hrsg.), Das verspielte „Kapital"? Die marxistische Ideologie nach dem Scheitern des Realen Sozialmus, Salzburg 1991.

1392. C. Stephan (Hrsg.), Wir Kollaborateure. Der Westen und die deutschen Vergangenheiten, Reinbek bei Hamburg 1992.

1393. K. Stern, Das geeinte Deutschland. Erwartungen und Perspektiven, Bonn 1992.

1394. M. Stolpe, Schwieriger Aufbruch, Berlin 1992.

1395. M. Stürmer, Die Grenzen der Macht. Begegnungen der Deutschen mit der Geschichte, Berlin 1992.

1396. S. Suckut, D. Staritz, Alte Heimat oder neue Linke? Das SED-Erbe und die PDS-Erben, in: DA 24 (1991), 1038 ff.

1397. W. Süss, Ende und Aufbruch – Von der DDR zur neuen Bundesrepublik Deutschland, Frankfurt/M. 1992.

1398. Ders., Bilanz einer Gratwanderung – Die kurze Amtszeit des Hans Modrow, in: DA 24 (1991), 596 ff.

1399. Ders., Mit Unwillen zur Macht. Der Runde Tisch in der DDR der Übergangszeit, in: DA 24 (1991), 470 ff.

1400. R. Süssmuth (Hrsg.), Gesamtdeutsches Parlament, Stuttgart 1991.

1401. Dies., Bezahlen die Frauen die Wiedervereinigung? Rita Süssmuth und Helga Schubart, Neuausgabe, München 1992.

1402. W. Thaa, I. Häuser u. a., Gesellschaftliche Differenzierung und Legitimitätsverfall des DDR-Sozialismus. Das Ende des anderen Wegs in der Moderne, Tübingen 1992.

1403. U. Thaysen, Der Runde Tisch. Oder: Wo blieb das Volk? Der Weg der DDR in die Demokratie, Wiesbaden 1990.

1404. J. THIES, Deutschland von innen. Beobachtungen aus wechselnder Perspektive, Stuttgart 1990.

1405. J. VILLAIN, Die Revolution verstößt ihre Väter. Aussagen und Gespräche zum Untergang der DDR, Bern 1990.

1406. J. VOGEL, Magdeburg, Kroatenweg. Chronik des Magdeburger Bürgerkomitees, Magdeburg 1990, 2. Auflage 1991.

1407. W.-K. WALTER, Fragen zum Untergang. Fiktiver Disput über die Geschichte der DDR und einige Dokumente, Berlin 1991.

1408. R. WASSERMANN, Ein epochaler Umbruch. Probleme der Wiedervereinigung, Asendorf 1991.

1409. DERS., Zur Aufarbeitung des SED-Unrechts, in: APuZG B 4 (1993), 3 ff.

1410. H. J. WARBECK, Die deutsche Revolution 1989. 1990: Die Herstellung der staatlichen Einheit, Berlin 1991.

1411. E. WEGNER (Hrsg.), Sozialpolitik im vereinten Deutschland, Marburg 1992.

1412. W. WEIDENFELD, K.-R. KORTE (Hrsg.), Handwörterbuch zur deutschen Einheit, Frankfurt/M., New York 1992.

1413. R. WEISS, Chronik eines Zusammenbruchs. Der „heiße" Herbst 1989 und seine Folgen in den Ländern des Warschauer Paktes, Berlin 1990.

1414. G. WEWER (Hrsg.), DDR – Von der friedlichen Revolution zur deutschen Vereinigung, Opladen 1990.

1415. R. WILDENMANN (Hrsg.), Nation und Demokratie. Politisch-strukturelle Gestaltungsprobleme im neuen Deutschland, Baden-Baden 1991.

1416. M. WILKE, Zwischen Solidarität und Eigennutz. Die Gewerkschaften des DGB im deutschen Vereinigungsprozeß, Melle 1991.

1417. M. WULF-MATHIES (Hrsg.), „Warteschleife" und Einigungsvertrag, Köln 1992.

1418. Vom Zentralplan zur sozialen Marktwirtschaft. Erfahrungen der Deutschen beim Systemwechsel, hrsg. von der Ludwig-Erhard-Stiftung, Stuttgart 1992.

1419. Zwischen den Stühlen. Pro und Kontra SED. Hrsg. D. KELLER, M. KIRCHNER, Berlin 1993.

1420. 4. November '89. Der Protest. Die Menschen. Die Reden. Hrsg. v. A. HAHN u. a., Berlin 1990.

ANHANG

1945

8. 5. Unterzeichnung der bedingungslosen Kapitulation Deutschlands.

5. 6. Juni-Deklaration: Übernahme der obersten Gewalt in Deutschland durch die Regierungen der UdSSR, USA, Großbritanniens und Frankreichs. Bildung des Alliierten Kontrollrates.

9. 6. Bildung der Sowjetischen Militäradministration in Deutschland (SMAD).

11. 6. Aufruf der KPD nach ihrer Zulassung durch die SMAD.

15. 6. Gründung der SPD in Berlin.

26. 6. Gründung der CDU in Berlin.

5. 7. Gründung der LDP in Berlin.

14. 7. Bildung der „Einheitsfront der antifaschistisch-demokratischen Parteien" (KPD, SPD, CDU, LDP) in Berlin (Antifa-Block).

17. 7.–2. 8. Potsdamer Konferenz der Großmächte.

20.–21. 12. Gemeinsame Konferenz des ZK der KPD und des ZA der SPD („Sechziger-Konferenz") beschließt, die Vereinigung vorzubereiten.

1946

9.–11. 2. 1. Bundeskongreß des FDGB für die SBZ.

7. 3. Gründung der Freien Deutschen Jugend (FDJ).

21.–22. 4. Gründungsparteitag der Sozialistischen Einheitspartei Deutschlands.

30. 6. Volksentscheid in Sachsen über die Enteignung der Großbetriebe von „Kriegsverbrechern und Naziaktivisten". 77,6% für die Enteignung.

17. 8. Befehl Nr. 253 der SMAD bringt gleichen Lohn für gleiche Arbeit, unabhängig von Alter und Geschlecht.

1. 9. Gesetz zur Demokratisierung der Schule tritt in Kraft.

20. 10. Wahlen zu den 5 Landtagen und den Kreistagen der SBZ. Die SED erhält 47,5% der Stimmen. Bei den Wahlen

zum Berliner Stadtparlament bekommt die SED nur 19,8 % der Stimmen.

1947 7.-9. 3. Gründung des Demokratischen Frauenbundes Deutschlands (DFD).

6.-9. 6. Konferenz der Ministerpräsidenten der deutschen Länder in München.

14. 6. Die deutsche Wirtschaftskommission (DWK), die erste zentrale Zonenverwaltung geschaffen.

21. 7. Nach der Auflösung Preußens werden die Provinzen Brandenburg und Sachsen-Anhalt zu Ländern erklärt, so daß sich die SBZ aus 5 Ländern (außerdem: Mecklenburg, Thüringen, Sachsen) zusammensetzt.

22.-23. 11. 1. Deutscher Bauerntag in Berlin, Gründung des Hauptverbandes der Vereinigung der gegenseitigen Bauernhilfe (VdgB).

20. 12. Die CDU-Vorsitzenden Kaiser und Lemmer werden von der SMAD abgesetzt.

1948 9. 3. Deutsche Wirtschaftskommission (DWK) übernimmt die zentrale Lenkung und Leitung der Wirtschaft in der SBZ.

20. 3. Die sowjetischen Vertreter verlassen den Alliierten Kontrollrat.

29. 4. Gründung der Demokratischen Bauernpartei Deutschlands (DBD).

25. 5. Gründung der National-Demokratischen Partei Deutschlands (NDPD).

18. 6. Beginn der Berlin-Blockade.

13. 10. Adolf Hennecke übererfüllt sein Soll mit 380 % – Beginn der Aktivistenbewegung in der SBZ.

26. 11. Die Betriebsräte werden den Betriebsgewerkschaftsleitungen (BGL) angeschlossen und damit aufgelöst.

1949 15.-16. 5. Wahlen zum III. Deutschen Volkskongreß, erstmals Einheitslisten. Beteiligung 95,2 %, davon 66,1 % für die Kandidaten.

7. 10. Gründung der Deutschen Demokratischen Republik (DDR) – Volksrat wird Provisorische Volkskammer. Inkraftsetzung der Verfassung.

11.-12. 10. Volkskammer wählt Wilhelm Pieck zum Präsidenten der DDR und bestätigt die Provisorische Regierung aus Vertretern der SED (8), der LDP (3), der CDU (4), der NDPD (1), der DBD (1) und einem Parteilosen. Otto Grotewohl wird Ministerpräsident der DDR.

8. 12. Oberster Gerichtshof und Staatsanwaltschaft der DDR gebildet.

1950	8. 2. Bildung eines Ministeriums für Staatssicherheit.
	6. 7. Unterzeichnung eines Abkommens über die Oder-Neiße-Grenze zwischen Polen und der DDR.
	24. 8. Säuberungsaktion in der SED-Führung. Merker, Bauer, Kreikemeyer, Ende u. a. werden ausgeschlossen.
	29. 9. Die DDR wird in den „Rat für Gegenseitige Wirtschaftshilfe" (RGW, Comecon) aufgenommen.
	15. 10. Wahlen zu Volkskammer, Landtagen, Kreistagen und Gemeindevertretungen nach Einheitlisten. Beteiligung 98,44 %. Ja-Stimmen 99,7 %.
1951	22. 4. Gründung des Nationalen Olympischen Komitees (NOK) der DDR.
	3. 8. Erstes Stalin-Denkmal in Deutschland in Ost-Berlin enthüllt.
	8. 10. Aufhebung der Rationierung aller Produkte bis auf Fleisch, Fett und Zucker; Preissenkung für Textilien und Backwaren.
	1. 11. Volkskammer beschließt Gesetz über den Fünfjahrplan (1951-55) und über die Deutsche Notenbank.
1952	26. 5. Verordnung über eine 5 km breite Sperrzone entlang der Demarkationslinie zur BRD.
	9.-12. 7. 2. Parteikonferenz der SED beschließt „planmäßige Errichtung der Grundlagen des Sozialismus in der DDR".
	23. 7. Gesetz über die „Demokratisierung des Aufbaus und der Arbeitsweise der staatlichen Organe" sowie die Aufteilung der Länder in 14 Bezirke und 217 Kreise.
	20. 12. Das ZK der SED billigt den Prager Schauprozeß gegen Slansky und bezichtigt Merker u. a. ehemalige SED-Führer als „Agenten"; Dahlem verliert seinen Einfluß.
1953	6. 3. Trauersitzung des ZK der SED aus Anlaß von Stalins Tod. Der Ministerrat ordnet Landestrauer an.
	21. 4. Die Bischöfe der Evangelischen Kirche wenden sich gegen den Kirchenkampf der SED und gegen das Vorgehen der Regierung gegen die „Junge Gemeinde" und die Evangelische Studentengemeinde.
	9. 6. Das Politbüro der SED „empfiehlt" der Regierung Maßnahmen zur Verbesserung der Lebenslage und zur „Stärkung der Rechtssicherheit". Einleitung des „Neuen Kurses".
	16. 6. Streik der Bauarbeiter in der Stalinallee und Proteste gegen die Normenerhöhung.
	17. 6. Arbeiteraufstand in Ost-Berlin und in der DDR. Niederschlagung durch sowjetisches Militär.
	24.-26.7. Das ZK der SED faßt auf seiner 15. Tagung den Be-

schluß „Der Neue Kurs und die Aufgaben der Partei". Zaisser und Herrnstadt werden aus dem ZK ausgeschlossen.

1954　　　1. 1. Die letzten 33 SAG-Betriebe werden an die DDR zurückgegeben.

25. 3. Regierung der UdSSR veröffentlicht Erklärung über die Anerkennung der Souveränität der DDR.

17. 10. Volkskammerwahlen. 99,46 % für die Einheitslisten.

1955　　　11.–14. 5. Warschauer Pakt abgeschlossen.

26. 7. Chruschtschow erklärt, daß die Wiedervereinigung Sache der Deutschen selbst sei, eine „mechanische Wiedervereinigung beider Teile Deutschlands" nicht möglich sei und eine Beseitigung der „sozialen Errungenschaften" der DDR nicht in Frage komme.

20. 9. Nach Regierungsverhandlungen in Moskau wird die „volle Souveränität" der DDR bestätigt, das Amt des sowjetischen Hohen Kommissars aufgehoben und ein Beistandspakt abgeschlossen.

1956　　　18. 1. Volkskammer beschließt Schaffung der „Nationalen Volksarmee" (NVA) und des „Ministeriums für Nationale Verteidigung".

4. 3. Ulbricht erklärt in „Neues Deutschland": „Stalin ist kein Klassiker des Marxismus".

1957　　　27.–28. 4. Gründung des „Deutschen Turn- und Sportbundes" (DTSB) in Ost-Berlin.

27. 7. Regierung der DDR schlägt Konföderation zwischen DDR und Bundesrepublik vor.

16. 12. Erster Atomreaktor in Rossendorf b. Dresden in Betrieb genommen.

1958　　　28. 2.–2. 3. 3. Hochschulkonferenz der SED legt die Aufgaben der Universitäten und Hochschulen beim Aufbau des Sozialismus fest.

29. 5. Abschaffung der Lebensmittelkarten in der DDR.

4. 11. Kommuniqué des Politbüros des ZK der SED zu Fragen der Versorgung und des Handels unter dem Gesichtspunkt der „ökonomischen Hauptaufgabe", Westdeutschland bis 1961 zu überholen.

10. 11. Chruschtschow verkündet Berlin-Ultimatum: „Es ist an der Zeit, den Viermächtestatus von Berlin aufzuheben."

16. 11. Wahlen zur Volkskammer und zu den Bezirkstagen (in Ost-Berlin Stadtverordnetenversammlung). 99,87 % für die Einheitslisten.

1959　　　24. 4. 1. Bitterfelder Kulturkonferenz unter dem Motto: „Greif zur Feder, Kumpel! Die sozialistische Nationalkultur braucht Dich!"

11. 5.–20. 6. Außenministerkonferenz in Genf mit Delegationen aus der Bundesrepublik und der DDR.

1. 10. Siebenjahrplan von der Volkskammer beschlossen.

2. 12. Volkskammer beschließt Gesetz über die sozialistische Entwicklung des Schulwesens in der DDR (10jährige Schulpflicht).

13. 12. Kreis Eilenburg „erster vollgenossenschaftlicher Kreis" der DDR.

1960 10. 2. Volkskammer beschließt das Gesetz über die Bildung des „Nationalen Verteidigungsrates" – Vorsitzender: Ulbricht.

12. 9. Nach Piecks Tod (7. 9.) wird der Staatsrat der DDR konstituiert – Vorsitzender: Ulbricht.

November/Dezember: Vertreter von 81 kommunistischen und Arbeiterparteien, darunter die SED, beschließen „Moskauer Erklärung".

1961 12. 4. Gesetzbuch der Arbeit von der Volkskammer angenommen (tritt am 1. 7. 61 in Kraft).

13. 8. Abriegelung Ost-Berlins, Bau der Mauer.

1962 24. 1. Volkskammer beschließt „Gesetz über die allgemeine Wehrpflicht".

23. 11. Veröffentlichung des Entwurfs für ein Parteiprogramm der SED.

1963 15.–21. 1. VI. Parteitag der SED, Verabschiedung des Parteiprogramms und des Parteistatuts.

24.–25. 6. Wirtschaftskonferenz der SED und des Ministerrates über die „Richtlinie für das neue ökonomische System der Planung und Leitung der Volkswirtschaft" (NÖSPL).

20. 10. Volkskammerwahlen, 99,95 % für die Einheitslisten.

17. 12. Protokoll zur Ausgabe von Passierscheinen für Westberliner zu Verwandtenbesuchen in Ost-Berlin unterzeichnet.

1964 15. 4. Stellungnahme des ZK der SED gegen die „Spaltungspolitik der chinesischen Führer".

12. 6. Vertrag über Freundschaft, gegenseitigen Beistand und Zusammenarbeit zwischen der DDR und der UdSSR in Moskau unterzeichnet (tritt am 26. 9. in Kraft).

24. 9. Nach Grotewohls Tod (21. 9.) wird Willi Stoph Vorsitzender des Ministerrats und Stellvertreter des Vorsitzenden des Staatsrates.

25. 11. DDR-Regierung setzt mit Wirkung vom 1. 12. den Zwangsumtausch von DM-Beträgen in Mark der Deutschen Notenbank (Ostmark) für Reisende aus Westdeutschland und West-Berlin sowie allen nichtsozialistischen Ländern fest.

1965	24. 2. Ulbricht in Kairo von Präsident Nasser mit allen Ehren empfangen.

25. 2. Volkskammer beschließt „Gesetz über das einheitliche sozialistische Bildungssystem" und „Gesetz über das Vertragssystem in der sozialistischen Wirtschaft".

8.–13. 6. Besuch Titos in der DDR.

15.–18. 12. 11. Tagung des ZK der SED beschließt zweite Etappe des „Neuen Ökonomischen Systems" und kritisiert Kulturschaffende.

20. 12. Volkskammer verabschiedet das „Familiengesetzbuch der DDR" (tritt am 1. 4. 66 in Kraft).

1966   29. 4. In Ost-Berlin findet Gespräch zwischen Beauftragten der SPD und der SED statt über geplanten Redneraustausch.

9. 5. 1. Atomkraftwerk der DDR in Rheinsberg in Betrieb genommen.

29. 6. Absage des Redneraustausches.

6. 10. Übereinkunft über die Passierscheinstelle für dringende Familienangelegenheiten in West-Berlin (Härtestelle) unterzeichnet (ab 10. 10. geöffnet).

1967   20. 2. „Gesetz über die Staatsbürgerschaft der DDR" beschlossen.

17.–22. 4. VII. Parteitag der SED in Ost-Berlin.

2. 7. Wahlen zur Volkskammer der DDR, 99,93 % für die Einheitslisten der Nationalen Front.

28. 8. Einführung der 5-Tage-Arbeitswoche, wöchentliche Arbeitszeit beträgt 43 ¾ Stunden.

1968   12. 1. Die Volkskammer billigt ein neues Strafgesetzbuch und eine neue Strafprozeßordnung, die am 1. 7. 1968 in Kraft treten.

6. 4. Volksentscheid für eine neue DDR-Verfassung, 94,49 % der Wahlberechtigten stimmen mit „Ja". Verfassung tritt am 9. 4. in Kraft.

20.–21. 8. Einheiten der NVA der DDR beteiligen sich an der Okkupation der CSSR durch fünf Warschauer-Pakt-Staaten.

12. 10. Das NOK der DDR wird als gleichberechtigtes Mitglied in das IOC aufgenommen.

1969   21.–22. 3. Kongreß der Nationalen Front des demokratischen Deutschland in Ost-Berlin beschließt die „sozialistische Menschengemeinschaft" zu fördern.

8. 5. Als erstes nichtkommunistisches Land nimmt Kambodscha volle diplomatische Beziehungen zur DDR auf.

5.–17. 6. Delegation des ZK der SED nimmt an der Internationalen Beratung von 75 kommunistischen und Arbeiterparteien in Moskau teil.

10.-14. 9. 1. Synodaltagung des neugegründeten Bundes der Evangelischen Kirche in der DDR in Potsdam.

1970 19. 3. Bundeskanzler Brandt und DDR-Ministerpräsident Stoph treffen in Erfurt zu Gesprächen zusammen.

26. 3. Beginn der Viermächteverhandlungen über Berlin.

21. 5. Treffen Brandt-Stoph in Kassel.

16. 9. Volkskammer beschließt Gesetz über die Zivilverteidigung.

1971 1. 1. Volkszählung in der DDR: 17.040.926 Einwohner.

1. 3. Erhöhung der Mindestlöhne und Mindestrenten.

16. 3. DDR und Chile nehmen diplomatische Beziehungen auf (damit ist die DDR von 28 Staaten anerkannt).

3. 5. Auf der 16. Tagung des ZK der SED bittet Ulbricht, ihn aus „Altersgründen" von der Funktion des Ersten Sekretärs zu entbinden, sein Nachfolger wird Honecker.

15.-19. 6. VIII. Parteitag der SED.

24. 6. Volkskammer bestimmt Honecker an Ulbrichts Stelle zum Vorsitzenden des Nationalen Verteidigungsrates, beschließt Direktive für den Fünfjahrplan 1971–1975.

23. 8. Die Botschafter der USA, Großbritanniens und Frankreichs in der Bundesrepublik sowie der sowjetische Botschafter in der DDR einigen sich beim 33. Gespräch auf einen Vertragsentwurf für eine Berlin-Regelung, sie wird am 3. 9. unterzeichnet.

14. 11. Wahl der Volkskammer und der Bezirkstage, 99,85 % für die Einheitslisten.

26. 11. Konstituierende Sitzung der Volkskammer wählt Ulbricht zum Staatsratsvorsitzenden, Stoph zum Vorsitzenden des Ministerrates, Honecker zum Vorsitzenden des Nationalen Verteidigungsrates und Götting zum Präsidenten der Volkskammer.

1972 27. 4. Gemeinsamer Beschluß des ZK der SED, des Bundesvorstandes des FDGB und des Ministerrates über sozialpolitische Maßnahmen, die am 1. 7. und 1. 9. in Kraft treten.

26. 5. Verkehrsvertrag zwischen der Bundesrepublik und der DDR von den Staatssekretären Egon Bahr und Michael Kohl unterzeichnet (tritt am 17. 10. in Kraft).

6. 10. Staatsrat beschließt umfassende Amnestie.

21. 12. Bahr und Kohl unterzeichnen in Ost-Berlin den Grundlagenvertrag.

1973	5.–22. 1. Weitere 13 Staaten (u. a. Niederlande, Finnland, Spanien, Italien) nehmen diplomatische Beziehungen zur DDR auf.

1. 8. Staatsratsvorsitzender Ulbricht gestorben.

18. 9. Die DDR wird 133. Mitglied der UNO (Bundesrepublik 134.).

3. 10. 10. Tagung der Volkskammer wählt Stoph zum neuen Staatsratsvorsitzenden und Sindermann zum Vorsitzenden des Ministerrats.

1974   28. 1. Die Volkskammer verabschiedet 3. Jugendgesetz.

14. 3. Protokoll über die Errichtung „Ständiger Vertretungen" unterzeichnet (tritt am 2. 5. in Kraft, es werden Ständige Vertretungen in Bonn und Ost-Berlin eröffnet).

4. 9. Aufnahme diplomatischer Beziehungen zwischen den USA und der DDR.

27. 9. 13. Tagung der Volkskammer beschließt „Gesetz zur Ergänzung und Änderung der Verfassung der DDR vom 7. Oktober 1974" (der Begriff „deutsche Nation" ist beseitigt) sowie personelle Veränderungen im Ministerrat.

1975   19. 6. 15. Tagung der Volkskammer verabschiedet Zivilgesetzbuch der DDR (tritt am 1. 1. 76 in Kraft).

30. 7.–1. 8. KSZE-Gipfelkonferenz in Helsinki, Unterzeichnung der Schlußakte. Bundeskanzler Helmut Schmidt und Erich Honecker treffen zu Gesprächen zusammen.

7. 10. Vertrag über Freundschaft, Zusammenarbeit und gegenseitigen Beistand zwischen der DDR und der UdSSR von Breschnew und Honecker in Moskau unterzeichnet.

1976   22. 3. DDR und Lesotho tauschen diplomatische Vertretungen aus, damit unterhält die DDR zu 118 Staaten diplomatische Beziehungen.

18.–22. 5. IX. Parteitag der SED beschließt neues Programm und Statut sowie Direktive zum Fünfjahrplan 1976–1980, Honecker nunmehr Generalsekretär der SED.

17. 10. Wahl der Volkskammer und der Bezirkstage. 99,86 % für die Einheitslisten.

29. 10. Auf der konstituierenden Sitzung der Volkskammer wird Horst Sindermann statt (wie seit 1973) Vorsitzender des Ministerrates zum Präsidenten der Volkskammer bestimmt, Erich Honecker als Vorsitzender des Staatsrates gewählt und als Vorsitzender des Nationalen Verteidigungsrates bestätigt, der bisherige Staatsratsvorsitzende (seit 1973) Willi Stoph wird wieder (wie von 1964–1973) Vorsitzender des Ministerrates.

16. 11. Dem Liedermacher Wolf Biermann wird von den „zuständigen Behörden der DDR ... das Recht auf weiteren Aufenthalt in der DDR entzogen".

26. 11. Prof. Robert Havemann wird unter Hausarrest gestellt (wird am 23. 8. 1978 verschärft und erst am 9. 5. 1979 aufgehoben).

1977 17. 2. Honecker bestätigt in einem Interview mit der „Saarbrücker Zeitung", daß ca. 10.000 DDR-Bürger Ausreiseanträge gestellt hätten. Generelle Reisefreiheit ins westliche Ausland könne es ohne Anerkennung der DDR-Staatsbürgerschaft nicht geben.

16. 6. Volkskammer verabschiedet neues Arbeitsgesetzbuch (tritt am 1. 1. 78 in Kraft).

23. 8. Festnahme Rudolf Bahros (30. 6. 1978 zu 8 Jahren Haft verurteilt) wegen Veröffentlichung seines regimekritischen Buches „Die Alternative" in der Bundesrepublik.

1978 6. 3. Gespräch zwischen Honecker und dem Vorstand der Evangelischen Kirchenleitungen der DDR unter Leitung von Bischof Albrecht Schönherr.

30. 3.–1. 4. Besuch des österreichischen Bundeskanzlers Bruno Kreisky in der DDR.

September: Mit Beginn des Schuljahres erstmals Wehrunterricht in der DDR für die Klassen 9 und 10.

13. 10. Die Volkskammer beschließt neues „Gesetz über die Landesverteidigung der DDR", das das alte von 1961 ersetzt (tritt am 1. 11. 1978 in Kraft).

1979 28. 6. Die Volkskammer beschließt 3. Strafrechtsänderungsgesetz (am 1. 8. in Kraft) mit erheblichen Verschärfungen des politischen Strafrechts sowie Wahlgesetzänderung, die eine Direktwahl der Ostberliner Volkskammerabgeordneten vorsieht.

28. 9. Beschluß des ZK der SED, des Ministerrates und des Bundesvorstandes des FDGB über Erhöhung der Mindestrenten ab 1. 12. 1979.

4.–8. 10. Besuch Breschnews in der DDR, Abzug von Sowjetsoldaten angekündigt.

27. 12. Sowjetische Intervention in Afghanistan.

1980 1. 1. DDR wird für 2 Jahre „nichtständiges" Mitglied des UNO-Sicherheitsrates.

18. 3. Politbüro-Beschluß über die „Aufgaben der Universitäten und Hochschulen in der entwickelten sozialistischen Gesellschaft".

3. 7. Seit 1964 sind 13.000 politische DDR-Häftlinge durch „besondere Bemühungen" der Bundesregierung vorzeitig aus der Haft entlassen worden und wie 30.000 DDR-Bürger im

Rahmen der Familienzusammenführung in die Bundesrepublik ausgereist.

13. 10. In Gera hält Erich Honecker vor Parteifunktionären eine „Abgrenzungs"-Rede gegenüber der Bundesrepublik.

10.–13. 11. Staatsratsvorsitzender Honecker zu einem Staatsbesuch in Österreich.

1981   11.–16. 4. X. Parteitag der SED.

25.–31. 5. Staatsratsvorsitzender Honecker zu einem Staatsbesuch in Japan.

14. 6. Wahlen zur Volkskammer, zu den Bezirkstagen und zur Ostberliner Stadtverordnetenversammlung. 99,86 % für die Einheitslisten.

25. 6. Auf der Volkskammer-Sitzung werden Honecker als Vorsitzender des Staatsrates und des Nationalen Verteidigungsrates, Stoph als Vorsitzender des Ministerrates und Sindermann als Präsident der Volkskammer wiedergewählt.

9.–13. 9. Honecker zu Staatsbesuchen in Lateinamerika.

11.–13. 12. Bundeskanzler Helmut Schmidt reist zu Gesprächen mit dem Staatsratsvorsitzenden Erich Honecker in die DDR (während des Besuchs wird in Polen das Kriegsrecht verhängt).

13.–15. 12. Treffen von Schriftstellern und Wissenschaftlern aus Ost und West in Ost-Berlin, diskutiert werden Fragen der Friedenssicherung.

1982   14. 2. Friedensforum von 5.000 Anhängern der unabhängigen Friedensbewegung in der Kreuzkirche in Dresden.

10. 11. Tod Leonid Breschnews, bei den Trauerfeiern in Moskau am 14. 11. Treffen Honeckers mit Bundespräsident Carstens.

1983   4. 5. „Luthertag" auf der Wartburg leitet das Lutherjahr der Evangelischen Kirche in der DDR ein.

8. 6. Zwangsweise Abschiebung des Mitglieds der Jenaer Friedensgruppe Roland Jahn, nachdem bereits über 20 Mitglieder der Friedensbewegung abgeschoben wurden.

29. 6. Westdeutscher Kredit von 1 Milliarde an die DDR bewilligt.

24. 7. Beginn eines mehrtägigen Besuchs des bayerischen Ministerpräsidenten Strauß (CSU) in der DDR, Zusammentreffen mit Honecker.

1984   13. 2. Am Vorabend der Beisetzungsfeierlichkeiten für den am 9. 2. verstorbenen Generalsekretär der KPdSU J. Andropow in Moskau Gespräch zwischen Honecker und Bundeskanzler Kohl.

25. 7. Kredit der Bundesrepublik von 950 Millionen DM an die DDR.

4. 9. Geplanter Staatsbesuch Honeckers in der Bundesrepublik wird abgesagt.

30. 9. Vom 1. 1. bis 30. 9. 1984 sind 36.123 Einwohner der DDR in die Bundesrepublik übergesiedelt.

1985   12. 3. Anläßlich der Teilnahme an den Beisetzungsfeierlichkeiten für den (am 10. 3.) verstorbenen Konstantin Tschernenko in Moskau treffen E. Honecker und H. Kohl zu einem Gespräch zusammen.

4.-5. 5. E. Honecker trifft bei einem Freundschaftsbesuch in der Sowjetunion mit dem neuen Generalsekretär der KPdSU, Michail Gorbatschow, zusammen.

10.-11. 6. Staatsbesuch des französischen Ministerpräsidenten Laurent Fabius in der DDR.

1986   17.-24. 4. XI. Parteitag der SED.

25. 4. Erste innerdeutsche Städtepartnerschaft zwischen Saarlouis und Eisenhüttenstadt beschlossen.

6. 5. Unterzeichnung des Kulturabkommens zwischen der DDR und der BRD in Ost-Berlin.

8. 6. Volkskammerwahlen, 99,74% für die Einheitslisten.

21.-25. 10. Staatsratsvorsitzender Honecker zu Staatsbesuch in der Volksrepublik China.

1987   12.-14. 1. Staatsbesuch des japanischen Ministerpräsidenten Yasuhiro Nakasone in der DDR.

1.-2. 4. Politbüromitglied Günter Mittag wird in Bonn von Bundeskanzler Helmut Kohl, dem Bundeswirtschaftsminister Martin Bangemann (FDP), dem bayerischen Ministerpräsidenten Franz-Josef Strauß (CSU) und dem SPD-Fraktionsvorsitzenden, Hans-Jochen Vogel, zu Gesprächen empfangen.

9.-11. 4. 14. Parteitag der LDPD in Weimar. Der stellvertretende FDP-Vorsitzende Wolfgang Mischnick überbringt eine Grußbotschaft des Parteivorsitzenden Martin Bangemann.

28.-30. 4. 12. Parteitag der DBD in Rostock wählt Günther Maleuda zum Vorsitzenden.

7.-9. 5. 13. Parteitag der NDPD in Leipzig.

3.-5. 6. Honecker zu einem Staatsbesuch in den Niederlanden.

8. 6. Bei Zusammenstößen in Ost-Berlin zwischen Volkspolizei und jugendlichen Fans, die am Brandenburger Tor ein Rockkonzert auf der westlichen Seite mithören wollten, werden westliche Medien-Korrespondenten von Sicherheitsleuten massiv behindert.

27. 8. SPD und SED veröffentlichen in Bonn und Ost-Berlin ihr Papier „Der Streit der Ideologien und die gemeinsame Sicherheit".

left alone / not stopped.

1.–18. 9. Teilnehmer beim Olof-Palme-Friedensmarsch der unabhängigen Friedensbewegung der DDR bleiben unbehelligt.

5. 9. Etwa 1.000 Mitglieder der unabhängigen Friedensbewegung der DDR treffen sich zu einer nicht angemeldeten Friedensdemonstration in Ost-Berlin, die ohne polizeiliche Eingriffe verläuft.

7.–11. 9. Generalsekretär Erich Honecker zu einem offiziellem Arbeitsbesuch in der Bundesrepublik Deutschland. Hier trifft er mit Bundespräsident Richard von Weizsäcker und Bundeskanzler Helmut Kohl zusammen. Abkommen über Informations- und Erfahrungsaustausch auf dem Gebiet des Strahlenschutzes, über Zusammenarbeit im Umweltschutz, in Wissenschaft und Technik werden unterzeichnet.

see page 86.

15. 9. Der stellvertretende DDR-Außenminister Peter Florin wird zum Präsidenten der 42. Tagung der UN-Vollversammlung gewählt; er spricht am 21. 9. mit US-Präsident Reagan.

13.–15. 10. Offizieller Staatsbesuch Honeckers in Belgien.

14.–16. 10. 16. Parteitag der DDR-CDU in Dresden.

1988   7.–9. 1. Honecker zu einem Staatsbesuch in Frankreich.

17. 1. In Ost-Berlin werden über 100 Angehörige der Friedens- und Menschenrechtsbewegung festgenommen (einige später aus der DDR ausgewiesen). Sie wollten sich an der offiziellen Luxemburg-Liebknecht-Demonstration mit Transparenten unter Rosa Luxemburgs Motto „Freiheit ist immer Freiheit des Andersdenkenden" beteiligen.

13. 2. Bei einer Gedenkfeier anläßlich des Jahrestags der Zerstörung Dresdens im Zweiten Weltkrieg werden DDR-Bürger verhaftet, die für die Einhaltung der Menschenrechte demonstrierten.

23. 4. Zum wiederholten Male dürfen DDR-Kirchenzeitungen wegen des Einspruchs des Presseamtes nicht erscheinen.

28.–29. 4. Honecker empfängt den stellvertretenden Fraktionsvorsitzenden der CDU/CSU im Bundestag, Volker Rühe, und den SPD-Fraktionsvorsitzenden, Hans-Jochen Vogel, zu Gesprächen.

3. 8. Bärbel Bohley und Werner Fischer, Mitglieder der Ost-Berliner Initiative für Frieden und Menschenrechte, die nach ihrer Festnahme am 25. 1. die DDR zu einem „Studienaufenthalt" verlassen mußten, kehren nach Ost-Berlin zurück.

3.–5. 10. Honecker zu einem Staatsbesuch in Spanien.

16.–18. 10. Besuch des Präsidenten des Jüdischen Weltkongresses, Edgar Miles Bronfman, am 17. 10. in Ost-Berlin, wo ihn Honecker empfängt.

18. 11. Die deutschsprachige Ausgabe der sowjetischen Zeitschrift „Sputnik" wird von der DDR-Postzeitungsliste gestrichen.

31. 12. 1988 siedeln 39.832 Bürger aus der DDR in die Bundesrepublik über.

1989   23. 1. Schwedens Ministerpräsident Ingvar Carlsson zu Staatsbesuch in Ost-Berlin.

6. 2. DDR-Grenzsoldaten erschießen den 20-jährigen Chris Gueffroy beim Versuch, von Ost- nach West-Berlin zu flüchten.

7. 5. Bei den Kommunalwahlen entfallen nach offiziellen Angaben 98,85% der Stimmen auf die Kandidaten der Einheitsliste. Von Oppositionellen werden vielerorts Wahlfälschungen festgestellt und bekanntgemacht.

8. 6. In einer Stellungnahme bewertet die Volkskammer das Massaker auf dem „Platz des himmlischen Friedens" in Peking als „Niederschlagung einer Konterrevolution".

10. / 11. 9. Ungarn läßt (ohne Absprache mit Ost-Berlin) alle dort anwesenden Fluchtwilligen aus der DDR in den Westen ausreisen. Bis Ende September kommen über 25.000 Übersiedler auf diesem Weg in die Bundesrepublik.

19. 9. Mit dem „Neuen Forum" beantragt erstmals in der DDR eine Oppositionsgruppe offiziell ihre Zulassung als Vereinigung. Am 20. 9. wird der Antrag abgelehnt, da die Gruppe „staatsfeindlich" sei.

2. 10. In Leipzig demonstrieren 20.000 Menschen für Reformen in der DDR. Sicherheitsorgane nehmen mehrere Demonstranten fest.

4. 10. Sonderzüge der Reichsbahn befördern etwa 7.600 DDR-Flüchtlinge, die in der bundesdeutschen Botschaft in Prag Zuflucht gesucht hatten, über das Territorium der DDR in die Bundesrepublik. Bahnhöfe und Gleise auf dem Transportweg werden gesperrt, um zu verhindern, daß weitere Menschen auf die Züge aufspringen.

Die Bürgerbewegungen „Neues Forum", „Demokratie Jetzt" und „Demokratischer Aufbruch" verlangen freie Wahlen unter UNO-Kontrolle.

6.–7. 10. Festveranstaltungen zum 40. Jahrestag der DDR-Gründung, an denen in Ost-Berlin Gorbatschow teilnimmt. In mehreren Städten werden Demonstrationen, auf denen Zehntausende für Meinungsfreiheit und Reformen eintreten, brutal aufgelöst und dabei über tausend Menschen festgenommen.

In Schwante bei Oranienburg gründen DDR-Bürger die „Sozialdemokratische Partei in der DDR" (SDP).

9. 10. 70.000 Menschen demonstrieren in Leipzig für eine demokratische Erneuerung der DDR. Die Sicherheitskräfte halten sich erstmals zurück.

18. 10. Auf der 9. Tagung des ZK der SED wird Erich Honecker „auf eigenen Wunsch" von allen Ämtern entbunden. Joachim Herrmann und Günter Mittag verlieren ihre Funktionen im Politbüro und im Sekretariat des ZK. Egon Krenz wird neuer Generalsekretär des SED.

24. 10. Die Volkskammer wählt (bei 26 Gegenstimmen) Egon Krenz zum Staatsratsvorsitzenden und zum Vorsitzenden des Nationalen Verteidigungsrates.

4. 11. Eine Million Menschen demonstrieren in Ost-Berlin für Demokratie in der DDR.

6. 11. In Leipzig demonstrieren Hunderttausende für unbeschränkte Reisemöglichkeiten, die Aufgabe des Führungsanspruchs der SED und freie Wahlen.

7. 11. Die DDR-Regierung tritt geschlossen zurück.

8. 11. Auf der 10. Tagung des ZK tritt das Politbüro zurück, ein verkleinertes Politbüro sowie Krenz als Generalsekretär werden bestätigt.

Das „Neue Forum" wird als Vereinigung zugelassen.

9. 11. Die Öffnung der Grenzen zur Bundesrepublik und nach West-Berlin wird mit sofortiger Wirkung verkündet.

17. 11. Regierungschef Hans Modrow präsentiert die 28 Minister seines verkleinerten Kabinetts. In seiner Regierungserklärung schlägt er der Bundesregierung eine „Vertragsgemeinschaft" vor.

An die Stelle des aufgelösten Ministeriums für Staatssicherheit tritt ein Amt für Nationale Sicherheit.

3. 12. Auf der 12. Tagung des ZK der SED erfolgt der Rücktritt des Politbüros und ZK. Erich Honecker und elf weitere Spitzenfunktionäre werden aus der SED ausgeschlossen.

Die ehemaligen Politbüromitglieder Günter Mittag und Harry Tisch wegen schwerer Schädigung des Volkseigentums und der Volkswirtschaft verhaftet.

8. 12. Der außerordentliche SED-Parteitag in Ost-Berlin lehnt Parteiauflösung ab und wählt Gregor Gysi zum Vorsitzenden.

19.–20. 12. Bundeskanzler Helmut Kohl in Begleitung der Bundesminister Dorothee Wilms, Norbert Blüm, Helmut Haussmann und Rudolf Seiters zu Gesprächen mit Ministerpräsident

Hans Modrow in Dresden. Beide Regierungschefs vereinbaren Verhandlungen über eine deutsch-deutsche Vertragsgemeinschaft.

1990

3. 1. „Runder Tisch" vereinbart „Große Koalition der Vernunft" bis zu den Volkskammerwahlen am 6. 5. 1990.

1. 2. Ministerpräsident Modrow unterbreitet Plan „Für Deutschland, einig Vaterland – Konzeption für den Weg zu einem einheitlichen Deutschland".

CDU-Vorsitzender Kohl berät in West-Berlin mit den Vorsitzenden der DDR-CDU, der DSU und des DA, de Maizière, Ebeling und Schnur über ein Wahlbündnis der konservativen Parteien in der DDR.

Neues Reisegesetz erlaubt die jederzeitige Reise ins Ausland.

5. 2. Die Volkskammer wählt acht Mitglieder oppositioneller Parteien und Bewegungen als Minister ohne Geschäftsbereich in die Regierung.

DDR-CDU, DA und DSU schließen Wahlbündnis, „Allianz für Deutschland".

1. 3. DDR-Ministerrat beschließt Umwandlung aller Kombinate in Kapitalgesellschaften sowie Einrichtung einer Anstalt zur treuhänderischen Verwaltung von Volkseigentum.

18. 3. Bei den ersten freien Volkskammerwahlen erreicht die CDU mit 163 Abgeordneten die Mehrheit, die SPD erhält 88, die PDS 66 Mandate.

12. 4. Lothar de Maizière als Ministerpräsident einer Koalitionsregierung aus DDR-CDU, DSU, DA, BFD, DFP, DDR-FDP und DDR-SPD gewählt.

28.–29. 4. Ministerpräsident de Maizière, Außenminister Meckel, Verteidigungs- und Abrüstungsminister Eppelmann sowie Wirtschaftsminister Pohl zu einem Arbeitsbesuch beim sowjetischen Staatspräsidenten Gorbatschow in Moskau.

5. 5. Beginn der „Zwei-plus-Vier-Gespräche" der Außenminister der vier Siegermächte und beider deutscher Staaten über die äußeren Aspekte der deutschen Einheit in Bonn.

6. 5. Aus freien Kommunalwahlen geht in der DDR die CDU mit 34,37 Prozent als stärkste Partei hervor. Die SPD kommt auf 21,27, die PDS auf 14,59 Prozent.

21. 6. EG-Außenminister stimmen in Dublin einem Dreistufenplan zur Eingliederung der DDR in die EG zu.

1. 7. Inkrafttreten der Wirtschafts-, Währungs- und Sozialunion. Damit wird die DM zum einzigen Zahlungsmittel in der DDR.

14.–16. 7. Besuch von Bundeskanzler Kohl in Moskau und im Kaukasus. Durch Gorbatschows Zustimmung zur NATO-Mitgliedschaft des vereinten Deutschlands wird das letzte Hindernis der „Zwei-plus-Vier-Gespräche" beseitigt.

19. 8. Die DDR-SPD verläßt die Regierungskoalition in Ost-Berlin.

23. 8. Auf einer Sondersitzung beschließt die Volkskammer den Beitritt der DDR zum Geltungsbereich des Grundgesetzes mit Wirkung vom 3. 10. 1990 nach Art. 23 des Grundgesetzes.

12. 9. Die Außenminister der vier Siegermächte und der Bundesrepublik sowie der DDR-Ministerpräsident unterzeichnen in Moskau einen „Vertrag über die abschließende Regelung in bezug auf Deutschland", mit dem das vereinte Deutschland seine „volle Souveränität über seine inneren und äußeren Angelegenheiten" erhält.

3. 10. Die DDR tritt dem Geltungsbereichs des Grundgesetzes bei. Die Bundesrepublik verfügt von nun an über die volle Souveränität.

ABKÜRZUNGEN

ABI	=	Arbeiter-und-Bauern-Inspektion
AfS	=	Archiv für Sozialgeschichte
Antifa	=	Antifaschismus (antifaschistisch)
APuZG	=	Aus Politik und Zeitgeschichte, Beilage zur Wochenzeitung Das Parlament
BFD	=	Bund Freier Demokraten
BGB	=	Bürgerliches Gesetzbuch
BGL	=	Betriebsgewerkschaftsleitung
BKP	=	Bulgarische Kommunistische Partei
BL	=	Bezirksleitung
BRD	=	Bundesrepublik Deutschland
BzG	=	Beiträge zur Geschichte der Arbeiterbewegung
CDU	=	Christlich-Demokratische Union
Comecon	=	Council for Mutual Economic Assistance, s. RGW
CSR	=	Tschechoslowakische Republik
CSSR	=	Tschechoslowakische Sozialistische Republik
CSU	=	Christlich-Soziale Union
DA	=	Demokratischer Aufbruch
DA	=	Deutschland-Archiv
DBD	=	Demokratische Bauernpartei Deutschlands
DDR	=	Deutsche Demokratische Republik
DEFA	=	Deutsche Film-AG (DDR)
DFD	=	Demokratischer Frauenbund Deutschlands
DM	=	Deutsche Mark
D Mark	=	Deutsche Mark
DSB	=	Deutscher Sportbund
DSF	=	Deutsch-sowjetische Freundschaft (Gesellschaft für)
DSU	=	Deutsche Soziale Union
DTSB	=	Deutscher Turn- und Sportbund
DWK	=	Deutsche Wirtschaftskommission
dz	=	Doppelzentner
EKD	=	Evangelische Kirche Deutschlands
EVG	=	Europäische Verteidigungsgemeinschaft
FDGB	=	Freier Deutscher Gewerkschaftsbund
FDJ	=	Freie Deutsche Jugend
FDP	=	Freie Demokratische Partei
FGB	=	Familien Gesetzbuch
GST	=	Gesellschaft für Sport und Technik
Gwh	=	Gigawattstunde (Mio kwh)
ha	=	Hektar
HO	=	Staatliche Handelsorganisation
IM	=	Inoffizieller Mitarbeiter (des MfS)
IML	=	Institut für Marxismus-Leninismus
IOC	=	International Olympic Committee (Internationales Olympisches Komitee)

IWK	= Internationale Wissenschaftliche Korrespondenz zur Geschichte der deutschen Arbeiterbewegung
Jg.	= Jahrgang
KB	= Kulturbund
KJVD	= Kommunistischer Jugendverband Deutschlands
Kominform	= Kommunistisches Informationsbüro
Komintern	= Kommunistische Internationale
Komsomol	= Kommunistitscheskij Sojus Molodjoshi, Kommunistischer Jugendverband der Sowjetunion
KP	= Kommunistische Partei
KPC/Tsch	= Kommunistische Partei der Tschechoslowakei
KPD	= Kommunistische Partei Deutschlands
KPdSU (B)	= Kommunistische Partei der Sowjetunion (Bolschewiki)
KPK	= Kommunistische Partei Kubas
KPO	= Kommunistische Partei-Opposition
KPU	= Kommunistische Partei Ungarns
KPV	= Kommunistische Partei Vietnams
KSZE	= Konferenz für Sicherheit und Zusammenarbeit in Europa
KVP	= Kasernierte Volkspolizei
kwh	= Kilowattstunde
KZ	= Konzentrationslager
LDP/LDPD	= Liberal-Demokratische Partei Deutschlands
LPG	= Landwirtschaftliche Produktionsgenossenschaft
M	= Mark
MAS	= Maschinen-Ausleih-Station
MfS	= Ministerium für Staatssicherheit
MTS	= Maschinen-Traktoren-Station
NATO	= North Atlantic Treaty Organization (Nordatlantikpakt)
NDPD	= National-Demokratische Partei Deutschlands
NKWD	= Narodny Komissariat Wnutrennich Del, Volkskommissariat für Innere Angelegenheiten (sowjetische politische Geheimpolizei)
NOK	= Nationales Olympisches Komitee
NÖS	= Neues ökonomisches System
NÖSPL	= Neues ökonomisches System der Planung und Leitung der Volkswirtschaft
NS	= Nationalsozialismus
NSDAP	= Nationalsozialistische Deutsche Arbeiterpartei
NVA	= Nationale Volksarmee
OECD	= Organization for Economic Cooperation and Development
OMGUS	= Office of Military Government, United States (amerikanische Militärregierung in Deutschland)
PDS	= Partei des Demokratischen Sozialismus
PGH	= Produktionsgenossenschaft Handwerk
PKK	= Parteikontrollkommission
PKW	= Personenkraftwagen
Politbüro	= Politisches Büro

PV	=	Parteivorstand
PVS	=	Politische Vierteljahresschrift
RGW	=	Rat für Gegenseitige Wirtschaftshilfe
RIAS	=	Rundfunk im amerikanischen Sektor (von Berlin)
RM	=	Reichsmark
SAG	=	Sowjetische Aktiengesellschaft
S-Bahn	=	Stadt-Bahn
SBZ	=	Sowjetische Besatzungszone
SED	=	Sozialistische Einheitspartei Deutschlands
SMA	=	Sowjetische Militäradministration
SMAD	=	Sowjetische Militäradministration in Deutschland
SPD	=	Sozialdemokratische Partei Deutschlands
SSD	=	Staatssicherheits-Dienst s. MfS
SU	=	Sowjetunion
SWA	=	Sowjetskaja Wojenneja Administrazija s. SMA
t	=	Tonne
UdSSR	=	Union der Sozialistischen Sowjetrepubliken
UN(O)	=	United Nations Organization
UNESCO	=	United Nations Educational, Scientific, and Cultural Organization
USA	=	United States of America
USAP	=	Ungarische Sozialistische Arbeiterpartei
VdgB	=	Vereinigung der gegenseitigen Bauernhilfe
VEB	=	Volkseigener Betrieb
VfZ	=	Vierteljahrshefte für Zeitgeschichte
VL	=	Vereinigte Linke
VVB	=	Vereinigung Volkseigener Betriebe
VVN	=	Vereinigung der Verfolgten des Naziregimes
ZA	=	Zentral-Ausschuß
ZDF	=	Zweites Deutsches Fernsehen
ZfG	=	Zeitschrift für Geschichtswissenschaft
ZK	=	Zentralkomitee
ZPKK	=	Zentrale Parteikontrollkommission

REGISTER

SACHREGISTER